Los funerales de Castro

Vicente Botín

Los funerales de Castro

Prólogo de Lluís Bassets

Ariel

1.ª edición: junio de 2009

© 2009: Vicente Botín

Derechos exclusivos de edición en español:
© 2009: Editorial Ariel, S. A.
Avda. Diagonal, 662-664 - 08034 Barcelona

ISBN 978-84-344-8817-5

Depósito legal: M. - 18.695 - 2009

Impreso en España por
Artes Gráficas Huertas, s. a.
Camino Viejo de Getafe, 60
28946 - Fuenlabrada (Madrid)

El papel utilizado para la impresión de este libro
es cien por cien libre de cloro
y está calificado como **papel ecológico**.

Sol, este libro es tuyo, por tu apoyo y tus consejos, por tu paciencia y tu generosidad. Siempre logras sacar de mí mi mejor yo. Gracias.

Índice

Buena parte de la publicidad turística que hoy encontramos en Occidente ha convertido a Cuba en un país casi virtual, muy parecido a un videojuego, lo ha transformado en el escenario de una fiesta infinita. (Y vigilada, como ha apuntado Antonio José Ponte.) Las últimas propagandas ya han sustituido la palabra paisaje por la palabra escenografía, dentro de la cual aparece, como un elemento más, la población. Hay aquí algo más que el atrezzo propio de las islas turísticas, donde todo —incluidos los seres humanos— existe para ser fotografiado y clasificado.

IVÁN DE LA NUEZ
Fantasía Roja. Los intelectuales
y la revolución cubana

Socialismo incorrupto

Los cadáveres embalsamados de Lenin y Mao Zedong permanecen expuestos en los mausoleos abiertos al público en la Plaza Roja y en Tianamen respectivamente, donde quisieron colocarles sus albaceas políticos. Son los testigos de lo que no ha cambiado ni en Rusia ni en China a pesar de la liquidación de la Unión Soviética y de la integración de la República Popular en la economía capitalista global. La nomenclatura capitalista salida del antiguo régimen comunista, y sobre todo de sus poderosísimos servicios secretos, considera intocable el cuerpo incorrupto del fundador del Estado soviético como símbolo de la Revolución de Octubre y del curso irreversible de la historia: el renacido orgullo nacional ruso encuentra así, en la continuidad con el comunismo desalojado del poder, una referencia irrenunciable sobre la que se puede permitir incluso la recuperación de José Stalin como vencedor de la Gran Guerra Patria contra el fascismo. El Partido Comunista Chino, única organización de encuadramiento político y de promoción y ascensión económica y profesional, retiene a su vez en el correspondiente despojo del fundador de la República Popular China el principio irrenunciable en el que se condensa el monopolio totalitario del poder: aunque Mao ha recibido «notas» por parte de sus sucesores, que condenaron sus errores ya en 1981 con la explícita indicación de que no superaban a sus méritos, nadie es capaz de cuestionar la veneración de su cadáver en el centro de Pekín.

Fidel Castro sabe que su caso es excepcional. Ninguno de los revolucionarios fundadores del socialismo realmente existente o, mejor dicho, que realmente existió, ha conseguido una permanencia tan larga en el poder ni mucho menos acercarse peligrosamente al umbral en el que las probabilidades de la desaparición de su régimen crecen exponencialmente cada día que pasa.

Veinte años han transcurrido ya desde que la dictadura cubana superara el mayor escollo para su existencia. Sucedió en aquella fecha brillante y gloriosa para las libertades europeas, en que cayó el Muro de Berlín y empezó la desintegración del antiguo bloque socialista. China tuvo su revuelta de Tianamen y Cuba su «caso Ochoa», envites en los que los dirigentes comunistas de ambos países consiguieron con el maquiavelismo al uso, manipulador y cruel, reprimir en sangre en el primer caso la revuelta de una entera generación de jóvenes chinos y organizar en el segundo una especie de «procesos de Moscú», en el mejor estilo estalinista, fusilamientos incluidos, como maniobra preventiva para evitar el aislamiento de Cuba como narcoestado: parte de la cúpula militar implicada en este tipo de actividades fue desmochada y sacrificada en aras de la supervivencia del jefe supremo.

Sin Unión Soviética y sin el internacionalismo socialista que alimentara al régimen cubano, Castro no tuvo más remedio que resignarse a ensayar una ligera apertura capitalista, el llamado «período especial», probablemente la peor época de la historia para el castrismo, momento en que el dictador creyó ver las orejas del lobo de la pérdida del poder personal y prefirió regresar al búnker de unas esencias socialistas meramente virtuales, sin más contenido que la verbosidad que las acompaña. Después del nuevo cerrojazo llegó el salvavidas del chavismo, con sus recursos petroleros, durante varios años tan revaluados que actuaron como último recurso de supervivencia. ¿Del sistema? No hay sistema alguno que tenga que sobrevivir. Nada de lo construido se sostiene, ni siquiera la educación y la sanidad que llegaron a convertirse en banderas exhibidas y admitidas en todo el mundo. Sistemático es el inmovilismo social y económico, una especie de ultraconsevadurismo que renuncia al más minúsculo cambio por el temor cerval de los viejos revolucionarios a una nueva revolución que esta vez los arrastre a ellos mismos: era la misma preocupación de los dirigentes chinos y la que abandonó de forma admirable Gorbachev, el único dirigente comunista que ha acreditado su aversión al uso de la fuerza para zanjar las dificultades políticas. Sistemáticos también son los toscos mecanismos de ocultación y de falsificación, tan fútiles en muchas ocasiones, que más parecen un insulto a la inteligencia, una técnica de sometimiento y de humillación por parte de Castro y los suyos que una forma de persuasión y convencimiento como era la propaganda tradicional.

Es curioso señalar que Rusia y
sólo las viejas quimeras comunistas,
y su corrupción, sino que han resueli
ma central de todo régimen despótico
poder, especialmente delicada cuando
ción cuando menos económica. Celebr.
socialismo, lo que queda sólo es el pode
esos cadáveres obscenamente venerados i
sus respectivos países en los que queda co
mo de las continuidades irrenunciables. Cu   .ia en-
terrado todo, aun sin haber conseguido ava   .ii un solo paso
hacia estos extraños sistemas reinventados que consiguen aunar
lo peor del comunismo (la dictadura, la libertad ahogada, la ar-
bitrariedad del poder) y lo peor del capitalismo (las desigualdades crecientes, el poder y la obscenidad del dinero). Lo único
que queda por enterrar es el cadáver viviente de su líder, que sigue hablando y gesticulando en los medios de comunicación oficiales, inasequible a las contradicciones y cargado siempre de
una razón total, irrebatible, despiadada, que es la del poder personal, cedido ahora por imperativo de la biología a su propio
hermano: así concluye en un comunismo oscurantista y heredi-
tario como el inventado por Kim Il-Sung, obligado como gran
parte de las dictaduras modernas a seguir, a la hora de la sucesión, el tropismo de la herencia biológica típico en las monar-
quías (Siria ya lo ha hecho, Egipto y Libia están en camino).

Quien se engaña en Cuba es porque quiere, y probablemente porque le interesa. «Hasta los funcionarios más leales advierten en privado de que hay que distinguir entre corrupción y
supervivencia», asegura un académico del régimen que lógicamente no revela su nombre. Con razón, esta observación recogida por el autor de este libro, Vicente Botín, define lo que es el
socialismo castrista y castrense de Cuba: un régimen en el que
no es posible distinguir entre corrupción y supervivencia, y en el
que por tanto el único incorrupto es el cadáver vivo de Fidel,
el mayor corrupto de todos porque es quien ha convertido Cuba
en su cortijo y en el de su familia y amigos.

Hay una fórmula infalible frente a la ceguera voluntaria, enfermedad del alma que afecta a más gente fuera de Cuba que en
la misma Cuba, donde muchos hacen como que no ven pero pocos son los que no quieren ver: periodismo. Cuando algunos
pretenden imaginarse cómo serían nuestras sociedades sin pe-

...odismo, se equivocan en una cuestión previa ... no hace falta imaginar nada, ya lo hemos conoci-...ctaduras son incompatibles con el periodismo, al que ...gnan una única función autodestructiva: transmitir con fi-...idad perruna su versión de los hechos y su visión del mundo, avalar sus crímenes, convertirse en arma de propaganda y de opresión y por ende en antiperiodismo. Quienes han vivido en dictadura han contado con mejores oportunidades que nadie para valorar en su justa medida lo que vale y para qué sirve el periodismo en libertad. ¿Libertad para qué?, dijo Lenin, algo que Castro habrá repetido decenas de veces. Para el común de los ciudadanos, para ser libres; para los dictadores en cambio la libertad sólo se concibe con fecha de caducidad o como una calle de dirección única: para alcanzar el poder y luego para nada, porque significa permitir que se vislumbren los propios errores, paso previo a la exigencia de alternancia y de pluralidad.

Quien quiera engañarse puede: tiene el permiso que le proporciona la ceguera voluntaria practicada durante 50 años con el castrismo. El periodismo es precisamente una actividad que se construye directamente contra la ceguera voluntaria. Vicente Botín no tiene antipatía alguna de principio por el peculiar socialismo cubano, pero es evidente que no quiso mirar hacia otro lado en ningún momento durante sus años de corresponsal de Televisión Española y ha querido ahora pasar a limpio lo más sustancial de aquella experiencia. El resultado, entreverado de letras de boleros y empapado de la cultura popular y del habla cotidiana de los cubanos, es un reportaje soberbio y veraz, en el que no falta ni uno de los antecedentes históricos pero tampoco sobra ninguna anécdota, chiste o peripecia más o menos amarga como suelen producirse en las dictaduras. La tesis central, el carácter virtual del socialismo y del régimen, queda sobradamente demostrada, incluida en ella el falso bloqueo norteamericano, que en realidad es un embargo parcial, y el papel central que juega a la hora de declarar la total irresponsabilidad política e histórica de Castro y los suyos por tanta catástrofe y tan mal Gobierno: todo cuanto ha salido mal, se debe al embargo norteamericano. Mientras la vida de Fidel se extingue, también está a punto de aligerarse e incluso terminar este elemento singular que todavía sigue dando sentido «a contrario» a la Revolución.

Es fácil colegir que, siendo todo lo que ha salido mal, en cuanto se levante el embargo, tal como apuntan los nuevos aires que se respiran en Washington, ninguna excusa quedará para que todo empiece a salir bien. Obama, el nuevo presidente (y décimo con Fidel todavía en el machito: no se olvide que conserva todavía el título de secretario general del Partido Comunista), y el tiempo, que cura muchas cosas pero sobre todo ajusta sus cuentas con todo lo que se eterniza, serán pues los dos agentes del cambio en Cuba. La transición no ha arrancado todavía y todo parece congelado como en un fotograma en blanco y negro. Pero todo está también ya en su sitio para que empiece el cambio y suban de nuevos los colores de la vida a esta escena antigua presidida por una gerontocracia agotada y sin más recursos que irse apañando de un día para otro. Nos lo cuenta con detalle y agudeza el excelente reportero que es Vicente Botín, al igual que nos apunta, a la postre, la clara bifurcación que se presenta a los cubanos al final de estos funerales. Quedar un paso atrás pillados en una nueva «democracia soberana» situada entre China y Rusia desde el punto de vista de ideologías y estructuras de poder, y basada en la nueva «burguesía nacional» salida del castrismo castrense; o realizar el auténtico salto hacia una sociedad abierta, que es lo que merecen los cubanos y lo que merecen las Américas.

LLUÍS BASSETS
Madrid, marzo de 2009

Introducción

De haber conocido a Fidel Castro, Grigori Alexándrovich Potemkim se hubiera sentido orgulloso de él. Pero el Primer Ministro de Catalina II de Rusia murió 150 años antes de que naciera el dictador cubano. Esa distancia de tiempo y de lugar no ha impedido, sin embargo, que ambos personajes coincidieran en un mismo proyecto; el primero, como maestro, y el segundo, como discípulo.

En 1787, Catalina la Grande pidió a su fiel valido y amante ocasional, Grigori Alexándrovich Potemkim, que organizara un viaje a Crimea. La zarina estaba alarmada por las noticias que le llegaron sobre las terribles condiciones de vida de sus súbditos, y quería comprobar cuánto había de verdad en ello. El Primer Ministro, acostumbrado a los caprichos reales, no se inmutó y partió al tiro para organizar los preparativos.

Cuando Catalina visitó Crimea sintió un gran alivio porque pudo comprobar que nada de lo que le habían contado era cierto. Las aldeas que visitó eran lugares apacibles, con casitas alineadas a lo largo de la calle principal, espaciosa y arbolada. Pintadas con vivos colores, las viviendas relucían bajo el sol. En las ventanas había tiestos con flores, que competían en belleza con visillos primorosamente bordados. En las puertas de las casas, familias de sonrientes campesinos, bien alimentados y endomingados, vitoreaban a su soberana. Catalina quedó gratamente sorprendida. Todos sus súbditos vivían bien, no pasaban hambre y sus viviendas estaban lejos de parecerse a las chozas miserables que le habían descrito. La zarina ordenó entonces regresar a San Petersburgo y, sin más sobresaltos, siguió gobernando a su pueblo.

Lo que la infeliz Catalina nunca sospechó es que había sido víctima de uno de los engaños más ingeniosos de la Historia. Grigori Alexándrovich Potemkim, preocupado por lo que la zarina se iba a encontrar, miseria extrema, gente desnutrida y enferma, trabajos esclavos, viviendas miserables..., se había adelantado a la visita real, acompañado por una legión de obreros, que trabajaron contra reloj para construir decorados con la fachada de hermosas casas que colocaron delante de las chozas de los campesinos. Potemkim puso en marcha una superproducción cinematográfica, *avant la lettre*, con actores que interpretaron sus papeles de gente feliz, en un mundo feliz de cartón piedra, porque la realidad era demasiado cruda para mostrársela a la zarina. A esos pueblos felices se los conoce como «aldeas Potemkim».

* * *

Cuba es, en muchos aspectos, una aldea Potemkim, sólo que los decorados están hechos con palabras, pero son tan eficaces y resistentes como los de cartón piedra. Y el autor de esa tramoya es Fidel Castro, valido de sí mismo, un hombre que murió hace mucho tiempo, aunque «el cadáver, ay, siguió muriendo».

El 8 de enero de 1959, Fidel Castro entró en La Habana en medio del fervor popular, después del aplastante triunfo obtenido por el Ejército Rebelde, apoyado por un amplio espectro de grupos, unidos todos en el común afán de restaurar la democracia, cercenada por el golpe de Estado de Fulgencio Batista, el 10 de marzo de 1952. Castro iba subido a un tanque, y junto a él se encontraban dos de los más importantes comandantes de la Sierra Maestra, cuyo destino trágico presagió ya desde el comienzo la llegada de los heraldos negros a Cuba: Camilo Cienfuegos, muerto en circunstancias extrañas en un accidente de aviación, el 28 de octubre de 1959, y Húber Matos, condenado a finales de ese mismo año por «traición y sedición» a 20 años de cárcel por oponerse al giro comunista que dio Fidel Castro a la revolución.

Restaurar el orden constitucional y convocar elecciones en un plazo de dieciocho meses. Ése fue el objetivo del Gobierno provisional que se formó después de la fuga del dictador, Fulgencio Batista, con Manuel Urrutia, un juez moderado, como Presidente, y José Miró Cardona, un jurista que había sido profesor de Fidel Castro, como Primer Ministro. El resto del Gabinete estaba integrado por un heterogéneo grupo de personas, antiguos opositores a la dictadura, como Roberto Agramonte y Raúl Chivás; también había tres miembros del Ejército Rebelde, de los cuales sólo uno de ellos pertenecía al Movimiento 26 de Julio, liderado por Fidel Castro.

El líder guerrillero no formaba parte del Gobierno, era el «delegado general del presidente ante los organismos armados», es decir, el jefe de las Fuerzas Armadas Rebeldes, un ejército bien armado y fogueado en el combate contra las fuerzas de Batista, que tenía al país bajo su control. Castro se convirtió en el hombre más poderoso de Cuba. Mientras el Gobierno hablaba, Castro actuaba. Desde esa posición de fuerza, el comandante inició el asalto al poder. Nombró un «gobierno invisible» que suplantó al Gobierno provisional y luego se deshizo de él. Sus «ministros» fueron personas de máxima confianza: su hermano Raúl, la esposa de éste, Vilma Espín, Ernesto Che Guevara, Ramiro Valdés, Alfredo Guevara, Antonio Núñez Jiménez y Lionel Soto. Entre todos diseñaron las bases de un sistema totalitario que todavía hoy perdura en Cuba.

Fidel Castro le debe mucho a Grigori Alexándrovich Potemkim, porque fue capaz de urdir, como él, un fantástico artificio para disfrazar durante medio siglo la verdadera naturaleza de su régimen. Como un Arlequín de dos caras, interpretó dos papeles al mismo tiempo; fue a la vez redentor de la humanidad y azote de su pueblo. Sus palabras calaron muy hondo en un mundo necesitado de justicia social. Fidel Castro canalizó muchos deseos y muchas esperanzas de los que creen que un mundo mejor es posible. Líderes así hacen falta. Con muchos de sus discursos podría construirse la mejor de las utopías.

Pero Fidel Castro predicó y no dio trigo. Mientras luchaba contra los gigantes, en Cuba los molinos se quedaron sin harina que moler, y obnubilado como estaba por su propio discurso, la emprendió a mamporros contra los pellejos de vino. La lucha contra el «imperio» le dio argumentos para justificarlo todo, la militarización de la sociedad, la falta de libertades, el encarcelamiento de los disidentes («mercenarios» financiados por Washington, en el argot oficial), la cartilla de racionamiento, la falta de transporte, la precariedad de la vivienda, los cortes de luz, la prohibición de salir del país, el veto a internet... Cuba está en guerra, y la guerra lo excusa todo.

Fidel Castro no pudo llevar a los cubanos a la tierra prometida, pero no fue por culpa suya; fuerzas poderosas se lo impidieron. Perdido entre las brumas de su propia Numancia, anduvo errante durante mucho tiempo, acosado por sus obsesiones, la más importante de todas, permanecer el mayor tiempo posible en su puesto de combate, embutido en su trasnochado uniforme verde olivo. Al final, se convirtió en la sombra de sí mismo, sin el consuelo de saberse perdonado.

La isla Potemkim que construyó Fidel Castro acabará por desmoronarse en el olvido. El tinglado ha durado demasiado tiempo. Pero los decorados se mantienen todavía en pie, porque la obra aún se sigue representando bajo la dirección de Raúl Castro. Forzados comparsas interpretan el papel de mujiks felices, mientras esperan que caiga un telón de fuego que reduzca a cenizas las artificiosas bambalinas para poder construir realidades, para poder materializar los sueños tantos años reprimidos. El reloj está marcando ya las horas y las viejas gramolas, detenidas, como el tiempo, renacen al compás de boleros como *Puro teatro*, del gran Tite Curet, en el momento en que Fidel Castro, el gran simulador, el mejor émulo de Grigori Alexándrovich Potemkim, hace mutis por el foro.

> Lo tuyo es puro teatro
> falsedad bien ensayada
> estudiado simulacro.
>
> Fue tu mejor actuación
> destrozar mi corazón.

Capítulo 1

«This is American Territory»

> Celia, al ver los cohetes que tiraron en casa de Mario, me he jurado que los americanos van a pagar bien caro lo que están haciendo. Cuando esta guerra se acabe, empezará para mí una guerra más larga y grande: la guerra que voy a echar contra ellos. Me doy cuenta de que ése va a ser mi destino verdadero.
>
> FIDEL CASTRO
> Carta a Celia Sánchez desde la
> Sierra Maestra, 5 de junio de 1958

Frederic Remington, dibujante del *New York Journal*, estaba cansado de deambular por La Habana. Hacía mucho calor en ese mes de marzo de 1898, y la humedad elevaba aún más la temperatura. Su cuaderno rebosaba de estampas sobre la vida cotidiana en Cuba, no muy diferentes de las que Samuel Hazard había incluido en su libro *Cuba a pluma y lápiz* veinticinco años antes. Pero él no había viajado tan lejos para hacer costumbrismo. Sus ilustraciones, de un impactante realismo, sobre la conquista del Oeste y las luchas contra los indios, le habían proporcionado una justa fama. Por eso William Randolph Hearst, el magnate de la prensa, le había enviado a Cuba, para que dibujara escenas de una guerra que se presumía inminente. Pero nada indicaba que el conflicto fuera a estallar, y así se lo hizo saber Remington a su patrón: «Todo en calma, no habrá guerra. Stop. Pido regresar». La respuesta de Hearst no se hizo esperar: «Quédese allí. Proporcione ilustraciones, yo pondré la guerra».

Esa anécdota, que si no es cierta bien podría serlo, fue recogida por Orson Welles en *Citizen Kane*, pero su protagonista no era un ilustrador, sino un poeta: «Chicas Cuba encantadoras. Stop. Podría enviar poemas sobre paisajes, pero sería desperdiciar dinero. Stop. No hay guerra en Cuba. Firmado: Wheeler». La respuesta de Kane-Hearst fue: «Querido Wheeler, usted envíe poemas, yo pondré la guerra».

William Randolph Hearst se salió finalmente con la suya. Desde las páginas de sus periódicos atizó los sentimientos belicistas de Estados Unidos contra la débil España colonial. La voladura del *Maine*, un crucero de la Armada estadounidense que explosionó y se hundió frente a La Habana el 15 de febrero de 1898, marcó el punto de inflexión de esa guerra, en principio mediática. Investigaciones posteriores demostraron que la deflagración se debió a un accidente, pero Estados Unidos culpó a España de sabotaje y utilizó el incidente, en el que murieron 268 marinos, como pretexto para intervenir en Cuba. El 20 de abril de ese mismo año, el Congreso dio la autorización solicitada nueve días antes por el presidente William McKinley para garantizar el derecho del pueblo de Cuba de ser «libre e independiente». La Resolución Conjunta *(Joint Resolution)* allanaba el camino para que Estados Unidos se apoderara de la isla.

Veinticinco años antes, el 23 de abril de 1823, el secretario de Estado norteamericano, John Quincy Adams, dirigió una carta a su embajador en Madrid, Hugh Nelson, en la que le decía que la isla de Cuba, «casi a la vista de nuestras costas», se había convertido, por una multitud de consideraciones, «en un objeto de importancia trascendental para los intereses comerciales y políticos de nuestra Unión», por lo que «resulta difícil resistirse a la convicción de que la anexión de Cuba a nuestra República Federal será indispensable para la continuidad e integridad de la propia Unión». El probo funcionario reforzaba su argumento, apoyándose nada menos que en Newton: «Hay leyes de la política —decía—, como las hay de la gravitación física; y si una manzana arrancada por la tormenta de su árbol originario, no puede hacer otra cosa que caer al suelo, Cuba, separada por la fuerza de su conexión antinatural con España e incapaz de sobrevivir por sí misma, sólo puede gravitar hacia la Unión norteamericana, que por la misma ley de la naturaleza, no puede arrojarla de su seno».

«América para los americanos», vino a decir meses después, el 2 de diciembre de 1823, el presidente de Estados Unidos, James Monroe, al advertir a las potencias europeas de que debían abstenerse de intervenir en el continente. La Doctrina Monroe reforzó los argumentos para la anexión de Cuba, que dentro de la isla apoyaban también algunos terratenientes. La proximidad geográfica había propiciado un floreciente comercio entre la colonia española y Estados Unidos, que compraba la mayor parte del azúcar producido en la isla y le suministraba bienes manufacturados. Colonos estadounidenses se habían asentado también en Cuba. Las rutas de los vapores que salían de La Habana, rumbo a La Florida, Nueva Orleans o Nueva York, incrementaron los lazos entre ambas orillas, sobre todo a partir de la segunda mitad del siglo XIX. Por entonces, Estados Unidos se propuso comprar la isla, pero España rechazó la oferta. La negativa española propició en Estados Unidos una corriente favorable a la opción militar: «Entonces, según todas las leyes humanas y divinas, estaremos justificados para arrebatársela si poseemos capacidad para hacerlo».[1]

La voladura del *Maine* fue el pretexto para la intervención. La «manzana» cubana, de acuerdo con la metáfora empleada por Quincy Adams, cayó de su árbol para acabar dentro del zurrón del cuerpo expedicionario estadounidense. Los marines arrebataron al ejército libertador cubano la gloria de izar su propia bandera en la isla, después de la derrota española. «*This is American Territory conquered by us*», le dijo el general Shafter al general Joaquín Castillo, al comunicarle que a los *mambises*[2] se les negaba el honor de entrar en Santiago de Cuba.[3]

> Al volver de distante ribera,
> con el alma enlutada y sombría
> afanoso busqué mi bandera
> ¡y otra he visto además de la mía![4]

La protección del Tío Sam

El Gobierno de Washington hizo caso omiso de la Resolución Conjunta, que propició su intervención en Cuba y que establecía «que Estados Unidos por la presente renuncia a toda intención o propósito de ejercer soberanía, jurisdicción o dominio sobre dicha Isla, excepto para su pacificación, y declara que están determinados, cuando ésta se realice, a dejar el gobierno y dominio de la Isla en manos del mismo pueblo cubano». Una vez derrotado el ejército colonial español, las tropas norteamericanas ocuparon la isla y establecieron un protectorado con gobernadores militares al frente. La «protección» continuó en 1902 con el alumbramiento de la República de Cuba, en cuya Constitución Estados Unidos introdujo una dolorosa espina, la Enmienda Platt,[5] que los cubanos tuvieron que tragar amargamente. La Enmienda Platt establecía en su título tercero «Que el gobierno de Cuba consiente que Estados Unidos puede ejercitar el derecho de intervenir para la conservación de la independencia cubana, el mantenimiento de un gobierno adecuado para la protección de vidas, propiedad y libertad individual y para cumplir las obligaciones que, con respecto a Cuba, han sido impuestas a Estados Unidos por el Tratado de París y que deben ahora ser asumidas y cumplidas por el Gobierno de Cuba».

Para que Estados Unidos pudiera «mantener la independencia de Cuba y proteger al pueblo de la misma, así como para su propia defensa», el título séptimo de la Enmienda Platt disponía que el gobierno de Cuba «venderá o arrendará a Estados Unidos las tierras necesarias para carboneras o estaciones navales en ciertos puntos determinados que se convendrán con el presidente de Estados Unidos».[6]

La Enmienda Platt fue como un grano de pus que no pudo sajarse hasta 1934, con la firma de un Tratado de Reciprocidad entre los dos países. Durante esos 32 años, y al amparo de presidentes títeres, Estados Unidos intervino sucesivas veces en la isla, y sus tropas permanecieron estacionadas durante largos períodos de tiempo, siempre que sus aliados o sus intereses estuvieron en peligro. Esa práctica comenzó en 1906, durante la llamada «guerrita de agosto», cuando los marines yanquis ayudaron a sofocar un levantamiento contra el primer presidente de la República, Tomás Estrada Palma, y permanecieron en la isla hasta 1909. En 1912 regresaron de nuevo, y cuatro años más tarde, en 1916 y hasta 1920, volvieron para aplastar una revuelta, conocida como La Chambelona, después del fraude electoral perpetrado por el también presidente Mario García Menocal. Hasta 1934, un año después del derrocamiento del dictador Gerardo Machado, las tropas norteamericanas se pasearon por la isla como Pedro por su casa.

¡Pobre Cuba, señores!
¡Pobre Cuba...!

[...]

¡Ah Si Maceo volviera a vivir
y a su patria otra vez contemplara,
de seguro la vergüenza lo matara.
O el cubano se arreglara,
¡o él se volvería a morir![7]

Bienvenido, míster Marshall

La ocupación militar de Cuba por el ejército de Estados Unidos fue aprovechada por inversores de ese país, que adquirieron grandes extensiones de tierra con el propósito, principalmente, de reflotar la industria azucarera, que había quedado seriamente dañada por las guerras de Independencia. Las inversiones pasaron de unos 160 millones de pesos, en 1906, a 215 millones, en 1914, y a 1.360 millones, en 1925.[8]

En 1919 había en Cuba 65 centrales[9] azucareros en manos de propietarios estadounidenses que modificaron no sólo el paisaje físico de la isla, sino también, y de manera determinante, la geografía social del país, como explica Francisco Pérez de la Riva: «... siguiendo patrones muy similares de infraestructura, las compañías encargadas de edificar los ingenios azucareros, concebían también la construcción de una pequeña comunidad urbana, denominada batey, construida por un conjunto de instalaciones tales como viviendas, escuelas privadas y públicas, iglesias, cinematógrafo, hospital, telégrafo, hotel y ferrocarril, así como áreas verdes, almacenes, calles de macadam, alumbrado público, teléfono y alcantarillado, entre otros medios; conjunto de edificaciones que eran menos ostensibles en los bateyes de los centrales azucareros cubanos».[10]

Los bateyes se convirtieron en enclaves donde los cubanos se familiarizaron con el modo de vida americano. El poeta y novelista Pablo Armando Fernández recuerda: «... yo había aprendido inglés desde los seis años y vivía en territorio norteamericano en Cuba. Así, toda la cultura que se respiraba, se vivía y se soñaba en el central Delicias era norteamericana. Desde la medicina y la comida, los libros, los muñequitos y las películas, todo era norteamericano».[11]

La penetración norteamericana en Cuba se extendió a todos los sectores de la economía: minería, sobre todo hierro, níquel y cobre; petróleo; instalaciones portuarias; ferrocarriles, construcción, banca, electricidad, telefonía... El impacto de esa otra «invasión» contribuyó a la modernidad del país e influyó sobremanera en la sociedad cubana. Estados Unidos se convirtió en un referente imprescindible para todas las clases sociales, sobre todo para las capas medias y altas, muy permeables al modo de vida americano. «Vivir a la manera de Estados Unidos se convirtió en una aspiración social de importantes sectores de la burguesía nacional, la clase media alta cubana y la aristocracia obrera, actitud que se haría más evidente en los últimos lustros del transcurrir republicano, aunque como propensión estaría presente desde mucho antes».[12]

La arquitectura norteamericana modificó radicalmente el paisaje de algunas ciudades como Cárdenas, Matanzas y sobre todo La Habana, en su expansión hacia El Vedado, y más tarde a Miramar y Cubanacán. Los usos y costumbres estadounidenses se mixturaron con los usos y costumbres de los cubanos. Deportes como el béisbol fueron adoptados como propios y no pocos anglicismos pasaron a formar parte del habla de la isla. En opinión de Fernando Ortiz, «la vida pública de Cuba no ha sido más que la lucha sociológicamente fatal, tenaz y no siempre consciente, entre la atracción española cada día más débil a través del Atlántico y la atracción norteamericana cada día más fuerte y próxima. Cuba, incapaz —más por sus condiciones sociales que por las geográficas— de desarrollar una decisiva acción centrífuga que neutralizase el esfuerzo centrípeto de ambos focos de atracción, ha pasado paulatinamente de un sistema planetario a otro».[13]

Entre el 4 de septiembre de 1933, fecha de la llamada «revolución de los sargentos», y el 1 de enero de 1959, en que Fidel Castro llegó al poder, Cuba vivió uno de los períodos más convulsos de su historia. La corrupción política y la conflictividad social llevaron al país a un callejón de difícil salida. En ese contexto se produjo el golpe de Estado de Fulgencio Batista, el 10 de marzo de 1952, y un año más tarde, el 26 de julio de 1953, tuvo lugar el fallido asalto al cuartel Moncada, en Santiago de Cuba, que constituye el primer acto armado del grupo liderado por Fidel Castro, que a partir de esa fecha se llamará precisamente Movimiento 26 de Julio.

La permanente agitación que vivió Cuba durante esos años, no afectó a los intereses norteamericanos; al contrario, las empresas de Estados Unidos incrementaron aún más sus inversiones en la isla, sobre todo después del golpe de Estado de Fulgencio Batista. De 713 millones de dólares en 1951 se pasó a más de mil millones en 1958.[14]

Y en eso llegó Fidel

> Para qué perder el tiempo,
> para qué volvernos locos,
> si tú sabes que nosotros
> no nos comprendemos ya.[15]

La llegada de Fidel Castro al poder estimuló el nacimiento de una identidad nacional, fraguada a través del conflicto con Estados Unidos, que opacó los principios que sustentaron la unidad de todos los grupos revolucionarios para restablecer la democracia en Cuba. Esa pugna, que comenzó con las escaramuzas de las nacionalizaciones, fue el acicate que impulsó a la Revolución cubana y transformó a su líder en un heroico Viriato frente al nuevo Imperio romano.

La primera Ley de Reforma Agraria, firmada en la Sierra Maestra el 17 de mayo de 1959, fue un golpe de gracia contra los latifundios, gran parte de ellos norteamericanos, al fijar en 30 caballerías (402 hectáreas) el máximo de extensión de tierra que podía tener una persona natural o jurídica.[16] Esa medida marcó el inicio de una fuerte escalada de tensión entre Cuba y Estados Unidos, que a partir de ese momento se propuso acabar a cualquier precio con la Revolución cubana. Las medidas de asfixia económica y el apoyo a las acciones de sabotaje y terrorismo emprendidas por el Gobierno norteamericano, culminaron con la fallida invasión de Playa Girón, en abril de 1961.

Hasta ese momento, más del 80 % del comercio exterior de Cuba se realizaba con Estados Unidos, que adquiría además casi toda la producción azucarera de la isla a precios preferenciales. Cuando el Congreso estadounidense aprobó una ley para reducir drásticamente la cuota azucarera cubana, Fidel Castro pronunció un encendido discurso en el que dijo «Nos quitarán nuestra cuota libra a libra y nosotros les quitaremos sus ingenios azucareros uno por uno». Castro cumplió su palabra, y el 6 de agosto de 1960 anunció la nacionalización de 36 ingenios azucareros, además de otras importantes empresas, entre ellas las refinerías de petróleo propiedad de Shell, Standard Oil y Texaco; y los monopolios del teléfono y la electricidad. Un mes más tarde fueron confiscados todos los bancos de propiedad estadounidense y otras 383 grandes empresas, entre ellas las ferroviarias, las instalaciones portuarias, los hoteles y los cines de propiedad estadounidense. En el mes de octubre, el Gobierno cubano se había apropiado de todas las empresas norteamericanas en Cuba.

Ya no había marcha atrás. En noviembre de 1960, Estados Unidos decidió dar una vuelta de tuerca más, al decretar un embargo de todas las exportaciones norteamericanas a Cuba, excepto alimentos y medicinas. Cuba se quedó sin los suministros y repuestos estadounidenses, vitales para la marcha del país, y con toda su producción azucarera en los almacenes. La Unión Soviética vino a cubrir el vacío dejado por Estados Unidos y durante casi 30 años jugó el papel de padrino generoso, al suministrar a la isla los recursos necesarios para poder mantenerse en pie frente al acoso del poderoso «tutor» de antaño, que el 3 de enero de 1961 rompió las relaciones diplomáticas con Cuba.

Estados Unidos no cejó en su empeño de acabar con la Revolución cubana. La Crisis de los Misiles, cuando el Gobierno norteamericano descubrió en octubre de 1962 que la Unión Soviética había instalado cohetes nucleares en Cuba, se saldó con un compromiso entre las dos superpotencias y la promesa por parte de Estados Unidos de no invadir la isla. Cuba salió escaldada de la crisis. «Nikita, mariquita, lo que se da no se quita», gritaban a coro los cubanos contra el premier soviético Nikita Jruschev después de la retirada de los cohetes de la isla.

La última carga al machete

La crisis de octubre sirvió de pretexto a Estados Unidos para reforzar el bloqueo comercial y económico contra la isla. Además, Washington intensificó las presiones sobre los gobiernos latinoamericanos con el fin de aislar a la Revolución. «Construiremos un muro en torno a Cuba», dijo John Kennedy en marzo de 1963, y un año más tarde, en julio de 1964, la IX Reunión de Cancilleres de los países miembros de la Organización de Estados Americanos (OEA) reunidos en Washington, adoptó una Resolución que instaba a los gobiernos del continente a romper las relaciones diplomáticas con el régimen de Fidel Castro. El dictador cubano respondió con la llamada Declaración de Santiago, que finaliza con una cita de Antonio Maceo, uno de los principales caudillos de la lucha por la Independencia de Cuba: «¡Quien intente apropiarse de Cuba recogerá el polvo de su suelo anegado en sangre, si no perece en la lucha!».

La cita de Antonio Maceo, el *Titán de Bronce*, respondía a una estrategia muy bien diseñada por Fidel Castro para situar la política de agresión de Estados Unidos contra Cuba en el marco de la lucha por la Independencia. Si en 1898 el imperialismo norteamericano arrebató a los cubanos la posibilidad de ser libres e independientes, y en 1902 disfrazó su apetito anexionista detrás de un espurio sistema republicano favorable a sus intereses, en 1959, la Revolución cubana, «resultado del largo proceso de luchas que nuestro pueblo inició en 1868», había por fin logrado la verdadera independencia de Cuba. Castro no era sino el heredero, el depositario del fuego sagrado que encendieron próceres y guerreros como José Martí, Máximo Gómez, Calixto García y Antonio Maceo, burlados por el imperialismo norteamericano.

> Yo quiero que nazca un hombre
> que a mí se parezca.
> que salve a la tierra
> de tanto peligro...
> Y si ese hombre no puede,
> entonces, cubanos,
> ¡que la salve Dios![17]

Fidel Castro supo tocar la fibra más sensible del alma nacional cubana y despertó los sentimientos patrióticos que permanecían ocultos por la fascinación del *American way of life*. El asalto al Moncada y la lucha en la Sierra Maestra contra la dictadura de Fulgencio Batista se transformaron en un nuevo grito de Yara,[18] no contra la decadente España colonial, sino contra el poderoso imperialismo norteamericano. El propósito de Estados Unidos no era acabar con la Revolución, sino con la independencia de Cuba que la revolución había logrado después de tanto tiempo.

La Revolución cubana se inscribía, además, en el contexto de la lucha de los pueblos de Latinoamérica contra el imperialismo yanqui, como señaló Fidel Castro en un discurso, el 2 de septiembre de 1960, conocido como la Primera Declaración de La Habana: «En la lucha por esa América Latina liberada, frente a las voces obedientes de quienes usurpan su representación oficial, surge ahora, con potencia invencible, la voz genuina de los pueblos, voz que se abre paso desde las entrañas de sus minas de carbón y de estaño, desde sus fábricas y centrales azucareros, desde sus tierras enfeudadas, donde rotos, cholos, gauchos, jíbaros, herederos de Zapata y de Sandino, empuñan las armas de su libertad, voz que resuena en sus poetas y en sus novelistas, en sus estudiantes, en sus mujeres y en sus niños, en sus ancianos desvalidos. A esa voz hermana, la Asamblea General Nacional del Pueblo de Cuba le responde: ¡Presente! ¡Cuba no fallará! Aquí hay Cuba para ratificar, ante América Latina y ante el mundo, como un compromiso histórico, su lema irrenunciable: ¡Patria o muerte!».

El grito independentista de los *mambises*, «Libertad o Muerte», se transformó en «Patria o Muerte». La patria estaba en peligro, no la Revolución, la patria toda, cubana y latinoamericana, y el deber de Cuba, su «compromiso histórico» era defenderla o morir. Por eso, la fallida invasión de Playa Girón fue «la primera derrota del imperialismo en América». Los cubanos vencieron a los mercenarios que envió el «imperio» a reconquistar la isla, y lo lograron porque empuñaron «las armas de su libertad», de «rotos, cholos, gauchos, jíbaros, herederos de Zapata y de Sandino...».

Durante toda su vida, Fidel Castro libró un combate singular contra el «imperio», cuya torpeza le proporcionó los mejores argumentos para justificar su larga permanencia en el poder. Si Estados Unidos hubiera dejado en paz a Cuba, el uniforme verde olivo del comandante se habría apolillado en el armario, y con él su propietario, quien despojado de su túnica sagrada, quizás sólo hubiera merecido unas líneas en los libros de historia. El bloqueo sobre la isla, que diez presidentes, desde John Kennedy a George Bush, han mantenido tercamente sobre Cuba, dieron a Castro oxígeno más que suficiente para sobrevivir y para justificar los desastres acumulados durante cincuenta años de dictadura.

El pan de los demás

El «imperio» es culpable de que los cubanos no hayan alcanzado el nivel de bienestar prometido por la Revolución. Cuba no puede bajar la guardia. El enemigo acecha cualquier signo de debilidad. Los principales recursos del país tienen que destinarse a la defensa del país... Son argumentos repetidos hasta el cansancio en la Numancia castrista. Es cierto que el bloqueo ha causado mucho daño al país, un daño que el Gobierno cubano cifraba, en 2008, en cerca de 100.000 millones de dólares. Pero durante treinta años, entre 1960 y 1990, Cuba recibió de la Unión Soviética y de sus socios del CAME, el Consejo de Ayuda Mutua Económica, una ayuda que Irina Zorina, de la Academia de Ciencias de Rusia, valora en una cantidad similar. Carmelo Mesa Lago,[19] por su parte, fija esa cifra en 65.000 millones, el 40 % en precios subsidiados no pagaderos, y el 60 % en préstamos, de los que el Gobierno cubano sólo devolvió 500 millones de dólares.[20] Por establecer una comparación, entre los años 1947 y 1951, Estados Unidos destinó 13.000 millones de dólares al Plan Marshall para la reconstrucción de Europa, después de la Segunda Guerra Mundial.

Hasta la caída del muro de Berlín, Cuba vivió prácticamente de las subvenciones de sus socios comunistas. La URSS compró casi todo lo que la isla producía, principalmente azúcar, a un precio superior al del mercado internacional, además de frutas, conservas y níquel. Cuba recibió a cambio, petróleo, un 33 % más barato, y en cantidad suficiente para revender el excedente a precio de mercado, y poder así obtener divisas. También obtuvo armamento, asistencia militar y de seguridad, maquinaria agrícola e industrial, y alimentos.

Las «justas relaciones económicas de intercambio», como las calificó Fidel Castro, fueron en la práctica una transferencia neta de recursos que permitió a la Revolución flotar en un mar de bonanza económica, sin demasiada preocupación por el futuro. No es extraño que en una de sus *reflexiones*, durante su larga convalecencia, el 27 de enero de 2008, el dictador dijera que la desaparición de la URSS fue para él «como si dejara de salir el sol». El derroche de los bienes que Cuba obtuvo de la URSS y de sus aliados de la Europa del Este, fue duramente criticado por sus ex socios, hasta el punto de que un periódico húngaro señaló cáusticamente que los cubanos se podían permitir su ideología radical porque «se comían el pan de los demás y construían el socialismo a expensas de otros países».[21]

Durante casi 30 años, los cubanos vivieron del *guaguancó*[22] y gozaron de un relativo bienestar. El peso garantizaba una razonable cesta de la compra, con alimentos, ropa y calzado subvencionados, además de otros productos no subvencionados, pero muy asequibles. La salud y la educación, las dos «joyas de la corona», se mantenían en unos niveles más que aceptables. Pero aquello era un espejismo, una ficción que sirvió para ocultar los constantes fracasos para diversificar la economía y sentar las bases de un desarrollo industrial para escapar del monocultivo del azúcar, como quería Ernesto Che Guevara. Los experimentos no se hicieron con gaseosa; estuvieron respaldados con el «oro de Moscú» y cuando se esfumó, el país, como dicen los cubanos, se quedó «colgado de la brocha».

Guerra de todo el pueblo

Cuando desapareció la URSS, Cuba se encontró frente a un espejo que le devolvía la imagen de un país que Castro había ocultado detrás de los oropeles de su retórica y los subsidios soviéticos. La visión duró poco tiempo porque cuando los petroleros del antiguo benefactor dejaron de fondear en La Habana, el país se quedó a oscuras. Tampoco llegaron alimentos ni suministros del antiguo bloque comunista, que exigía ahora su pago en dólares. La isla quedó a la deriva, «sin tener ni dónde amarrar la chiva», como dicen los cubanos. Era una situación que no se había previsto y el dictador no tenía nada para hacerle frente, sólo palabras.

Dos días antes de la caída del muro de Berlín, Fidel Castro anunció, en uno de sus discursos más dramáticos, que Cuba se enfrentaba a una situación desconocida: «En el momento que vivimos —dijo—, no sabemos qué consecuencias pueden tener los fenómenos que hoy vemos en muchos países del campo socialista, qué incidencia directa tendrán en nuestros planes... Tal vez un día tengamos que aplicar los conceptos de la guerra de todo el pueblo para la supervivencia de la Revolución y del país... eso que llamamos "período especial" porque nadie sabe qué tipo de problemas, en el orden práctico, pueden sobrevenir...».

El «período especial en tiempo de paz», una variante del

«período especial en tiempo de guerra», basado en la doctrina de la «guerra de todo el pueblo», fue una de las etapas más negras de la Revolución. El Producto Interior Bruto cayó más de un 34 %. La falta de energía eléctrica, generada a partir del petróleo soviético, paralizó la vida del país. Sin luz y sin piezas de repuesto, las fábricas y centros de producción tuvieron que cerrar sus puertas. El Gobierno volvió entonces la vista hacia el campo. Los bueyes y el arado sustituyeron a los tractores rusos. Se crearon las Unidades Básicas de Producción Cooperativa y se entregaron parcelas de tierra a quien quisiera cultivarlas. Se autorizaron los mercados agropecuarios y se dieron licencias para realizar algunos trabajos por cuenta propia. Para captar divisas, se otorgaron facilidades para que los cubanos recibieran remesas del exterior, se despenalizó la tenencia de dólares y se abrió el país a la inversión extranjera y al turismo. Fueron «males necesarios» para salvar la Revolución, como dijo Fidel Castro.

Los cubanos padecieron privaciones de todo tipo, pero sobre todo pasaron mucha hambre. Los vecinos de los *repartos*[23] se organizaron en comandos para buscar donde fuera algo que echar a «la caldosa», las ollas populares que se instalaron en las calles. En los patios de las casas se improvisaron huertos. Gallinas, conejos y cerdos aumentaron el censo familiar. El período especial fue más devastador que el bloqueo norteamericano, que, paradojas de la vida, no ha impedido que Estados Unidos se haya convertido en el quinto socio comercial de Cuba y el principal suministrador de alimentos a la isla.

Doctor Pangloss, supongo

Con la desaparición de la URSS, el período especial llegó a Cuba de manera tan inexorable como los *idus de marzo* para Julio César, pero lo sorprendente es que todavía no han pasado. Las reformas económicas evitaron el colapso de la Revolución, pero no se tradujeron en una mejora sustancial de las condiciones de vida de los cubanos, que viven en un permanente período especial, mientras los medios de comunicación, todos propiedad del Estado, los bombardean constantemente con los «logros» de la Revolución.

Los noticieros de la televisión muestran una Cuba virtual, con ciudades y calles y viviendas y mercados y hospitales y escuelas y gente feliz, que no se corresponden con las ciudades y calles y viviendas y mercados y hospitales y escuelas y gente que hay en la realidad. Los clarines anuncian año tras año cifras sorprendentes de crecimiento económico que no se reflejan en el nivel de vida de la población. Como dice George Orwell en *1984*, un libro prohibido en la isla y que es necesario releer en clave cubana, «día y noche las telepantallas le herían a uno el tímpano con estadísticas según las cuales todos tenían más alimento, más trajes, mejores casas, entretenimientos más divertidos, todos vivían más tiempo, trabajaban menos horas, eran más sanos, fuertes, felices, inteligentes y educados que los que habían vivido hacía cincuenta años».[24]

> Hay un hombre sentado en el trono
> que se perpetúa como un verdugo
> y quiere hacernos siempre el futuro
> feliz, feliz, feliz.[25]

Basta pasear por las calles de cualquier ciudad de Cuba o por el municipio de Centro Habana, en la capital, para comprender la terrible realidad que encierra el *panglossismo* oficial: edificios en ruinas, donde familias enteras viven hacinadas en cuartuchos sin baño ni agua corriente; calles que parecen haber sido bombardeadas; basuras putrefactas, por la falta de un servicio de recogida; bodegas[26] sucias y malolientes, con escasos productos que se venden a través de una cartilla de racionamiento cada vez más exigua; carromatos tirados por caballos y bicicletas adaptadas como «taxis» para suplir la escasez de transporte público; personas sin trabajo que se buscan la vida en la *bolsa negra*.

Cuesta trabajo entender a qué se debe ese período especial permanente en que viven los cubanos. El país dispone hoy de importantes fuentes de riqueza, como el turismo o las remesas que recibe de la «comunidad cubana en el exterior», eufemismo que encubre a los casi dos millones de exiliados, que viven principalmente en Estados Unidos. El «hermano» Hugo Chávez ha sustituido a la extinta Unión Soviética en el padrinazgo de petróleo y envía a la isla casi 100.000 barriles diarios de crudo, a precios preferenciales y a cambio de médicos y maestros que se han evaporado de Cuba. Pero si el «oro de Moscú» se tradujo en un relativo bienestar, el «maná» actual apenas ha tenido repercusión entre los cubanos, que después de 50 años de revolución sobreviven como pueden, asfixiados por un sistema económico que, entre otros desatinos, ha establecido dos monedas, el peso cubano y el peso convertible, que tiene un valor 24 veces mayor. En pesos cubanos se pagan los salarios, y el salario mínimo establecido por ley, a finales de 2005, es de 277 pesos, equivalentes a 10 euros; el salario medio mensual, en diciembre de 2007, según la ONE, la Oficina Nacional de Estadística, era de 408 pesos, unos 14 euros al cambio. Poco se puede hacer con ese dinero en Cuba, donde prácticamente todo se vende en pesos convertibles.

La culpa la tiene el totí

«La culpa la tiene el totí» (un pájaro de plumas negras y brillantes), suelen decir los cubanos, pero Castro culpó siempre a Estados Unidos, por obligarle a dedicar cuantiosos recursos para evitar la invasión de la isla, que, inexplicablemente, nunca se produjo. Y también el bloqueo, naturalmente. El bloqueo es como el pecado original. Los cubanos fueron expulsados del paraíso por culpa de esa «manzana» y andan errantes en busca de la felicidad que se les prometió al inicio de la Revolución. «No es fácil», es la muletilla preferida de los cubanos. «No es fácil», parece haber repetido también Castro durante 50 años, «el bloqueo me ha impedido llevaros a la tierra prometida». Como el *pharmakon nepente* de los griegos, el bloqueo es el remedio para todos los males, el culpable de que los cubanos vivan mucho peor que sus abuelos. Si no hay suficientes alimentos es por culpa del bloqueo. Si no hay vacas en el campo es por culpa del bloqueo. Si no hay medicinas ni transporte ni suficiente luz ni agua, es debido al bloqueo. Pero el bloqueo está muy desgastado, muy pocos en Cuba se tragan ya ese cuento.

Si alguna vez la Revolución significó algo, hace mucho tiempo que se transformó en una mentira. Pero lejos de reconocerlo, Castro se enrocó siempre detrás del bloqueo y del *período especial*, como excusas que le apartaron, a pesar suyo, del proyecto socialista; el primero le impidió cumplir con todas sus promesas, y el segundo le obligó a cooperar, a su pesar, con el «capitalismo» para conseguir divisas, desvirtuando el proyecto original de la Revolución. El bloqueo y el *período especial* fueron su particular «Yo acuso» para culpar a Estados Unidos y a la extinta Unión Soviética por no haber podido conducir a los cubanos a los Campos Elíseos.

¿Qué cosa es resolver?

Los cubanos dicen que Fidel Castro es como una tuerca al revés, porque aprieta cuando parece que está aflojando. Ese enrosque hacia la izquierda, según las leyes de la física, quedaba compensado por algunos giros a la derecha, según las mismas leyes, que han permitido respirar a los cubanos, a pesar de la escasez de oxígeno. El 17 de noviembre de 2005, en un memorable discurso en la Universidad de La Habana, Castro dijo que la revolución podía destruirse minada por la corrupción. Y no le faltaba razón. La corrupción es un mecanismo de defensa que utilizan los cubanos para sobrevivir, lejos, por supuesto, de los privilegios de que goza la nomenclatura, pero no lo llaman corrupción, lo llaman resolver.

Resolver es un término que se utiliza para designar todo lo que los cubanos tienen que hacer todos los días para subsistir. Resolver es salirse del «mundo feliz» y entrar en el mundo real, donde para poder comer, vestirse, comprar medicinas, reparar la casa, vivir, en suma, no sirven los salarios ni la cartilla de racionamiento, ni mucho menos las consignas revolucionarias. Resolver, en definitiva, es robar, robar al Estado porque el Estado ha robado a los cubanos la posibilidad de vivir con arreglo a las reglas de la decencia, y ya sabe, el que roba a un ladrón...

> Lucha tu yuca taíno, lucha tu yuca.
> Lucha tu yuca taíno, lucha tu yuca,
> que el cacique delira
> que está que preocupa.
> Tú, taíno, tú, lucha tu yuca.[27]

El afán de los cubanos por resolver el día a día es, paradójicamente, uno de los mayores logros de la Revolución, porque al condenarlos a la pura supervivencia se les ha privado de la «funesta manía de pensar». Sólo así se explica por qué no se han rebelado, por qué no protestan, por qué, si la mayoría reniega de sus condiciones de vida y culpan al sistema por ello, no hacen nada para salir de ese círculo perverso. Resolver es una tarea demasiado ardua como para pensar, además, en exigir derechos y libertades. Los cubanos se han adaptado al «doblepensar» orwelliano, hacen como si aceptaran la verdad revelada del Gran Hermano y van a las marchas, y agitan las banderas y gritan a coro contra el Gran Satán, que no es otro que Estados Unidos, pero sólo por instinto de conservación.

Sólo unos pocos «locos» se han arriesgado a exigir lo que por derecho les corresponde, pero han sido aplastados sin piedad. La Revolución puede ser indulgente con los resolvedores, nunca con aquellos que piden el fin de la tiranía. Unos y otros están atrapados dentro de un sistema perverso que nació en 1959, y que parece calcado de *1984*, con el único propósito de mantener a Fidel Castro en el poder a toda costa. Como escribe George Orwell, «el Partido quiere tener el poder por amor al poder mismo. No nos importa el bienestar de los demás; sólo nos interesa el poder. No la riqueza ni el lujo, ni la longevidad ni la felicidad; sólo el poder, el poder puro. Ahora comprenderás lo que significa el poder puro [...] Sabemos que nadie se apodera del mando con la intención de dejarlo. El poder no es un medio, sino un fin en sí mismo. No se establece una dictadura para salvaguardar una revolución; se hace la revolución para establecer una dictadura».[28]

La dictadura cubana entra ahora en una etapa nueva. Un Castro, Raúl, sucede a otro Castro, Fidel, y anuncia cambios, pero según la hija del heredero, Mariela Castro, «los cambios en Cuba existen desde el 1 de enero de 1959. Es Europa la que no se da cuenta».[29] Europa desconoce, como dice Mariela Castro, que «la mayoría de los cubanos quieren que se mantenga el socialismo, pero que sea gestionado mejor». Es una opinión, naturalmente y, como toda opinión, respetable. También es respetable el juicio que les merece a los cubanos la dictadura castrista. Pero nadie en 50 años se ha tomado la molestia de preguntarles.

En Cuba, la mayoría silenciosa permanece en silencio. Son los clarines oficiales los que se pronuncian por ellos. Pero hay una realidad que no se puede ocultar y que es necesario mostrar, una realidad que, parafraseando al poeta Francisco Riverón Hernández, «nació de mis ojos que han visto las cosas, de mis oídos que escucharon las palabras, y de mis manos que han recogido los acontecimientos».

Capítulo 2

La ciudad devastada

> La Habana no es sólo la ciudad de las columnas o la ciudad de los palacios, sino además la ciudad de los derrumbes. Ofrece múltiples y variados modelos de derrumbe y no precisamente al modo de Roma. No son como el Coliseo, derrumbes que informan sobre el paso del hombre por la Historia, sino todo lo contrario, derrumbes que informan del paso de la Historia sobre el hombre.
>
> *Los palacios distantes,*
> ABILIO ESTÉVEZ

La bahía de La Habana, una de las más hermosas del mundo, como la describió en 1842 la condesa de Merlín, «está formada por un inmenso estanque semicircular que parece cavado en el seno de la tierra y abraza a la ciudad y las fortalezas con las olas serenas y azuladas».[1] El sol se inclina ante ella detrás del Castillo del Morro hasta el atardecer, cuando se oculta de mala gana en el mar, frente a la calle 1.ª en Miramar. Un cielo inmensamente azul celebra ese recorrido, turbado sólo por la presencia de algodones que tiñen y encrespan el mar hasta dejarlo casi a oscuras. Esa batalla, en verano, se libra casi a diario. Mar y cielo intercambian humores que se saldan siempre con una lluvia furiosa que amenaza con desclavar la ciudad y llevarla lejos de sus raíces. Cuando se firma la paz, La Habana refulge entre nubes de vapor, anclada en sus columnas.

Nada parece haber cambiado desde hace 50 años. No hay edificios nuevos. No hay torres de cristal y acero como las que han roto la armonía de otras ciudades de América. Ningún gigante asoma por encima del edificio Focsa y el hotel Habana Libre, los más altos desde 1959. La *raspadura*,[2] en la plaza de la Revolución, vigila el sueño eterno de José Martí,[3] esculpido en mármol, sin que ningún rival le haga sombra. Sólo el Che Guevara le mira de frente, desde la fachada del MININT, el Ministerio de Interior. El gigantesco cartel con la célebre fotografía de Alberto Korda ha sido sustituido por un rostro de trazos modernos, obtenido a partir del mismo icono. La mirada serena de los dos héroes muertos converge en ese espacio desproporcionado, frío, que sólo cobra vida en momentos especiales como el 1 de mayo, cuando se concentran allí más de un millón de «voluntarios». Ésa fue siempre una de las mejores «tarjetas de visita» de Fidel Castro para cerrar la boca a los que le llamaban dictador. Pero se cuida mucho de decirles cómo los CDR, los Comités de Defensa de la Revolución, convocan por la noche, lista en mano, a los vecinos de cada *solar*[4] de cada *cuadra*,[5] de cada *reparto*. En los centros de trabajo y en los colegios se realiza la misma operación. Nadie puede faltar a esa cita obligada.

Ahí está el malecón, cintura de La Habana. No se puede describir el malecón; es un sentimiento. Centinela cóncavo frente al mar que lo lame zalamero o lo insulta, se ofrece, convexo como un útero, para que abreven los habaneros. El malecón es plaza mayor, lugar de encuentro, refugio de ociosos, y es también confesionario, diván de penitencia de los indecisos, punto de partida de los intrépidos, imagen última de los que sueñan con quimeras. El malecón es el muelle de los que parten sin cera en los oídos, única estación marítima cuando los puertos están cerrados. En el malecón se mezclan los domingueros, los borrachos, los pedigüeños, los turistas, las *jineteras*,[6] los pescadores, los niños, la basura, los ruidos, las algas, el agua espumosa. En el malecón conviven las casas ruinosas y desteñidas con el imponente edificio de la SINA, la Sección de Intereses de los Estados Unidos de América en la Embajada de Suiza.[7] Allí está ese viejo cartel del cubano guasón que le espeta al rabioso yanqui con chistera: «Señores imperialistas, no les tenemos absolutamente ningún miedo». ¡Aquéllos eran carteles!

La Revolución entonces tenía imaginación. «Vamos bien», dice Fidel Castro desde las vallas sembradas por toda la ciudad, como si anunciara un dentífrico. «¿Voy bien, Camilo?» «Sí, vas bien, Fidel.» Camilo Cienfuegos, uno de los comandantes más populares de la Revolución, murió hace una eternidad en circunstancias extrañas, pero Castro responde por él, ya octogenario, anclado en aquel histórico 8 de enero de 1959, fecha de su entrada triunfal en La Habana. «La larga posesión del poder quita el sentido.» Lo dijo José Martí.

Fotingos en La Habana

Por las calles de La Habana desfilan los viejos Chevrolet, los Pontiac, los Plymouth, los Buick, los Cadillac, una serpiente multicolor, única en el mundo, que se desplaza entre truenos y negros nubarrones. No se puede concebir Cuba sin esos *fotingos*.[8] Son un desafío al tiempo que no ha podido morder su belleza. Cada modelo es una obra maestra. El color, la elegancia de líneas, el brillo del metal cromado, el diseño del radiador, la forma de los intermitentes, los faros, todo en ellos es armonía y buen gusto. Son los dandis de la ciudad, firmes y dignos en su andar, orgullosos frente a los Volga, los Moskovich, los Lada, la versión soviética del Fiat, y esas moscas cojoneras, con o sin sidecar, a las que los cubanos llaman despectivamente *socialistas*, porque «meten mucho ruido pero avanzan poco».

Todos siguen ahí, inasequibles al desaliento, sobrevivientes de quién sabe cuántas batallas, a los que cada día se les exige el supremo esfuerzo de seguir vivos. Las calles son testigo de la gravedad de sus heridas, por eso los llaman *trespatá*. Yacen con el vientre abierto y la mirada entre comprensiva y fatalista de sus dueños, tan acostumbrados a estas muertes súbitas que hasta le ponen letra de bolero.

> ¡Ay!, mi vida, qué tragedia
> el carro se me trabó,
> y aquí en medio del túnel
> hasta la luz se apagó.[9]

El arte de hacer ruinas

La destrucción y la mugre se han apoderado de La Habana y en medio de las ruinas los cubanos se afanan por sobrevivir. La ciudad semeja un gran espejo roto en cuyos fragmentos sin azogue se reflejan las imágenes de otra ciudad tan distante, tan distinta, como Sarajevo al término de la guerra civil yugoslava. La mayoría de las calles, martirizadas, parecen haberse encogido como para mitigar el impacto de nuevas bombas. Hay cráteres de todos los calibres, de distinto tamaño y profundidad, que los vecinos rellenan de vez en cuando con tierra y cascotes de los derrumbes. Muchos edificios están apuntalados y se van desangrando sin apenas ruido. En algunos, se adivina, por la pátina, la vieja costumbre de los habaneros de «pintarrajear de arriba abajo la fachada de las casas de rojo, de blanco, de verde o de amarillo, de manera que vistas desde lejos se diría que están tapizadas y ornadas de flores, como en un día de fiesta».[10] De aquel tiempo en que lucían mucho *embadurno*, al decir de Alejo Carpentier,[11] apenas queda un pálido reflejo. Los arcos de medio punto, tan habaneros, han perdido los *espejuelos* que defendían a las casas del acoso del sol. La herrumbre se ha adueñado de los balcones de caprichosas forjas en dura competencia con fieros pero bellos *guardavecinos*[12] de puntiagudas lanzas.

Esqueletos son estas casas de cuerpos antes luminosos. Los derrumbes han alejado de los balcones a aquellas lustrosas *prietas*[13] de miradas táctiles, tocadas con pañuelos para cubrir los *rolos* y bigudíes, que se citaban a gritos para la eterna *gozadera* habanera. La Habana tiene heridas de maltrato, no de tiempo, que se curan con afeites; heridas que parecen hechas de rencor, a conciencia, como si se quisiera borrar deliberadamente todo vestigio, toda huella de su esplendor pasado. No se puede explicar la destrucción tan brutal de una ciudad a la que cada día se le hinca un poco más la puntilla que lleva clavada desde hace medio siglo.

El cineasta alemán Florián Borchmeyer ha tratado de explicar la inexplicable destrucción de la capital cubana a través de su documental *La Habana: arte nuevo de hacer ruinas*, realizado en 2006 con ayuda de algunos sufridos moradores, entre ellos el escritor Antonio José Ponte,[14] para quien el desmoronamiento de La Habana es una metáfora de un sistema que utiliza las ruinas como método de supervivencia. «Ésa ha sido —dice Ponte en el documental— la mayor contribución de la Revolución cubana al pensamiento urbanístico, la idea de que nada se puede restaurar, de que nada se puede arreglar, entonces no se puede arreglar el país tampoco. Déjalo estar. Y es también la idea que tenemos todos. Deja que todo se caiga por su propio peso, deja que muera Fidel Castro. Es decir, Fidel Castro es la gran ruina de este país. No sólo por lo que ha arruinado, sino porque estamos esperando a que él se desplome».

Las palabras de Antonio José Ponte son tan contundentes como las imágenes que le acompañan en su recorrido por una ciudad que parece haber sido bombardeada por fuego amigo, para que sus ruinas puedan servir de parapeto para la invasión tantas veces anunciada. En ese escenario de posguerra resulta más fácil mantener vivo el conflicto con el «imperio» que, a pesar de ser virtual, provoca efectos devastadores. El «imperio» es el verdadero responsable de la ruina de la ciudad y del país todo, y su hostilidad, que se ha recrudecido a lo largo del tiempo, impide reconstruir todo lo que no sean trincheras (trincheras de ideas, una de las frases favoritas de Fidel Castro) para que los numantinos habitantes resistan en la ciudad sitiada. Ese argumento se ha venido repitiendo machaconamente desde hace 50 años. Pero como ocurre en una guerra de posiciones, el enemigo ha terminado por convertirse en una entelequia, y la supervivencia en la retaguardia es la tarea más urgente.

> Habana, Habana, si bastara una canción.
> Para devolverte todo lo que el tiempo te quitó.
> Habana, mi Habana, si supieras el dolor.
> Que siento cuando te canto y no entiendes que es amor.
>
> Escuchando a Matamoros desde un lejano lugar.
> La Habana guarda un tesoro, que es difícil de olvidar.
> Y los años van pasando y miramos con dolor.
> Cómo se va derrumbando cada muro de ilusión.
>
> Habana, Habana, si bastara una canción...

Havaname, de Carlos Varela, es una de las canciones más hermosas sobre una ciudad que se cae a pedazos. Sólo La Habana Vieja, patrimonio de la humanidad, refulge entre algodones, mimada por el historiador de la ciudad, Eusebio Leal. Las ruinas de La Habana no forman parte del circuito turístico, porque, a diferencia de Machu Pichu o Tulun, están habitadas. La Habana Vieja, sin embargo, es visitada por miles de turistas como si se tratara de un museo, después de haber sido restaurada y casi vaciada de sus habitantes. El casco histórico de la ciudad es un enorme decorado con casonas de época primorosamente rehabilitadas y convertidas en hoteles, tiendas y restaurantes para disfrute de turistas, mientras muchos de sus antiguos residentes han sido trasladados a otros lugares. Es una cruel paradoja que la restauración de esa parte de la ciudad se haya hecho sólo después de provocar el éxodo de buena parte de sus moradores.

En la plaza Vieja, una de las más bellas de La Habana, un único inmueble permanecía, a principios de 2008, sin rehabilitar, rodeado de edificios que parecen pasteles de boda. Sus ocupantes se turnan en la guardia nocturna para interpretar los quejidos del viejo barco, estribado con riostras, para retrasar su inevitable hundimiento. Entonces podrá ser restaurado como los otros y ofrecido en alquiler, en buenas divisas, a residentes extranjeros en la capital. Los nuevos inquilinos dispondrán de todo tipo de comodidades, incluso de un suministro de agua regular, en lugar de los informales camiones cisterna actuales. La fuente de la plaza podrá recuperar entonces su función ornamental, suprimida la alta reja que la defiende de sedientos vecinos provistos de calderos, que hoy la toman por asalto.

Rebambaramba de ociosos

A la sombra de las ruinas, los cubanos vivaquean con el arma de su ingenio, esencial para la supervivencia. La calle es una *rebambaramba* de ociosos, avisadores de ofertas en las tiendas, *coleros* y vendedores que vocean relojes de plástico, peines, cepillos de dientes, cuchillas de afeitar, bolígrafos, gas para encendedores, enchufes, calzoncillos modelo bóxer, gomas para bicicleta, galletitas de crema, cakes de colores vivos, guarapo, teléfonos móviles, claves de internet. La calle es taller de relojeros, costureras y escribidores; lonja de contratación de *resolvedores* de toda laya, bicitaxis, plomeros, *manicuris*, *jineteras* y hasta *guapos* y matachines que lo mismo venden droga que *meten frío* o hacen *tachino* a los atrevidos que corren con mujer ajena, cosa muy frecuente como «certifica» Miguel Matamoros:

> A mi mujer, sí, señor,
> la bañé con yerbabuena
> y se me puso tan buena
> que con otro se corrió...

En medio de las calles, huérfanas de *carros*,[15] resuenan las fichas de dominó entre humos de tabaco y chasquidos de lenguas abrasadas por el ron. Cada ficha tiene su mote, la blanca es «el cero» o «la nada»; el uno es «el tuerto»; luego vienen «mariposa», «triblín», «la monja», «quinqué», «el muerto»... hasta lograr hacer una «pollona», si Ochún o Changó, las deidades de la santería cubana o la mismísima Virgen de la Caridad del Cobre, que tanto monta, deciden favorecer a los que se encomiendan a ellas antes del juego.

Armados con bates caseros, algunos niños tratan de imitar al *desertor*[16] José Ariel Contreras, el mejor pelotero de los Chicago White Socks. Indolentes *prietos* echados de guapetón trafican con droga o cigarros o lo que se tercie, mientras esperan vender números de la *charada*, la lotería ilegal en la que participa todo el país. La Revolución no ha podido acabar con la pasión de los cubanos por el juego, una *maldición* que al decir del viajero del siglo XIX, Samuel Hazard, «tiene mucho que ver con la indiferencia e indolencia del pueblo hacia los altos propósitos de la vida».[17]

Un juicio pintoresco sin duda el de Hazard, uno de los mejores retratistas de la Cuba colonial, pero los españoles tampoco se quedaron cortos. José Gutiérrez de la Concha, Capitán General de la isla de Cuba, afirmó que «con una lidia de gallos, una gruesa de barajas y doce manolas con sus guitarras, son llevados los cubanos a donde se quiera».[18] Y es que entre las peleas de gallos, las barajas y las manolas, los cubanos han preferido siempre los gallos, pese a los anatemas periódicos sobre esa sangrienta lidia. En 1901, el Gobernador Civil de la provincia de Matanzas dio muestras de su celo en el cumplimiento de la ley al informar a la superioridad de que «este Gobierno cumpliendo lo dispuesto sobre la prohibición de lidiar gallos [...] ha ordenado con esta fecha el debido espionaje por medio de la Policía Especial, en la comarca donde ha tenido lugar el ilísito *(sic)* pasatiempo».[19]

En 1968, Fidel Castro clausuró las peleas de gallos porque eran parte de un pasado que quería dejar atrás. Pero terminó por aceptar lo inevitable; además, el histórico comandante de la Revolución Guillermo García Frías, también miembro del Consejo de Estado, máximo órgano de poder en Cuba, se convirtió en uno de los mayores criadores de gallos de la isla. El Gobierno autorizó entonces las peleas, con la prohibición expresa de apostar en las *vallas*, como se llama a los pequeños coliseos donde riñen las aves, con penas de hasta 3 años de cárcel.

Pero en Cuba, como en cualquier otro lugar, no se pueden poner puertas al campo y las apuestas; como las metáforas de Castro, son difíciles de erradicar. «Somos como los gallos finos y los gallos finos no vuelan la valla, no abandonan el combate hasta el final», dijo el comandante en una de sus diatribas contra el «imperio». Al fin y al cabo, cubano como es, encaja perfectamente en lo que escribió Pablo Riaño San Marful: «Cuando un ave gana, los que apostaron por ella se sienten superiores a los otros, porque en las proezas combativas del animal están representadas, simbólicamente, las virtudes de sus amos y la confianza de los que necesitan su victoria».[20]

Apostar al caballo

Con el juego, el comandante fue más inflexible. Al principio de la Revolución se cerraron los casinos a cal y canto, aunque luego se autorizaron durante un tiempo para financiar la construcción de viviendas con los beneficios de la Lotería y los impuestos a las salas de juego. «Cuando podamos —dijo Castro en 1959— acabaremos con el juego en los casinos. Ahora son una necesidad social, para evitar que echen a la calle a una cantidad de trabajadores...» Finalmente el Gobierno acabó con esa «necesidad social» en la que Castro también participaba, de manera involuntaria, claro.

> Uno caballo, dos mariposa, tres marinero,
> mira el caballo, mira el marino,
> mira la mariposa.
> Va de blanco vestido el marino,
> blanca es la pelliza del caballo,
> ríe la mariposa blanca.[21]

Sobre la cabeza calva de un chino galopa un caballo en el juego de la *charada*. Los chinos lo introdujeron en la isla a mediados del siglo XIX hasta convertirse hoy en la lotería ilegal más popular de Cuba. En todos los barrios de todas las ciudades, los corredores recogen los pesos de las apuestas, caballero, la charada, 15 al caballo, 10 al gato, 7 a la jicotea, no, 20 al gallo, 8 al caracol y 4 al ratón, así, malembe, uno fijo y dos al parlé, y suerte pa' los hijos de Changó. «Uno caballo, dos mariposa, tres marinero...» Por la noche, paradojas de la vida, los ojos y los oídos se orientan, como *el cable*, las antenas ilegales, hacia Miami, a la *gusanera*, que canta el premio en radio y televisión y el *bolitero* paga religiosamente en esta orilla «enemiga» a la mañana siguiente. No hay bloqueo para la *charada*, el mejor puente entre el «imperio» y la Numancia caribeña. La policía hace la vista gorda ante ese juego «inocente» porque, como la ceiba, da sombra a todos.

En la *charada*, el caballo es el número 1, y ese caballo tiene nombre, pero como le dijo la señora Dolorida a Sancho Panza: «El nombre no es como el caballo de Belerofonte, que se llamaba *Pegaso*, ni como el del Magno Alejandro, llamado *Bucéfalo*, ni como el del furioso Orlando, cuyo nombre fue *Brilladoro*, ni menos *Bayarte*, que fue el de Reinaldos de Montalbán, ni *Frontino*, como el de Rugero, ni *Bootes* ni *Pirítoo*, como dicen que se llaman los del Sol, ni tampoco se llama *Orelia*, como el caballo en que el desdichado Rodrigo, último rey de los godos, entró en la batalla donde perdió la vida y el reino».[22] No, en Cuba, el caballo no lleva ninguno de esos nombres, pero su gloria es comparable a la de ellos. En Cuba, el caballo es, fue siempre, Fidel. Así le llaman, el caballo, el número 1, el primero de todos, el primero en todo, el Jefe.

«Ser un caballo en una disciplina cualquiera es, en argot cubano, dominarla brillantemente», dice Argelio Santiesteban.[23] Pero son muy pocos los que se atreven a decirle a la cara caballo a Castro. El premio Cervantes de Literatura Juan Gelman lo hizo en un poema: «Historia, agranda tus portones / entramos con Fidel, con el caballo...». Y durante la convalecencia del comandante, en enero de 2007, Hugo Chávez casi juró que le había visto galopar: «Fidel está caminando, casi trotando. Sigue adelante, caballo, que te necesitamos, así como te queremos».

Cuando el mar se evapora

La Habana es una de las ciudades con peor calidad de vida, según un estudio de la consultora británica Mercer HR realizado en el año 2007. La capital cubana retrocedió dos posiciones con respecto a 2006 y quedó situada en el puesto número 189, de un total de 215 ciudades de todo el mundo, la segunda peor valorada de América, sólo por delante de Puerto Príncipe, la capital de Haití. Ese índice sitúa a Zúrich en el primer puesto y a

Bagdad en el último, y para elaborarlo se tuvieron en cuenta no sólo las condiciones políticas, sociales y económicas de la ciudad, sino también factores medioambientales, sanitarios, educativos y de seguridad.

La Habana está considerada como la ciudad más sucia del país. Antes, en un tiempo en que la Revolución se preocupaba todavía por estas cosas, había un servicio de recogida de basuras. Los camiones de la Especializada tenían rutas y horarios, pero eso pasó a la historia. Ahora, la situación es tan alarmante que hasta el propio diario *Granma*[24] lo reconoce. Los 2,2 millones de habitantes de la capital generan alrededor de 15.000 metros cúbicos de basura diaria y harían falta entre 50 y 60 camiones colectores para recoger tal volumen de desechos y no menos de 15.000 contenedores. Pero sólo hay disponibles unos 20 camiones, y eso cuando funcionan todos. Por si fuera poco, los contenedores de plástico desaparecen como por arte de magia; primero las ruedas, que se utilizan para hacer carritos, y luego el resto, para fabricar envases para agua, perchas o pinzas para la ropa, que se venden muy bien en la *bolsa negra*.

En *Granma*, órgano oficial del Partido Comunista de Cuba, Gilberto Barrial Soto, presidente del Consejo Popular Dragones, de Centro Habana, admitió que la situación de la higiene en la zona es crítica y continúa deteriorándose desde que la Administración dejó de brindar el servicio de recogida de basuras. «Como presidente del Consejo Popular —dice Gilberto Barrial— me llueven las quejas de los vecinos sobre la basura en la calle, los salideros de aguas albañales. Cuando las tramito por los canales correspondientes, siempre me dicen que debido a la situación económica del país, por ahora no es posible reforzar el parque de contenedores, camiones y otros recursos que aliviarían el problema, y no se logran alternativas.»

El olor de la basura en descomposición, sobre todo en verano, impregna las calles de La Habana, cuando «el mar ha comenzado a evaporarse, y una nube azulosa y candente cubre toda la ciudad».[25] Los escasos barrenderos que hay en La Habana no pueden hacer gran cosa para aliviar la suciedad de las calles. No tienen carritos ni útiles de labor adecuados, ni zapatos ni ropa, ni guantes para manipular la basura, ni escobas en condiciones, las que llevan son de pencas de palma o de millo, inadecuadas para esa faena y muy gastadas.

En los «barrios elegantes» de La Habana aparecen de vez en

cuando unos camiones de basura donados por el ayuntamiento de Beijing, pero como su frecuencia es un misterio, muchos jardineros utilizan el método más seguro de quemarla. Las fogatas de hojas de árboles y basuras son muy habituales en la capital, para molestia de viandantes y amas de casa, que protestan inútilmente porque las pavesas se cuelan por las ventanas de sus viviendas. Por el contrario, La Habana Vieja, un escaparate de cara al turismo, dispone de un servicio regular de recogida con modernos camiones pintados de azul que llevan la leyenda «El ratoncito blanco».

El problema de la basura se agrava con la presencia en las calles de toda una legión de condenados que buscan «tesoros» entre los desperdicios y los esparcen por las calles sin ningún miramiento. Se los llama *buzos*, aunque en realidad son raqueros que aprovechan ese inmenso naufragio que es La Habana para procurarse los objetos más diversos, principalmente latas, plásticos, cables o hierros.

Los *buzos* resultan «un espectáculo bochornoso y afean terriblemente nuestra imagen», según el semanario *Tribuna de La Habana*, que se sorprende de que personas aptas para trabajar hayan adoptado ese modo de vida, porque «hay plazas honorables en todas las direcciones municipales de trabajo. El Estado jamás desampara».[26] Pero son muchos los cubanos que prefieren ampararse bajo su propio paraguas y recurren a una actividad que el Código Penal sanciona con penas de tres meses a un año de cárcel y fuertes multas.

En junio de 2008, más de 350 personas fueron detenidas o sancionadas en La Habana por escarbar entre la basura en busca de desechos útiles. Según *Granma*,[27] «esos ciudadanos habían convertido en un modo de vida la búsqueda en vertederos, contenedores de basura y en la vía pública, de alimentos, botellas, plásticos, metales y otros objetos con ánimo de lucro o comercialización, sin tener en cuenta que podrían ser portadores de epidemias y una fuente de delitos o ilegalidades, según establece el Código Penal». Al margen del problema sanitario, lo que más parece dolerle a *Granma* es que los *buzos* recogen desechos «con ánimo de lucro o comercialización», algo totalmente inaceptable para un régimen comunista. Sin embargo, el órgano oficial del partido comunista de Cuba no dice que la Empresa de Recuperación de Materia Prima, estatal, por supuesto, hace un suculento negocio con los *buzos*, a los que cambia el fruto de su cosecha por cortinas de baño, detergente, neumáticos para bicicletas y otros utensilios que luego los raqueros convierten en dinero en la *bolsa negra.* Ese inocente trueque disfraza una saludable operación comercial y engrasa las bien aceitadas ruedas de la economía informal sin cuestionar los sacrosantos principios de la Revolución, aunque algunas veces los *buzos* den con sus huesos en la cárcel. Pero los que bucean no son revolucionarios, son «delincuentes» que se empeñan en sobrevivir entre los despojos de una ciudad que, en el célebre bolero de Isolina Carrillo, es (fue) una canción.

> ¡Habana! Qué hermosa te despiertas
> con tu ropaje rosa
> con tu luz de amanecer.
> Te yergues presurosa
> como si el sol quisiera
> en su carrera loca
> robarte tu candor;
> te abres majestuosa
> bajo el inmenso cielo
> y de dulces armonías
> llenas la gran ciudad. [...]
>
> ¡Qué hermosa eres, Habana,
> Eres maravillosa.

Naufragar en Centro Habana

El Malecón habanero es una defensa formidable frente a los embates del mar, pero no puede impedir que otras aguas inunden algunos *repartos* de la capital. Como la antigua Tenochtitlan, La Habana muestra discontinuidad en el espacio, sin que el plano de la ciudad lo refleje. Calles y avenidas canalizan el agua, que discurre en loca entropía y se acomoda en los cráteres de las «bombas», los disfraza, los presenta como inofensivos charcos donde personas, bicicletas, bicitaxis y *fotingos* zozobran, ante el regocijo, el hastío o la bronca de mirones y víctimas de ese peculiar naufragio.

Los salideros, como los llaman en Cuba, son el resultado de muchos años de abandono de las conducciones de agua de la ciudad, cuarteadas, agujereadas, rotas. Y sin embargo, hubo un tiempo en que esas redes formaron parte de una impresionante obra de ingeniería, inaugurada en 1893, a partir del proyecto original de Francisco de Albear, por el que obtuvo la Medalla de Oro en la Exposición Universal de París en 1878. Albear pastoreó manantiales dispersos que fluían mansos, en la zona de Vento, próxima a La Habana, y los canalizó para que el agua cayera, «por su propio peso», hasta la capital, situada en una cota más baja. El ingeniero español, nacido en Cuba, aprovechó además las sólidas conducciones del Acueducto de Fernando VII, construido en 1835. Con esa obra, no faltó nunca el agua en la capital cubana. Además, mejoraron las condiciones higiénicas de la ciudad y se redujo la mortalidad por disentería y otras enfermedades de transmisión hídrica.

Hoy, la situación es muy diferente. El agua no sólo se pierde a raudales, sino que está, además, muy contaminada, no tiene nada que ver con aquella que en tiempos de Albear pregonaban los aguadores o carretilleros por las calles de La Habana.

> Por allá viene el negrito Pancho
> con su burrito cargado de agua
> y pregonando va por la calle
> yo vendo el agua más pura y clara
> a diez centavos vendo la carga
> y a cinco céntimos el barril.

El ministro presidente del Instituto Nacional de Recursos Hidráulicos, Jorge Luis Aspiolea, reconoció en febrero de 2006 que el 60 % del agua bombeada en el país se pierde por las tuberías antes de llegar al consumidor, a lo largo de 19.705 kilómetros de redes de distribución. En La Habana, según Aspiolea, habría que sustituir el 75,5 % de las tuberías por estar inservibles.[28] Según cálculos independientes, el bombeo de agua a la ciudad durante las 24 horas del día, provocaría graves inundaciones. Para evitarlo, el Gobierno, enredado en promesas de mejora, optó mientras tanto por una solución cuando menos insólita: racionar el agua y distribuirla por zonas en días alternos. Menos agua, menos fugas, menos peligro de inundaciones. Dicho y hecho. Un día llega el agua a un *reparto*, y otro día a otro. Pares y nones. Cara y cruz. Con esa medida se logró que los «canales» habaneros fueran menos caudalosos. Nada se dijo ni nada se hizo tampoco para solucionar la salubridad del agua, porque a pesar de su tratamiento en origen, llega a las casas muy contaminada. El día que las tuberías están sin agua, por sus orificios se cuelan todo tipo de gérmenes, bichos y demás parientes.

No es extraño que miles de habaneros y cubanos de otras ciudades del país, donde las conducciones de agua están en peor estado que las de la capital, sufran graves trastornos gastrointestinales, especialmente los niños, víctimas de parásitos como la giardia —*Giardia lamblia* o *Giardia duodenalis*—, que se adhiere al intestino delgado. En Radio Taíno, orientada al turismo, la única emisora que emite publicidad en Cuba, hay constantes anuncios de agua mineral Ciego Montero, con su *jingle* y todo, «Ciego Montero, Ciego Montero, cómo me gustas, cuánto te quiero», que, a pesar de ser de manantial cubano, de Cienfuegos, sólo se vende en pesos convertibles, a 80 centavos la botella de litro y medio, que equivalen al salario promedio de dos días de un trabajador cubano.

El vertido en las calles contrasta con el deficiente suministro en las viviendas, que no tienen agua corriente. En cada portal hay un *kiwan*, un motor que bombea el agua desde la tubería que pasa por la calle hasta las cisternas que cada vecino ha instalado en la azotea, en realidad bidones de aceite o petróleo adaptados para la ocasión. El agua llega cada dos días, desde las 11 de la noche hasta las 11 de la noche del día siguiente. A esa hora se corta el suministro durante 24 horas para dar servicio a otros *repartos*. Si se produce una rotura en las conducciones, algo muy frecuente, se mantiene la alternancia y los vecinos se quedan dos días sin agua, eso en el mejor de los casos, porque la reparación de las cañerías está en función del tiempo que se tarde en *resolver* en la *bolsa negra* una tubería o una rosca de PVC, cuyo precio es en pesos convertibles.

Un problema añadido es el de los cortes de luz, porque el *kiwan* deja de funcionar y se interrumpe el bombeo de agua hacia los depósitos de las azoteas. Sin luz y sin agua, la vida en los *solares*[29] resulta insoportable, sobre todo en verano, cuando los mosquitos están *teleros*, y no se pueden encender los ventiladores ni los aparatos de aire acondicionado. A los vecinos ni siquiera les queda el consuelo de poder arrojar por la ventana un caldero de agua, a las 12 en punto de la noche, al grito de ¡solavayas!, el mejor conjuro contra todos los males. El mal del agua es peor a veces que el mal de ojo, por eso, para que el agua vuelva pronto, los niños chocan las palmas de las manos mientras recitan: «Tin, marín, de dos pingüé, cúcara, mácara, títere fue».

Capítulo 3

Solares en el aire

> La sala ya no es la sala,
> la sala es la cocina.
> El cuarto ya no es el cuarto,
> el cuarto es el inodoro...
>
> *La noche de los asesinos,*
> José Triana, Premio
> Casa de las Américas

Como si fueran detentes, en muchos edificios de Cuba se conservan, aunque muy descoloridas, unas pequeñas placas rojinegras[1] con la inscripción: «Fidel, ésta es tu casa». Son fruto del entusiasmo inicial de los cubanos, «pa'lo que sea, Fidel, pa'lo que sea», cuando al triunfo de la Revolución se entregaron títulos de propiedad y se rebajaron sustancialmente los alquileres, para garantizar el acceso de amplios sectores de la población a una vivienda digna. Era una de las promesas de Fidel Castro: «Hay piedra suficiente y brazos de sobra para hacerle a cada familia cubana una vivienda decorosa [...] demoliendo las infernales cuarterías para levantar en su lugar edificios modernos de muchas plantas [...] en escala nunca vista».[2] Pero aquellas «viviendas decorosas» no llegaron a todas las familias cubanas, y las *cuarterías,* que Castro describió como «infernales», nada menos que en 1953, se han degradado aún más con el paso del tiempo.

Después de la llegada del comandante al poder, se construyeron muy pocas viviendas decorosas en Cuba. En 1959 se creó el Instituto Nacional de Ahorro y Vivienda, con el objetivo de edificar casas con los fondos de la Lotería Nacional. Se dictaron asimismo normas, como la Ley sobre la Rebaja de Alquileres y la Ley 218, que disponía la venta forzosa de solares yermos para construir viviendas; también se puso en marcha la Dirección de Viviendas Campesinas, para edificar en zonas rurales. La guinda de ese entramado legal fue la Ley de Reforma Urbana, que reconocía «la posesión de la vivienda como derecho imprescindible e inalienable del ser humano».

El objetivo del Gobierno revolucionario era construir 32.000 viviendas anuales, cifra que respondía a las necesidades del momento y a los cálculos demográficos de cara al futuro. Pero entre 1960 y 1970 el promedio de viviendas construidas fue sólo de unas 10.000 anuales, una cantidad muy por debajo de lo estipulado. Las obras se dilataban por falta de materiales o por una excesiva burocracia que hacía aumentar el déficit de año en año.

Méritos revolucionarios

En 1970, el Gobierno dio vía libre al Movimiento de Microbrigadas, un sistema autogestionario para que los «trabajadores destacados» de cada centro laboral construyeran sus propias viviendas. A los seleccionados para la «construcción por esfuerzo propio», el Estado les vendía los materiales a precios subsidiados mediante créditos; además, les ofrecía una suspensión temporal de sus relaciones laborales, aunque durante ese tiempo seguirían percibiendo su salario. Una fiebre constructora se desató en todo el país. Parecía que los cubanos, al menos los «trabajadores destacados», y había muchos, iban a poder solucionar de una vez por todas el problema de la vivienda. Pero hecha la ley, hecha la trampa. Las dilaciones burocráticas para obtener permisos de construcción no respetaron ni a la aristocracia obrera. Además, se sumaron otros problemas, como la corrupción y el robo de materiales, cuando no el engaño, a la hora de entregar las viviendas terminadas, que se hacía por «méritos revolucionarios» o simplemente por nepotismo.

El sistema de microbrigadas, como los planes anteriores, quedó muy por debajo de las expectativas. Entre 1971 y 1980 se construyó a un ritmo de 17.000 viviendas anuales, frente a las 38.000 que se necesitaban. Cada año se incrementaba el déficit habitacional y el Gobierno respondía con proyectos más ambiciosos que nunca se cumplían. Era como una pescadilla que se muerde la cola. A más déficit, anuncios más descabellados, hasta lanzar, en 1981, un órdago con el anuncio de que se iban a edificar 100.000 viviendas anuales. Puro humo, enredos de leyes y normas ineficaces, como la Ley General de la Vivienda, de 1984, y luego otra ley más, en 1988, y así hasta la caída del muro de Berlín, que condujo al *período especial*, y a la paralización de todos los proyectos, incluso los más modestos.

En 2005, con un déficit alarmante de más de 600.000 viviendas, el Gobierno reincidió en los errores de años anteriores y anunció nuevos y faraónicos planes. En una sesión de la Asamblea Nacional del Poder Popular,[3] Carlos Lage, vicepresidente del Consejo de Estado y secretario Ejecutivo del Consejo de Ministros, anunció que «... se ha decidido acometer en lo que resta de este año y el 2006 un programa de no menos de 150.000 nuevas viviendas y 380.000 acciones constructivas de conservación y rehabilitación muy superior a lo aprobado nunca antes en nuestro país».

A finales de 2006, el número oficial de viviendas construidas ese año fue de 110.000, un récord en la historia de la Revolución. Pero no era cierto. La cifra era tan fantástica que no resultaba creíble, y hasta el propio Carlos Lage tuvo que reconocer, en junio de 2007, que «nada justifica un fraude o un engaño como se produjo el pasado año, cuando un número de casas fueron reportadas concluidas y no lo estaban». El 18 de octubre de 2007, el presidente del Instituto Nacional de la Vivienda, Víctor Ramírez, reconoció, según una información publicada por el diario *Granma*, que no se iban a terminar las 70.300 casas planificadas para ese año, ya que las construidas hasta la fecha «apenas rebasan el 50 % de lo previsto». Aun así, la vicepresidenta del Instituto Nacional de la Vivienda, Oris Silva Fernández, anunció, el 11 de enero de 2008, un plan de construcción de 50.000 viviendas para ese año.

Excesiva burocracia, falta de suelo, retrasos en la entrega de materiales y desvío de recursos, son algunos de los argumentos que esgrime el Gobierno para justificar, en cada rendición de cuentas anual, el incumplimiento de los planes sobre la vivienda. Más prosaico, el semanario *Trabajadores* prefiere aplicar el «manual»: «Por su explicación conocimos que en el área de la vivienda el bloqueo impacta fundamentalmente en la adquisición de suministros, tecnologías y equipamiento destinado a aumentar capacidades constructivas».[4]

«¿Qué coño se trae la reforma urbana?»

—Vivo en la misma casa con mi primera mujer,
mi segunda mujer
y el marido de mi primera mujer.
¿Usted me entiende?
—Casi.
—Ahora dice el inspector que la casa es indivisible.
¿Qué coño se trae la Reforma Urbana?[5]

La escasez de vivienda, sobre todo en La Habana, ha propiciado un peligroso hacinamiento familiar. Hasta cuatro generaciones conviven en abigarrada mixtura en pisos minúsculos, sin más esperanza para ganar espacio que la muerte de los ancianos o la huida de alguien hacia Estados Unidos. No hay privacidad ni mucho menos confort en esas viviendas de las que los jóvenes no pueden marcharse porque no tienen adónde ir. Si alguien decide casarse no le queda más remedio que compartir el reducido espacio de que dispone, o trasladarse a la vivienda de su pareja, con el consiguiente problema para los demás miembros de la otra familia, que tendrán que limitar aún más su espacio. Los altos niveles de violencia familiar, el alcoholismo y el incremento de los divorcios no son ajenos a ese fenómeno, como tampoco lo es el bajo índice de natalidad. Un hijo multiplica los problemas derivados del hacinamiento y es un factor añadido al estancamiento demográfico del país.

En noviembre de 2005, la Oficina Nacional de Estadística (ONE) dio a conocer los datos del Censo Nacional de Población, realizado tres años antes, según los cuales el número de personas que residían en el momento del censo de forma permanente en la isla, era de 11.177.743 habitantes.[6] Ese Censo, el tercero realizado en el país desde 1959, y el décimo octavo en la historia de Cuba, ofrece un dato preocupante: mientras la esperanza de vida va en aumento, la tasa de natalidad disminuye por debajo del nivel de reemplazo poblacional. Cuba, un país subdesarrollado, sufre, paradójicamente, una «enfermedad» propia de los países desarrollados; un 16,2 % de su población tiene 60 años o más, mientras que sólo nacen 11,3 niños por cada mil habitantes, lo que equivale a 1,54 hijos por mujer. Si continúa esa tendencia, en el año 2025, el 25 % de la población cubana será mayor de 60 años.

Quiero llegar a los setenta y cuatro,
que en mi casa es el promedio de vida,
comiendo bajo en proteína y grasa
y haciendo mucha bicicleta fija o china.
Pero en casa yo me siento como en casa,
aunque hay gente que se casa
para irse de mi casa.[7]

Promiscuo abigarramiento

En La Habana muchas familias viven en *ciudadelas, solares* o *cuarterías*, nacidas de la división en muchos cuartos de antiguas mansiones, con más de cien años de antigüedad, en las que habitan incluso ochenta personas por edificio, diez o más por habitación, con lavaderos y letrina compartidos. Las *cuarterías*, según Lisandro Otero,[8] autor de la comedia musical *El Solar*, son un «vivero de costumbres», crisol de «muchas formas interesantes de folclore, desde las religiones de origen africano hasta formas musicales autóctonas, como la rumba». Y no le falta razón. Pero los *solares* son auténticos avisperos humanos, donde miles de personas representan a diario la difícil tarea de vivir en edificios insalubres, con fachadas desconchadas y sin pintar, de los que a veces cuelgan, como peligrosas estalactitas, restos de lo que un día fueron balcones. En los tejados, los cartones embreados y las chapas de zinc, que sustituyen a las tejas rotas, no son lo suficientemente eficaces para impedir las filtraciones de agua.

En el municipio de Cayo Hueso, en Centro Habana, hay más de 200 *ciudadelas* y en el de Habana Vieja, declarada patrimonio de la Humanidad por la Unesco en 1982, casi la mitad de la población vive en esos edificios en unas condiciones no muy diferentes a las que denunció ¡en 1945! Juan M. Chailloux Carmona: «De las aglomeraciones deriva la promiscuidad más repugnante en estos reductos de la miseria. En ocasiones aparecen dos, tres y hasta cuatro familias refundidas en una sola habitación que no rebasa los 20 metros cuadrados de superficie. Niños y adultos, jóvenes solteros de ambos sexos, y matrimonios, en promiscuo abigarramiento, duermen apretujados en las habitaciones miserables».[9]

La estática milagrosa

El enorme déficit de viviendas, con ser grave, no es el único problema al que tienen que enfrentarse los cubanos. De acuerdo con un Informe oficial,[10] el 43 % de las viviendas de la isla se encuentra en regular y mal estado. Se calcula que cerca de medio millón de personas viven en casas no aptas para ser habitadas, debido a su estado de degradación, que los huracanes y las lluvias torrenciales han agravado y que se mantienen misteriosamente en pie gracias a las invisibles leyes de la estática milagrosa.

De los 47.000 inmuebles con más de tres plantas que hay en Cuba, un 85,1 % necesita reparación, según reconoció, en julio de 2008, el presidente del Instituto Nacional de la Vivienda, Víctor Ramírez, ante la Comisión de Industria y Construcciones del Parlamento cubano. Sólo en La Habana, cerca de 26.000 personas residen en viviendas a punto de derrumbarse, según informó en abril de 2008 el diario *Juventud Rebelde*. Ivette Pérez Vuelta, funcionaria del Ministerio de la Vivienda, explicó al periódico que en la capital hay cerca de mil edificios con unas 8.000 viviendas «en estado crítico», y no hay madera suficiente para apuntalarlas y evitar su derrumbe. «El apuntalamiento —aseguró la funcionaria— es una actividad que siempre reserva casos pendientes, pues el material madera aún es crítico dentro de nuestras posibilidades, y lo existente tenemos que dosificarlo entre lo planificado y los derrumbes diarios, que oscilan entre uno y tres». Pérez Vuelta pide a los afectados por el estado crítico de sus viviendas que no se desesperen porque «el Gobierno y las entidades de la Vivienda en la capital trabajan en estrategias de solución al problema habitacional, con la claridad absoluta de que los resultados se irán logrando escalonadamente». Mientras eso ocurre, todos cruzan los dedos, como hacen los vecinos del edificio situado en el número 17 de la calle Estrella, entre Águila y Amistad. Los habaneros le llaman el Titanic, porque desde 1970 se está hundiendo lentamente, sin que acabe de desplomarse del todo.

El Gobierno cubano culpa al bloqueo por la falta de materiales para construir y rehabilitar viviendas. Pero no es cierto, al menos no del todo. El mismo día en que se derrumbó una casa en el malecón habanero, a una cuadra del hotel Deauville, en febrero de 2006, Hugo Chávez reveló que Cuba iba a enviar a Venezuela, en los próximos días, medio millón de toneladas de cemento para reparar los barrios más deteriorados de Caracas.[11] Dos meses más tarde, en abril, los Ministerios de la Vivienda de Venezuela y de la Construcción de Cuba firmaron un acuerdo para edificar 5.700 viviendas en el eje Petare-Guarenas y 800 «soluciones habitacionales» en el eje Caracas-la Guaira. El desvío de recursos a la «hermana» República Bolivariana de Venezuela es una muestra más de la «solidaridad» del Gobierno cubano, a cambio de petróleo y a costa de los cubanos.

> No he de caerme, no, que yo soy fuerte.
> En vano me embistieron los ciclones
> y me ha roído el tiempo hueso y carne,
> y la humedad me ha abierto úlceras verdes.
> Con un poco de cal yo me compongo:
> con un poco de cal y de ternura...[12]

Los ciclones que azotan la isla de Cuba agudizan el deterioro de las viviendas, pero a pesar de los derrumbes, muy pocos quieren abandonarlas, como Victorio, el protagonista de *Los palacios distantes,* de Abilio Estévez, que recorre la ciudad en ruinas hasta hallar cobijo en un teatro abandonado. Es una obra de ficción, pero Victorio se parece mucho a Reinaldo, una persona de carne y hueso que vive desde hace años en el semiderruido teatro Capitolio, en Centro Habana, donde un día ya lejano, Enrico Caruso interpretó «Una furtiva lacrima», de *L'elisir d'amore,* de Gaetano Donizetti. Vecina de Reinaldo es María, «la de la piscina», como la llaman, porque desde hace años vive precisamente en el hueco de la piscina situada en la azotea del antiguo hotel Bristol. Allí se construyó una chabola con cuatro tablas y algunas chapas, y nunca ha tenido problemas con la policía. Al contrario, María no está considerada como una «ocupa», está censada en esa «vivienda» y paga religiosamente los recibos del agua, la luz y el gas, que llegan con rigurosa puntualidad los primeros días de cada mes.

No es extraño que personas como Reinaldo y María prefieran vivir en medio de las ruinas antes que en los albergues «provisionales» que facilita el Gobierno a los que se han quedado sin casa por los derrumbes. Esos albergues, mucho peor que las *cuarterías,* son casuchas levantadas a toda prisa en eriales, a base de paneles prefabricados y una letrina común. Cientos de familias, no sólo en La Habana sino en muchos otros lugares del país, como Holguín o Santiago de Cuba, malviven en esos lugares inhóspitos en condiciones penosas, mientras esperan durante años que les asignen una vivienda.

En Río Verde, cerca del aeropuerto José Martí, de La Habana, 200 personas comparten uno de esos albergues «provisionales» con un cuarto para cada familia, sin tener en cuenta el número de miembros que la componen, con techo de fibrocemento y paredes de ladrillo sin repellar. El baño es de uso colectivo, tres casetas para todos los albergados. Las condiciones higiénicas son deplorables, escasea el agua y la basura se acumula sin que nadie se acuerde de recogerla. En Luyanó y la Víbora, en el extrarradio de La Habana, después de diez años de espera, al Gobierno no se le ocurrió una idea mejor que la de reconvertir algunos de esos lugares en viviendas definitivas con su correspondiente título de «propiedad». De esa manera tramposa solucionaron un enojoso problema y aumentaron la cifra, siempre mágica, de viviendas terminadas.

En toda la isla florecen como setas barrios marginales más propios de un país como Brasil que de una Cuba donde «lo que se hace es darle más al pueblo y repartirlo mejor», como dijo Castro en el Palacio de las Convenciones el 17 de marzo de 2005. Es poco probable que estuvieran de acuerdo con él los habitantes de La Jata, junto al cementerio judío de Guanabacoa; La Güinera, en el Municipio de Arroyo Naranjo; o Los Pocitos, donde hasta *Juventud Rebelde* dice que «es palpable la contaminación ambiental por la cantidad de desechos sólidos que acumula históricamente el paso del río Quibú». En época de lluvias, el río se desborda y las chabolas de Los Pocitos quedan anegadas, mientras que en barrios como el de Atarés, situado en el mismo centro de la capital, el problema es precisamente la falta de agua corriente.

Los *Llega y Pon*

Los *Llega y Pon* son barrios de chabolas construidas con tablas, chapas de zinc, cartones..., toda una panoplia de materiales de desecho para dar cobijo a los miles de desempleados que acuden a la capital con la esperanza de encontrar trabajo, un bien escaso en las provincias de Oriente. Algunos de esos *re-*

partos, como Casablanca, situado en el municipio de Regla, frente a la bahía de La Habana, tienen casi 20 años de antigüedad; otros son más recientes, como El Bachiplán, en La Habana del Este; Blumer Caliente, en Boyeros, y San Miguel, en San Miguel del Padrón; pero todos están cortados por el mismo patrón, son villas miseria, como las de cualquier ciudad de Latinoamérica.

En uno de los laterales de la mismísima plaza de la Revolución, en La Habana, frente al Teatro Nacional, en la desviación que conduce a la avenida Boyeros, las casuchas del barrio de la Timba son el mejor antídoto contra la propaganda del «mundo feliz» que emana desde la sede del Consejo de Estado, el Comité Central del Partido Comunista y el diario *Granma*, situados en la misma plaza.

El 14 de junio de 2006, unos 60 vecinos de Casablanca se manifestaron en la plaza de la Revolución para protestar porque iban a ser desalojados de sus viviendas. El hecho, insólito en Cuba —y más en ese lugar, centro neurálgico del poder—, puso de manifiesto la voluntad de muchos ciudadanos de defender su derecho a la vivienda, sin miedo a las consecuencias. Uno de los vecinos dijo: «Tenemos libreta de abastecimiento, donamos sangre al comité y votamos por el delegado de la zona. Lo único que queremos es que nos dejen donde estamos».[13]

La revista semestral de antropología *Catauro*, muy minoritaria, editada en La Habana por la Fundación Fernando Ortiz, publicó en 2006 un exhaustivo Informe sobre la marginalidad en Cuba. En el trabajo, realizado por dos investigadores del Centro de Antropología, CITMA, se indica que «ciertamente, los barrios pobres y marginales, como Romerillo, Palo Cagao, Las Yaguas y más recientemente los *Llega y pon*, no dejaron de formar parte de nuestra realidad, aún con una Revolución socialista que relativiza tales deformaciones por su proyección democrática y estrategias de inclusión».[14]

Una socióloga del Centro de Investigaciones Psicológicas y Sociológicas[15] es quien pone de verdad el dedo en la llaga al señalar, también en un trabajo publicado en la misma revista, que desde el punto de vista político, el concepto de «barrio marginal» está demonizado en Cuba y ha sido sustituido por «barrios insalubres». «¿Para qué la sociología iba a usar la noción de marginalidad si ésta es una sociedad que sistemáticamente amplía sus márgenes de integración y de acceso a los beneficios?», se pregunta la autora del trabajo, y añade que el proceso de marginalidad en las ciudades de Cuba ha sido imparable, «sean cuales sean las medidas que se hayan tomado, o los artificios del lenguaje que se hayan usado para hacerlos desaparecer de la realidad».

En el campo, la situación de la vivienda no es mejor que la de las ciudades. Los guajiros habitan casas no muy diferentes a las de otros países de la zona, donde no hay tanta retórica ni promesas de redención, al menos fuera de las campañas electorales. Son casas pobres y de pobres, construidas sobre suelo de tierra, *varaentierra* llaman en Cuba a las que están hechas con las pencas de las palmas reales, sin cimientos y con tejados de chapa fijados con clavos a las vigas, que suelen ser presa fácil para los huracanes.

Ya somos *casatenientes*

Lo paradójico es que el Estado se ha convertido en un rico *casateniente,* como llamaba Fidel Castro despectivamente a los propietarios de viviendas al principio de la revolución. Sólo en La Habana, el Gobierno posee impresionantes mansiones en los exclusivos barrios del Vedado, Miramar, Cubanacán y Siboney, que fueron expropiadas cuando sus propietarios se marcharon del país, o fueron confiscadas más tarde por «interés político». Esas viviendas, para las que no se escatiman gastos en su reparación, se alquilan a precios desorbitados a diplomáticos y extranjeros que trabajan en Cuba. También se utilizan como casas de protocolo para albergar a los invitados especiales que visitan la isla con frecuencia, como Gabriel García Márquez, Hugo Chávez o Daniel Ortega, entre otros.

Algunas viviendas, como la residencia de la familia Aráoz, en Ciego de Ávila, convertida en hospital, sirven todavía hoy como coartada para encubrir el fabuloso negocio inmobiliario del Gobierno. Con el título de «El reclamo de los ilusos», el 22 de noviembre de 2006, el diario *Granma* decía que «muchas de las obras que hoy construimos en medio de la Batalla de Ideas, se levantan en las otroras propiedades norteamericanas o de ricachones cubanos que huyeron del país. ¿Vamos a entregárselas mansamente? Aquí los verdaderos propietarios somos nosotros». Y para rubricar su argumento, *Granma* hacía un jugoso retrato del antiguo propietario: «Desde el norte, la brisa de la tarde llega revuelta y don Arturo de Aráoz se acomoda en el sillón con pretensiones de eternidad. "Que me traigan el café", ordena con voz arrogante. En pocos segundos, uno de los peones de la casa llega con el aromático y lo pone en las manos del "señor Aráoz", como exige que lo llamen. Por un momento levanta la vista y ve volar algunas auras tiñosas, el animal carroñero que abunda en los campos de Cuba: "Oh, mal presagio", exclama. Se acomoda en el sillón y desvía la mirada hacia la piscina aledaña a la mansión».

Al triunfo de la Revolución, el entonces ministro de Obras Públicas, Manuel Ray Rivero, presentó al Consejo de Ministros un proyecto para solucionar la crisis de la vivienda en la capital.[16] A Ray Rivero, imbuido del espíritu igualitario de la Revolución, no se le ocurrió otra cosa que convertir en apartamentos las lujosas residencias abandonadas por sus propietarios, huidos a Miami, y entregárselas a las familias que vivían en *cuarterías* de La Habana Vieja y en casuchas construidas en las afueras de la ciudad, en los «llega y pon». Pero nadie le hizo caso.

¡Aquí no hay privilegios!

«Todos somos iguales, pero algunos animales somos más iguales que otros», dice George Orwell en su libro, *Rebelión en la granja*. En Cuba, esa máxima se ha ocultado siempre detrás de la retórica de Fidel Castro o de gestos demagógicos como el que protagonizó su hermano Raúl durante los actos del primero de mayo de 1959, frente al Palacio de la Revolución. Lo cuentan Luis M. Buch y Reinaldo Suárez:[17] «Al ver que la tribuna presidencial estaba techada, tomó [Raúl Castro] el fusil que portaba un soldado rebelde, comenzó a rasgar la lona y a todo pulmón gritó: "Aquí no hay privilegios. Si los que van a desfilar lo hacen a cielo descubierto, nosotros debemos permanecer igual". En pocos minutos el sol brillaba resplandeciente sobre nuestras cabezas».

El sol sigue brillando sobre las cabezas de los cubanos, pero no es cierto que no haya privilegios. Hay muchos favorecidos, militares, pintores, escritores, deportistas, gente a quien el Gobierno premia con las viviendas confiscadas de todos los que se han ido del país, ya sean *balseros*, emigrantes legales, disidentes, deportistas, músicos o figuras del ballet, que se exilian después de un campeonato, un concierto o una gira, algo muy común en Cuba. Los «desertores», según la terminología oficial, pierden todos los derechos sobre su vivienda, y también sus herederos. Los hijos o los familiares más próximos de las personas que se marchan del país, tienen que comprar otra vez la vivienda al Estado si no quieren ser desalojados. Lo mismo ocurre con los que reciben una propiedad, ya sea por herencia o por división de bienes después de un divorcio; en todos los casos, el beneficiario tiene que volver a pagar la casa que recibe al Instituto Nacional de la Vivienda.

En Cuba, cada ciudadano sólo puede tener un máximo de dos viviendas, siempre que una esté en la ciudad y la otra en la playa o el campo. Aun así, nadie es verdaderamente dueño de su casa, según consta en los títulos de propiedad: «El Estado Cubano es dueño en pleno y absoluto dominio de la vivienda situada en...». Las escrituras de propiedad son una mera formalidad virtual. La compraventa de casas está prohibida; la ley sólo contempla la permuta, el intercambio de viviendas entre particulares, sin ánimo de lucro. Pero la permuta encubre un mercado paralelo que manejan hábilmente los «permuteros», verdaderos agentes inmobiliarios que funcionan de acuerdo con las leyes de la oferta y la demanda. Oficialmente, el intercambio de viviendas se produce sin mediar dinero, pero, extraoficialmente, hay tarifas y comisiones, de acuerdo con el valor real de la propiedad, como en cualquier mercado inmobiliario. Los notarios, funcionarios del Gobierno que actúan como registradores de la propiedad, conocen de sobra los pormenores de esas operaciones, pero el dinero extra que reciben les lleva a mirar para otro lado.

Las viviendas no pueden ser testadas en vida de sus dueños; se transmiten de padres a hijos al fallecer los progenitores, siempre que el heredero no tenga otra casa en propiedad. También en estos casos funciona la picaresca para evitar que el Gobierno engrose más metros cuadrados en sus arcas. Hay parejas que recurren a un divorcio ficticio para que uno de ellos pueda heredar la casa de los padres, después de ceder a la otra parte su derecho de propiedad sobre la vivienda común.

Un sarcófago sin cadáver

> Aquí tamo to lo negro,
> que venimos a rogá
> que nos concedan permiso
> para cantá y bailá.[18]

Las limitaciones para la compraventa de viviendas tienen su colofón con la prohibición que pesa sobre los cubanos para vivir donde quieran. El Decreto Ley 217, de 1997, limita la libre circulación y el derecho que, de acuerdo con el artículo 43 de la Constitución vigente, tienen todos los cubanos para residir en cualquier lugar del territorio nacional. En principio, el Decreto Ley se promulgó para evitar la llegada masiva a La Habana de emigrantes pobres, la mayoría negros, de las depauperadas provincias de Oriente, castigadas por un alto nivel de desempleo. La población negra es víctima de una fuerte discriminación, que las autoridades no han logrado erradicar. «No hay negro bueno ni tamarindo dulce», dicen hoy muchos cubanos, y es que, como dice Miguel Cabrera Peña, «la discriminación en la isla se decretó fallecida, un deceso del cual se exponía el sarcófago, mas no el cadáver».[19]

Hugh Thomas cuenta que le contaron que a mediados de la década de 1960 un negro decía que «antes de la Revolución, el único momento en que me acordaba de que era negro era cuando me bañaba; ahora me lo recuerdan cada día».[20] Fidel Castro, en la clausura de Pedagogía 2003, ante 4.000 educadores de 40 países, reconoció que «la Revolución no ha logrado el mismo éxito en la lucha por erradicar las diferencias de estatus social y económico de la población negra». Pero, más papista que el Papa, el comandante de la revolución y vicepresidente del Consejo de Estado, Juan Almeida,[21] uno de los pocos negros que ha alcanzado un puesto importante en el sistema, dijo que Castro quedará inscrito en la Historia, como el hijo sagrado de la Patria, por dignificar el género humano porque dio su lugar al negro y a la mujer. «Nunca a su lado [de Fidel] me he sentido negro», remachó Almeida, quien como autor de boleros en su juventud debería saber que en el campo, a los niños se les canta todavía esta nana:

Duérmete, mi niño
que te lleva el coco
no vayas al río
que te sale un güije[22]
y te come un negro.

Ser negro en Cuba es un duro oficio, especialmente en la capital, donde la población negra y mulata representa el 36 %, y en los municipios de Habana Vieja y Centro Habana, donde viven hacinados en *solares* y *cuarterías*, superan el 50 % del censo. Para la Policía Nacional Revolucionaria, compuesta paradójicamente por negros y mulatos en su mayoría, esos municipios son «centros de actividad delictiva» y es allí donde se emplean de forma más contundente. Todas las personas que carecen del permiso para residir en La Habana son deportadas sin contemplaciones a sus lugares de origen, y a los residentes sin trabajo fijo se los envía a la cárcel sin juicio, acusados de «peligrosidad predelictiva». Activistas de derechos humanos han denunciado que más del 84 % de los operativos de la policía se dirigen contra negros y mulatos. Un dato revelador es que más del 80 % de la población penal de Cuba está compuesto por negros.

Se calcula que en La Habana, con una población de algo más de dos millones de habitantes, cerca de medio millón de personas residen «ilegalmente». En el *Orient Express*, como llaman burlonamente los cubanos al tren de los deportados, viajan también las *jineteras* de provincias y los chulos que tuvieron la mala suerte de caer en manos de policías honrados que no aceptaron el soborno. Uno de los «entretenimientos» de los que (des)esperan en la Terminal La Couvre de La Habana, es ver el trasiego de *perseguidoras*, como llaman, y no por casualidad, a los coches de la policía, con *palestinos*[23] que van a ser deportados a las provincias orientales como vulgares criminales.

La *refulgencia* de los CDR

La ley castiga a los habaneros que alberguen en su casa a residentes de otras provincias. Los alquileres están sujetos a normas estrictas y severos controles. Los CDR, los Comités de Defensa de la Revolución, son el mejor instrumento de control sobre la población, un sistema de vigilancia colectiva, en cada casa, en cada manzana, en cada barrio. Son los «ojos y oídos» de la Revolución, «alimañas repugnantes», según muchos cubanos, que denuncian, espían, informan y delatan sin compasión a sus convecinos.

Los CDR se crearon por decisión del propio Fidel Castro, el 28 de septiembre de 1960, como un órgano auxiliar de la Dirección de la Seguridad del Estado, para identificar y delatar a los contrarrevolucionarios. Desde el principio, el dictador dejó claro su objetivo: «Que todo el mundo sepa qué es y qué hace el que vive en la cuadra y qué relaciones tuvo con la tiranía, a qué se dedica, con quién se junta, en qué actividades anda». En la actualidad hay más de 138.000 comités en toda la isla con más de ocho millones de afiliados, cerca del 86 % de la población mayor de 14 años.

Coincidiendo con el 46 aniversario de su creación, el Secretariado Ejecutivo Nacional de los CDR hizo público un Comunicado en el que después de denunciar, una vez más, «la hostilidad del Gobierno de Estados Unidos contra Cuba», asegura que «quieren [Estados Unidos] acabar con la felicidad de nuestros hijos; desde 2004 anunciaron que habrá muchos niños huérfanos en la calle, porque saben que van a matar a muchos de sus padres y otros tantos serán encarcelados. Dicen que es inmerecida la jubilación de nuestros ancianos y éstos, para vivir, tendrán que volver a trabajar en la construcción». Un mensaje absurdo a todas luces, en clara coincidencia con las advertencias del Gobierno sobre la maldad del «imperio». Menos mal que, como dice el Comunicado, «el pueblo cubano resiste y está alerta», no en vano los CDR son elegidos por los vecinos de cada cuadra de acuerdo con sus méritos revolucionarios.

Además de ejercer tareas de vigilancia «con la guardia en alto, defendiendo el socialismo» —es su eslogan—, los CDR son los encargados de «convencer» a los vecinos remolones para que participen en manifestaciones y «marchas del pueblo combatiente», como la del Primero de Mayo, que concentra en la plaza de la Revolución a más de un millón de personas. «No iremos aunque digamos sí. No estaremos aunque vayamos», suelen decir los cubanos en esas ocasiones, insensibles a los desvelos de los CDR, que están alerta «para que el imperio de la maldad no hunda lo digno, lo justo, lo hermoso en el lodo». Así lo afirmaba el semanario *Tribuna de La Habana*, el 24 de septiembre de 2006, en un artículo titulado «Por la victoria del amor», en el que destaca, además, los méritos que debían concurrir en los responsables de los CDR: «El amor por el prójimo es esencial para ocupar un cargo a cualquier nivel en la Organización. No basta con ser ejemplo. Hay que querer a los demás, preocuparse por ellos, brindarles la refulgencia propia hasta a quienes han sido lastimados seriamente por las debilidades. A ésos, más atención y desde el pecho: la parábola del hijo pródigo ayuda a comprender».

Quizá por aquello de la *refulgencia*, los CDR son los encargados de hacer la vida imposible a los disidentes que exigen pacíficamente el respeto a los derechos humanos, y junto con las Brigadas de Respuesta Rápida, matones de la Seguridad del Estado, organizan contra ellos lo que en el argot oficial se denominan «actos de repudio», que van desde los insultos a las palizas. Ya lo dice *Tribuna de La Habana*: «La ternura no es sinónimo de flaqueza; al contrario, eleva la potencia y permite utilizar bien la mirilla. La censura, aun la sanción, existen para construir, para salvar». Salvemos a los que no quieren ser salvados, es la consigna; salvémosles a pesar de ellos.

Capítulo 4

Camellos en La Habana

> Ya estábamos preocupados
> Por si algo le pasó
> Y mirando hacia la esquina
> Un italiano gritó
> ¡Mama mía, ma que che!!!
> Era que venía Hilarión
> Tranquilito y sonriente
> Manejando el almendrón.
>
> (CORO)
>
> Ahí viene Hilarión
> Manejando el almendrón.
>
> *El almendrón,*
> de RENÉ BAÑOS PASCUAL

«¡Qué dura es la vida del alcalde!», aseguran que le oyeron exclamar a Plutarco Tuero desde el fondo de la «tumba» donde yace, en el polvoriento archivo de la televisión cubana. Y es extraño, porque Plutarco Tuero —un personaje de ficción, alcalde de *San Nicolás del Peladero,* una de las series humorísticas de mayor éxito en Cuba— llevaba muchos años «muerto» y su frase favorita, «¡qué dura es la vida del alcalde!», había caído en desuso. Pero el 7 de julio de 2006, en un discurso que Fidel Castro pronunció en el Teatro Karl Marx de La Habana, desempolvó la frase en cuestión para criticar a los funcionarios que años atrás habían concedido licencias de taxi a los *almendrones,* viejos automóviles «de la época del capitalismo» que consumen mucho y utilizan, según él, combustible robado.

> Sí, es dura la vida del alcalde, ya lo sabemos —dijo Castro—. Es muy dura la vida del alcalde, es muy fácil tolerar, consentir, permitir errores, equivocaciones. Lo malo es rectificar, arreglar, dar marcha atrás [...] Pero en cierto momento hay que preguntar: ¿qué tú prefieres, este desorden, este despilfarro o tener techo? [...] este despilfarro y menos ropa y menos zapatos, este despilfarro y menos desarrollo social, este despilfarro y menos libros.

Después de ese discurso, retransmitido por televisión, los cubanos se quedaron mudos, porque a la incompetencia del Gobierno para solucionar el problema del transporte, se sumaba la amenaza de acabar con los que contribuían a paliarlo, acusándolos de despilfarradores. Y todo ello mediante un sofisma, porque la propuesta de Castro era eliminar algo real, como es un transporte alternativo, a cambio de promesas virtuales, como una vivienda o zapatos, que no se han materializado en Cuba después de medio siglo de revolución.

Menos mal que la enfermedad del comandante dejó aquella amenaza en suspenso y que Raúl Castro, más realista que su hermano, ordenó, además, retirar las señales que prohibían a los *almendrones* circular por la 5.ª Avenida de Miramar, una medida tomada con anterioridad al anatema del comandante. Los cubanos pudieron respirar aliviados porque esos viejos cacharros gozan de gran popularidad. Recorren La Habana como laboriosas hormigas y sacan del apuro a mucha gente, a pesar de que su precio es alto, unos 20 pesos cubanos por trayecto, que equivalen a dos días de trabajo. Su capacidad, para seis u ocho personas, los hace idóneos para compartir runrunes e incluso intercambiar mercancías de la floreciente *bolsa negra*.

A los *almendrones* se les distingue desde lejos porque, a diferencia de sus hermanos de época, los *fotingos*, en general mejor cuidados, presentan un aspecto lamentable. Están sucios, llenos de abolladuras, y suelen hacer más paradas de las previstas, porque falla demasiadas veces el motor o se *ponchan*[1] las ruedas. Pero la razón por la que el dictador se propuso acabar con ellos es que los conductores o *boteros* pertenecen a la denostada elite de los *merolicos*, trabajadores por cuenta propia a los que se vio obligado a autorizar durante los difíciles años del *período especial*.

Este *carro* es un Chevrolet de los años cincuenta
que al final se puede mover porque la gente inventa,
cuando te sientas un poco apretado,
convierte tu casa en un restaurant,
que aquí de una bicicleta se hace una nave espacial.[2]

No hay transporte público en Cuba, al menos lo que se entiende por eso en cualquier país, y La Habana, la ciudad más poblada de la isla, es la que sufre las peores consecuencias. En 1958, la capital contaba con un excelente servicio de transporte a cargo de dos grandes empresas, la Cooperativa de Ómnibus Aliados, S.A. (COA), y la Financiera Nacional del Transporte, S.A. (Autobuses Modernos). La COA, una empresa cooperativa, tenía un parque de 1.200 vehículos marca General Motors, y trasladaba al 75 % de los habaneros; la segunda empresa, sustituta de los antiguos tranvías, daba servicio al 25 % del millón de habitantes que entonces tenía La Habana, con sus 780 guaguas de la Leyland Motors Ltd.

Después del triunfo de la revolución, muchos de aquellos autobuses, faltos de repuestos, pasaron a mejor vida. Sin embargo, gracias a la ayuda soviética, los cubanos pudieron disponer durante años de un aceptable servicio de transporte público. En 1988, La Habana contaba con cerca de 2.000 guaguas que transportaban más de tres millones de pasajeros diarios. Algunas rutas, como la de La Lisa, en Marianao, tenían un parque de 300 vehículos que daban servicio cada cinco minutos. El *período especial* puso fin a esa situación. El transporte público prácticamente desapareció y aún hoy se mantiene en estado crítico.

La película del sábado

Por las calles de La Habana circulan —aunque están al borde de la extinción, como los dinosaurios— unos extraños «monstruos», supervivientes del *período especial.* Son cabinas de camiones con largas plataformas sobre las que se han colocado dos estructuras de viejos autobuses. Algo parecido se utilizó ya en la capital a principios del siglo XX, cuando se prohibieron las guaguas con tracción animal y se montaron las viejas berlinas sobre chasis de automóviles Ford. Vistos desde lejos, estos peculiares autobuses urbanos parecen camellos gigantes con sus correspondientes jorobas, incluso el «pelaje» de alguno de ellos es de color marrón. Los habaneros los llaman precisamente *camellos*, y son tan difíciles de ver como los animales con que se los ha asociado.

Quedan ya muy pocos ejemplares de *camellos*, llenos a rabiar, colmada con creces su capacidad para más de 300 personas. Cuando aparece alguno, es literalmente asaltado por decenas de personas que durante horas han estado oteando ansiosas el horizonte. Sin aire acondicionado, sólo con la ventilación que proporcionan unas pequeñas ventanas, los viajeros se van cocinando a fuego lento, mientras a su alrededor carteristas, sobones, pendencieros y personajes de toda laya «amenizan» el trayecto. Precisamente por eso, los cubanos, tan dados a la chanza, llaman a los *camellos* «la película del sábado», porque hay escenas de alto contenido erótico y de violencia, con lenguaje fuerte, no apto para menores, como advierten los rótulos de los films que emiten ese día por Cubavisión. A Fidel Castro, entre otros motes, le dicen precisamente «el rey del desierto» porque ha dejado a los cubanos sin agua y con camellos.

Las cuatro de la tarde,
la guagua que no llega,
la gente que no para de hablar
y que se desespera...

Las 6.45, me subo apretado,
revuelto por el mal olor que trae el tipo de al lado...

Somos una masa de grasa y acero.
Somos como vacas que apuran hasta el matadero.
Somos las hormigas que van al agujero.
Somos una brasa de fuego.[3]

En el asfalto habanero hay otros raros ejemplares de difícil clasificación. Son camiones de carga de los años cincuenta del siglo pasado, viejos Studebaker o Ford, techados con una lona o chapas de zinc superpuestas, en cuyos laterales se han instalado, atornillados al piso, bancos de madera corridos que sirven de asiento a una legión de condenados, que tal parecen los que van en ellos, como si los acarrearan hasta un campo de internamiento; sólo faltan centinelas armados que los empujen hasta la escalera de hierro soldada a la parte exterior del vehículo por la que trepan torpes hasta dar con sus huesos en ese almacén de penitentes. Es un servicio privado que, pese a todo, funciona con mayor regularidad que los *camellos*, pero es patética la imagen que ofrecen, con los viajeros asomando la cabeza por los resquicios que quedan libres para poder respirar.

Las calendas del comandante

En 2007, la capital contaba con tan sólo 330 ómnibus para el transporte público, que daban servicio diariamente a 635.000 pasajeros, una cifra irrisoria para una ciudad con más de dos millones de habitantes. Sin embargo, 3.500 autobuses eran utilizados, también diariamente, para transportar hasta sus puestos de trabajo a 120.000 empleados de empresas de sectores básicos, como el Turismo. Esa desproporción de medios entre un servicio público y otro de carácter casi privado, fue destacado por la revista *Bohemia* el 13 de abril de 2007. La publicación señalaba que mientras los empleados de las empresas con locomoción propia no tenían dificultad en llegar a su trabajo, la mayoría de los habaneros tenían que invertir «entre tres y cuatro horas diarias —o más— para llegar a sus destinos. Y ni hablar de la desesperación cuando alguien necesita acudir al médico o le resulta imprescindible llegar a tiempo para cubrir el turno de trabajo».

La reseña de *Bohemia* ponía el dedo en la llaga de uno de los problemas que más afectan a los cubanos. Pero una información de esa naturaleza no podía quedar así, había que matizarla, justificarla, y nadie mejor que el diario *Juventud Rebelde* para ofrecer en bandeja la cabeza del culpable: «Para nadie es un secreto que el sistema de transportaciones del país reporta un deterioro acumulado, como resultado de los obstáculos que impone a Cuba el bloqueo norteamericano desde hace más de cuatro décadas y de las afectaciones provocadas por el período especial».[4]

El 28 de diciembre de 2007, Osvaldo Martínez, presidente de la Comisión de Asuntos Económicos de la Asamblea Nacional del Poder Popular, anunció que el transporte de pasajeros había iniciado una mejoría con la llegada al país de 806 ómnibus de un total de 1.548 comprados en China. A partir de febrero de 2008, muchos de esos *yutong*, como se llama popularmente a las guaguas chinas, entraron en servicio en la capital, pero los habaneros dicen que son como las aspirinas, una cada cuatro horas, que alivian pero no curan el mal del transporte. El propio Osvaldo Martínez reconoció, a principios de mayo de 2008, durante una conferencia en la Casa de América, en Madrid, que el transporte de pasajeros en La Habana «requiere un óptimo de millón y medio de viajes diarios y ahora se están alcanzando entre 400.000 y 500.000».

Los cubanos ya están acostumbrados a los anuncios de mejoras que luego no se corresponden con la realidad. El 5 de abril de 2006, Fidel Castro pregonó a bombo y platillo en el Teatro Karl Marx de La Habana, la compra a China de 100 locomotoras y más de 7.000 ómnibus. «Los ómnibus son miles, más de 5.000, de 6.000, de 7.000, que deben ir llegando este mismo año, no es para las calendas griegas», dijo el dictador, después de reconocer que el transporte estatal «ha estado muy deprimido». No es extraño que los corifeos de la Revolución repitan como loros que miles de autobuses «llegarán al país en los próximos meses», mientras van pasando los años si que se resuelva el problema. Pero el 28 de junio de 2006, el ministro de Transportes, Jorge Luis Sierra, se pasó siete pueblos al informar a la Asamblea Nacional del Poder Popular, y no le dolieron prendas, que «el objetivo de estos vehículos [los *yutong*] es prestar servicios interprovinciales; utilizarlos en el transporte urbano sería desgastarlos».

Los diputados ni siquiera pestañearon ante el insólito argumento del ministro, porque los *yutong* no sólo se «desgastan» con el uso y los enormes socavones de la capital cubana, sino que muchos habaneros, hartos de esperar las «calendas griegas», dirigen su furia contra las guaguas chinas, que suelen apedrear cuando pasan de largo por los *paraderos*, llenos a rabiar. En septiembre de 2007, el responsable de la Dirección Provincial de Transportes de La Habana, Yuri González, reconoció que desde el mes de enero de ese año se habían registrado 184 actos vandálicos contra los nuevos autobuses. Preocupado por esos hechos, el Gobierno decidió dar un escarmiento, y el 12 de diciembre de 2007, un tribunal condenó a cuatro años de prisión a Roylán F. Alcalá, por un delito de comisión de daños «con elevada peligrosidad y connotación económica», por romper de una pedrada el cristal de una de las puertas de un autobús.

La peseta y el melón

Una de las medidas del Gobierno para tratar de aliviar la crisis del transporte público fue el Acuerdo 682 del Consejo de Administración de la ciudad de La Habana, que obliga a los conductores de los autobuses de las empresas estatales a recoger, cuando van vacíos o con poca gente, a las personas que (des)esperan en los *paraderos*. Pero la mayoría hacen caso omiso o cumplen esa disposición a su manera, al poner precio al servicio, unos 20 pesos cubanos, casi un euro, por pasajero, una fortuna en Cuba. A eso se le llama «pagar la peseta». Otros conductores, más avispados, se llevan la guagua después del trabajo y hacen su agosto abriendo rutas por su cuenta, también a buen precio. A eso se dice «dar el melón», y el melón da mucho jugo, porque con él sacian su sed, además del conductor, el jefe de tráfico de la empresa, el inspector y algún que otro policía que hace la vista gorda cuando comprueba que el vehículo no lleva la correspondiente hoja de ruta. Pero el negocio es redondo porque no tiene gastos y además la gasolina es gratis.

Sobre los *carros* oficiales pesa también una normativa similar a la de las guaguas de empresa. Una Resolución, la número 435 del Ministerio de Transporte (MITRANS), del año 2002, obliga a los conductores a recoger a los sufridos ciudadanos que vayan en su misma dirección. Pero no hay modo, ni *peseta* ni *melón*. Los conductores parecen estar convencidos de que es al Gobierno, y no a ellos, a quien corresponde solucionar ese enojoso problema. Las autoridades crearon entonces el llamado Grupo Especial para el Transporte Alternativo (GETA), un cuerpo de «inspectores populares del transporte», así se llaman, con su uniforme y todo, primero de un rabioso color amarillo y luego de un azul más discreto, que fueron distribuidos por distintos puntos de la ciudad, con la tarea de detener a todos los vehículos estatales con plazas disponibles, para obligarlos a llevar a sus conciudadanos.

El nuevo método pronto se extendió a todas las carreteras del país, donde los flamantes inspectores asumieron, además, la tarea oracular de descifrar a los profanos el misterio de los cruces de caminos, donde las vallas con consignas revolucionarias han desplazado a las señalizaciones «para confundir al enemigo en caso de invasión», como dijo en una conversación informal un ministro a un empresario extranjero.

73

A la salida de las ciudades y pueblos, decenas de personas esperan el milagro de encontrar a alguien que los lleve a su destino. A pleno sol o debajo de un árbol o de un puente, ven pasar las horas, temerosos de que llegue la noche sin haber logrado su objetivo. Como buenos pastores, los GETA tratan de acomodar a su rebaño en los coches y autobuses oficiales, mediante gestos que van desde el enérgico pare, a la amenaza y el improperio, cuando los conductores se dan a la fuga. Por eso, muchos desesperados prefieren agitar un billete como reclamo más seguro para que alguien los lleve. Pero ni por esas. A veces hay personas solidarias, sobre todo entre los camioneros, a quienes no les importa ceder la caja del vehículo cuando está vacía, y a pesar de la incomodidad de tener que viajar de pie o bajo la lluvia, todo el mundo acepta sin rechistar.

En noviembre de 2006, en un artículo titulado «¿Dónde está el sentimiento?», *Juventud Rebelde* culpaba a los conductores estatales de «insensibilidad y prepotencia» al no parar a sus conciudadanos, a pesar de las insistentes llamadas de atención por parte de los inspectores. «Alrededor de un millón de personas dejaron de transportarse sólo en la capital hasta el pasado octubre debido al desacato de muchos conductores. En igual período de tiempo, los chóferes capitalinos obviaron la señal de pare de los "azules" en más de medio millón de ocasiones», decía el periódico, y añadía que «la cifra indigna, sobre todo a quienes diariamente dependen de ese tipo de ayuda para llegar al trabajo, a la escuela y a otros destinos». Para *Juventud Rebelde,* «el problema se resolvería completamente si los conductores tuvieran la conciencia y sensibilidad necesarias para no dejar abandonado a nadie en la carretera...». Palabras, palabras, palabras, para culpabilizar a los ciudadanos de un problema que debería solucionar el Gobierno.

El inefable ministro de Transportes, Jorge Luis Sierra, aseguró en diciembre de 2006 que se iban a comprar 200 camiones para uso alternativo de carga y pasajeros. De esa manera se podrían matar dos pájaros de un tiro, aunque para viajar haya que hacerlo junto a un puerco o un saco de cebollas. No es algo que sorprenda a los cubanos, acostumbrados al calor animal, porque en la mayoría de los municipios de la isla, tienen que desplazarse mayoritariamente en vehículos tirados por caballos, incluso en Santiago de Cuba, la segunda ciudad del país, donde sólo hay 26 ómnibus para cubrir las 86 rutas existentes. Misael

Enamorado, primer secretario del Partido Comunista de esa ciudad, reconoció en mayo de 2006 que el 90 % del transporte de pasajeros en la provincia estaba en manos privadas y se realiza principalmente con coches tirados por caballos, además de triciclos de impulsión humana, motocicletas y camiones. En Santiago y otras ciudades del caluroso Oriente, la acumulación de estiércol y orina en las calles es una verdadera pesadilla para sus habitantes.

¡Dame *botella*, hermano!

Los cubanos utilizan todo tipo de recursos para poder desplazarse; uno de ellos es pedir *botella*. La *botella*, durante el «capitalismo», era sinónimo de prebenda, como recibir, en pago de favores, un puesto bien remunerado en la Administración del Estado sin necesidad de trabajar. Por extensión, *botella* es cualquier tarea que se desempeña fácilmente. De ahí que al autostop en Cuba se lo denomine *botella*, por la facilidad que se le da a una persona cuando es recogida por un vehículo que viaja en su misma dirección. En los cruces, en los semáforos, en los pasos de cebra, en todos los lugares donde los coches tienen que detenerse, hay personas que preguntan a los conductores si pueden llevarlos. Durante años, pedir y dar *botella* formó parte de la cultura solidaria de los cubanos. Pero hoy son muy pocos los que recogen a los que esperan, en su mayoría mujeres, que suelen tener más suerte que los hombres.

En La Habana y otras ciudades del país, hay una gran profusión de bicitaxis, vehículos de fabricación casera, techados y con dos asientos, con los que, a golpe de pedal, algunos «privilegiados» se ganan la vida por cuenta propia. Son los «herederos» de aquellos culíes chinos que llevó a Cuba en el siglo XIX el colombiano Nicolás Tanco y Armero, y que se movían en torno a la plaza del Vapor, entonces centro comercial de La Habana. Los bicitaxis circulan ahora por las maltrechas calles de Centro Habana, aunque a veces cruzan la frontera con la Habana Vieja y ofrecen sus servicios a los turistas extranjeros. Para mantenerlos a raya, la policía organiza razzias periódicas contra ellos, y además de imponerles fuertes multas, termina por confiscarles sus herramientas de trabajo. Son golpes de gracia contra la iniciativa privada y la libre competencia que amenaza el negocio estatal de los «cocotaxis», motocarros «disfrazados» de ese fruto tan cubano, sólo para turistas y con tarifa en divisas.

También en divisas son los precios de los taxis, todos estatales, todos con aire acondicionado, todos en excelentes condiciones. Los cubanos no pueden acceder a este servicio porque su precio en pesos convertibles los convierte en un lujo muy lejos de su alcance; un corto trayecto equivale a la paga de un mes.

Coleros y bulenques

Viajar de una ciudad a otra en Cuba es mucho más difícil y complicado que desplazarse por La Habana o Santiago de Cuba. La Asociación de Transporte por Ómnibus (ASTRO) dispone de muy pocas guaguas y los precios de los pasajes son escandalosamente caros. En 2008, un billete de ida y vuelta de La Habana a Santiago de Cuba costaba 332 pesos cubanos, una cantidad muy elevada si se tiene en cuenta que el salario medio mensual en la isla es de 408 pesos, según cifras oficiales. Pero el precio, con ser alto, no es el principal problema. Para viajar es necesario recorrer antes un complicado laberinto donde habitan *coleros* y *bulenques*, especies mucho más peligrosas que el Minotauro, y sin la ayuda de ninguna Ariadna.

A la entrada del laberinto de la Terminal La Couvre de La Habana, hay una ventanilla y, como en cualquier estación de autobuses de cualquier país, un número indeterminado de personas que esperan para comprar su billete. Hasta aquí todo parece normal. La anormalidad empieza cuando el funcionario abre la ventanilla, muchas veces varias horas después del horario establecido, porque ha tenido que visitar a su madre enferma o ha acompañado a su mujer a la bodega o sencillamente porque como nadie le controla, ha abierto a la hora que le ha dado la gana. Entonces se inicia un desesperante juego de seducción en el que todos tratan de convencer al cancerbero de que necesitan viajar urgentemente, porque también su madre está enferma o vaya usted a saber por qué. Pero los argumentos se estrellan contra la implacable lógica de que no hay plazas disponibles, porque los autobuses son insuficientes para cubrir todas las necesidades.

Para enfrentarse a esa verdad, el desgraciado viajero ha tenido que perder mucho tiempo en una sucia estación, como la de

La Habana, que más parece un refugio de vagabundos, donde hay personas que pululan durante días para conseguir un billete. Esa situación ha propiciado la figura del *colero*, individuo que por un precio establecido se presta a hacer la cola para que no tenga que hacerla el viajero. Los *coleros* son una verdadera cofradía, están muy bien organizados y no permiten que ningún espontáneo les haga sombra. Si algún incauto ofrece sus servicios, es convenientemente amonestado, y si persiste en su actitud, se le denuncia al policía de guardia en la estación y miembro de la hermandad, que amenaza con aplicarle la ley de *peligrosidad predelictiva*.

En el negocio o *bisne*, como se le llama en Cuba, interviene también el *bulenque*, figura clave a la hora de viajar. El *bulenque* es el verdadero motor de la estación, la cabeza visible de una verdadera y eficaz «agencia de viajes», capaz de conseguir plazas en cualquier medio de transporte, ya sea en trenes y autobuses o en coches particulares que funcionan como taxis, aunque no tengan licencia. El *bulenque* es tan eficaz como caro, y es lógico que así sea, porque tiene que repartir beneficios con el *guagüero*[5] y el policía, pero su principal socio es el expendedor de billetes, sin cuya interesada participación no habría negocio. El *bulenque* cumple una más que loable función social, porque suple con creces las deficiencias del sistema, aunque su precio, eso sí, sea en pesos convertibles.

Desde la entrada en funcionamiento de los *yutong* chinos para el servicio interprovincial, el Gobierno puso en marcha la operación Senderos de Virtud con el fin de «crear una cultura del cuidado de los ómnibus y evitar determinados vicios que se han entronizado en los últimos años», según declaró a *Juventud Rebelde* Enrique Gómez Cabezas, jefe del programa nacional de Trabajadores Sociales, el 3 de noviembre de 2006. Cabezas informó de que en la misión participan aproximadamente 600 jóvenes que cubren unas cien rutas interprovinciales, y revelaron importantes «aristas del sector», principalmente autobuses sucios, reventa de pasajes, pago por transportar mercancías y recogida en la vía «a quienes muestran al conductor un abanico de dinero». Por su parte, el coordinador nacional de la operación Senderos de Virtud, Osmel Castro, dijo que los trabajadores sociales habían llegado para «oxigenar» el servicio que brindan los *yutong*, pero que las empresas de transporte de cada provincia deberían dar más seguimiento a las incidencias que reportan.

La impuntualidad y la falta de limpieza no rigen para las guaguas de la compañía *Viazul,* destinadas al transporte interprovincial de extranjeros, que el Gobierno cuida con mimo, como todo lo relacionado con el turismo. Los *viazul* recorren el país de punta a cabo y tienen prioridad sobre los ómnibus de la compañía Astro, a los que superan en confort y, sobre todo, en precio. Un pasaje de La Habana a Santiago de Cuba cuesta 51 pesos convertibles, que equivalen a 1.224 pesos cubanos, tres veces el salario medio mensual de un trabajador.

El chorizo, de la *chopy*

> Cuando llegue la luna llena iré a Santiago de Cuba,
> iré a Santiago,
> en un coche de agua negra
> iré a Santiago.
> Cantarán los techos de palmera,
> iré a Santiago.[6]

Viajar en ferrocarril en Cuba es una experiencia difícil de olvidar, más aún cuando en el inconsciente colectivo se mantiene viva la imagen del Tren Francés, un servicio especial que hacía el recorrido La Habana-Santiago de Cuba y que aseguraba a los usuarios el pago del pasaje en caso de llegar con retraso a su destino. En muchos países, una medida de esa naturaleza no tiene nada de extraordinario, pero en la isla de Fidel Castro, circundada por las vías muertas de la burocracia, echar a andar un tren a tiempo tiene bemoles. El servicio, otro logro más de la Revolución, a pesar del bloqueo y de las asechanzas del enemigo secular, etc., etc., se inauguró en el año 2001 y unos meses después tuvo que cerrar la ventanilla de pagos por retraso, so pena de vaciar las arcas del Estado, dueño de aquella entelequia. En 2005, el Tren Francés pereció devorado por la acumulación de los males que padecen todos los ferrocarriles cubanos, el menor de todos la impuntualidad, y fue a parar al desván de las promesas incumplidas.

Los cubanos que viajan hoy en tren tienen que recorrer el mismo vía crucis que los que lo hacen en guagua, comenzando por la Primera Estación. En el vestíbulo de la Terminal La Couvre de la capital, los privilegiados que han conseguido un billete, gracias también al eficaz servicio de *coleros* y *bulenques,* esperan ansiosos la salida del tren, que casi nunca sale a su hora. El trayecto más largo y accidentado es el de La Habana a Santiago de Cuba, con algo más de 1.000 kilómetros y una duración, en el mejor de los casos, de 24 horas; en el peor, depende de la naturaleza de las averías, que son muy frecuentes.

El precio oficial de un billete de ida y vuelta, en abril de 2008, era de 60 pesos cubanos, una cifra considerable para un servicio tan deficiente. Los vagones están desvencijados, con los asientos destartalados y sucios, muchos no tienen luz y todos carecen de aire acondicionado, en un país donde las temperaturas son extremadamente altas. Faltos de limpieza y mantenimiento, los baños apestan, sin que nadie se preocupe de aprovisionarlos de agua, papel o jabón. A pesar de que el trayecto es largo, el tren no dispone de cafetería, sólo en algunas paradas vendedores ambulantes ofrecen a los viajeros bocadillos, «el chorizo, de la *chopy*»,[7] y *laticas* calientes de tuKola, un refresco nacional de color oscuro y con burbujas, pero cualquier otro parecido con la coca-cola es pura coincidencia.

Rara es la vez que la Comisión de Atención a los Servicios de la Asamblea Nacional del Poder Popular no señala en su informe anual —y así lo hizo también el 8 de junio de 2006— las «deficiencias» detectadas durante la «fiscalización de la transportación de pasajeros por ómnibus y trenes». La respuesta de la Unión de Ferrocarriles de Cuba a los «compañeros» diputados tampoco ha sufrido variación alguna con el tiempo: «En estos momentos, el Ministerio de Transporte pone en práctica iniciativas para paliar algunas de estas dificultades, entre las que se encuentra la creación de una brigada que garantizará el confort y la limpieza en los trenes, y propondrá la creación de un módulo de alimentos que incluye bocadito, agua y refresco para los pasajeros de los viajes nacionales».[8]

Las iniciativas futuras son el pan nuestro de cada día. Antes del *período especial,* la prensa oficial ocultaba sistemáticamente los problemas del país; sólo destacaba los «logros» de la revolución. En la Cuba del siglo XXI, algunos medios, sobre todo *Juventud Rebelde,* se hacen eco de algunas «deficiencias» y «afectaciones», sólo para señalar luego la puesta en marcha de «iniciativas» para solucionarlas. Cuestión de matices. Pero esas iniciativas son como las «mejoras graduales» y las «adquisiciones importantes» de autobuses y máquinas de tren, como las famosas locomotoras chinas, «modernas, económicas y eficientes», que según anunció Fidel Castro en enero de 2006 iban a resolver definitivamente el problema del transporte interprovincial.

La policía del *arco iris*

Los cubanos, salvo excepciones, no pueden tener un coche particular. Sólo se autoriza su importación a los músicos, deportistas, médicos, maestros y otros profesionales que han realizado una «misión» en el extranjero y que han recibido parte de su salario en divisas. El Gobierno determina qué porcentaje de esos ingresos puede ser destinado a la compra de un *carro*. Los que disponían de un vehículo antes de la Revolución, han mantenido ese privilegio con sus *fotingos* remendados con las piezas más inverosímiles. Todos pasan la revisión técnica anual sin problemas, no porque los inspectores sean tolerantes con esas viejas reliquias, orgullo del país, sino porque los propietarios «resuelven» con ellos. La mayoría de las veces ni siquiera tienen que molestarse en llevar el coche al lugar de la inspección; un sobre con 30 pesos convertibles es suficiente para recibir el sello que certifica que el coche está en perfectas condiciones para poder circular.

Sobre los conductores de los *carros* particulares recaen no pocas prohibiciones, una de ellas es que no pueden transportar a ningún extranjero, para impedir que *boteen*, es decir, para que no trabajen como taxistas. La Policía Nacional Revolucionaria (PNR) vigila atentamente el interior de los vehículos y detiene y exige la documentación de los ocupantes de automóviles sospechosos. Las multas por *botear* pueden llegar hasta 1.500 pesos cubanos, unos 50 euros, que equivalen al salario de cuatro meses de un trabajador.

En Cuba, las matrículas o *chapas* de los automóviles, además de la correspondiente numeración, tienen diferentes colores. Es una forma más de control por parte de la policía, un carné de identidad externo para saber también a qué atenerse, no vaya a ser que detengan a algún intocable. Los funcionarios de primer nivel de dirección del país, como los ministros, tienen una *chapa* blanca; los funcionarios autorizados, *chapa* marrón; verde claro, las FAR, Fuerzas Armadas Revolucionarias; verde olivo, el MININT, Ministerio del Interior; azul, empresas del Estado; color vino, turista; anaranjada, empresas extranjeras o mixtas, instituciones religiosas y prensa extranjera, que necesita identificarse, además, con una calcomanía en el parabrisas con la abreviatura P. Ext; negra, cuerpo diplomático; color amarillo, cubanos; color rojo, provisional, por pérdida o robo.

El *arco iris* de las matrículas es como un Código de la Circulación no escrito, porque algunos colores tienen patente de corso, mientras que otros están sometidos al imperio de una ley que se aplica de manera arbitraria. Así, por ejemplo, los coches con *chapas* de color blanco, verde claro y verde olivo tienen paso franco, pueden saltarse los semáforos en rojo y hacer las barbaridades que les venga en gana, porque nunca van a ser detenidos; lo mismo ocurre con las de color negro: a los diplomáticos se les consiente todo, incluso a los norteamericanos de la Sección de Intereses. Por el contrario, los colores amarillo, vino y naranja son víctimas propiciatorias de la voracidad de *palestinos* y *caballitos*, como se llama en La Habana a los policías que van a pie o en motocicleta; todos tienen asignado un cupo mensual de multas de las que reciben una jugosa comisión.

> Usted tiene el derecho a parar, a preguntar
> no a maltratar a la gente,
> guajiro anormal.
> No ando con armas blancas,
> con drogas tampoco.
> Hábleme en buena forma porque se me sale el loco
> y le exploto la cara por cretino pesaón,
> aunque me tranquen hasta que se me baje la hinchazón.[9]

Palestinos en pie de guerra

Los miembros de la Policía Nacional Revolucionaria son el terror de los conductores *non sanctos*. Caminan con «paso de alfombra», como dice en uno de sus poemas Nicolás Guillén. Algunos están medio escondidos, al acecho, y cuando detienen un coche no hay escapatoria. Su principal argumento es la «intuición profesional». Sin necesidad de un radar, saben con absoluta certeza si un coche va a 63 kilómetros por hora en lugar de los 60 permitidos. Les basta con mirar a un conductor a los ojos para saber que lleva una copa de más. Sus lugares de caza favoritos suelen ser aquellos donde no hay señales de tráfico o están borradas, como las líneas continuas que prohíben adelantar y que los conductores deben imaginar para evitar ser multados. Una de las anécdotas que refleja el particular «sentido del humor» de la policía, es lo que le ocurrió a la mujer de un empresario extranjero. «Tengo que multarla», le dijo un agente. «¿Por qué?», preguntó ella. «Por incitación al robo», le contestó. «¿Cómo?», dijo la señora asombrada. «Porque usted lleva su bolso en el asiento de al lado con la ventanilla abierta y está pidiendo a gritos que le roben.» No es un chiste, es un caso real. Chiste es este otro: «¿Sabes por qué los policías cubanos patrullan de tres en tres? Porque uno sabe leer, el otro sabe escribir y el tercero vigila a esos dos peligrosos intelectuales».

A los policías, la mayoría negros y mulatos, los habaneros les llaman despectivamente *palestinos*, como a todos los oriundos de las provincias orientales. La Habana es su Eldorado y la entrada en la Policía Nacional Revolucionaria, el mejor pasaporte para vivir en la capital con un trabajo bien remunerado, algo muy difícil de lograr en Granma, Guantánamo o Santiago de Cuba, donde hay un alto índice de desempleo. En la capital, el salario de un policía es superior al de un médico. Esa situación ha propiciado una actitud de prepotencia por parte de muchos policías, lo que ha exacerbado aún más el racismo latente. Hay, además, razones históricas que acreditan ese antagonismo. Los movimientos insurreccionales de Cuba tuvieron siempre el tizne de Oriente frente al blanco capitalino, renuente y conservador. La Cuba blanca y la Cuba negra, oficialmente integradas por obra y gracia de la Revolución, continúan su histórico conflicto, atizado por la guapería de muchos *palestinos*.

La rivalidad alcanza su clímax cuando se enfrentan en la capital los dos mejores equipos de béisbol del país, Industriales, de La Habana, y Santiago, de Santiago de Cuba. Mientras los jugadores tratan de no complicarse el *inning*, los aficionados de ambos conjuntos se lanzan entre ellos todo tipo de improperios, que se extreman cuando los *palestinos* se alzan con la victoria, como ocurrió en febrero de 2008, en el Estadio Latinoamericano. La policía tuvo que intervenir cuando los insultos racistas subieron de tono y todos se fajaron a trompones. ¡Jesús, qué salación! Menos mal que la sangre no llegó al río. Pero los habaneros cuentan, dolidos, que al día siguiente hubo récord de multas en la capital.

Capítulo 5

El señor de los «bombillos»

Con luz de cocuyos y helados aullidos
anda por los techos el «ánima sola».
Detrás de una iglesia se pierde la ola
de negros que zumban maruga en la rumba.
Y apaga la vela.
Y ¡enciende la vela!
Sube el farol,
abaja el farol.

Comparsa habanera, de EMILIO BALLAGAS

El primero de mayo de 2006, a las 21.46 de la noche, Zulema Cangas gritó tan fuerte que muchos de sus vecinos del *reparto* de Aldabó, en La Habana, creyeron que la había fulminado un rayo. «No, es imposible, no puede ser, no puede ser», repetía Zulema, después de que el apagón interrumpiera bruscamente el capítulo 34 de *Señora del destino,* la telenovela brasileña que por esas fechas hacía furor en Cuba, junto con *La cara oculta de la luna,* de producción nacional, con la que se alternaba en la programación nocturna de Cubavisión. Zulema se asomó a la ventana y comprobó que el apagón era general. Pero eso no la consoló. A las cuatro de la madrugada, Zulema había sido convocada por el CDR, junto con todos los vecinos de su *cuadra,* para participar «voluntariamente» en «una nueva jornada histórica», en la plaza de la Revolución, con motivo del Día Internacional del Proletariado. Con sólo un arroz congrí en el cuerpo, Zulema aguantó pacientemente a que diera comienzo el acto, a las 07.30, con Pedro Ross Leal,[1] secretario general de la CTC, la Central de Trabajadores de Cuba, como «telonero». Después, actuaron los «repentistas» y otros cantantes hasta que, finalmente, habló el Comandante en Jefe.

A pesar del madrugón, Zulema, como la mayoría de los cubanos, tenía curiosidad por ver qué decía Fidel Castro sobre los apagones. Meses antes, el 17 de enero, el dictador había prometido que, a partir del primero de mayo, los apagones se habrían acabado para siempre en Cuba. Fue durante la inauguración, en Pinar del Río, de un sistema piloto de grupos electrógenos sincronizados a la red eléctrica nacional, que entrarían en funcionamiento automáticamente si se producía un fallo en las plantas termoeléctricas. En mayo, el país entero iba a disponer de esas plantas de emergencia, lo que supondría el adiós definitivo a los apagones.

Todo eso lo recordaba Zulema mientras escuchaba a Castro hablar del «imperio», de «Buchecito»,[2] de lo bien que iba la economía del país, del «avance en la producción de fideos y de bombones finos», del décimo huevo que iban a poder comprar por la libreta, «que resultará más caro que el cuarto», del aumento de las producciones de alambres, tejas metálicas acanaladas, ollas de presión, fertilizantes, neumáticos recapados y leche de vaca... Por fin, poco antes de finalizar su discurso, de tres horas y veinticinco minutos de duración, el comandante se refirió al sistema eléctrico. Pero fuese y no hubo nada, porque, de los apagones, ni una palabra: «El pasado 17 de enero dijimos que para hoy, primero de mayo, tendríamos una capacidad de un millón de kilowatios, cifra equivalente a tres termoeléctricas Antonio Guiteras. La cifra ha sido rebasada. Contamos con una potencia de más de tres veces la capacidad real de la Guiteras, que fue instalada en menos de ocho meses».

Horas después de ese discurso, Zulema y muchos miles de cubanos y cubanas de otros *repartos* de La Habana se quedaron a oscuras, sin poder ver su novela favorita. *Granma* y *Juventud Rebelde* nada dijeron al día siguiente de ese «pequeño» incidente. El «diario de la juventud cubana» habló de «silencio mezquino y cómplice», pero no se refería a Fidel Castro, naturalmente, sino a George Bush, por ocultar que el ex agente de la CIA de origen cubano Luis Posada Carriles, acusado de la voladura de una aeronave de Cubana de Aviación en 1976, había entrado ilegalmente el año anterior en Estados Unidos, con la complicidad de las autoridades norteamericanas.

Cuando se vaya la luz, mi negra

El 1 de mayo de 2006 no marcó «un antes y un después», como prometió el dictador, porque los apagones continuaron amargando la vida de los cubanos. Incluso en el mes de agosto de 2006, el día 24 concretamente, toda la provincia de Pinar del Río, la provincia «piloto», además de La Habana y su provincia, quedaron a oscuras durante casi 5 horas.

¿Cómo era posible? ¿Qué había pasado con aquel nuevo esquema de generación eléctrica que Castro anunció en Pinar del Río, de gran valor según él, «no sólo para Cuba sino para todo el planeta», que iba a terminar con los apagones mediante la instalación en todo el país de grupos electrógenos diesel y de fueloil sincronizados al Sistema Electroenergético Nacional? Para *Granma*,[3] el problema no era tan grave. «El restablecimiento en sólo cuatro horas del servicio eléctrico en las provincias habaneras y Pinar del Río, tras avería ocurrida en la mañana de este jueves, ratifica la confianza en la nueva concepción del sistema electroenergético nacional, y demuestra su eficacia y seguridad.» Para el periódico, el problema no era el apagón, sino el tiempo en que se tardó en restablecer el servicio, ¡cuatro horas!, «solución que en otros momentos hubiera demorado de 10 a 12 horas». Nada dijo *Granma* sobre la falta de sincronización de los «grupos electrónicos sincronizados».

El órgano oficial del Partido Comunista tampoco explicó en ningún momento por qué los apagones continuaron durante todo el año 2006 y el 2007. En 2008, los cortes de luz en La Habana comenzaron el 2 de enero, y el día 4 afectaron durante cuatro horas a zonas menos castigadas tradicionalmente, como Siboney y Cubanacán, donde viven la mayoría de los residentes extranjeros y los embajadores acreditados en Cuba. Los apagones continuaron durante todo el mes de enero de manera intermitente, pero el Gobierno nada dijo al respecto. Por el contrario, a mediados de enero comenzaron su labor los Supervisores Estatales al Consumo y Control de los Portadores Energéticos, una especie de «policía energética» para perseguir el despilfarro de electricidad, combustibles y lubricantes, según informó el vicepresidente Carlos Lage.

Nada de llanto, mucho abanico

Cuando se vaya la luz, mi negra,
mi abuela va a comenzar
a desatar su mal genio,
y a hablarme mal del gobierno.
Y mi abuelo que es ñángara le va a ripostar
que es culpa del imperialismo, de la OPEP
y del mercado mundial.[4]

Cuando se produce un apagón en La Habana, familias enteras, con niños y ancianos a cuestas, se van al Malecón, donde algunos se consuelan como pueden, «nada de llanto, mucho abanico», como decía la inefable cómica Lita Romano antes de que su voz se apagara en el exilio. Durante el tiempo que dura el *alumbrón* —como lo llaman los habaneros, porque dicen que pasan más tiempo a oscuras que con luz—, el Malecón se convierte en una caja de resonancia de los problemas del país. Nadie se muerde la lengua. Los cubanos, temerosos siempre de criticar al Gobierno por miedo a los *orejas*,[5] hablan en voz muy alta, como tienen por costumbre, caballero, de esta porquería de vida que llevan, de la libreta, que cada vez tiene menos productos, y no te hablo del picadillo de soya, ni de la falta de transporte, mi hermano, el Chuli se compró un Ford Corolla y sólo lleva tres meses en el *yuma*[6] y yo no sé qué pinto aquí, le cogí miedo a la balsa, compadre, ya tú sabes, Yosvany se fue hace un mes con toditita la familia y más nunca se supo de ellos, de seguro los tiburones se los comieron, porque no llegaron a la otra orilla, que allí tienen parientes y hubieran avisado. No compadre, esto no es vida.

Los habaneros regresan a sus casas, ya entrada la madrugada, cansados y no muy desanimados, quizá porque han exorcizado los demonios que llevaban dentro. Hace años, los cortes de luz estaban programados, *Granma* informaba del horario de los apagones como si fueran espacios de televisión. De tal hora a tal hora, apagón en Arroyo Naranjo, seguirá luego en Santos Suárez y a las 8 en punto en Nuevo Vedado, para continuar en Playa, a cuyo término empezará en Siboney. En cada barrio los vecinos sabían a qué atenerse y adaptaban sus costumbres a esa «programación». Las cosas han cambiado mucho desde entonces. Ahora los apagones son traicioneros. Vienen por sorpresa, sin avisar y rompen la cotidianidad de los cubanos. «Cuidado con la vela que viene y te quema, cuidado con la vela, candela», cantaba el sin par Juanito Márquez.

En el año 2004, los cortes de luz fueron tan salvajes, que el 14 de octubre provocaron el cese, después de 20 años en el cargo, de Marcos Portal, ministro de Industria Básica, el MINBAS. Le *tronaron*,[7] pero fue un chivo expiatorio. La nota oficial del Consejo de Estado no tiene desperdicio, es un ejercicio de retórica marxista, pero más propia de Groucho que de Carlos Marx. Después de señalar que «en los últimos tiempos se fueron evidenciando en él [Marcos Portal] fuertes tendencias hacia la autosuficiencia y a la subestimación de criterios de otros experimentados compañeros» se le reprocha no ser capaz «de advertir a los máximos dirigentes del Partido y del Estado sobre los riesgos de una crisis, perfectamente prevenible, generada por la suma de diversos factores en la esfera de la generación eléctrica, que por su importancia estratégica obligó al país a un urgente y costoso esfuerzo en medio de la Batalla de Ideas y las amenazas de agresión por parte del imperio contra Cuba, frente al cual nuestro pueblo libra una admirable, heroica y prometedora lucha por su soberanía y su desarrollo económico y social, que pese a grandes obstáculos nada podrá detener».

Los errores señalados

En el más puro estilo de las autocríticas de los Procesos de Moscú, la nota oficial deja claro que «el compañero Marcos Portal reconoció con franqueza los errores señalados». Finalmente, el documento destaca que la sucesora del *tronado*, la «compañera» Yadira García Vera, ingeniera química, es «modesta, capaz y eficiente». Entre sus méritos destaca su actuación «sumamente valiosa» en «la lucha por el rescate de Elián [se refiere a Elián González, el niño balsero], secuestrado por Estados Unidos», desde su puesto de primera secretaria del Partido en la provincia de Matanzas.

En realidad, el «delito» de Marcos Portal fue advertir al dictador, y el tiempo le dio la razón, de que el sistema de generación eléctrica que había elegido, sin hacer caso de los Informes técnicos del Ministerio, no iba a resolver el problema de los cortes de luz. La «eficiente» ministra, que aplicó la receta de Fidel

Castro al pie de la letra, fue incapaz de acabar con los apagones. Ocho meses después de su nombramiento, los cortes eran tan frecuentes como los que se produjeron durante el mandato de su «autosuficiente» antecesor en el cargo. Pero la nueva ministra, lejos de reconocer «con franqueza» sus errores, salió por peteneras.

Yadira García compareció en televisión para tranquilizar a la población, ya que «la alta motivación moral y el espíritu de combate de operarios, técnicos, ingenieros y jefes a cargo de los trabajos pronto daría resultado para normalizar la situación eléctrica en todo el país».[8] La ministra dijo que los problemas se debían a la «obsolescencia» de las centrales termoeléctricas, que tienen entre 25 y 35 años, para las que es difícil encontrar piezas de recambio, porque las fábricas, checas o soviéticas, han desaparecido. Pero como tituló *Juventud Rebelde*,[9] la situación eléctrica del país es «una emergencia superable».

Nada dijo la ministra de «la alta motivación moral y el espíritu de combate» de los sufridos cubanos que tienen que soportar, todavía hoy, muchas horas diarias de incómodos apagones y que les llevan a resolver como pueden asuntos tan importantes como la conservación de alimentos, faltos de refrigeración. Cuando el apagón se prolonga demasiadas horas, se produce un trasiego para llevar los congelados a casa de un familiar en otro *reparto* en el que hay corriente. La policía detuvo una vez en pleno Malecón a una pareja que iba en moto, con una lavadora rusa Aurica en el sidecar, porque creyeron que era robada. «No —le dijeron—, vamos a hacer la colada a casa de una prima que vive en Regla, porque tiene luz, pero no lavadora.»

En el año 2007 no se dio ninguna información oficial sobre los apagones que, de manera inmisericorde, sufrieron los cubanos en todo el país. Los últimos datos ofrecidos se refieren al 2006, año en que hubo 5.000 «interrupciones» más en el servicio eléctrico que en el 2005, según reconoció el 2 de abril de 2007, en *Granma*, Arnoldo Calzadilla Hidalgo, director del programa de rehabilitación de redes eléctricas de la provincia de La Habana. «El 70 % de las redes en la ciudad —dijo Calzadilla— llevan más de 40 años en explotación y representan un elevado deterioro [...] que ocasiona importantes pérdidas en el proceso de distribución.» Pero en un más difícil todavía, *Granma* aseguraba, a continuación, que la situación era mejor «en relación con años anteriores», algo insólito después de explicar que en

2006 hubo 5.000 interrupciones más que en el año 2005. *Granma* añadía que los «progresos indiscutibles» en materia eléctrica están a la vista, pero no se explican bien a la población y por eso hay «inconformidades e incomprensiones por parte de quienes no logran entender la justa correspondencia entre los avances de la Revolución Energética y sus afectaciones cotidianas...». O lo que es lo mismo, las inconformidades e incomprensiones de los que sufren los apagones podrían resolverse leyendo, a la luz de las velas, las explicaciones del órgano oficial del Comité Central del Partido Comunista de Cuba.

La mayoría de los extranjeros que viven en La Habana no necesitan las consignas de *Granma* para alumbrarse porque disponen de grupos electrógenos que les permiten mantener un nivel de confort muy superior al de la mayoría de la población. Pero los cubanos, además de su proverbial solidaridad para ayudarse unos a otros, recurren a la imaginación para encontrar soluciones, que nada tienen que envidiar a los inventos de aquel famoso profesor, Franz de Copenhague, del *TBO* español. Algunos, para tener luz en casa, utilizan un inversor que da corriente a partir de una batería de coche; otros emplean transformadores de viejos televisores rusos Caribe que conectan al frigorífico. Quien más quien menos se ha fabricado un artilugio para enfrentar ese problema, endémico en el país, y que se agudiza en verano por las altas temperaturas.

El milagro de los panes y los peces

La falta de energía eléctrica fue siempre una obsesión para Fidel Castro, y le proporcionó argumentos para librar batallas contra el despilfarro energético, sobre todo a partir del año 2005. Las armas que eligió para iniciar las primeras escaramuzas fueron las ollas arroceras y los «bombillos ahorradores». En un discurso televisado de cinco horas y media de duración con motivo del Día de la Mujer Trabajadora,[10] Castro dijo que el Estado estaba renaciendo en Cuba cual «Ave Fénix, con alas de vuelos largos». Ante un público incondicional, en su mayoría delegadas al Congreso de la Federación de Mujeres Cubanas, una de las organizaciones de masas de la Revolución, Castro anunció que el Gobierno estaba a punto de lograr la «invulnerabilidad económica» y garantizó que, en 2006, estaría resuelto «definitivamente» el problema del déficit energético. Pero la mejor jugada fue cuando el dictador profetizó que iban a ocurrir muchos milagros gracias a la Revolución. «Todo va bien, demasiado bien», dijo sin rubor, y añadió luego: «Va a haber más de un milagro, como el de los panes y los peces», y como prueba de ello hizo el anuncio de que se iban a distribuir, por la cartilla de racionamiento, cinco millones de ollas a presión y ollas arroceras.

Las ollas arroceras, un elemento esencial de la dieta cubana, que se compone básicamente de arroz y frijoles, estaban prohibidas en Cuba desde el *período especial*, con el pretexto de que consumían mucha energía. Por eso resultaba sorprendente que Castro anunciara esa medida en plena crisis energética. Pero, como explicó a aquellas mujeres que le escuchaban arrobadas, en las ollas eléctricas el arroz se puede cocinar en tan sólo 20 minutos, y los frijoles en 55, después de haberlos tenido hora y media en agua para ablandarlos, según explicó.

Los vítores y aplausos cerraron aquel espectáculo político-culinario. Las ollas prometidas iban a suponer un importante logro para las amas de casa, sobre todo para las que cocinan en incómodos y peligrosos fogones de queroseno. Pero aquellos 5 millones de ollas quedaron reducidos a sólo varios miles, que se vendieron en la ciudad de Santa Clara con gran despliegue propagandístico por parte de los medios de comunicación oficiales.

Después de un largo período de «incubación», las ollas reaparecieron a finales de 2005. Fue durante los fastos del 47 aniversario del «triunfo» de la Revolución. La propaganda oficial mostró la entrega de las ollas a domicilio como un regalo del Gobierno, preocupado por el bienestar de su pueblo. Pero había gato encerrado. Las ollas no eran gratis y su precio era muy alto. Cada una costaba 127 pesos con 50 centavos, casi la mitad del salario medio mensual, que en aquella fecha era de 350 pesos. Al recibir la olla, cada «beneficiario» tenía que firmar el siguiente documento: «El país viene haciendo importantes esfuerzos como parte del programa de ahorro energético. Usted y su familia han sido beneficiados con la entrega de una olla arrocera eléctrica. Su firma en este documento constituye un compromiso de pago. El mismo se deberá efectuar en la bodega donde recibe los productos normados. En caso de necesitar un crédito para el pago de la olla, debe presentar este documento en el banco y hacer la solicitud».

Muchas familias tuvieron que recurrir a un crédito para poder comprar un simple artículo de cocina. Pero la olla les garantizaba una cierta «inmunidad» frente a las acusaciones de despilfarro que Fidel Castro lanzó sobre todos los que utilizan viejos electrodomésticos anteriores a la Revolución, y otros de fabricación casera. Fue una vez más en el Palacio de las Convenciones.[11] Allí, rodeado de todo su Gobierno, altos cargos del Partido Comunista y jefes y oficiales de las Fuerzas Armadas Revolucionarias, el dictador organizó una astracanada que desconcertó a todo el mundo por cruel e innecesaria.

Devoradores de electricidad

Como en una tienda de los horrores, Fidel Castro presentó todo un muestrario de ingeniosos artilugios fabricados por los cubanos para suplir la falta de electrodomésticos. «Devoradores de electricidad», llamó al fruto de aquella requisa, en la que había ollas eléctricas de fabricación casera, hornillas hechas con ladrillos y una resistencia, y ventiladores fabricados con los elementos más variopintos. El «premio» se lo llevó un ventilador fabricado con el motor de una lavadora Aurica soviética y un freno de automóvil del también soviético Lada. «Aquí tienen otra maravilla», decía Castro, irónico, cada vez que presentaba uno de aquellos artefactos, de uso común en los hogares cubanos, casi 50 años después de su llegada al poder. Todos esos objetos, «una muestra del capitalismo en embrión», según dijo el dictador, iban a ser sustituidos por aparatos nuevos, importados, que como la olla arrocera («van a llegar por millones, pero a partir de junio»), pronto estarían al alcance de todos los cubanos.

Esa noche, Fidel Castro hermanó la olla arrocera con la bombilla de bajo consumo, llamada «ahorradora», dentro de la campaña contra el despilfarro de electricidad. «Las bombillas incandescentes pertenecen a la prehistoria, las vamos a destruir», dijo el comandante lleno de entusiasmo, y añadió: «Si se consigue el sustancial ahorro que persigue el Gobierno, será posible, por ejemplo, comprar más huevos. Millones de gallinas se están desarrollando y puede ser que dupliquemos el número de las ponedoras».

A partir de ese discurso se desató una caza contra las bombillas tradicionales. Con la consigna de «muerte al incandescente», miles de trabajadores sociales,[12] la reserva espiritual de la Revolución, se desplegaron por todo el país para realizar en las viviendas un «censo» de bombillas, para sustituir las incandescentes por las «ahorradoras», de fabricación china, que proporcionan una luz mortecina. Los CDR se encargaron de que se les franqueara la entrada. Los reticentes fueron amenazados con la intervención de la policía. Algunos lograron escamotear dos o tres lámparas, que encienden a resguardo de miradas indiscretas, pero la mayoría sucumbieron al celo de aquellos «bomberos» parecidos a los de *Fahrenheit 451*, sólo que en lugar de libros «quemaban» bombillas.

Los «bombillos» gastadores que hasta ese momento se vendían en las tiendas de divisas de La Habana desaparecieron como por arte de magia y afloraron, no podía ser de otra manera, en la *bolsa negra*. Había bombillas para dar y tomar, pero su precio se había multiplicado, y subió todavía más cuando la Gaceta Oficial publicó una resolución del Ministerio de Comercio Exterior por la que se prohibía la importación de lámparas incandescentes.

Aquello fue el comienzo de un enorme auto de fe contra los *devoradores de electricidad*. A las bombillas siguieron los televisores, los frigoríficos, los ventiladores... Una legión de trabajadores sociales llamó a todas las puertas para hacer un inventario de los viejos electrodomésticos, culpables, según Castro, del despilfarro de energía en la isla. Sólo en el municipio de Arroyo Naranjo, al sur de La Habana, y después de visitar 58.000 viviendas, los «bomberos» reportaron 35.000 refrigeradores, 55.000 ventiladores y 7.000 televisores «fuera de la ley».[13]

Después de fisgar en todas las cocinas del país, el comandante pudo decir, ufano: «Hoy conocemos hasta el más mínimo detalle lo que deberá suceder en cada uno de los hogares cubanos, en toda nuestra sociedad, cuando estén ejecutadas todas las inversiones, todos los programas, todas las medidas que el país lleva a cabo para satisfacer las necesidades de nuestro pueblo, para elevar a niveles insospechados su calidad de vida».[14]

Hornillas y *desodorantes*

El 24 de diciembre, el diario *Granma* informaba de que «luego de dos días de debate en el Palacio de las Convenciones, los diputados acordaron designar el 2006 como Año de la Revolución Energética en Cuba, a propuesta de Fidel, durante el sexto período ordinario de sesiones de la Asamblea Nacional del Poder Popular».

Llevado de su natural modestia, «el señor de los bombillos» llegó a decir que las medidas de ahorro iban a beneficiar no sólo a Cuba, sino a toda la humanidad. Así lo corroboró *Granma*, cuando el 8 de enero de 2007, en un reportaje titulado «Del colapso a la revolución energética», señaló que: «Lo que comenzó como solución a un problema crítico se ha convertido en una estrategia de empleo racional de energía que al decir de Fidel, su artífice y principal impulsor, puede ser de gran valor para el planeta en las actuales y futuras circunstancias».

El órgano oficial del Partido Comunista remató la información sobre el «milagro» energético cubano reseñando que «el 80 % de los núcleos familiares puede hoy cocinar con electricidad, debido a la entrega de modernos módulos de cocción en sustitución de combustibles tradicionales de alto costo y nocivos para la salud, como el queroseno». Y todo ello en el año 49 de la Revolución. Pero *Granma* fue más allá y ofreció una pormenorizada relación de los beneficios obtenidos por los cubanos gracias a la «revolución energética»:

Antes de concluir 2006 ya estaban en manos de las familias 2.861.378 hornillas eléctricas,[15] de ellas más de 856.200 han sido cambiadas por otras de mayor calidad, un proceso que continuará hasta eliminar las defectuosas.

También lo distribuido hasta diciembre incluye 2.859.209 ollas reinas [de presión que trabajan con electricidad], 3.222.432 ollas arroceras, 652.387 jarras para hervir agua y casi 2,8 millones de calentadores eléctricos y 9.496.441 bombillos ahorradores.

Como parte de la sustitución de los electrodomésticos ineficientes, recogidos y convertidos en chatarra, funcionan ya en los hogares poco más de un millón de ventiladores, 1.231.336 refrigeradores, 60.809 televisores y 79.264 equipos de aire acondicionado. Paralelamente avanza el cambio de motobombas de agua en los edificios; hasta la fecha se han montado unas 106.500 nuevas.

A lo anterior debe añadirse la entrega de más de 2,4 millones de ollas de presión normal, con similar efecto a las eléctricas, pues ahorran el 70 % de la energía, independientemente del tipo de cocina empleada, ya sea eléctrica, de queroseno o de GLP [gas licuado procedente del petróleo].

Tampoco puede olvidarse que previamente se habían repartido más de 1.400.000 juntas de refrigeradores, aproximadamente 600.000 termostatos y 7 millones de juntas de cafeteras.

Una tarea gigantesca

Según el eufemismo empleado por *Granma* en su capítulo de «Ahorro y justicia social», los nuevos electrodomésticos fueron «distribuidos», «entregados» o «repartidos», algo que para el semanario *Trabajadores* fue «una tarea gigantesca que tiene una magnitud jamás vista en nuestro país y en el mundo».[16] Pero la realidad es que los cubanos fueron obligados a sustituir los viejos «devoradores de electricidad» por otros de menor consumo, que tuvieron que comprar a crédito. De acuerdo con datos ofrecidos por Francisco Soberón, ministro presidente del Banco Central de Cuba, hasta diciembre de 2006 se habían otorgado 2,7 millones de créditos por un monto de 4.196 millones de pesos cubanos, que equivalen al 7 % del Producto Interno Bruto. Pero Soberón tuvo que reconocer también la preocupación del Gobierno por la alta cifra de morosos, superior al 30 %, y no es extraño, porque una simple olla eléctrica equivale a la mitad de un salario medio mensual. Si antes de la «revolución energética» resultaba difícil sobrevivir en Cuba, a partir de ahora iba a ser aún más arduo.

Los precios de los nuevos electrodomésticos aparecen a continuación en pesos cubanos y su equivalencia en euros, teniendo en cuenta que el salario medio mensual en esa fecha, según cifras oficiales, era de 387 pesos, unos 12 euros.

Olla a presión	145 pesos (5 euros)
Olla arrocera pequeña	126 pesos (4,37 euros)
Olla arrocera grande	130 pesos (4,51 euros)
Olla Reina	350 pesos (12,15 euros)
Hornilla eléctrica	100 pesos (3,47 euros)
Ventilador	125 pesos (4.34 euros)
Aire acondicionado	4.000 pesos (138,88 euros)
Refrigerador pequeño	4.000 pesos (138,88 euros)
Refrigerador grande	6.000 pesos (208,33 euros)
Televisor Panda	4.000 pesos (138,88 euros)

La compra de electrodomésticos básicos, una olla Reina (que puede hacer las funciones de la arrocera y la de presión), una hornilla, un ventilador, un refrigerador pequeño y un televisor, supone un gasto de 8.575 pesos cubanos, que equivalen a 297,74 euros. Como el salario medio mensual equivale a unos 12 euros, una familia necesitaría destinar los ingresos íntegros de dos años de trabajo para poder pagar los nuevos aparatos «ahorradores».

Altísima dosis de justicia

Por si fuera poco, después de obligar a los cubanos a electrificar sus hogares, el Gobierno decretó una subida de las tarifas eléctricas, porque «es evidente en nuestro país la despreocupación de la ciudadanía en cuanto al gasto de electricidad dados los ínfimos precios de la misma». Así decía uno de los artículos del Decreto,[17] que fijaba un alza escalonada de las tarifas eléctricas para penalizar a quienes consumen mensualmente más de 100 kilowatios/hora, con aumentos de hasta el 333 %.

La subida de la luz llevaba un trágala para recordar a los cubanos los muchos «beneficios» que reciben del Estado, y la promesa de nuevas «medidas salariales y de seguridad y asistencia social» bajo «el principio de que el Estado Socialista Cubano debe promover el incremento progresivo del bienestar material de todos los ciudadanos que viven de su salario y de las pensiones a las que el trabajo de toda su vida en beneficio de la sociedad los hizo acreedores». Esas medidas fijaban el salario mínimo en 277 pesos mensuales (9,61 euros), las pensiones mínimas en 164 pesos[18] (5,69 euros), en tanto que las prestaciones de la asistencia social mínima quedaron fijadas en 122 pesos (4,23 euros).

Siete meses después de la subida del salario mínimo, el 11 de junio de 2006, *Juventud Rebelde* hizo un acto de contrición al reconocer que los cubanos no habían alcanzado todavía el nivel de bienestar prometido por la Revolución. «A nuestra sociedad —decía el periódico—, todavía le hace falta una altísima dosis de justicia. Lo sabemos. Todos los días estamos pensando en eso. Pero sólo en el socialismo y en una Revolución como la nuestra, se tiene la oportunidad de buscar cosas útiles para todos; eso es lo que pretendemos con los programas económicos y sociales que estamos desarrollando».

Como siempre, las palabras rimbombantes venían a disfrazar la indiscutible realidad de que los «programas económicos y sociales» de la Revolución apenas alcanzan para cubrir las necesidades mínimas de los cubanos. Esos programas contemplan fisgonear en las cocinas para decidir luego qué electrodomésticos y qué combustible deben emplear las amas de casa para preparar los escasos alimentos que tienen a su alcance. Está claro que esos programas no son suficientes, como tampoco es suficiente pensar «todos los días» en que a la sociedad cubana le hace falta «una altísima dosis de justicia».

En 1959, Fidel Castro dijo: «Queremos liberar de dogmas al hombre [...] el problema es que nos dieron a escoger entre un capitalismo que mata de hambre a la gente y el comunismo, que resuelve el problema económico pero que suprime las libertades tan caras al hombre».[19] Medio siglo después, el dictador podía enorgullecerse de haber resuelto la cuadratura del círculo porque, a tenor de sus palabras, Cuba no es ni capitalista ni comunista, sino todo lo contrario.

Capítulo 6

Frijoles en lugar de cañones

> La política económica de Cuba no tiene como objetivo desarrollar un modelo consumista que imite al de los países del primer mundo, por cuanto se tiene la más profunda convicción de que tal modelo enajena y denigra al ser humano, resulta insostenible y conduce a la desaparición de la especie humana mucho más pronto que lo que hoy somos capaces de prever.
>
> FRANCISCO SOBERÓN VALDÉS,
> ministro presidente del Banco Central
> de Cuba, en el VI Congreso
> de la Asociación Nacional
> de Economistas y Contadores
> de Cuba. 26 de noviembre de 2005

A Oswaldo Medina le salió caro matar una vaca de su propiedad; fue condenado a tres años y seis meses de cárcel. El sacrificio de ganado vacuno, aunque sea el propio, «sin autorización previa del órgano estatal específicamente facultado para ello», como establece el Código Penal, es un delito severamente castigado en Cuba, con penas de hasta cinco años de prisión. Pero el hambre no tiene licencia en leyes como los jueces que las aplican. Así lo entendió Oswaldo Medina y así lo entienden muchos guajiros[1] que se valen de mil tretas para poder comer y vender la carne de sus propias vacas.

Una vez tomada la decisión, Oswaldo Medina sabía lo que tenía que hacer. Esperó pacientemente al lubricán, cogió una de sus vacas, la más flaquita, le decían *Flor de caña* de puro flaca, y la llevó a pastar a la vía del tren. Confiada, *Flor de caña* rumiaba y rumiaba sin saber que se trataba de su última cena, hasta que pasó lo que Oswaldo Medina quería que pasara. Luego, recogió los despojos y se dio un tremendo banquete con los suyos.

Al día siguiente, el guajiro fue al centro veterinario de Camagüey y relató compungido que a su imprudente vaquita la había matado el tren. Pero como su explicación no resultó convincente, la autoridad envió peritos al lugar de los hechos, y después de constatar que el cuerpo del delito había desaparecido, le llevaron ante un juez. En su presencia, Oswaldo Medina confesó toda la verdad y nada más que la verdad, que la *libreta* no daba para nada, que tenía mujer y tres hijos, que su madre vivía con él, que su suegra también, que tenía a su cargo a un hermano mutilado de la guerra de Angola, y así, de a poco, logró convencer al magistrado, quien sólo le condenó a tres años y seis meses de cárcel, porque le aplicó el agravante de sacrificio de ganado sin fines especulativos.

En Cuba hay muchos Oswaldo Medina y muchas *Flor de caña* que mueren de manera violenta, arrolladas por el tren, despeñadas, ahogadas..., a pesar de que la ley es severa. Si una vaca muere, el dueño tiene que entregarla a las autoridades. Cuando nace un ternero, hay que inscribirlo antes incluso que a un niño. Si se produce el robo de una vaca, la ley castiga al propietario, al que acusa de complicidad con el ladrón. La muerte «accidental» de una res como *Flor de caña* puede ser considerada como un «sabotaje» a la economía.

En tiempos de la Colonia, las autoridades tampoco se andaban con chiquitas y pusieron precio, 500.000 reales, una fortuna para la época, a la cabeza del Indio Bravo, un bandido de Camagüey, un saboteador *avant la lettre*, que cortaba la lengua a las vacas en el campo porque su plato favorito era la lengua asada. La revolución rescató a Indio Bravo del olvido «por su bravura y rebeldía» frente al colonialismo español, e incluso bautizó un periódico camagüeyano con su nombre, pero no repartió ni la lengua ni el resto de la vaca. La mayoría de los cubanos que nacieron después del *período especial* no han probado nunca un bistec, algo que para sus padres es un recuerdo tan idealizado como el pollo de Carpanta en los tebeos españoles de posguerra.

La carne de res, como la llaman en Cuba, es algo inalcanzable que se encuentra en los supermercados con precios en divisas y en los hoteles exclusivos para turistas. Un kilo de carne equivale al salario medio mensual de un cubano, que sólo puede comprarla si dispone de pesos convertibles. En la *bolsa negra* se puede conseguir carne más barata que en las tiendas, pero siempre en moneda fuerte. El abastecimiento es muy irregular porque la mercancía viaja del campo a la ciudad por rutas poco seguras, debido al celo de la policía. Los *caballitos* que patrullan las carreteras parecen tener un olfato especial, como los perros entrenados para encontrar droga o explosivos, y detienen a los coches sospechosos. Si el registro es positivo, la mercancía es decomisada y los infractores son detenidos y condenados a fuertes penas de prisión. La incertidumbre de no saber si un cargamento llegará o no a su destino, agrega valor al producto, como el IVA.

La libreta del hambre

Las calorías que debería aportar la carne de vacuno no se compensan con otros productos para proporcionar una dieta equilibrada. Y los cubanos se resienten de ello. Su alimentación es escasa e inadecuada, a pesar de vivir en un país especialmente dotado por la naturaleza para producir en abundancia. La revolución no sólo no ha resuelto ese problema sino que lo ha agravado. Desde hace casi 50 años el Gobierno mantiene una cartilla de racionamiento, pero lo sorprendente es que tanto los productos como las cuotas asignadas mensualmente a cada persona han ido disminuyendo de año en año. La Libreta de Control de Venta para Productos Alimenticios, conocida popularmente como *la libreta*, se implantó en marzo de 1962 con el objetivo de racionar drásticamente el consumo y establecer un «reparto equitativo de alimentos». Lo que en principio fue una medida provisional, como consecuencia del bloqueo estadounidense, degeneró en hábito.

En su origen, el sistema de racionamiento garantizaba a todos los cubanos un mínimo vital de alimentos a precios subvencionados. Luego, cuando la prodigalidad soviética se institucionalizó, los productos de la *libreta* pudieron completarse con otros no subvencionados, adquiridos «por la libre», pero accesibles para los salarios de entonces. Había también Mercados Libres Campesinos que se regían por las leyes de la oferta y la demanda, donde se vendían los excedentes de producción de los campesinos privados, agrupados en cooperativas, una vez satisfechas las cuotas oficiales exigidas por el Estado. Los cubanos recuerdan aquella época como lo más parecido a una Edad de Oro, igual que los almuerzos de la abuela de José Cemí, personaje de *Paradiso*: «Doña Augusta destapó la sopera donde humeaba una cuajada sopa de plátanos... He puesto a sobrenadar unas rositas de maíz, pues hay tantas cosas que nos gustaron de niños y que sin embargo no volveremos a disfrutar...».[2]

> Si matan al chivo
> mamá, mamá,
> me dan la cabeza
> pelá, pelá.
>
> Vamos a gozar
> como gozan tó
> la pata del chivo
> me la como yo.[3]

En 1985, coincidiendo con el proceso de reformas que puso en marcha Mijail Gorbachov en la URSS, Cuba inició una perestroika de signo contrario para blindar la Revolución. Lo que se conoce como «Proceso de rectificación de errores y tendencias negativas» puso punto final al Modelo Económico Descentralizado, que, entre otras cosas, daba sustento a los Mercados Libres Campesinos. Cuando firmó su sentencia de muerte, Fidel Castro no tuvo reparos en calificar al difunto Modelo como «un auténtico penco viejo sobre el que cometimos la tontería de cabalgar». Aquello no fue sino una versión actualizada del famoso anatema «¿Vamos a hacer socialismo o timbiriches?»,[4] en aquella memorable «ofensiva revolucionaria» de marzo de 1968, que puso fin al comercio que todavía permanecía en manos privadas: bodegas, bares, fondas, cafeterías, casas de hospedaje, hoteles, centros de alimentación, talleres de carpintería, carbonerías, tintorerías, sastrerías, reparadoras de calzado, barberías, etc. A partir de entonces, el Estado se haría cargo de todo... y de casi nada.

Los Mercados Libres pasaron a mejor vida después de una sonada operación de «limpieza» contra los especuladores, bautizada como «Pitirre en el alambre».[5] Castro acusó de *macetas*[6] a los campesinos que, según él, se enriquecían a costa de la necedad del pueblo y la corrupción, sustrayendo los productos de las granjas estatales, convirtiendo los mercados «en lugar de concentración de elementos parásitos, antisociales y *coleros*,[7] que se lucraban con el sudor del pueblo o no permitían que estos bienes llegaran a la población». Fue el primer golpe de gracia; el siguiente llegó con la desaparición de la Unión Soviética y el establecimiento del *período especial*.

MacCastro versus MacDonald

El *período especial*, «esa tristeza se niega al olvido como la penumbra a la luz», como dice el bolero de Urbano López Montiel, afectó de una manera particularmente especial a la alimentación. La cartilla de racionamiento quedó reducida a la mínima expresión y desaparecieron todos los artículos que se vendían fuera del sistema de subvenciones. Algunos productos fueron sustituidos por sucedáneos, otros se redujeron drásticamente y muchos sencillamente desaparecieron.

La carne de res, que los cubanos llamaban la «novena» porque se vendía por la *libreta*, con rigurosa puntualidad, cada nueve días, fue sustituida, es un decir, por subproductos como el *lactosoy*, cereal a base de soja, o el *fricandel*, una masa cárnica de misteriosa composición que los hambrientos cubanos comían con grima porque no tenían otra cosa que llevarse a la boca. Pero el «invento» más sonado fue la «MacCastro», como bautizaron popularmente a una especie de hamburguesa «diseñada» por el Centro de Investigaciones de la Industria Alimentaria, que según la propaganda oficial, no tenía nada que envidiar a las MacDonald del «imperio».

Los cubanos complementaban esas «exquisiteces» con otras, no menos ingeniosas, primorosamente elaboradas con lo que tenían a mano, como las croquetas de fideos o las hamburguesas que hacían, no con carne, obviamente, sino con cáscaras molidas de toronja o de plátano, que luego rebozaban y freían. No faltaban tampoco los dulces, esenciales en la dieta de los cubanos, como los caramelos de menta elaborados con pasta de dientes y que algunas «reposteras» voceaban por las calles al compás de *La bombonera*, como hacía en los años cuarenta, con mucha picardía, Mirta Silva con el Grupo Victoria:

Los viejitos que no tienen dientes
pa mascar,
yo les tengo un bomboncito
de crema especial.
No se enfaden mis viejitos:
¿lo quieren chupar?

Los cubanos pasaron mucha hambre. El dúo cómico Los Tadeos se atrevió incluso a tocar ese espinoso tema en televisión, en un programa en directo que les costó no pocos disgustos. «¿Cuál es el colmo de un régimen político?», preguntaba uno, y el otro le respondía: «Condenar a un pueblo a morir de hambre y ofrecerle luego un entierro gratuito».

El injusto mercado capitalista

La falta de alimentos llegó a ser tan grave que Raúl Castro, ya entonces sucesor de su hermano, número dos de la Revolución y ministro de las Fuerzas Armadas Revolucionarias, temió que se produjera una revuelta popular. Tuvo que echar toda la carne en el asador para convencer al Comandante en Jefe de que había que tomar medidas drásticas. Lo logró, aunque Fidel Castro siempre se arrepintió de ello. Había que conseguir las divisas necesarias para poder comprar en el «injusto» mercado capitalista, combustible, alimentos, maquinaria, materias primas y otros muchos productos. El resultado fue el Modelo Económico Reformado, un si es no es para conciliar la planificación centralizada con elementos de mercado.

Por primera vez desde la Revolución se abrieron las puertas a la inversión extranjera, se crearon empresas mixtas y se autorizaron espacios para el trabajo por cuenta propia. También se crearon las Unidades Básicas de Producción Cooperativa y se entregaron parcelas de tierra ociosa a familias para su cultivo. En 1994 volvieron a abrir sus puertas los Mercados Libres Campesinos con el discreto nombre de Mercados Agropecuarios. Como dijo Raúl Castro, «esta guerra hay que ganarla con frijoles, no con cañones».

La situación de mi Cuba
que buena se está poniendo
los pollos se están vendiendo

como racimos de uva.
De esta buena situación
no nos podemos quejar
hay pollos que cocinar
y no tenemos carbón.

El Modelo Económico Reformado logró evitar que el país se colapsara, y si Fidel Castro no se hubiera empeñado en dar marcha atrás, hubiera permitido sentar las bases para que el país desarrollara su potencial económico. Pero el dictador no estaba dispuesto a renunciar al control del Estado sobre la economía y mucho menos permitir que se institucionalizara el trabajo por cuenta propia. Si cedió algo fue porque no tuvo más remedio, forzado por las circunstancias. Pero, una vez a flote, dio por terminado el *período especial* y lo enterró con una frase lapidaria después de calificarlo como «una etapa de indeseados desajustes».

Pero los cubanos no han salido todavía del *período especial*, y eso se percibe en su forma de vida y de manera muy especial en la alimentación que reciben. Los productos de la cartilla de racionamiento son los únicos alimentos al alcance de buena parte de la población, que no tiene más ingresos que su salario en pesos cubanos. Sin embargo, la situación del país no es la misma que en 1962, cuando se estableció el racionamiento, y tampoco tiene nada que ver con los difíciles años en que Cuba se quedó sin los subsidios soviéticos. En esas dos etapas, la *libreta* cumplió cabalmente su papel para el «reparto equitativo de alimentos», pero en la Cuba de hoy no se justifica la forma en que viven los cubanos.

Los productos de la *libreta* son una limosna que el Estado, único empleador, ofrece a sus trabajadores, a los que paradójicamente brinda también la oportunidad de comprar todo tipo de alimentos y otros bienes de consumo importados, pero sólo si pueden pagarlos en pesos convertibles, una moneda que vale 24 veces más que el peso cubano con el que se pagan los salarios. Esa vergonzosa asimetría divide hoy a la población en dos categorías, los que tienen y los que no tienen pesos convertibles, una barrera que hace añicos el axioma de Fidel Castro repetido tantas veces de que «lo que se hace es darle más al pueblo y repartirlo mejor».[8] Eso no es cierto. En Cuba hay una clara división de clases, de acuerdo con la capacidad económica de cada individuo, cuyo nivel de confort depende del dinero que posea.

La Revolución ha abandonado su proyecto, si es que alguna vez lo tuvo, de construir una sociedad más justa, y ha condenado a los cubanos a una feroz lucha por la vida desde su fase más primitiva, la alimentación.

Al rico arroz con frijoles

El 75 % de los ingresos mensuales de las familias se destina a la compra de alimentos, según datos facilitados por el oficial Centro de Estudios de la Economía Cubana (CEEC) en septiembre de 2007. Aun así, el Gobierno alardea del enorme esfuerzo que realiza para ofrecer a los cubanos productos subvencionados mediante la cartilla de racionamiento. Pero no es cierto, al menos no es del todo cierto. Los productos de la *libreta* están subvencionados, desde luego, y si no fuera así, la gente que sólo pasa hambre, se moriría de hambre. Teóricamente, la *libreta* garantiza lo necesario para que cada persona pueda alimentarse durante un mes, pero la realidad es que apenas alcanza para comer una semana, y de forma muy precaria. No hay, por supuesto, carne de vacuno, y el pollo y el pescado, ¡en una isla!, son testimoniales. Lo que más «abunda» es el arroz y los frijoles, que constituyen la dieta diaria básica de la mayoría de los cubanos.

Salvo el pan, unas incomestibles barras hechas con boniato (batata), que se expende a diario, éstos son los productos que en 2008 podía comprar una persona en la bodega ¡para todo el mes! por la *libreta*:

— Pollo: $^1/_2$ libra (227 gramos) a 70 centavos la libra.
— Pescado congelado: 10 onzas (283,8 gramos) a 0,40 centavos.
— Picadillo de soja: $^1/_2$ libra (227 gramos) a 0,35 centavos. (Dos veces al año se sustituye la soja por perritos calientes: 1 paquete con 5 unidades por persona, a 1,20 pesos.)
— Huevos: 10 unidades por persona; cinco a 15 centavos cada uno y los cinco restantes a 90 centavos la unidad.
— Arroz: 5 libras (3,689 kilos) a 0,25 centavos la libra, y 2 libras adicionales (908 gramos) a 0,90 centavos la libra.
— Frijoles: 20 onzas (567,6 gramos) a 0,32 centavos.
— Aceite vegetal: $^1/_2$ libra (227 gramos) a 40 centavos.
— Azúcar: blanca, 3 libras (1,362 kilos) a 0,15 centavos; negra, 2 libras (908 gramos) a 0,10 centavos la libra.

— Patatas: 2 libras (908 gramos) a 0,40 centavos la libra.
— Espaguetis: 1 paquete de ½ libra (227 gramos) a 0,90 centavos la libra.
— Galletas: ½ libra (227 gramos) a 0,65 centavos la libra.
— Jabón: 2 pastillas al mes de manera alterna; un mes, jabón de baño a 0,25 centavos, y al mes siguiente jabón de lavar a 0,20 centavos.
— Jabón líquido: 1 frasco por núcleo familiar.
— Pasta de dientes: 1 tubo mensual para núcleos familiares de una a cinco personas; 2 tubos mensuales en caso de que sean de 5 a 9 personas, y 3 tubos mensuales para más de 9 personas.
— Café: 1 paquete de 4 onzas (113,52 gramos) a 5 pesos.
— Chocolate: 1 paquete de 3,5 onzas (100 gramos) a 8 pesos.
— Yogur: los niños de 7 a 13 años tienen derecho a 1 litro de yogur, a 1 peso.
— Leche: los menores de 7 años y los mayores de 65 años tienen derecho a leche en polvo (1 litro diario) a 0,50 centavos el litro. También pueden adquirir leche en polvo las personas con dieta médica, 1 kilo a 2 pesos.

Calorías virtuales para el pueblo

Ésa es la alimentación que el Gobierno ofrece a los cubanos después de 50 años de Revolución. Pero matar de hambre y enterrar gratis, como decían Los Tadeos, no es suficiente. A la contundencia de los hechos se responde siempre con la falsificación de la realidad. Es una pugna constante en Cuba, donde lo virtual alcanza la categoría de dogma. Y si no que se lo pregunten a Georgina Barreiros, ministra de Finanzas y Precios, quien en un memorable discurso en la Asamblea Nacional del Poder Popular, en diciembre de 2007, al hacer el balance de los «logros» alcanzados ese año por la Revolución, aseguró que se había elevado «el nivel nutricional de la población a 3.287 kilocalorías y 89,9 gramos de proteínas diarias».[9] Esa fantástica alucinación empequeñecía los buenos resultados de los años anteriores al *período especial,* cuando los abundantes suministros de alimentos y recursos para la agricultura y la industria alimentaria procedentes de la Unión Soviética, garantizaban a los cubanos 2.966 kilocalorías diarias como promedio.

La realidad es que los productos de la *libreta* apenas aportan un tercio de las calorías que, según el Gobierno, ingieren diariamente los cubanos, que necesitan complementar su dieta como pueden. Además de los alimentos normados, hay en Cuba el llamado Mercado Paralelo, donde se venden los mismos productos de la *libreta*, pero a precios más elevados. Por ejemplo, el arroz, cuyo precio subvencionado es de 0,25 centavos la libra, se multiplica hasta los 3,50 pesos, y lo mismo sucede con el pollo, que de 70 centavos la $\frac{1}{2}$ libra pasa a 12 pesos. La carne de cerdo, que está fuera de la *libreta*, se vende a 35 pesos la libra.

> Marranito, marranito,
> come, come tu maicito.
> Come y ponte más gordito,
> p'a comerte en mi caldito.
> ¡Ay mi pobre marranito!
> te van a volver jamón,
> ¡pobrecito mi puerquito!
> y tu cuerpo chicharrón.[10]

Hay otra opción para comprar alimentos, los Mercados Agropecuarios, popularmente llamados «agros», donde el Estado y los agricultores privados «compiten» para vender sus productos. Las Cooperativas de Producción Agropecuaria (CPA) y los campesinos independientes poseen el 35 % de la tierra cultivable y obtienen más del 60 % de la producción agrícola del país: el 95 % del tabaco, el 87 % de la carne porcina, el 60 % de las viandas y tubérculos, el 62 % de las hortalizas, el 88 % del maíz y los frijoles y el 60 % de los frutales, de acuerdo con cifras oficiales. Esa producción se logra a pesar de las dificultades de toda índole que tienen que sortear, entre ellas, y no la menor, la morosidad por parte del Gobierno, al que obligatoriamente tienen que vender buena parte de sus productos. El propio Raúl Castro, en una intervención en la Asamblea Nacional del Poder Popular, en junio de 2007, criticó duramente esa situación. «¿Cómo vamos a tener alimentos —dijo— si no pagamos a los campesinos?»

A diferencia del sector privado, en el que se desempeñan 225.000 pequeños propietarios y 125.000 usufructuarios de tierra, las Unidades Básicas de Producción Cooperativa (UBPC) y las Granjas Estatales, dueñas del 65 % de la tierra, sólo obtienen el 35 % de los productos agrícolas que se cultivan en la isla. Los problemas del campo, con el 51 % de las tierras ociosas o deficientemente explotadas, según cifras oficiales, no son muy diferentes de los de otros sectores, paralizados por la burocracia estatal.

En un reportaje publicado en el diario *Juventud Rebelde* el 16 de diciembre de 2007, un investigador del Instituto de Estudios del Trabajo, Rafael Alhama, calificó como un «ejemplo de incoherencia» la forma en que se gestionan las Unidades Básicas de Producción Cooperativa. El administrador de una UBPC de La Habana, Omar Lastra León, señaló por su parte que «nos frenan las ataduras para poder hacer con nuestras ganancias lo que necesitamos. A veces contamos con el dinero, pero no se nos permite utilizarlo. Nosotros, a diferencia de las Cooperativas de Producción Agropecuaria, sólo tenemos libertad de gestión, no de compra». Más ambiguo, el experto del Ministerio de Economía y Planificación, Pablo Fernández, citó como problemas que afectan a la agricultura cubana «la falta de políticas macroeconómicas y sectoriales, así como la dualidad monetaria y la reorganización integral del sector».

La diferencia entre los productos que ofrecen el sector privado y el estatal es notable. Los Mercados Agropecuarios Estatales (MAE) están peor surtidos que los de las cooperativas campesinas, y sus productos son de peor calidad. Los privados están mucho mejor abastecidos, aunque sus productos resultan más caros. Si un cubano decidiera gastar toda la paga de un mes en un «agro», sólo podría comprar los siguientes productos: tres libras de judías verdes (42 pesos), una libra de carne de cerdo (30 pesos), una docena de huevos (20 pesos), tres piñas (45 pesos), tres mangos (18 pesos), tres lechugas (20 pesos), tres aguacates (60 pesos), diez plátanos (10 pesos), diez pimientos verdes (30 pesos), tres repollos (21 pesos), dos libras de cebollas (40 pesos).

La Revolución, convencida de que la *libreta* y los mercados agrícolas no bastan para subsistir, ofrece a los cubanos, además, la posibilidad, no sólo de alimentarse, sino de adquirir todo tipo de bienes de consumo, pero en pesos convertibles. Las TRD (Tiendas Recaudadoras de Divisas), las *chopy* y los supermercados son los mejores imanes con que cuenta el Gobierno para atrapar las divisas que los cubanos reciben de sus familiares en el exterior, y también los pesos convertibles circulantes, obtenidos mediante el mágico procedimiento de resolver. Dentro de ese campo magnético se desenvuelve buena parte de la vida del país como en un juego perverso; con sus dos caras, como Jano, el Gobierno mantiene a la población bajo mínimos, a la vez que vende, a quien pueda comprarlo, el mundo mejor que ofrece machaconamente en sus discursos.

Un cerdo bien vale una multa

Una práctica muy extendida para conseguir las calorías necesarias, es la cría de animales en las viviendas, sobre todo cerdos y gallinas. En una comparecencia en televisión,[11] Fidel Castro se refirió a la cría de cerdos «que en ocasiones se realiza incluso dentro de edificios multifamiliares» y advirtió del peligro que eso suponía para la salud pública. Durante su intervención, el dictador reconoció que el Gobierno no había podido acabar con esa costumbre, ni siquiera en La Habana, a pesar de haberla «limpiado» dos veces. Lo que Castro no dijo es que los porqueros urbanos recurren a un ardid para evitar que los chillidos de los cerdos les delaten. Por 5 dólares, «veterinarios» especializados extirpan las cuerdas bucales de los animales, dejándolos mudos. Es una salida muy a la cubana que todavía se mantiene. Nadie hizo caso de la «paternal» actitud del dictador de llamar a los vecinos a discutir la necesidad de erradicar esa práctica «sin precipitación, ni medidas drásticas, con métodos persuasivos y razonables, aunque firmes». El hambre no entiende de sutilezas. Un cerdo bien vale una multa. Lo mismo ocurre con los conejos y las gallinas, incluidos también en el censo familiar y que se venden bien en la *bolsa negra*. El canto de los gallos urbanos compite con el reguetón en los barrios populares de Cuba.

> Por el año ventitrés, ventitrés
> hoy en mi cantar refiero
> la historia de un buen lechero
> que este pregón escuché:
> Aquí va el angelito,
> el lecherito, del hormiguito,
> lo pone gordito,
> como un sapito,
> ¡lechero, leche!
> ¡a real la botella de leche...!

El lecherito oriental, el *son* del gran Miguel Matamoros, se escuchaba con verdadera pasión en Cuba, en 1953. De ese entonces, el año de la condena a prisión de Fidel Castro tras el frustrado asalto al cuartel Moncada, son también sus palabras: «Los mercados debieran estar abarrotados de productos; las despensas de las casas debieran estar llenas».[12] Pero en 2008 las despensas de los cubanos no están precisamente llenas, y los niños que han cumplido 7 años tienen que esperar hasta los 65 para poder saborear la leche en polvo que probaron durante su infancia; cuando la hay, se entiende, porque a veces tienen que tomar un sucedáneo llamado Formidable Crecer, que según la Unión Láctea es de «características similares a la leche en polvo», pero sin especificar su composición. Sin embargo, en las Tiendas Recaudadoras de Divisas (TRD), los que disponen de moneda fuerte pueden comprar leche cubana, envasada en una primorosa caja de tetrabrik por la empresa Río Zara, al precio de 2,40 pesos convertibles el litro, que equivalen a 5 días de salario de un cubano.

En el discurso que pronunció en Camagüey el 26 de julio de 2007, el todavía Presidente en funciones, Raúl Castro, dijo: «Hay que borrarse de la mente eso de los 7 años. ¡Llevamos 50 años diciendo que hasta los 7 años! ¡Hay que producir leche, para que se la tome todo el que quiera tomarse un vaso de leche! ¡Y hay tierras para producirla aquí!». Aquellas palabras, como tantas otras, no se tradujeron en hechos.

La credulidad de un Relator

A finales de 2007, el Gobierno de Cuba autorizó la visita a la isla del Relator Especial de Naciones Unidas para el Derecho a la Alimentación, Jean Ziegler, quien reconoció que «la práctica de Cuba en el derecho a la alimentación puede servir a otros países como ejemplo». Las declaraciones de Ziegler fueron muy cuestionadas por los principales grupos de la disidencia, que criticaron la «complacencia y credulidad» del Relator, quien sólo se reunió con funcionarios del Gobierno y no pulsó ninguna otra opinión. Óscar Espinosa Chepe, prisionero de conciencia, con licencia extrapenal por motivos de salud debidos en parte a la deficiente alimentación que recibió durante su cautiverio, dijo que las declaraciones de Ziegler resultaban sorprendentes e impactantes: «Es como si recomendara a la comunidad internacional seguir el ejemplo de los talibanes en el respeto a la mujer o considerar a Al Qaeda como un arquetipo en cuanto a tolerancia».

Espinosa Chepe se mostró de acuerdo con las críticas de Jean Ziegler al bloqueo estadounidense sobre la isla, pero dijo que «el principal problema de Cuba es el bloqueo impuesto al pueblo por el actual Gobierno durante muchos años, que se ha plasmado en que actualmente la producción agropecuaria por habitante sea el 50 % de los deficientes niveles de 1989. Para colmo, la gran azucarera del mundo se ha convertido en importadora de azúcar para satisfacer el consumo racionado, y los niños, al cumplir 7 años de edad no pueden adquirir leche por el sistema de racionamiento, un alimento básico para ellos».

El Anuario Estadístico de Naciones Unidas de 1960 clasificó a la Cuba anterior a la Revolución en tercer lugar entre once países latinoamericanos por el consumo per cápita calórico diario. En el año 2000, Cuba ocupaba el último lugar entre el mismo grupo de países. El Anuario de la ONU de ese año mostraba a la isla en una situación de oferta de alimentos inferior a todos los países latinoamericanos, excepto Venezuela y Honduras. Jean Ziegler desconocía esos datos o fue víctima de un espejismo.

El Gobierno cubano es un maestro en el arte del engaño, oculta más de lo que enseña, y cuando muestra algo es porque quiere esconder mucho más. En mayo de 2008, Cuba donó al Programa Mundial de Alimentos de Naciones Unidas, PMA, 2.500 toneladas de azúcar, por un valor superior a un millón de dólares, para ser distribuidas en Colombia y Corea del Norte. Ese mismo mes, un Informe del Programa Mundial de Alimentos de Naciones Unidas, PMA, reveló que 500.000 niños cubanos de entre seis meses y cinco años de edad, de las provincias orientales de la isla, padecen anemia. Lisset Selva, consultora del PMA, anunció que el organismo entregará para cada niño, durante cinco años, 1,5 kilos de cereales, compuestos de maíz y soja, fortificada con vitaminas y minerales, para compensar su déficit alimentario. El costo del programa, valorado en 11,5 millones de dólares, incluye donaciones de Rusia, España, Suiza y Canadá. Durante la primera etapa, el cereal será importado de Argentina, pero se destinarán 1,5 millones de dólares a la construcción de una planta procesadora en Bayamo, en la provincia de Granma, una de las más afectadas.

Los yogures del comandante

De Oriente es también el dictador cubano, de la provincia de Holguín, pero Fidel Castro nunca padeció anemia. Según cuenta Claudia Furiati, su biógrafa oficiosa, todos los Castro nacieron con buen peso y mejor salud, porque, en palabras del doctor Strom, que atendió los partos de Lina Ruz, madre de Fidel, ella «tomaba leche pura y fresca en cantidad, hábito que adquirirían, desde los primeros años, también sus hijos, que bebían la primera leche extraída de las vacas».[13]

El comandante nunca perdió esa sana costumbre, que pudo mantener gracias a una granja habilitada para su uso exclusivo en Güines, al sur de la ciudad de La Habana. Es una finca sin nombre, dirigida por personas de absoluta confianza y protegida discretamente por una pequeña guarnición de tropas especiales del MINFAR, el Ministerio de las Fuerzas Armadas Revolucionarias. Allí pastan todavía varias docenas de vacas Holstein, de alto rendimiento lechero, adquiridas en Canadá. El área de ordeño tiene aire acondicionado y cuenta con los más sofisticados recursos tecnológicos. Algunos miembros escogidos del Buró Político del Partido Comunista de Cuba se benefician de los generosos regalos del comandante, sobre todo quesos, y una variedad de yogur natural con un ligero sabor a fresas, la especialidad de la «casa».

Claudia Furiati señala en su libro que el comandante siempre fue un *gourmet*, y a la biógrafa no le falta razón, ni tampoco información, porque su libro, que recibió el *nihil obstat* del propio Castro, tiene datos de primera mano. Y así, revela que algunos de sus platos preferidos son la langosta asada, el bacalao dorado en olla de hierro, un buen bistec de ternera y pilaf a la griega; también los pescados, mariscos y el cordero a la plancha, acompañados de ensaladas diversas. A la escritora brasileña se le olvidó mencionar que a Fidel Castro le chiflan las angulas y que dispone para su exclusivo servicio de un vivero en Holguín, donde se crían esas exquisitas larvas de anguila.

El dictador nunca ocultó su afición por la cocina y en algunas entrevistas desveló la forma en que él mismo prepara algunos platos, como los camarones y la langosta, alimentos «estratégicos» para la exportación prohibidos para los cubanos. «Lo mejor —cuenta Fidel Castro al monje brasileño Frei Betto— es no cocer ni los camarones ni la langosta, pues el hervor del agua reduce sustancia y sabor y endurece un poco la carne. Prefiero asarlos en el horno, o en pincho. Para el camarón bastan cinco minutos al pincho. La langosta once minutos si es al horno, seis minutos al pincho sobre brasa. De aliño, sólo mantequilla, ajo y limón. La buena comida es una comida sencilla.» Frei Betto no puede evitar comparar a Castro con el Che Guevara, quien tenía también fama de buen cocinero, y el comandante le responde así: «Bueno, creo que yo soy mejor cocinero que lo que él lo era. No voy a decir que soy mejor revolucionario, pero mejor cocinero que el Che, sí».[14]

Metafísica del hambre

En 2005, el canciller Felipe Pérez Roque planteó, sin ningún rubor, que había que mantener el apoyo de la mayoría de la población, «no sobre la base del consumo material, sino sobre la base de las ideas y convicciones».[15] El brillante ministro venía a decir que los mercados y las despensas que el Gobierno no ha conseguido llenar son una cuestión menor, frente a las convicciones revolucionarias, y no dudó en reforzar ese particular trueque de gato por liebre, con el argumento de que algunos países del antiguo bloque socialista de Europa se desplomaron en condiciones de bienestar económico. «No debemos ignorar y no debemos subestimar que también hay entre nuestras filas, en las filas de nuestro pueblo, simulación y apatía. Y hay modorra.» Eso dijo el ministro, pero se le olvidó decir que también hay carestía. Y hay hambre. «Metafísico estáis», pueden decir los cubanos, como *Babieca* a *Rocinante*, y responder como éste: «Es que no como».

Según el Gobierno, Estados Unidos es el culpable de que los cubanos no se alimenten mejor. Mediante el bloqueo y la guerra biológica, el «imperio» ha tratado de asfixiar a la Revolución desde sus inicios, para provocar una revuelta popular. Esa consigna se repite machaconamente en todos los medios oficiales. El bloqueo «impide adquirir las materias primas para piensos». La guerra biológica afecta a productos como la patata «con la introducción del insecto *Thrips palmi* en los sembrados». Castro llegó a culpar a Estados Unidos de introducir en la isla la peste porcina africana, una epidemia que, según *Granma*, «apareció cuando grandes planes estatales comenzaban a dar sus frutos».[16]

Me levanto antes que salga el sol,
cuando mi gallo empieza a cantar,
y mis bueyes voy a preparar
para empezar mi labor.
Yo soy guajiro de verdad.

En el campo no se escucha ya el célebre bolero de Manuel Alfonso *Guajiro de verdad* porque son muy pocos los *guajiros* que se levantan antes de que salga el sol. Los campesinos privados sobreviven como pueden con precios absurdos que fija el Estado y que no se corresponden con el valor real de los productos. Muchos prefieren cultivar para su propio consumo y vender los excedentes al mejor postor. En las granjas estatales, la productividad está bajo cero, asfixiada por los bajos salarios que reciben los agricultores y una burocracia que siembra y cultiva sólo papeles.

En diciembre de 1966, en un discurso ante la Federación de Mujeres Cubanas, Castro llegó a admitir que incluso los comités de lucha contra la burocracia se habían burocratizado. Y sin embargo, antes no era así. El campo cubano llamaba la atención de extraños y propios. A mediados del siglo XIX, la condesa de Merlín escribió: «La tierra no necesita aquí de un cultivo esmerado, ni de abono. Para producir muchas cosechas al año bastan algunos días de arado, y esparcir sobre ella unos cuantos puñados de grano. Las legumbres se dan a los quince días; la maloja nace a las cuarenta y ocho horas, y de este modo se suceden las recolecciones hasta diez o doce al año sin que exijan otro cuidado que el trabajo de recolectarlas».[17] La «prodigalidad de una naturaleza espléndida», en palabras de María de la Merced Santa Cruz y Montalvo, cubana ilustre que casó con el general de Napoleón Antoine Merlin, es sólo un recuerdo del pasado, derrotada por la ineptitud de una Revolución que ha convertido al Estado en el mayor terrateniente improductivo de la historia de Cuba.

«Mami, esto es el socialismo»

El 1 de octubre de 1963, tras la promulgación de la segunda Ley de Reforma Agraria, el Gobierno revolucionario expropió las fincas rurales con una extensión superior a 5 caballerías

(67 hectáreas). Eso incluía también la de la familia Castro. Cuenta Claudia Furiati[18] que cuando Lina Ruz, madre de los Castro, preguntó a Raúl qué diablos estaban haciendo con la propiedad que su esposo, Ángel Castro, tenía en Birán, en la provincia de Holguín, éste le contestó «Esto es el socialismo». Y el socialismo dejó que la finca se agostara.

«En el lugar donde yo nací y crecí, que era un latifundio, había uno o dos oficinistas; ahora es una granja estatal y hay doce oficinistas.» Son palabras de Fidel Castro, pero se nota que hacía mucho tiempo que el dictador no visitaba la hacienda de su padre. A principios de 2008, varios oficinistas vivaqueaban junto a una pequeña guarnición de uniformados del MININT, Ministerio de Interior, encargados de la custodia de esos «santos lugares». Pero allí no hay ninguna granja. La productiva hacienda, con miles de hectáreas sembradas, principalmente de caña de azúcar, la cabaña ganadera, el aserradero, el hotel y el almacén en el que se vendían aperos de labranza y alimentos, han desaparecido, junto con las fértiles tierras de la vecina United Fruit Sugar Company. Allí no queda nada de lo que, según muestra la maqueta que hay en la finca, el gallego Ángel Castro levantó con tanto esfuerzo a lo largo de su vida.

La antigua propiedad de los Castro, convertida en Monumento Nacional, se reduce hoy a un conjunto de edificios, entre ellos una réplica de la casa donde el «Líder Máximo» vino a este mundo el 13 de agosto de 1926, y que se incendió en 1954. Todo lo demás se ha borrado. Y no es extraño, porque el responsable del Instituto Nacional de Reforma Agraria (INRA), el capitán del Ejército Rebelde, Antonio Núñez Jiménez, era «más apto para organizar un mitin o para ocupar, a caballo y con banderas desplegadas, el territorio de la United Fruit Company que para organizar racionalmente la producción agrícola del sector socialista».[19] Son palabras del profesor y especialista francés en Agronomía René Dumont,[20] que el Gobierno cubano llamó como asesor, y que terminó por marcharse del país, horrorizado por lo que se estaba haciendo con las haciendas expropiadas.

El Anuario 2006 de la oficial Oficina Nacional de Estadística (ONE) indica que 1,2 millones de hectáreas —aproximadamente el 18 % de la superficie agrícola del país— están sin cultivar. Otras fuentes casi triplican esa cifra y añaden que más del 35 % de la superficie de pastos naturales está en muy malas condiciones. Eso ha provocado una drástica disminución de la cabaña ganadera, de 7 millones de cabezas que había en 1967, a 3,7 millones en 2007. La mayoría de las tierras productivas de Cuba han sido invadidas por el marabú, un arbusto espinoso que agosta las tierras. El propio Raúl Castro reconoció, el 26 de julio de 2007, en el discurso que pronunció en Camagüey, cuando todavía era Presidente en funciones, que el campo en aquella antaño fértil provincia estaba verde y bonito, para añadir, en un tono más irónico: «Pero lo que más bonito estaba, lo que más resaltaba a mis ojos, era lo lindo que está el marabú a lo largo de toda la carretera».

Las críticas de Raúl Castro y su llamamiento para hacer producir la tierra «con tractores o con bueyes» no son sino palabras huecas que los dirigentes de la Revolución repiten casi con delectación, como si ellos no fueran responsables de lo que sucede en el país. Seis meses después del discurso del Presidente provisional, *Juventud Rebelde*, en su nuevo papel de señalar las «deficiencias» de la Revolución, decía que «describir los problemas de la tierra y los hombres que la labran es más fácil que hacerla parir con eficiencia [...] El poder local reclama espacio y autonomía para sumarse a esta cruzada contra la infertilidad de los suelos; las tierras ociosas, brazos que las fecunden. Y un montón de limitaciones, tal vez insoslayables en otros tiempos, aguardan por una nueva mirada más objetiva».[21]

Juventud Rebelde ya había abordado ese tema en un Informe[22] en el que Lázaro Bueno Hechavarría, «jefe del frente de atención a la problemática del empleo juvenil» del municipio de Palma Soriano, en Santiago de Cuba, afirmaba que «hoy podríamos darle empleo en la agricultura al ciento por ciento de los jóvenes desvinculados en Palma Soriano, pero las condiciones de trabajo en ese sector son pésimas. Los jóvenes que se incorporan a la agricultura tienen que llevar sus instrumentos de trabajo, no se les facilita ropa ni zapatos. Tampoco se les garantiza el almuerzo y para colmo hasta pasan meses sin cobrar».

En marzo de 2008, el Gobierno cubano inició una nueva política para tratar de aumentar la producción agrícola y disminuir las importaciones, mediante la descentralización administrativa de la agricultura, entrega directa e indirecta de medios a los campesinos y cooperativas, y mejores precios a los productores. También se abrieron, por primera vez, tiendas para que los campesinos puedan comprar utensilios, principalmente machetes y azadas, ropa y calzado. Cuatro meses después, en julio, Raúl Castro firmó un decreto que permite la entrega de tierras ociosas en usufructo a personas naturales y jurídicas para su explotación. Pero esa política tardará tiempo en dar resultado por el atraso secular del campo, donde todavía se trabaja con bueyes; además, el precio de los insumos y fertilizantes es en pesos convertibles.

El pecado de Adán y Eva

Si José Martí levantara la cabeza, se llevaría un buen susto por lo que ocurre en Cuba. El prócer de la independencia siempre se preocupó por el reparto y el buen uso de la tierra, y así lo dejó escrito: «La distribución de la propiedad y el cambio de tierras estériles en tierras productivas [...] es causa inmediata de la riqueza del país, lograble fácilmente con la creación de muchos pequeños propietarios».[23]

En el libro *De bandera a bandera* que publicó en Nueva York en 1899, Eliza McHatton-Ripley habla de la Cuba de Martí, del bullicio de sus calles, de sus mercados, de los campesinos que ordeñaban sus vacas y vendían la leche a la puerta de las casas, de «los vendedores ambulantes de hortalizas, frutas y aves, con diversos cascabeles tintineantes y gritos o silbatos discordantes, que parecen pasar en procesión interminable, con largas hileras de caballitos, pesadamente cargados, atada la cabeza de cada uno a la cola apretadamente trenzada del que le precedía, y el primero de todos montado por un guajiro con la camisa fuera de sus pantalones y la faja ornamentada por un ancho cuchillo».

Hoy las calles de la capital de Cuba permanecen mudas, tristes, sin esa algarabía que hizo de La Habana una de las ciudades más bulliciosas del Nuevo Mundo y que fascinó a tantos viajeros y escritores. En su *Biografía de una isla*, Emil Ludwig escribió que «el país está cuajado de frutas: las frutas más ricas del mundo; frutas como las pintan en los cuadros del Paraíso; pues si el Paraíso no está aquí no está en otro lugar». Sin embargo, hoy cuesta trabajo entender cómo en una isla tropical escasean o han desaparecido productos tan tropicales como el anón, la guanábana, el caimito, el níspero, el canistel, el marañón, la ciruela, el mamoncillo, la grosella, la chirimoya o el maracuyá.

En el siglo XIX, el poeta cubano Manuel de Zequeira escribió una «Oda a la piña», a la que llamó «reina de todas las frutas», sin saber que la Revolución cubana casi acaba con ella. El diario

Granma, en un artículo titulado «Añoranza por la reina», el 7 de febrero de 2007 decía que «de 1991 a la fecha, la producción de la piña ha descendido 30 veces», y añadía que «para la mayoría de los que acuden a los Mercados Agropecuarios del territorio es como si fuera la fruta prohibida, causante del pecado de Adán y Eva».

Lo sorprendente es que, un mes después de publicarse esa información, el 28 de marzo de 2007, el director del Instituto Nacional de Investigaciones Fundamentales de la Agricultura Tropical (INIFAF), Adolfo Rodríguez Nodal, anunció que en la provincia de Pinar del Río se estaba experimentando para producir melocotones, un fruto no autóctono. Los experimentos, con gaseosa, habría que decirle al buen agrónomo, que debería cuidar su huerto, como Cándido, y proteger la piña en lugar de meterse en camisa de once varas.

¡Ese hombre está loco!

La distancia que media entre la prolífica *Ubre Blanca* y las vacas enanas de Raúl Hernández, un guajiro de Pinar del Río, es un buen ejemplo del camino hacia ninguna parte de la Revolución cubana. Hace años, Fidel Castro presentó a *Ubre Blanca*, fruto del cruce de las razas Holstein y Cebú, como un «prototipo» de una nueva raza de vacas que iban a resolver el déficit de leche del país. Sus 111,9 litros con tres ordeñes diarios, que figuran en el libro *Guinness*, parecían augurar una nueva era lechera en Cuba. Gracias a los cruces genéticos de sementales canadienses y cubanos, conocidos como F1 y F2, vacas de similares características a *Ubre Blanca* pronto pastarían, según Castro, junto a las palmas reales.

Aquel «experimento» fracasó como fracasaron la mayoría de los desatinos visionarios del comandante, entre ellos los planes arroceros en la Ciénaga de Zapata, los pastoreos intensivos, el plan fresa, el café caturra en el cordón de La Habana, las granjas de faisanes para producir carne, las plantaciones de bambú altamente maderables, la presa Paso Seco en el parque Lenin, la zafra de los 10 millones, o la producción de quesos «que superaría a la de Francia». *Ese hombre está loco*, cantaba la solista Tanya, del grupo Montespuma, y no es para menos, porque el dictador nunca cejó en su empeño de inventar la rueda.

Hoy, *Ubre Blanca* permanece muda, disecada, convertida en estatua en el Centro Nacional de Salud Animal (CENSA), de La Habana, mientras Raúl Hernández, alias Pica Pica, un guajiro de Pinar del Río, trabaja desde hace años en un proyecto genético para «fabricar» una raza de vacas enanas. Son vacas domésticas, de «bajo consumo», para criar en el patio o en el jardín de una casa, con una capacidad lechera de hasta 7 litros diarios. La idea es pintoresca, pero según Pica Pica, con las vacas enanas a nadie le va a faltar la leche. Además, con un animal tan pequeño no habría problemas de espacio. Eso sí, los gallos, gallinas, cerdos y conejos que muchos cubanos crían en sus viviendas tendrán que apretarse un poco más.

«Para la leche que da la vaca, que se la tome el ternero», cantaba Carlos Puebla, pero si prospera el experimento del guajiro pinareño, los cubanos podrían entonar, con más optimismo, como hacía Ignacio Villa, Bola de Nieve, el clásico «Ay mamá Inés, ay mamá Inés, todos los negros tomamos café». Y es que la leche de las vacas enanas sería el mejor antídoto para el «venenoso» café vietnamita que los cubanos compran por la *libreta*, en sustitución del café mezclado con chícharos (guisantes) que tomaban hasta 2005.

Ése fue el año del «chocolatín» y del «café café», en palabras de Fidel Castro, cuando anunció a bombo y platillo que la dieta de los cubanos iba a mejorar con esos productos. Pero el famoso «chocolatín» se quedó en las estanterías de las bodegas, porque tenía más retórica que cacao, y el café, importado de Vietnam y de muy baja calidad, aumentó de 25 centavos las cuatro onzas (algo más de un kilogramo) a 5 pesos, una sustancial subida. El buen café cubano, el verdadero café café, el Cubita, Serrano o el Monte Rouge, tan parecidos al café Pilón, «sabroso hasta el último buchito», anterior a la Revolución, se exporta o se vende en Cuba a quien pueda pagarlo en moneda fuerte, a casi 15 pesos convertibles el kilo, que equivalen al salario medio mensual de un cubano.

La «granjería» del azúcar

El caso sucedió por esta vía:
Los hombres de riquezas cudiciosos,
Visto lo que la tierra prometía,

Para mejor hacellos caudalosos,
Dieron una grande granjería,
Que fue hacer ingenios poderosos
Para moler azúcar, y el intento
Ha venido después en crecimiento...[24]

Las raíces de las cañas de azúcar que Cristóbal Colón llevó a las Indias en su segundo viaje, retoñaron sin dificultad en el Nuevo Mundo. «Non farán mengua al Andalucía», escribió el Almirante a los Reyes Católicos en 1494. Años después, en 1515, comenzó a funcionar en Santo Domingo el primer ingenio o fábrica azucarera de América. El 13 de febrero de 1523, por una Real Cédula, Carlos V dispuso que se favoreciera con préstamos a quienes construyeran ingenios en Cuba, porque la «granjería» del azúcar iba «en acrecentamiento, é abundancia».

Las Reales Cédulas favorecieron también el comercio de esclavos a la isla, cuyo destino a partir de entonces iba a quedar indisolublemente unido a la industria azucarera. En palabras de Fernando Ortiz: «El azúcar nace sin apellido propio, como esclava [...] El azúcar muere como nace y vive: anónima; como avergonzada de vivir sin apellido, arrojada a un líquido o a una masa batida donde se diluye y desaparece como predestinada al suicidio en las aguas de un lago o en los turbiones de la sociedad».[25]

Como señala Manuel Moreno Fraginals, «desde el siglo XVII, el azúcar pasó a ser el primer producto básico mundial: es decir, la mercancía que ocupaba el primer lugar en importancia sobre la base del valor total de las transacciones del comercio internacional».[26] En ese contexto, la industria azucarera cubana, modesta en sus inicios, comienza un lento pero progresivo desarrollo para tratar de hacerse un lugar en los mercados europeos, copados por las «Sugar Islands» británicas, Brasil y, sobre todo, la colonia francesa de Haití (Saint Dominique), que en 1760 encabeza la producción de azúcar y abastece al 50 % del mercado mundial.

En 1792, después de la destrucción de la industria haitiana como consecuencia de la rebelión de los esclavos, Cuba pasa a ocupar el segundo lugar en el mercado productor azucarero, detrás de Brasil. El auge del azúcar, con una escalada de precios sin precedentes, transformó la economía de la isla. Con la revolución industrial, los ingenios se modernizan y la producción de azúcar se multiplica gracias a las máquinas de vapor aplicadas a los trapiches,[27] que se instalan en la isla casi al mismo tiempo que en Inglaterra. El ferrocarril, la electricidad, el telégrafo, el teléfono... llegan a Cuba antes que a la lejana metrópoli. «El boom azucarero —dice Moreno Fraginals— distorsiona la economía insular determinando el abandono de otras muchas actividades, planteando problemas de abastecimiento y transformando radicalmente el paisaje. Cuba vive una larga orgía azucarera que pudiera calificarse como la primera danza de los millones.»[28]

La danza de los millones

Cuba se transformó en una inmensa plantación, salpicada de chimeneas siempre humeantes, y así fraguó su identidad, sin que las crisis periódicas por las que atravesó su industria la hicieran romper su fuerte vínculo con el azúcar. El fin de la esclavitud o las barreras proteccionistas de los países europeos a su industria remolachera, afectaron seriamente al azúcar cubano, pero la danza de los millones nunca se interrumpió del todo, bien porque los mercados europeos de entreguerras redoblaron la demanda, bien porque Estados Unidos primero y la Unión Soviética después se convirtieron en los compradores casi exclusivos, y a precios preferenciales, de casi toda la producción de la isla.

Corta la caña
y anda ligero,
mira que viene el mayoral
sonando el cuero.

Yo no tumbo caña,
que la tumbe el viento,
que la tumbe Lola
con su movimiento.[29]

El nuevo «orden» revolucionario rompió ese estado de cosas. Los vaivenes de la dictadura castrista dañaron seriamente a la industria del azúcar hasta hacerla casi desaparecer. Dos sentencias, ambas pronunciadas por Fidel Castro, al principio y al final de su «era», marcan también el cenit y el ocaso del azúcar en Cuba. La primera de ellas, «Sin azúcar no hay país», indica el regreso al monocultivo de la caña de azúcar, después de los fallidos intentos de diversificar la economía de la isla; la segunda, «Del azúcar no volverá a vivir este país, pertenece a la época de la esclavitud», es el acta de defunción de la industria azucarera, cuyo ocaso comenzó después del fracaso de la zafra[30] de los 10 millones de toneladas, en 1970.

Campesinos, funcionarios, maestros, médicos, estudiantes, amas de casa..., toda Cuba participó de forma «volungatoria» en aquella locura del dictador que quiso batir el récord histórico de producción de azúcar de la isla. Al contrario de lo que ocurrió durante los felices tiempos del boom azucarero, en que «se desatendió lo necesario por fomentar lo útil», Castro arrinconó a todos los demás sectores productivos del país en pos de una quimera. Aquel esfuerzo inútil fue un duro golpe para su ego y dejó exhausto al país. *El perico está llorando*, coreaban a gritos los cubanos en el carnaval de julio de ese año, con el Tata Güines y sus Tatagüinitos, pero la alusión al comandante era demasiado clara y la canción fue prohibida. De aquella «hazaña», además de una enorme frustración, quedaron los Van Van, uno de los mejores grupos musicales cubanos, que nació al calor de la consigna «los 10 millones van».

Lejos de aquella cifra utópica, la industria azucarera de la isla mantuvo niveles aceptables de producción, con un comprador seguro, la Unión Soviética, cuyo compromiso ideológico con la Revolución se tradujo en la compra del azúcar cubano a precios superiores a los del mercado internacional. El *período especial* puso fin a esa bicoca y Cuba tuvo que enfrentarse a la dura realidad. Su industria, falta de inversiones, perdió el tren; la maquinaria era anticuada y los costes de fabricación resultaban muy elevados. Era un azúcar amargo.

En el año 2002, Celia Cruz, desde su exilio de Miami, acompañaba todavía algunas de sus canciones con aquél ¡azúcar! tan peculiar. Pero en Cuba, las campanas estaban doblando por la «granjería» del azúcar, porque ya no iba «en acrecentamiento é abundancia». Ese año, se cerraron 71 de los 156 ingenios azucareros que había en la isla. Dos años más tarde, en marzo de 2005, desaparecieron casi dos millones de hectáreas de caña de azúcar para sembrar, según se dijo, otros productos más rentables. Pero fue el espinoso marabú quien se adueñó de aquellos fértiles cañaverales y 400.000 trabajadores, el 25 % de la fuerza laboral del sector, se quedaron sin trabajo.

Donde dije digo, digo Diego

En 2005 Fidel Castro pronunció su famoso anatema: «Del azúcar no volverá a vivir este país, pertenece a la época de la esclavitud y de un pueblo lleno de semianalfabetos, un 30 % de analfabetos totales y desempleados que hacían el trabajo animal». Fue un verdadero destello de «lucidez», porque apenas un año después, los precios del azúcar se dispararon en el mercado internacional, y el dictador tuvo que dar marcha atrás. Siempre caprichoso y errático, no tuvo reparos en entonar el quevediano «donde dije digo, digo Diego», y dio orden de reabrir algunos centrales azucareros y aumentar en un 28 % los volúmenes de caña disponibles para la molienda. Pero la mayoría de los ingenios que habían sido desmantelados no pudieron hacer sonar sus muelas, agravadas las heridas que arrastraban del pasado por la falta de mantenimiento; otros fueron desmontados y enviados como regalo del comandante a la hermana República Bolivariana de Venezuela y a Nicaragua.

En 2007, de los 51 ingenios que aún quedaban en pie, sólo 17 cumplieron los objetivos previstos, a causa de las condiciones climáticas «reales y objetivamente adversas», según informó el vicepresidente Carlos Lage. Ese año, la zafra fue tan desastrosa que no se dieron cifras de la cosecha, pero fuentes no oficiales aseguran que fue la peor en cien años, comparable sólo a las de 1903 y 1904, e incluso a la de 1894, previa a la última guerra de Independencia, que fue de 1,08 millones de toneladas.

El general Ulises Rosales del Toro, titular del Ministerio del Azúcar (MINAZ), insistió, como Carlos Lage, en que las lluvias y los retrasos en la provisión de recursos fueron los culpables del bajo rendimiento de la zafra. Durante la «rendición de cuentas» en la Asamblea Nacional del Poder Popular, Rosales del Toro se dejó llevar por la lírica, tan cara a la nomenclatura cubana: «Pudimos haber sentido nostalgia por la falta de olor a mieles en nuestros centrales o por la decisión de tener que cerrar no pocos, pero la tarea que nos encomendó la alta dirección del país nos hizo reaccionar con conciencia y disciplina, y ello nos hace creer firmemente que podemos cumplir los compromisos que tenemos con la Revolución, con Fidel, con ustedes y con el pueblo».

De acuerdo con el baremo establecido por la FAO, la Organización para la Agricultura y la Alimentación de Naciones Unidas, el rendimiento de la producción cañera en Cuba es de las más bajas: 22 toneladas métricas por hectárea frente a 63 de promedio mundial. En declaraciones a *El Nuevo Herald*, de Miami, el profesor Jorge Salázar, director del Centro de Investigaciones Económicas de la Universidad Internacional de la Florida, afirmó que «los motivos de este panorama desolador son Ulises Rosales del Toro y el MINAZ. Estoy seguro de que aun haciendo un esfuerzo deliberado por no producir, pero sin la nefasta influencia del MINAZ, Cuba exhibiría hoy una cosecha azucarera muy superior».[31]

Los cubanos pueden comprar por la *libreta* hasta un total de 5 libras mensuales de azúcar, algo más de dos kilos, pero la producción nacional no alcanza para satisfacer el mercado interno, estimado en unas 700.000 toneladas anuales. Cuba se ve obligada a importar azúcar, principalmente de Brasil y de Colombia, y eso significa la pérdida de una de sus principales señas de identidad, además de un elevado coste en divisas. En 2006, Cuba importó, sólo de Brasil, 309.659 toneladas de azúcares y sacarosa, por un valor de 50,5 millones de dólares, según cifras del Ministerio de Desarrollo, Industria y Comercio de ese país sudamericano. «Con el fin de la agroindustria azucarera cubana —dice el economista disidente Óscar Espinosa Chepe—, la nación no sólo pierde riquezas. Desafortunadamente, con ella también desaparecen tradiciones y cultura [...] Esa industria llegó a elaborar en ocasiones la cuarta parte de la producción mundial antes de 1959, y casi el 40 % del azúcar proveniente de la caña cosechada a nivel planetario».[32]

> Chupa la caña negra
> Tiene sabor, sabor, sabor
> Y nada más, sabor, mamá.[33]

Vade retro, etanol

La caña de azúcar hubiera tenido quizás un final menos traumático para Cuba si no fuera por la malsana obsesión de Fidel Castro con Estados Unidos. «Condenados a muerte prematura por hambre y sed más de 3.000 millones de personas en el mundo.» Así anunciaba *Granma* poco menos que el Apocalipsis, el 29 de marzo de 2007. Pero no era Juan, el profeta, el autor de semejante agüero, sino Fidel, el ausente, enfermo desde hacía casi un año, quien comenzaba así una nueva etapa de su vida como editorialista, mediante *reflexiones* escritas desde quién sabe dónde. El comandante se dio a la tarea de criticar un proyecto del gobierno de Estados Unidos para impulsar el uso de combustibles alternativos a partir de alimentos. Fidel Castro denunciaba la tragedia que supondría para los países subdesarrollados el encarecimiento de alimentos básicos como el maíz o la caña de azúcar, si los países ricos decidían producir en gran escala etanol u otros biocombustibles. «Apliquese esta receta a los países del Tercer Mundo y verán cuántas personas dejarán de consumir maíz entre las masas hambrientas de nuestro planeta», decía Castro para añadir luego: «En nuestro país, las tierras dedicadas a la producción directa de alcohol pueden ser mucho más útiles en la producción de alimentos para el pueblo y en la protección del medio ambiente».

Lo sorprendente es que apenas dos meses antes de esa fatídica predicción sobre la muerte de tantos seres humanos por culpa de los biocombustibles, en febrero de 2007, Cuba y Venezuela firmaron un acuerdo para la construcción en aquel país de once plantas para producir etanol a partir de la caña de azúcar. También, y según anunció Marianela Cordovés Herrera, del Instituto Cubano de Investigaciones de los Derivados de la Caña de Azúcar (ICIDCA), Cuba planeaba quintuplicar su producción de etanol a base de caña de azúcar para el año 2011, y esperaba convertirse en exportador de biocombustibles, con la ayuda técnica de la industria brasileña y con inversión extranjera. La funcionaria cubana hizo ese anuncio en São Paulo, durante la Conferencia Internacional del Azúcar y el Etanol, según recoge un despacho de la Agencia Reuters fechado en esa ciudad brasileña el 20 de marzo de 2007.

El Gobierno de Brasil, que junto con Estados Unidos lidera la producción mundial de etanol (a partir de la caña de azúcar y de maíz, respectivamente), se mostró sorprendido por las declaraciones de Castro, y el propio presidente Lula da Silva tuvo que salir a la palestra para precisar que «yo no sé todavía cuál es la base técnica o científica de esas críticas». Tras referirse a la enorme superficie territorial de Brasil, Lula dijo que todos los países de América del Sur y de África «podrán tranquilamente combinar la producción de la oleaginosa para elaborar el biodiesel de caña para producir etanol, y al mismo tiempo producir alimentos». Pero fue el asesor del presidente brasileño, Marco Aurelio García, el que puso el dedo en la llaga al puntualizar que «no queremos transformar el problema del etanol en un problema ideológico. El hambre en el mundo no es un problema de falta de alimentos, es de falta de renta».

Las declaraciones de García obligaron a Castro a precisar, en un nuevo artículo publicado el 4 de abril, que no era su intención «lastimar a Brasil, ni mezclarme en asuntos relacionados con la política de ese gran país», pero, según él, la propuesta de George Bush sobre los biocombustibles significa «la internacionalización del genocidio». En enero de 2008, el presidente Lula da Silva realizó una breve visita a Cuba y se entrevistó con el convaleciente Fidel Castro, pero no hablaron del espinoso tema del etanol, al menos no hay constancia de ello, y mucho menos del proyecto cubano de exportar biocombustibles a partir de la caña de azúcar.

«Don especial a Cuba concedido»

> Don especial a Cuba concedido,
> planta preciosa que jamás lograra,
> en ninguna región, en ningún clima
> la tierra producir; más envidiada
> doquier y apetecida, el orbe entero
> en mil naves de reinos diferentes
> cual tributario corre a estas arenas
> en pos del fruto de mayor valía.[34]

A diferencia del azúcar, el tabaco mantiene una situación de privilegio en Cuba. La vieja pugna entre las dos plantas, gramínea la una, solanácea la otra, se resolvió finalmente a favor de esta última. «El azúcar —dice Fernando Ortiz— llega a su destino humano por el agua que lo derrite, hecho un jarabe; el tabaco llega a él por el fuego que lo volatiliza, convertido en humo.»[35] Pero, a la larga, el humo resultó ser más consistente que el agua, y el tabaco, como ayer el azúcar, se ha convertido en una importante fuente de ingresos para la isla.

Cuba es líder mundial en el mercado de cigarros Premium, es decir, hechos a mano, con unos ingresos en 2007 de 402 millones de dólares. Los habanos están considerados como los mejores cigarros del mundo, por el tipo de hoja, especialmente la que proviene de la región de Vuelta Abajo, en la Provincia de Pinar del Río; también por el buen hacer de los torcedores de la isla, que los elaboran artesanalmente desde hace casi dos siglos. El 90 % del tabaco que se comercializa en el mundo se hace de forma mecanizada, por los altos costes que supone elaborarlos a mano. Un cigarro industrial puede costar unos 50 centavos de euro en comparación con los 6 euros de otro confeccionado artesanalmente.

El cultivo del tabaco en Cuba está en manos de pequeños propietarios, como la familia Robaina, productora desde 1845, y de los cosecheros, unos 200.000 en el momento de la recogida de la hoja, que cobran parte de su sueldo en pesos convertibles, algo excepcional dentro del marco salarial cubano. Al Gobierno no parece importarle «traicionar» los «estímulos morales» que ofrece al resto de los trabajadores del país. Si París bien vale una misa, un sector considerado estratégico, como el del tabaco, merece un aliciente más sólido.

Las fábricas de tabaco, unas 100 en todo el país, son de propiedad estatal. La empresa Tabacuba y Altadis, de la británica Imperial Tobacco,[36] forman la sociedad mixta Habanos, S.A., que comercializa 34 marcas de cigarros en más de 100 países. Estados Unidos consume casi la mitad de la producción mundial de cigarros Premium, pero no puede importar habanos de la isla a causa del bloqueo. El conde de Montecristo y Romeo y Julieta no son bien vistos en aquel país, al menos en forma de cigarros. Esas dos marcas de tabaco deben su nombre a la costumbre, que todavía hoy se mantiene en la isla, de leer a los torcedores, en voz alta, clásicos universales, mientras manejan la chaveta para cortar el sobrante y enrollar los cigarros en las galeras. Las obras de Alejandro Dumas y de William Shakespeare fueron siempre las más solicitadas, y de ahí el nombre de las vitolas,[37] según cuenta la tradición. Hoy, Edmundo Dantés y Romeo y Julieta comparten su destino con el David caribeño que, desde las páginas de *Granma*, de lectura obligatoria en las galeras, libra una feroz batalla contra el Gigante imperial. ¡Para que luego digan que el tabaco es caro!

Del «imperio» llega un barco...

En Cuba, país de suelos fértiles, aunque improductivos, hay más deportistas que ingenieros agrícolas. Las medallas, para Fidel Castro, fueron siempre más rentables que las cosechas, de ahí la importancia que dio siempre al deporte como vehículo de propaganda de la Revolución, sin importarle demasiado el campo: «Los jóvenes que representan a Cuba son los herederos espirituales de nuestros mambises, de los del Moncada, de los de la Sierra, de los del Escambray, de todas las luchas de nuestro pueblo...».

En el año 2007, la Agricultura en Cuba apenas representaba un 3,3 % del Producto Interno Bruto (PIB), por debajo del sector Deportes y Cultura, que era del 3,9 %. No es extraño que la mayoría de los productos que se consumen en la isla, especialmente los de la *libreta*, sean importados. Cuba importa el 84 % de los alimentos que consume, por un valor superior a los mil quinientos millones de dólares anuales, según reconoció en marzo de 2007 la Viceministra de Economía y Planificación, Magalys Calvo. Hace 50 años, la isla exportaba ganado vacuno en pie, vegetales, frutas, café y otros productos que hoy tiene que importar. La paradoja es que, a pesar del bloqueo y sus apéndices, las leyes Torricelli y Helms-Burton, el «imperio» se ha convertido en el quinto socio comercial de Cuba y el primer suministrador de alimentos y productos agrícolas a la isla.

Una ley aprobada por el Congreso de Estados Unidos en el año 2000, autorizó la venta de alimentos y productos agropecuarios a Cuba, pero el Gobierno de la isla hizo caso omiso. Sin embargo, en 2001, después del paso por la isla del devastador huracán *Michelle*, las autoridades cubanas aceptaron la oferta y compraron 28,2 toneladas de productos agroalimentarios al «imperio» por un valor de 4,4 millones de dólares. Esas cifras se fueron incrementando hasta superar en 2008 los 600 millones de dólares. Entre 2001 y diciembre de 2008, el monto total de las ventas de Estados Unidos a la isla fue de unos 3.000 millones de dólares, según datos facilitados por Pedro Álvarez, presidente de la empresa estatal cubana de importación de alimentos, ALIMPORT.

En mayo de 2007 se celebró en La Habana el Foro de Negocios Cuba-Estados Unidos, con la participación de 265 empresarios estadounidenses en representación de 114 compañías de 35 estados de la Unión. También asistieron cinco congresistas, tres demócratas y dos republicanos. Desde el año 2000, se suceden las visitas a la isla de gobernadores, senadores y congresistas norteamericanos, partidarios de eliminar las restricciones al comercio con Cuba. En enero de 2008, una delegación de California, encabezada por el secretario de Agricultura, Arthur Kawamura, viajó también a La Habana con el objetivo de incrementar el volumen de negocios de ese estado, el mayor exportador agrícola de Estados Unidos, con Cuba.

En el año 2007, la corriente favorable del Congreso de Estados Unidos para la normalización de relaciones con la isla se hizo más patente después de que el Gobierno cubano anunciara su intención de iniciar la búsqueda de petróleo en su zona de exclusión marítima, frente a las costas de la Florida. Los senadores Larry Craig, republicano por Ohio, y Byron Douglas, demócrata por Dakota del Norte, presentaron una propuesta ante el Congreso para que las compañías estadounidenses puedan invertir en lo que se supone va a ser un yacimiento de alto rendimiento de petróleo y gas. «Si se aprueba, el embargo se termina —dijo el senador Jones—. No estamos hablando de mayonesa. Se trata de millones y millones de dólares.»

La política de mano dura hacia Cuba del presidente George Bush ha impedido un mayor crecimiento del comercio entre los dos países. Según el presidente de ALIMPORT, si se levantara el bloqueo, Cuba tendría un intercambio de productos y servicios con Estados Unidos superior a los 21.000 millones de dólares. Pero en marzo de 2007, el Secretario de Comercio de Estados Unidos, el cubano americano Carlos Gutiérrez, reiteró que «necesitamos mantener firmemente nuestro rechazo a la dictadura cubana, eso significa mantener con firmeza nuestra política de impedir ingresos para el régimen». Una de las regulaciones de la Oficina de Control de Activos Extranjeros (OFAC por sus siglas en inglés), dependiente del Departamento del Tesoro, obliga a Cuba a pagar todas sus compras en efectivo, antes de que los barcos abandonen los puertos estadounidenses.

Las zancadillas de la Administración Bush no han impedido a Cuba importar del «enemigo» arroz, maíz, harina de soja, carne de pollo y de cerdo y otros muchos productos básicos para alimentar a la población. Es una contradicción en medio de las tenaces llamadas de alerta del Gobierno cubano ante el peligro de una «inminente» invasión de la isla por tropas de Estados

Unidos. Coincidiendo con la visita a Cuba del secretario de Agricultura de California el 25 de enero de 2008, Fidel Castro, en
una de sus *reflexiones* reiteró que «debemos continuar creando
reservas de alimentos y combustible» para el caso de que se produzca «un ataque militar directo» contra la isla. La paradoja es
que la mayor parte de la reserva de alimentos para hacer frente
a los marines yanquis estaría compuesta de productos estadounidenses. En lo que respecta a los alimentos, el bloqueo de la
isla es «virtual», tan virtual como la invasión o como el campo
cubano, un hermoso paisaje salpicado de palmas reales, pero
improductivo y yermo.

Capítulo 7

La caza del *chavito*

> No te puedo comprender,
> corazón loco,
> no te puedo comprender,
> y ellas tampoco.
> Yo no me puedo explicar
> cómo las puedes amar tranquilamente,
> yo no puedo comprender,
> cómo se pueden querer,
> dos mujeres a la vez, y no estar loco.
> Merezco una explicación,
> porque es imposible seguir con las dos.
>
> *Corazón loco*, bolero de
> RICHARD DANENBERG

Eugenio López es un privilegiado. Trabaja en una empresa extranjera y «gana» 500 euros al mes, que equivalen a 14.400 pesos cubanos. Ésa es una cantidad muy importante en un país donde el salario medio mensual a finales de 2007, según la ONE, la Oficina Nacional de Estadística, era de 408 pesos, unos 14 euros. Eugenio López cobra 40 veces más que la mayoría de sus compatriotas. Pero Eugenio no es feliz porque su salario no es real, su salario es virtual. El Estado cubano alquila la fuerza de trabajo de Eugenio por 500 euros, que recauda puntualmente todos los meses de la empresa extranjera, y luego paga a Eugenio una cantidad equivalente, pero no en euros, sino en pesos cubanos. Al cambio, Eugenio recibe algo menos de 25 euros, y el Estado se embolsa el resto, lo que supone una plusvalía del 95 %.

Para el semanario *Trabajadores*,[1] órgano oficial de la CTC, la Central de Trabajadores de Cuba, la «contradicción fundamental» del capitalismo es «el abismo que hay entre la apropiación de plusvalía para una minoría de la población, mientras que la mayor parte de ésta sólo puede acceder al salario». Está claro que el periódico de la CTC, único sindicato legal en la isla, verdadera «correa de transmisión» del Gobierno, no se refería a Cuba, un país que se proclama marxista-leninista. No, en Cuba no existen las contradicciones propias del capitalismo porque «los trabajadores no tienen que vender su fuerza de trabajo para ganarse el salario, porque son los propietarios comunes de los medios de producción». Eso dice *Trabajadores*. Pero si Karl Marx y Friedrich Engels estuvieran vivos, se llevarían las manos a la cabeza, porque los proletarios cubanos tienen mucho que perder, no sólo sus cadenas.

Como Eugenio López, todos los compañeros proletarios que trabajan en las empresas extranjeras que operan en Cuba, reciben su salario recortado después de la generosa «donación» que tienen que hacer a favor del Gobierno. La Ley 77 sobre Inversión Extranjera, de 1995, establece que la «fuerza laboral» de cada empresa de participación extranjera deberá ser suministrada por el Estado a través de una agencia de contratación designada por el MINVEC, el Ministerio para la Inversión Extranjera y la Colaboración Económica.

De acuerdo con esa Ley, las empresas y los trabajadores no pueden suscribir contratos al uso para fijar las condiciones laborales, horario, salarios, beneficios, motivos de ascenso o período de prueba; es el Estado, que actúa como agencia de trabajo temporal, el que cumple esa función. Las agencias gubernamentales, ACOREC (Agencia de Contratación a Representaciones Comerciales) o CUBALSE (Cuba al Servicio del Extranjero), realizan previamente una investigación para determinar la «idoneidad» de los candidatos, de acuerdo con sus «cualidades revolucionarias», y luego de una rigurosa selección, firman con las empresas un «Contrato de suministro de fuerza de trabajo». Los contratados desconocen los términos de la negociación y la cantidad que la empresa paga al Estado por sus servicios, obligatoriamente en dólares o euros, mientras que ellos reciben del «intermediario» su salario en moneda nacional. «La entidad empleadora paga a los trabajadores cubanos su salario en pesos cubanos, en un ratio similar al salario equivalente en Cuba para cada categoría. [...] En cualquier caso, sea cual sea la forma de contratación, el trabajador cubano recibe en pesos menos de 4 céntimos por cada dólar pagado por el inversor.»[2]

En Cuba, cualquier situación, por mala que sea, siempre es susceptible de empeorar. En diciembre de 2007, el Ministerio de Finanzas y Precios apretó aún más las tuercas a los contratados en empresas extranjeras. La Resolución Número 277-07 establece un impuesto progresivo a los complementos de salario en divisas que, a modo de compensación por la mordida del Gobierno, y bajo cuerda, reciben los trabajadores cubanos de las empresas extranjeras. Ese gravamen es, sin duda alguna, un abuso, si se tiene en cuenta que el Gobierno obtiene ya una jugosa plusvalía por cada trabajador contratado. Pero lo realmente sorprendente es que el Gobierno admite que las empresas extranjeras vulneran la ley al ofrecer gratificaciones «en adición e independiente al salario», y no sólo no le importa, sino que quiere sacar provecho de ello. El artículo 33.4 de la Ley 77 sobre inversión extranjera deja muy claro que las empresas foráneas no pueden pagar ni un solo peso convertible a sus trabajadores en concepto de sobresueldo; son las agencias empleadoras las que lo hacen, y en pesos cubanos. La Resolución del Ministerio de Finanzas y Precios «legaliza» una ilegalidad para dar otro mordisco en la yugular de los trabajadores cubanos.

Armas y pretextos imperiales

El 24 de septiembre de 1959, el Gobierno cubano ratificó el Convenio número 95 de la OIT, la Organización Internacional del Trabajo, cuyo artículo 6 dice: «Se deberá prohibir que los empleadores limiten en forma alguna la libertad del trabajador de disponer de su salario», y el artículo 9 refuerza ese concepto: «Se deberá prohibir cualquier descuento de los salarios que se efectúe para garantizar un pago directo o indirecto por un trabajador al empleador, a su representante o a un intermediario cualquiera (tales como los agentes encargados de contratar la mano de obra) con objeto de conservar un empleo». Pero el Gobierno cubano viola sistemáticamente algunos de los más importantes convenios internacionales sobre el trabajo y los derechos de los trabajadores, pese a las permanentes denuncias del Comité de Libertad Sindical de la OIT. Derechos fundamentales como los de asociación, libre contratación, sindicación libre o derecho de huelga, están prohibidos por ley en Cuba. En abril de 2001, Fidel Castro dijo que la libre sindicación «serviría de arma y pretexto al imperialismo para tratar de dividir y fragmentar a los trabajadores, crear sindicatos artificiales y reducir su fuerza e influencia política y social».

En enero de 2002, la Federación Nacional de Trabajadores Azucareros de Cuba, en el exilio, presentó una reclamación contra el Gobierno cubano ante la Comisión de Normas de la Organización Internacional del Trabajo, en Ginebra, por violación de los Convenios 95 y 96, correspondientes a la protección del salario. En la demanda se señala que «miles de trabajadores cubanos han sido sistemáticamente explotados por el Gobierno de Cuba, en connivencia con empresas extranjeras», entre las que se menciona a las canadienses Sherritt y Tibauth, y al grupo hotelero español Meliá.

Denuncias similares se han presentado ante el Consejo Económico y Social de Naciones Unidas, por organizaciones no gubernamentales como Pax Christi, un movimiento internacional católico por la paz. En enero de 2003, Unidad Cubana, una plataforma de agrupaciones en el exilio, presentó una denuncia ante el juez español Baltasar Garzón para que investigue «la conducta de los empresarios españoles con el gobierno castrista», porque además de violar los Convenios de la OIT, infringen, según los demandantes, el inciso 3 del artículo 23 de la Declaración Universal de Derechos Humanos, que establece: «Todo el que trabaja tiene derecho a una justa y favorable remuneración que le garantice a él y a su familia una existencia digna, suplementada si fuere necesario por otras formas de protección social».

A pesar del abuso que sufren los trabajadores que se desempeñan en empresas extranjeras, sus ingresos son superiores a los del resto de los cubanos. Cuba es el país donde se pagan los salarios más bajos de América Latina, incluido Haití, con un progresivo deterioro, además, de los beneficios sociales que los trabajadores disfrutaban antes del *período especial,* sobre todo en materia de salud y educación, que compensaban en cierto modo las bajas retribuciones.

La dignidad tiene precio

El Comité Estatal de Trabajo y Seguridad Social (CETSS) fijó a finales de 2005 el salario mínimo en 277 pesos mensuales, unos 10 euros al cambio. Esa equivalencia, que destacaron los periodistas extranjeros acreditados en Cuba, provocó una dura respuesta de Fidel Castro,[3] quien acusó a la prensa internacional de «manipular» la verdadera naturaleza de los salarios. En Cuba, según dijo Castro, el salario mínimo equivale a 1.000 dólares, porque los cubanos «reciben servicios de salud y educación totalmente gratuitos, y los alimentos de la canasta básica, la electricidad y los medicamentos... se venden a precios altamente subsidiados por el Estado».

En su diatriba contra la prensa extranjera, el dictador dijo: «No engañen más al mundo y digan la verdad de lo que aquí aparece. Sólo vivir con dignidad, ¿cuánto vale? ¿Cuánto vale saber leer y escribir, tener un nivel de conocimiento, algo que no tienen muchos países en el mundo? ¿Cuánto valen los hospitales de excelencia que aquí se están haciendo para toda la población, tener las universidades al servicio de los hijos de todo el mundo?». Naturalmente ningún cubano se atrevió a contestar a esa catarata de preguntas, porque, efectivamente, saben leer y escribir, pero no pueden leer ni escribir todo lo que quieren, ni tampoco pueden protestar por el deficiente estado de la sanidad, ni pueden elegir determinadas carreras, como Ciencias Informáticas, a no ser que gocen del correspondiente aval del Partido Comunista de Cuba. Tampoco los alimentos de la canasta básica proporcionan a los cubanos las calorías que necesitan, ni la electricidad es barata, y la mayoría de las medicinas, a no ser las básicas, se encuentran sólo en las farmacias para extranjeros y su precio es en pesos convertibles, lo que hace que estén prohibidas para la inmensa mayoría de la población.

Pero Fidel Castro, que siempre fue inasequible al desaliento, aprovechó que el Pisuerga pasa por Valladolid para decir, orgulloso, que la subida del salario mínimo le había beneficiado también a él: «Ahora mi salario, según dice este señor [un periodista extranjero] es de 36 dólares. Mi salario, el de ahora, porque antes era un poquito menos, 750 pesos, porque ahora me han subido a 900 pesos». Si hubiera tenido que depender de ese salario, el Líder Máximo no habría podido vivir decentemente, como tampoco pueden hacerlo los cubanos con su salario.

Es muy difícil vivir con dignidad en Cuba. Con el salario que reciben, los cubanos pueden pagar la luz, el gas, el teléfono, los helados de Coppelia, el juego de pelota, el teatro y los museos. Con pesos cubanos pueden comprar los productos de la *libreta* y los de los «agromercados», y también cucuruchos de maní que venden los jubilados por las calles, e incluso los periódicos *Granma* y *Juventud Rebelde*. Los pesos cubanos no sirven para mucho más.

Veinticuatro veces uno

El peso convertible ya es otra cosa. Le llaman CUC o *chavito*, y su cambio fluctúa en torno a 1,20 euros. Cada *chavito* equivale a 24 pesos cubanos, que no son convertibles con ninguna divisa. Con pesos convertibles se puede adquirir lo que en cualquier país está al alcance de toda la población, pero que en Cuba muy pocos se pueden permitir con su salario en pesos cubanos: alimentos, ropa, calzado, artículos de limpieza, droguería, ferretería, electrodomésticos, gasolina, materiales de construcción... Todos esos artículos se venden en las eufemísticamente llamadas Tiendas Recaudadoras de Divisas (TDR) o en las *chopy*, y sólo en *chavitos*. La mayor parte de los artículos son importados y tienen un impuesto del 240 %, un gravamen muy rentable para el Gobierno, porque el 56 % del ingreso fiscal proviene de los impuestos indirectos, principalmente sobre las ventas de productos en pesos convertibles.

Para los extranjeros que viven en Cuba, o para los cubanos que pueden disponer de *chavitos*, los precios de las TRD son muy altos, pero para la mayoría de la población la compra de cualquier producto resulta prohibitiva. Con el salario medio mensual, un cubano sólo podía comprar en la *chopy*, en 2008, un litro de leche (2,80 pesos convertibles), una docena de huevos (1,95), dos yogures (1,50), un kilo de harina (2,90), 200 gramos de mantequilla (3,10), una botella de agua mineral Ciego Montero de litro y medio (0,80) y un paquete de espaguetis de 250 gramos (1,55).

«Con la misma moneda»

Una investigación del gubernamental Centro de Estudios de la Economía Cubana, dependiente de la Universidad de La Habana, estimó que una familia de cuatro personas en la capital necesita un salario siete veces superior al medio mensual para satisfacer sus necesidades básicas. Viviana Togores, autora del Informe, indicó que el aumento de precios había reducido en un 32,3 % el poder de compra en el período 1991-2002.[4] En 2006, según un estudio realizado por economistas independientes, el incremento del precio de los alimentos, incluidos los de la *libreta*, absorbió casi el 90 % de la subida de sueldos del año anterior, que fijó el salario mínimo en 277 pesos. Sólo en alimentación, los cubanos gastan mensualmente el 70 % de lo que ganan.

El 21 de noviembre de 2007, un grupo de cubanas de la Federación Latinoamericana de Mujeres Rurales (FLAMUR), una organización con sede en Miami, entregó en la Asamblea Nacional del Poder Popular más de 10.000 firmas para exigir al Gobierno que ponga fin al «apartheid económico» que hay en el país como consecuencia de la doble moneda, para que todos los ciudadanos sin excepción puedan comprar en todos los comercios de Cuba con la misma moneda en que reciben los salarios, es decir, en pesos cubanos. La campaña «Con la misma moneda» comenzó en el año 2006, y desde entonces las autoridades han perseguido a las promotoras y se han incautado de más de 5.000 firmas. Maura Iset González, presidenta de FLAMUR en Cuba, dijo al presentar las firmas en la Asamblea que «sólo estamos exigiendo un derecho que nos asiste a todos los cubanos, como está escrito en la Constitución de la República».

Pero el Gobierno no lo ve de esa manera, aunque el propio Fidel Castro se vio obligado a reconocer que «se avanza en el establecimiento de un sistema salarial coherente e integral, aunque todavía será necesario perfeccionar aspectos como el otorgamiento de estímulos en divisas».[5] Su hermano Raúl fue más allá al reconocer, en el discurso que pronunció en Camagüey el 26 de julio de 2007, en su calidad de jefe de Estado en funciones, que «somos conscientes igualmente de que en medio de las extremas dificultades objetivas que enfrentamos, el salario aún es claramente insuficiente para satisfacer todas las necesidades, por lo que prácticamente dejó de cumplir su papel de asegurar el principio socialista de que cada cual aporte según su capacidad y reciba según su trabajo».

> Todo lo que dices que siendo un hombre
> merezco, dámelo ahora. Soy este instante,
> no puedo esperar más: en mí sucede
> todo el pasado como el arte. No me mires
> así. No me atiborres de mañana y mañana.
> Mi deseo es hoy. Soy este ahora explícito.

Como en el poema de Ángel Escobar, «Tu cometido», el «ahora explícito» de los cubanos exige algo más que retórica, porque como de retórica no se vive, tienen que ingeniárselas para conseguir «moneda fuerte». El nuevo sistema de «pago por resultados» implementado por el Gobierno de Raúl Castro en junio de 2008, puso fin al «igualitarismo» comunista, pero sólo en teoría, porque los beneficios obtenidos por trabajar a destajo no son suficientes para acortar la distancia que separa a la mayoría de los cubanos de los productos básicos, todos en divisas. Por eso, la caza del *chavito* a cualquier precio se ha convertido en un auténtico deporte nacional, con más aficionados que el béisbol. El terreno de juego está en todas partes, en las empresas, en los talleres, en los hospitales, en las escuelas. La *bolsa negra* cubana es pródiga en todo tipo de productos, alimentos, medicinas, artículos de oficina, ordenadores, microondas, aparatos de DVD, materiales de construcción, antenas parabólicas, piezas de coches... «¿De dónde salen todos esos productos?», se preguntaba *Trabajadores*,[6] sin darse cuenta de que los cubanos no hacen otra cosa que aplicar lo que dijo el dictador en uno de sus apocalípticos discursos: «La especie humana se encuentra en la actualidad en la disyuntiva de o lucha por sobrevivir o se extingue».[7]

La *fe* de las mariposas

Igual que Richard Danenberg, los cubanos se preguntan cómo pueden vivir con dos monedas a la vez sin volverse locos. La Revolución los ha condenado a luchar para sobrevivir, a pesar de que, según dijo Fidel Castro, «ésta es una Revolución socialista que se plantea una real igualdad no conocida hasta ahora en la relativa breve historia de la humanidad durante los últimos 4.000 a 5.000 años».[8] Pero son muchos en Cuba los que dudan de que alguna vez llegue esa «real igualdad», y sobreviven porque tienen *fe*, como se dice a los que tienen familiares en el extranjero. Aquellos *gusanos* a los que las turbas despidieron con actos de repudio cuando «desertaron» de Cuba, vuelven hoy a la isla como turistas, convertidos en mariposas, y ayudan con buenos dólares a sus familiares.

De acuerdo con un estudio realizado en el año 2004 por el Buró del Censo de Estados Unidos,[9] titulado «American Community Survey (Encuesta de la Comunidad Americana)», en Estados Unidos viven 1.448.684 cubanos. De ellos, 912.686 (63 %) nacieron en Cuba y 535.998 (37 %) son descendientes de cubanos nacidos en ese país. Más de dos tercios (alrededor de 990.000) de los cubano-americanos viven en La Florida, y el resto en otros estados como Nueva Jersey (81.000), Nueva York (78.000), California (74.000) y Texas (34.000). Comunidades menos significativas hay también en Alaska, islas Hawai, Montana, Nevada, Dakota del Norte y Wyoming. En otros países, como España, viven 70.000 cubanos, y en Venezuela, 50.000.

Según datos oficiales, el 60 % de los cubanos reciben ayuda del exterior. El Fondo Internacional para el Desarrollo Agrícola (IFAD) de las Naciones Unidas, estima que Cuba recibe anualmente cerca de mil millones de dólares en divisas, cifra que coincide con las estimaciones de la CEPAL, la Comisión Económica para América Latina y el Caribe. Las remesas contribuyen a mejorar el deficiente poder adquisitivo de la población, que puede acceder al prohibitivo mercado en pesos convertibles; también suponen una importante fuente de ingresos para el Gobierno, junto con el turismo y las exportaciones de níquel y tabaco.

Para reducir el flujo de divisas a Cuba, la Administración de George Bush dictó en junio de 2005 una disposición según la cual los cubano-americanos sólo podían enviar dinero a sus familiares directos (padres, hijos, hermanos, abuelos, nietos y cónyuges). El Gobierno cubano entró en pánico y diseñó una operación *on line* para burlar esas medidas, triangulando las transferencias de dinero a través del sitio de internet www.sercuba.com. Pero la Oficina de Control de Activos Extranjeros (OFAC, por sus siglas en inglés) del Departamento del Tesoro de Estados Unidos descubrió la operación y prohibió a los bancos estadounidenses realizar todo tipo de transacciones con ese sitio.

Para estrechar más el cerco contra Cuba, la OFAC incluyó en la lista negra a más de 60 sitios web que ofrecían viajes a la isla.

A raíz de aquellas medidas, las remesas a Cuba se redujeron en un 25 %. La firma de Miami Bendixen & Associates calculó a finales de 2005 que los cubanos residentes en Estados Unidos enviaban a sus familiares en la isla, a través de agencias autorizadas, unos 460 millones de dólares anuales. Esas estimaciones no tienen en cuenta las sumas de dinero que se mandan a través de *mulas*, como se denomina en el argot a los correos, para burlar las limitaciones establecidas por la OFAC. Se calcula que por esa vía llegan a Cuba más de un millón de dólares semanales.

El dólar insolente

Fidel Castro siempre mantuvo una actitud ambivalente con respecto a ese flujo de dólares que, por un lado, permiten al Gobierno hacerse con divisas, y por otro, suponen un peligroso factor de desestabilización al trastocar los principios igualitaristas de la sociedad cubana, «la más justa del mundo», en palabras del dictador. «Esos fonditos sirven para hacer labor de zapa contra la Revolución»,[10] llegó a decir el comandante, quien inició una escalada para recortar el poder adquisitivo de los cubanos que tienen acceso al dólar estadounidense.

El 23 de octubre de 2004, el Gobierno prohibió la libre circulación del dólar en la isla, que había autorizado nueve años atrás, en pleno *período especial*. La resolución n.º 80 del Banco Central de Cuba estableció que todas las transacciones que hasta ese momento se hacían en dólares, debían realizarse ahora en pesos convertibles, cuya paridad era de uno a uno con la divisa estadounidense. Además, se impuso un gravamen del 10 % en el cambio de dólares a pesos convertibles o *chavitos*. Ese impuesto no se aplicó al resto de las monedas extranjeras ni a las transacciones con tarjetas de crédito aceptadas en Cuba. Los residentes extranjeros, los turistas y, sobre todo, los cubanos que recibían dinero de Estados Unidos, sufrieron así la primera «mordida», al obtener 90 *chavitos* por cada 100 dólares.

El 25 de marzo de 2005, cinco meses después de aquella medida y como por arte de birlibirloque, Fidel Castro se sacó de la manga una revaluación del peso convertible del 8 %, que esta vez afectó a todas las monedas extranjeras, pero especialmente al «dólar insolente del imperio», como dijo el dictador. De esa forma, con el gravamen del 10 % y el margen de compra y venta impuesto por el Banco Central, por cada dólar sólo se recibían 80 centavos de peso convertible cubano. Fue una decisión política, sin ningún sustento económico que la justificara, aunque Castro trató de hacerlo con un furibundo discurso en el que atacó a Estados Unidos y «a los cómplices del Imperio en Europa», a los que acusó de «saqueadores» por «robar las divisas de todos los países mediante el mecanismo de obligarlos a depositar tanto las reservas como el dinero particular en los bancos de los países ricos».[11] Según Castro, aquella medida fue «un contragolpe económico y social de la Revolución» para, entre otras cosas, acortar la distancia entre los que reciben y los que no reciben remesas del exterior.

Un Informe confidencial, elaborado por los Consejeros Comerciales de las embajadas de la Unión Europea en Cuba, lo expresa de otra manera: «Para el Gobierno cubano, las remesas familiares son tanto una bendición como una maldición. Los ingresos que traen apoyan en gran medida las finanzas públicas. Sin embargo, las remesas constituyen uno de los problemas de raíz que enfrenta el Gobierno porque, junto al autoempleo, crean dos diferentes clases de cubanos: los que tienen acceso a moneda dura o altos ingresos, y los que no lo tienen. Para un sistema donde la igualdad es un dogma central de su ideología, las remesas representan un gran problema. Como prohibir las remesas sin ser capaz de ofrecer una alternativa por medios o salarios más altos sería impopular, e igualmente es algo difícil de impedir [por las *mulas* o correos que viajan a la isla como si fueran turistas], la política más probable será la continua y gradual erosión del poder adquisitivo de la moneda extranjera en manos de los cubanos, particularmente los dólares estadounidenses, a favor del peso cubano».[12]

La distribución socialista

La erosión afectó no sólo a los que tienen *fe* (familiares en el extranjero), sino a todos los que ocasionalmente reciben un salario en moneda extranjera, como los médicos, maestros y otros profesionales enviados por el Gobierno a «misiones» en el exterior. A todos ellos se les aplica un «impuesto revolucionario», como a los trabajadores que se desempeñan en empresas foráneas radicadas en Cuba. Durante el tiempo que dura su trabajo fuera del país, cada profesional sigue cobrando íntegro su salario en pesos cubanos, pero sólo recibe una parte de los dólares que el Gobierno cubano ha pactado por el «alquiler» de sus servicios; el resto va a parar a las arcas del Estado. El porcentaje de la merma es variable porque no hay una norma general, y cada Ministerio la aplica según su criterio.

Los miles de médicos desplazados a Venezuela para trabajar en la Operación Barrio Adentro perciben tan sólo el equivalente en bolívares a 200 dólares mensuales cada uno. El resto del salario, unos 2.000 dólares al mes, lo cobra el Gobierno cubano en especie, es decir, en petróleo. Ese trueque y las cantidades adicionales de crudo, hasta casi 100.000 barriles diarios, que Hugo Chávez envía a Cuba, se engalana con los colores de la solidaridad entre ambos países, socios fundadores del ALBA, la Alternativa Bolivariana Para las Américas, en contraposición al ALCA, la Alianza de Libre Comercio que propugna Estados Unidos.

Los más de 2.500 médicos enviados a Pakistán después del terremoto de octubre de 2005, recibieron a su regreso a Cuba 150 dólares cada uno como recompensa, después de realizar durante meses su trabajo en condiciones de extrema dureza. La cantidad que recibieron fue muy pequeña, pero grande fue el honor que les dispensó Francisco Soberón Valdés, ministro presidente del Banco Central del Cuba, gran aficionado a las metáforas, como toda la nomenclatura cubana: «Para ser dignos de este pueblo, al que la Revolución ha llevado tan alto como el pico del Everest, no sólo en términos metafóricos sino con la presencia de nuestros excelentes y abnegados médicos en la cordillera del Himalaya, todos los que tenemos responsabilidades en la conducción de la economía del país debemos lograr el objetivo que se ha convertido en la piedra angular de la lucha que libra sin descanso un instante el compañero Fidel: la fórmula de distribución socialista con arreglo al trabajo».

La fórmula de distribución socialista, tal como la entiende el «compañero» Soberón, se aplica también de manera estricta a los maestros enviados a alfabetizar a ciudadanos de otros países en el marco de la Operación «Yo sí puedo». Todos ellos siguen recibiendo el salario de Cuba, pero el Ministerio de Educación se queda con la paga en dólares que les corresponde por su trabajo. Como compensación, se les permite quedarse con las dietas que tienen asignadas en concepto de alimentación y transporte, pero sólo durante los dos primeros meses de su estancia en otro país. A partir del tercer mes, el Ministerio les reclama también la mitad de los viáticos. Los maestros tienen que apañarse con esa cantidad para vivir, pero aun así les compensa porque ganan más dinero que en Cuba.

En el Ministerio de Educación Superior rige una ordenanza menos dura que en el de Educación. En ese caso, a los maestros les muerde «sólo» el 75 % del dinero, pero se les permite quedarse con la totalidad de las dietas. Pese a todo, esos profesionales son unos privilegiados, porque a su regreso a la isla pueden traer consigo un ordenador personal, cuya venta estuvo prohibida en Cuba hasta el primero de abril de 2008, y hasta comprar un coche si han ahorrado lo suficiente. Junto con los músicos, deportistas, cineastas, escritores y otros profesionales autorizados a trabajar en el extranjero, los «misioneros», una vez «demostrada la procedencia de sus ingresos», es decir, después de pagar la correspondiente tasa al Estado, pueden comprar un vehículo.

La trascendencia del esfuerzo

La Central de Trabajadores de Cuba, «lo mejor de la clase obrera cubana, no cualquier clase, sino la que está en el poder», como el propio Castro dijo en una ocasión, no se distingue precisamente por defender a cabalidad los derechos de los trabajadores. «El movimiento obrero cubano seguirá teniendo entre sus principales misiones la contribución por todas las vías posibles a la activa y consciente incorporación de los trabajadores a la preparación de la Guerra de todo el Pueblo, ratificaron ayer los más de 1.400 delegados presentes en los debates del XIX Congreso de la CTC.»

Así decía *Granma* el 27 de septiembre de 2006 al informar sobre la Convención de la CTC, que según cifras oficiales cuenta con 3.390.000 trabajadores afiliados, el 96 % del total de los asalariados del país. El periódico señalaba que los delegados recordaron que «la amenaza de agresión militar yanqui, incrementada por la Administración Bush, subraya la trascendencia de hacer cuantos esfuerzos y sacrificios sean necesarios para fortalecer la capacidad defensiva del país, conscientes de que más vale morir que perder la soberanía, regresar al pasado y vivir como esclavos bajo el dominio imperialista».

En esas «combativas y fructíferas sesiones», como las definió *Radio Reloj*, Pedro Ross Leal, miembro del Buró Político del Partido Comunista y secretario saliente, después de 17 años, de la Central de Trabajadores de Cuba, tuvo la «valentía» de reconocer que «si bien el país ha iniciado una gradual y sostenida recuperación económica, todavía hoy se mantienen importantes limitaciones, y muchos de los nuevos recursos que se obtienen no pueden destinarse al consumo, pues tienen que ser invertidos para revitalizar y modernizar la infraestructura productiva y de servicios».

A Pedro Ross no le dolieron prendas para reconocer, en el año 48 de la Revolución, que «falta mucho para llegar al nivel de vida que merecen los trabajadores cubanos». Para llegar a esa meta, el entonces Presidente en funciones, Raúl Castro, dijo en la clausura del Congreso de la CTC que es necesario acabar con la corrupción, las ilegalidades y el robo en las empresas estatales. «Si erradicar esos males —manifestó Raúl Castro— es tarea fundamental de la administración, no podemos exonerar de su gran responsabilidad a los únicos dueños de las riquezas del país, que no son otros que ustedes mismos y el resto del pueblo.» Pero como los trabajadores y el resto del pueblo no están muy convencidos de ser los dueños de nada, la CTC no tuvo más remedio que recurrir a las «guardias obreras» en todas las fábricas y empresas del país para evitar el robo generalizado. «La guardia obrera —según el semanario *Trabajadores*— hay que retomarla, revivirla, y llevarla al nivel en que debe estar, porque esa tarea tiene que tener una connotación ideológica, porque el trabajador está defendiendo, cuidando lo suyo.»[13]

La oreja peluda del desorden

El problema es que los cubanos no se sienten en absoluto dueños de las riquezas del país y protestan, a su modo, por los bajos salarios que reciben del Estado-patrón, al aplicar al pie de la letra este dicho popular: «El Gobierno hace como que nos paga y nosotros hacemos como que trabajamos». Pero son los trabajadores más jóvenes quienes lo dicen de una manera más irreverente, cuando entonan la canción *El coma andante*, del grupo rockero underground Porno para Ricardo, cuyo líder, Gorki Águila Carrasco, pasó cuatro años en prisión.

> El comandante quiere que yo trabaje
> pagándome un salario miserable.
> El comandante quiere que yo lo aplauda
> después de hablar su mierda delirante.
>
> No comandante,
> no coma *usté* esa pinga, comandante.
> No coma tanta pinga, comandante.
> No coma tanta pinga, comandante.
> Si quiere que trabaje pasme un varo[14] por delante.
> No coma tanta pinga, comandante.

El diario *Granma*,[15] claro está, tiene también su propia opinión sobre el particular y si en el país no hay espíritu de trabajo, no es por culpa de los salarios, sino porque «la oreja peluda del desorden y el desaprovechamiento de la jornada de trabajo, por ejemplo, asoma cada día en centros de producción y servicios del país». Contra esa «oreja peluda», el 1 de abril de 2007, entraron en vigor las Resoluciones 187 y 188 del Ministerio de Trabajo y Seguridad Social, aprobadas previamente por la Central de Trabajadores de Cuba, con el objetivo de «restablecer el orden y la disciplina y lograr una mayor eficiencia en los deberes laborales».

En una entrevista publicada en el semanario *Tribuna de La Habana* el 25 de marzo de 2007, la directora de Trabajo y Seguridad Social, Odalys González López, manifestó que lo más significativo de esas medidas «es el fortalecimiento de la educación de los trabajadores y el enfrentamiento a las indisciplinas e ilegalidades a partir de la correcta determinación del tiempo laboral», que quedó fijado en 8 horas diarias, o 44 semanales.

La pupila en el problema

Lo sorprendente de las nuevas medidas establecidas por el sindicato «patronal» es que se considera como «indisciplina grave», que puede acarrear la pérdida del empleo, llegar dos días con retraso al centro de trabajo, ¡en un país donde el transporte público es tan deficiente! La propia directora de Trabajo y Seguridad Social reconoció que quedaban por solucionar «aspectos relacionados con el transporte» aunque, según ella, «quien no controla no exige; quien no hace cumplir el reglamento permite la indisciplina».

La Resolución sobre la Jornada y el Horario de Trabajo no entró en vigor el 1 de enero de 2007, como estaba previsto, porque algunas voces se atrevieron a manifestar que previamente había que solucionar algo tan obvio como que los trabajadores dispusieran de medios para llegar al trabajo. Pero finalmente prevaleció la opinión de los sectores más duros del sindicalismo oficial, que consideraron que un trabajador disciplinado y con fuerte espíritu combativo debería hacer frente a ese tipo de contingencias. Por eso, el Secretario General de la CTC, Salvador Valdés Mesa, propuso como tarea prioritaria la elaboración de un nuevo «Reglamento de la Emulación Socialista» para evaluar «el aporte de los trabajadores a la Revolución y su nivel de compromiso con ella».

Para *Granma*, inmerso en su particular *commedia dell'arte*, el transporte no es, no puede ser, la causa del absentismo laboral. En un artículo publicado el 11 de diciembre de 2006, titulado «Fábrica cumplidora "descubre" reservas sin aprovechar», el órgano oficial del Comité Central del PCC dice: «Como siempre, el transporte obrero llega temprano. Excelente ánimo de los trabajadores. Rumbo a sus respectivas áreas, algunos comentan anécdotas de la víspera. Por fin se escucha el ruido de los primeros equipos. Sólo que ya el reloj marca más de las 7.30 a.m. Ha sido violado el horario de comienzo». Para *Granma*, esas «violaciones» son «detalles que la peligrosa fuerza de lo cotidiano a veces torna intrascendentes», hasta el punto de que «no había motivos para perder el sueño o aguzar la mirada», pero por suerte, los «enfoques» de la máxima dirección del país permitieron «situar la pupila» en el problema.

Gracias a esa atenta *pupila*, se pueden corregir —¿quién lo duda?— los problemas laborales de Cuba, a cuya solución contribuyen fervientemente los articulistas de *Granma*, quienes en su afán por reflejar la realidad, superan, ¡y de qué manera!, no sólo los mejores relatos del nuevo periodismo, sino a aquel eminente «plumilla», quien, en palabras de Mariano José de Larra, iniciaba así su relato de lo que ocurría en la calle: «Los eventos consuetudinarios que acontecen en la rúa...». Las palabras, palabras, palabras, las palabras que disfrazan los problemas, las palabras que «solucionan» los problemas, las palabras, siempre las palabras, que avanzan inexorables como el bosque de Birnam, hasta detenerse en el repetido «vuelva usted mañana», que no significa nada, porque sólo son palabras. Como canta Marta Valdés:

> Palabras
> quisiste con palabras engañarme
> fingiendo que tenías corazón.

Los gritos del silencio

La ilegal Confederación Obrera Nacional Independiente de Cuba (CONIC) realizó en mayo de 2007 una encuesta sobre las Resoluciones 187 y 188 del Ministerio de Trabajo y Seguridad Social. Se preguntó a 1.552 trabajadores de Pinar del Río, La Habana, ciudad de La Habana, Isla de la Juventud, Cienfuegos, Ciego de Ávila, Camagüey, Holguín, Las Tunas y Santiago de Cuba. La encuesta se realizó sobre la base de nueve preguntas.

1. ¿Conoce las resoluciones 187 y 188 del Ministerio de Trabajo?
    — 455 trabajadores, un 28,26 %, respondieron SÍ.
    — 967 trabajadores, un 62,3 %, respondieron NO.
    — 139 trabajadores, un 8,9 %, respondieron NO parcialmente.
2. ¿Garantiza la puntualidad laboral la situación actual del transporte público?
    — 1.551 trabajadores, el 99,9 %, respondieron NO.
3. ¿La calidad y eficiencia en su trabajo corresponde a la política salarial del Estado?
    — 1.551 encuestados, un 99,9 %, respondieron NO.
4. ¿Tiene garantizadas sus necesidades económicas, de alimento, formación de su familia, con su salario?
    — 1.551 encuestados, el 99,9 %, respondieron NO.
5. ¿Considera correcta la distribución en divisa y la llamada *javita* de aseo, condicionada a la participación política suya en apoyo a la llamada Batalla de Ideas?
    — 1.551 encuestados, un 99,9 %, respondieron NO.
6. ¿Utiliza su administrador el transporte estatal u otros medios del Estado en su centro laboral pera beneficio propio?
    — 1.241 encuestados, el 80,01 %, contestaron SÍ.
    — 310 encuestados, un 19,98 %, contestaron NO.

7. ¿Está de acuerdo en la obligación de expulsar a un trabajador que realice actividad en el centro laboral en defensa de las libertades sindicales y de derechos humanos?
   — 1.551 encuestados, un 99,9 %, respondieron NO.
8. ¿Considera que las movilizaciones y actividades políticas alteran y no dejan desenvolver las jornadas laborales?
   — 1.454 encuestados, un 93,7 %, respondieron SÍ.
   — 97 encuestados, un 6,2 %, respondieron NO.
9. ¿Qué papel deben jugar los sindicatos cubanos ante esta ley?
   — Ningún encuestado respondió que deberían apoyarla totalmente.
   — 1.148 encuestados, un 74,01 %, respondieron que deberían rechazarla.
   — 403 encuestados, un 25,98 %, respondieron que debería reformarse.

La encuesta de la Confederación Obrera Nacional Independiente de Cuba (CONIC), realizada obviamente de manera secreta, refleja la opinión de muchos trabajadores de todo el país, no sólo sobre los reglamentos de disciplina laboral, sino sobre sus condiciones de vida y de trabajo. La CONIC, que cuenta con 22 sindicatos ilegales en la isla, ha acusado reiteradamente al Gobierno de prohibir derechos fundamentales de los trabajadores, como la libre sindicalización, el derecho de huelga y de cualquier forma de manifestación pacífica, y la negociación colectiva; también lo acusa de despidos laborales por razones políticas.

En septiembre de 2006, los sindicatos afiliados a la Confederación Obrera Nacional Independiente (CONIC) celebraron un encuentro paralelo al XIX Congreso de la oficial Central de Trabajadores de Cuba (CTC), en el que reiteraron las peticiones hechas al Gobierno para que respete los Convenios 87 y 98 de la Organización Internacional del Trabajo (OIT), que garantizan la libertad sindical y el derecho de los trabajadores a negociar sus condiciones laborales a través de sus legítimos representantes. En la reunión participaron delegados del Sindicato de Trabajadores Libres de Cuba (STLC), el Consejo Unitario de Trabajadores Cubanos (CUTC) y la Unión Sindical Cristiana (USC).

Negra primavera sindical

Durante la llamada *primavera negra*[16] de 2003, el secretario general de la USC, Carmelo Díaz Fernández, fue detenido, junto con otros seis sindicalistas, y condenado a 16 años de prisión, por «actos contra la independencia y la integridad territorial del Estado». Después de obtener una licencia extrapenal por motivos de salud, Díaz Fernández continuó con su actividad sindical y fundó, junto con otros activistas, la Agencia de Prensa Sindical Independiente de Cuba (APSIC). Durante su intervención en el congreso sindical paralelo, Díaz Fernández se refirió en términos muy duros a la oficial Central de Trabajadores de Cuba, que, según dijo, «desde la cortina de humo del triunfalismo quiere pasar por alto la indetenible crisis de credibilidad de los dirigentes sindicales oficialistas y el alto grado de corrupción e ineficiencia que prima en todas las esferas sociolaborales del país, ocasionadas por la pérdida de valores morales dentro de la sociedad, la falta de estímulos al trabajador, el chantaje ideológico, las desastrosas condiciones de trabajo y los bajos salarios que hacen de la clase obrera cubana un rehén de la ineficiencia, la improductividad y el totalitarismo político de la CTC».

La Central de Trabajadores de Cuba no tiene en cuenta esas «menudencias» y cumple con entusiasmo su rol de correa de transmisión del Gobierno. Con una ambivalencia digna de elogio, la CTC induce al castigo de los que «violan» el horario de trabajo y premia con divisas (entre dos y cinco pesos convertibles al mes) y una *javita*[17] con productos de aseo, a los buenos trabajadores, a los «hombres de mármol» que trabajan a destajo y acuden, además, a todos los mítines. A los que «sobrecumplen» los objetivos asignados, se les destaca para que sirvan de modelo a sus compañeros y se les distingue con la categoría de «cumplidor de la emulación socialista», que, como explica el semanario *Trabajadores*,[18] el órgano oficial de la Central, «es uno de los principales métodos de trabajo de los sindicatos para movilizar consciente, entusiasta y permanentemente a los trabajadores en el cumplimiento de su plan de producción, de servicio, docente o de investigación con eficiencia económica, técnica y profesional».

La CTC tiene además otras importantes funciones, como la de «acarrear» el mayor número de personas a los actos del Primero de Mayo y a las frecuentes «marchas del pueblo combatiente» contra el imperialismo que se celebran periódicamente en La Habana, frente a la Sección de Intereses de Estados Unidos. También supervisa junto con el Partido Comunista de Cuba y la Unión de Jóvenes Comunistas la «idoneidad» de los candidatos seleccionados para trabajar en empresas foráneas, con mejores salarios que los del resto de sus compañeros.

El «imperio» se hunde

En 2007, la economía cubana no se había recuperado todavía del colapso provocado por la desaparición de la Unión Soviética. Las reformas económicas que se aplicaron a raíz del *período especial* evitaron el derrumbe del sistema, pero no sentaron las bases para promover un crecimiento sostenido. Pero a salvo ya del naufragio, el dictador puso en marcha una contrarreforma. La lógica política se impuso sobre la lógica económica. Se volvió a una mayor centralización de todas las actividades económicas y se adoptaron medidas para reducir al mínimo los trabajos por cuenta propia y limitar el poder de compra de los «nuevos ricos». En opinión de Mauricio de Miranda, «las limitaciones al mercado y a la actividad económica privada persiguen el objetivo fundamental de frenar la posibilidad de que, al menos una parte de la población, adquiera una independencia económica relativa respecto al Estado, tradicionalmente paternalista, y que al no requerir de éste para la satisfacción de sus necesidades esenciales, terminaría cuestionando su poder totalitario».[19]

Desde su atalaya, el dictador podía anunciar el hundimiento del «imperio», mientras Cuba hacía agua por todas partes. En 2003, la producción industrial del país fue un 48,3 % inferior a la de 1989. En conjunto, la producción de bienes de consumo fue un 61,5 % menor; la producción de bienes de equipo descendió un 12,7 %, y la producción de bienes intermedios cayó un 43 %. Son datos oficiales de la ONE, la Oficina Nacional de Estadística, de los que se extrae también la caída en picado de la industria azucarera y la baja productividad del sector agropecuario, que obliga a importar el 84 % de los alimentos que se consumen en la isla. Sólo la producción de petróleo y gas natural, productos químicos y farmacéuticos, y la fabricación de equipos de comunicaciones, superaba en 2003 a la de años anteriores al *período especial.* La industria minera mantuvo también un elevado crecimiento, aunque en 2005 la producción de níquel sufrió un estancamiento.

La baja productividad del país, que obliga a importar incluso azúcar, ha llevado al Gobierno cubano a potenciar el sector servicios, principalmente el turismo, para obtener divisas. Según datos oficiales, el turismo aporta a Cuba unos ingresos brutos superiores a los 2.000 millones de dólares anuales y emplea directa o indirectamente a unas 300.000 personas. Pero el turismo comenzó a declinar en 2006 y mantuvo la tendencia a la baja durante todo el año 2007, con una caída del 13 %, según fuentes del sector. A primeros de diciembre de 2007, el ministro del ramo, Manuel Marrero, dijo que el turismo en la isla había crecido ese año a un ritmo del 6,3 % de manera acumulada y que Cuba había recibido dos millones de visitantes por cuarto año consecutivo. Por el contrario, a finales de ese mismo mes, Osvaldo Martínez, Presidente de la Comisión de Asuntos Económicos de la Asamblea Nacional del Poder Popular, reconoció «el decrecimiento del turismo», sin más precisiones.

¡PIB, PIB, hurra!

El Gobierno cubano hace gala de la retórica y el triunfalismo que siempre le ha caracterizado. En diciembre de 2005, el ministro de Economía, José Luis Rodríguez, lanzó un ¡Viva Cartagena!, al anunciar, sin ruborizarse, que durante ese año de gracia la economía cubana creció un 11,8 %, el más alto del mundo, más que China, y casi mayor que el de varios países de la Unión Europea juntos.

El 2005 fue un *annus horribilis* para Cuba. La producción azucarera alcanzó uno de los niveles más bajos de su historia, con sólo 1,3 millones de toneladas, una cantidad inferior a la de principios del siglo XX. La distribución de electricidad, elemento básico para la actividad productiva, se vio afectada por los constantes apagones. El turismo y las exportaciones de níquel se estancaron. Por si fuera poco, se agravó la pertinaz sequía del año anterior, y tres huracanes, *Dennis*, *Rita* y *Wilma*, barrieron la isla, provocando daños en la agricultura y la infraestructura del país por un monto cercano a los 3.000 millones de dólares. A pesar de esos «contratiempos», el PIB creció, sorprendentemente, casi tres veces más que el año anterior. Un año después, en diciembre de 2006, José Luis Rodríguez se maravilló y maravilló a todo el mundo de nuevo, porque esta vez el Producto Interno Bruto había llegado al 12,5 %.

En 2007, sin embargo, el Gobierno no pudo disfrazar el bajo crecimiento de la economía, pero aun así situó el PIB, en diciembre de ese año, en el 7,5 %. La explicación que ante el Pleno de la Cámara dio Osvaldo Martínez, presidente de la Comisión de Asuntos Económicos de la Asamblea Nacional del Poder Popular, el 28 de diciembre, día de los Santos Inocentes, no tiene desperdicio: «En el año que finaliza, la economía creció el 7,5 %, un alto crecimiento que continúa la tendencia iniciada en 2004, acentuada con crecimientos aún mayores en 2005 y 2006, que es de nuevo más alto que el promedio de América Latina y el de más equitativa distribución social, pero no alcanzó el 10 % previsto en el Plan».

En la misma sesión de la Asamblea, la ministra de Finanzas y Precios, Georgina Barreiros, aseguró que el crecimiento del 7,5 % «supera al 5,6 mostrado por América Latina» y expresa «la consolidación gradual de la economía cubana, que acumula un incremento del 42,5 % en su PIB, sólo entre 2004 y el 2007». La ministra precisó que «el PIB de Cuba resulta hoy perfectamente comparable con el de cualquier país del mundo. Para ello nos atenemos a sistemas estadísticos reconocidos internacionalmente y nuestro país reitera su derecho a que se reflejen limpiamente sus logros sin cortapisas ni cuestionamientos malintencionados, como se pretende en las publicaciones de algunos organismos internacionales y en los órganos de prensa al servicio de los enemigos de nuestro pueblo».

Lo que la ministra venía a decir es que organismos internacionales como la CEPAL —la Comisión Económica para América Latina y el Caribe, de Naciones Unidas— cuestionan las cifras de crecimiento que da el Gobierno cubano. En 2002, la CEPAL estimó el crecimiento del PIB en Cuba en un 3,2 %; en 2003, en un 3,4 %, y en 2004, en un 3 %, aunque el Gobierno cubano aseguró que ese año había superado el 5 %.

La discrepancia entre Cuba y la CEPAL sobre el índice de crecimiento se explica por la aplicación, por parte del Gobierno de la isla, de una fórmula propia de cálculo, no reconocida internacionalmente, que denomina PIBSS, Producto Interno Bruto Social Sostenible, en lugar del tradicional PIB, Producto Interior Bruto. Ese método incluye el costo/valor de los servicios sociales que la Revolución proporciona a los ciudadanos, sobre todo en materia de educación y salud, además de las subvenciones a bienes de consumo distribuidos mediante la cartilla de racionamiento; también contabiliza los ingresos obtenidos por los servicios médicos y educativos que Cuba presta en el exterior. Con esa particular suma de churras con merinas, el Gobierno cubano obtiene unas excelentes cifras de crecimiento que el ministro de Economía interpreta cada año como si fuera un bolero.

No me vayas a engañar

El gobierno maquilla también el índice de desempleo, que, a finales de 2007, situó en el 1,8 %, una de las tasas más bajas del mundo. Sin embargo, la descoordinación, cuando no la rivalidad, entre distintos sectores del Gobierno permite que se filtren a veces retazos de la realidad. En el Informe sobre el empleo juvenil publicado por *Juventud Rebelde*, el 25 de noviembre de ese año, se habla abiertamente de «cifras engañosas» sobre la «desvinculación» laboral de los jóvenes. «Hace tiempo —dice el Informe—, territorios como Granma se enorgullecían de haber logrado el pleno empleo, con una tasa de desocupación ínfima de un 2 % [...] pero una pregunta permanece. ¿Por qué se ven tantas gentes sin trabajar en las calles? [...] Si Granma era uno de los referentes por el bajo desempleo, ¿cómo estarán otras provincias que manejaban números más elevados?»

Juventud Rebelde ofrece algunos datos de una encuesta realizada por el Centro de Estudios sobre la Juventud, sobre las «insatisfacciones» laborales de los jóvenes, entre las que destaca: salarios insuficientes para cubrir las necesidades básicas, falta de transporte para llegar al centro de trabajo, imposibilidad de acceder a un puesto acorde con los estudios realizados, y falta de orientación laboral y de posibilidades de superación.

> Siempre que te pregunto
> que cuándo, cómo y dónde
> tú siempre me respondes:
> quizás, quizás, quizás.
> Y así pasan los días
> y yo desesperado
> y tú, tú contestando:
> quizás, quizás, quizás.

Osvaldo Farrés nunca le cantó al amor fatal, fracasado o imposible, aunque alguno de sus célebres boleros, como *Quizás, quizás,* dejan abierta la puerta a la duda, como los datos ofrecidos por el Gobierno cubano sobre el crecimiento de la economía. Claro que en otra de sus canciones, Farrés previene contra el embuste: «No me vayas a engañar / di la verdad, di lo justo». Pero ese tema no está en el repertorio de la poderosa maquinaria de propaganda estatal, que se atiene a la vieja táctica de que una mentira repetida muchas veces acaba por convertirse en verdad.

«¿Qué hora es?» «La que usted quiera, mi general.» Lo escribió Gabriel García Márquez, pero bien podría aplicarse también al «patriarca» cubano, porque la realidad acaba siempre por imitar al arte. «¿Cuánto hemos crecido?» «Lo que usted quiera, mi comandante.» Lástima que los hechos sean tan testarudos. Cuando Osvaldo Farrés cursaba tercer grado, allá en Quemado de Güines, donde nació, su maestra le dijo: «Tú no naciste para el campo». Quizás a los responsables de la economía cubana nunca les dijeron que no tenían dotes para el bolero.

Se ha perdido la métrica

En otro tono, y con verdadero rigor, los Consejeros Comerciales y Económicos para Cuba de la UE, se han dado a la tarea de desentrañar la maraña de falsificaciones tejida en torno a la economía del país. En su Informe[20] sobre la economía cubana, cuestionan las cifras de crecimiento del PIB, y señalan que «hasta que el Gobierno cubano no haga pública su fórmula del PIBSS, o dé a conocer las cifras basadas en la formulación estándar del PIB como se indica en el Sistema Nacional de Cuentas de la ONU, de 1993, parece prudente continuar usando el crecimiento del 5 % proyectado por la Comisión Económica para América Latina, CEPAL».

Los consejeros de la UE remachan que «cualquier credibilidad que tuvo el Gobierno cuando explicó la creación de métricas específicas para Cuba, se ha perdido ahora [...] en lo que parece ser un intento descarado por atraer a la opinión pública y confundir a los medios de comunicación internacionales». Tras señalar que el Gobierno cubano ha modificado también los datos históricos del PIB de forma retroactiva, el Informe señala que «con esta actitud grosera y el irrespeto por la formulación estándar, hablar acerca del "PIB cubano" carece de una fundamentación econométrica convincente».

Los consejeros económicos de la UE afirman que «el sistema socialista cubano impone una serie de ineficiencias en la economía que le impiden su desarrollo más allá de un bajo nivel de subsistencia». El Informe destaca que durante la guerra fría, los subsidios soviéticos paliaron esas ineficiencias y, tras la caída de la URSS, el país se vio forzado a aceptar, en contra de sus deseos, limitadas reformas de liberalización que ahora se están echando abajo, recentralizando más la economía. «Cuba —dice el Informe— se apoya actualmente en el comercio y apoyo de Venezuela [petróleo pagado con servicios médicos] y un número reducido de otras fuentes de ingresos [níquel, remesas, turismo, etc.] para subsistir [...] En línea con un sistema económico basado más bien en la supervivencia que en el desarrollo a largo plazo, la base industrial del país se ha dejado marchitar.»

Es un Informe demoledor que cuestiona los cuentos que cuenta el Gobierno cubano sobre la economía del país. Y sin letra de bolero. Para bolero, el que interpretó Fidel Castro en mayo de 2006, cuando la revista *Forbes*, en su lista anual sobre los diez líderes políticos más ricos del planeta, incluyó al dictador cubano en el séptimo lugar, con una fortuna de 900 millones de dólares. En dos programas de la Mesa Redonda de la Televisión Cubana, el 15 y el 24 de mayo, Castro, acompañado de algunos de sus más importantes corifeos, manifestó que le daba «asco» y «repugnancia» tener que defenderse ante su pueblo del «libelo» de *Forbes*, y consideró la información sobre su supuesta fortuna como una «basura» y una «calumnia» orquestada por el presidente de Estados Unidos, George Bush, y las agencias de espionaje estadounidenses.

Una fortuna sin herederos

Con un ejemplar de *Forbes* en la mano, el dictador, furioso, dijo: «Resulta tan ridículo atribuirme una fortuna de 900 millones, una fortuna sin herederos. ¿Para qué quiero el dinero si voy a cumplir 80 años? ¿Para qué quiero el dinero si no lo quise antes?». Es probable que la esposa de Fidel Castro, Dalia Soto del Valle, y los cinco hijos habidos de ese matrimonio, además de los tres que tuvo con otras tantas mujeres, entre ellos su primogénito, *Fidelito*, y la díscola Alina, y una caterva de nietos, se quedaran sorprendidos al saber que el comandante no tenía herederos. Pero Castro, víctima de su propia elocuencia, no lo tuvo en cuenta. Al contrario, enredado en singular combate, añadió en referencia a Estados Unidos que «si ellos prueban que yo tengo una cuenta en el exterior de 900 millones, de un millón, de 500.000, de 100.000, de 10 millones, de un dólar, yo renuncio al cargo y las funciones que estoy desempeñando». Luego, dirigiéndose al presidente de Estados Unidos, dijo: «Toda mi fortuna, señor Bush, cabe en el bolsillo de su camisa».

El 25 de mayo, el diario *Granma* se hizo eco de la pataleta de Castro y a toda plana y con grandes caracteres tituló: «*Forbes* debería pedir excusas al mundo». Nada menos. Más prosaico, *El Nuevo Herald* de Miami preguntó a *Forbes* qué métodos había aplicado para calcular la riqueza de Fidel Castro. La portavoz de la revista, Meghan Womack, respondió a través de un correo electrónico que el cálculo de la fortuna de reyes y gobernantes «es más arte que ciencia», y que en el caso del dictador cubano, los periodistas de la publicación ponderaron el valor de los negocios propiedad del Gobierno, a partir de un análisis del flujo de capital, y luego le adjudicaron un porcentaje minoritario a Castro. El valor de las empresas cubanas lo calcularon comparándolas con firmas de la misma actividad en sistemas capitalistas, donde su valor es de público conocimiento. Womack no dio detalles, sin embargo, sobre la forma en que se obtiene ese «porcentaje minoritario». Hace años, *Forbes* utilizó un método simple: adjudicaron a Castro el 10 % del Producto Interior Bruto (PIB), por lo que, en 1966, estimó su fortuna en 150 millones de dólares.

Un Informe[21] realizado por María C. Werlau en el año 2005, indica que toda estimación sobre la fortuna de Fidel Castro es imprecisa, debido a que la economía cubana es una de las más controladas y cerradas del mundo, sólo comparable a la de Corea del Norte. Werlau basa su investigación en distintas fuentes, entre ellas el testimonio de ex altos funcionarios del Gobierno, actualmente en el exilio, quienes coinciden en afirmar que Castro mantiene un control directo y personal sobre la economía del país, sin que haya una clara separación entre sus finanzas y las del Estado.

Los antiguos miembros de la nomenclatura cubana se refieren a «las reservas del comandante» para describir un entramado de cuentas en bancos extranjeros, nutridas con dinero procedente de los porcentajes que obtiene el dictador de los ingresos de las empresas estatales y de los bienes raíces que el Estado posee en Cuba y en el exterior. Esos fondos son administrados por personas de la máxima confianza de Fidel y de Raúl Castro, incluidos altos oficiales de las Fuerzas Armadas Revolucionarias.

Según ese esquema, las «reservas del comandante» se alimentan principalmente de:

— Un porcentaje sobre los ingresos por turismo, remesas de cubanos en el exterior, y de réditos de negocios en divisas dentro y fuera de Cuba.
— Un porcentaje sobre los ingresos de los cubanos que trabajan fuera del país o que mantienen negocios en el exterior bajo la autoridad o el control del Gobierno cubano.
— Venta de recursos del Estado cubano a extranjeros.
— Venta, fuera del país, de arte cubano, joyas, antigüedades y otros valores confiscados a todos los que se marchan del país.
— Réditos del narcotráfico y otras actividades delictivas que llevan a cabo grupos terroristas con ayuda de agentes cubanos o coordinados por Cuba.

A Fidel Castro nunca le importó que le llamaran dictador, pero tildarle de ladrón es otra cosa. Las denuncias por graves violaciones a los derechos humanos y el maltrato a los presos de conciencia le tuvieron siempre sin cuidado. Pero incluirle en la lista de los hombres más ricos del mundo, junto al rey de Arabia Saudita, las reinas de Inglaterra y Holanda o el sátrapa de Guinea Ecuatorial, Teodoro Obiang, es demasiado para él. La revista *Forbes* no ha podido probar que Castro tenga cuentas a su nombre en Suiza o en cualquiera de los muchos paraísos fiscales que en el mundo son. Pero que no se hayan descubierto no quiere decir que no existan. Quizás *Forbes* exageró, o quizás no, al atribuirle, con «más arte que ciencia», una fortuna de 900 millones de dólares, pero cuesta trabajo creer que todo el patrimonio de Castro, como él mismo dijo, cabe en el bolsillo de la camisa de George Bush.

Capítulo 8

Marucha y el hombre nuevo

Marucha la jinetera tiene un dolor en el alma
le duele las azucenas que le huyeron de la infancia
no es justo que se le nombre
con una mala palabra.

[...]

Demasiado nos creímos
el lema de la confianza
pues lo que quisimos ser
el paraíso del alba
el palacio del crisol
el pueblo sin una mancha
Marucha nos lo derriba
con una sencilla fábula.

Marucha la jinetera, canción de
PEDRO LUIS FERRER

«Brotan, rebotan, explotan por 5.ª Avenida», canta Silvio Rodríguez a las *jineteras*, «pálidas flores nocturnas / flores de la de-
cepción». Es una edulcorada aproximación del cantautor y ex diputado de la Asamblea Nacional del Poder Popular, al drama de
miles de mujeres que luchan el *fula*[1] en las calles de La Habana,
muy diferente de la cruda versión que hace Pedro Luis Ferrer, en
su canción *Marucha la jinetera*. No es extraño que esta última ba-
lada esté prohibida en Cuba, mientras que la otra, a pesar de las
objeciones de los cancerberos más ortodoxos, se asome a veces,
aunque tímida, detrás de los visillos de las emisoras de radio. Y es

que Marucha y Alejandro y Gisele y Alain y Bárbara y Félix... y un largo suma y sigue, son el penoso ejemplo de una Revolución que se propuso crear un «hombre nuevo» y terminó por convertirse en alcahueta de varias generaciones de cubanos y cubanas, a los que ha condenado a prostituirse para poder subsistir.

El escritor Amir Valle[2] dice que la palabra *jinetera* proviene de la inventiva natural del cubano y de su sentido del humor: durante las guerras de independencia, los *mambises*, patriotas cubanos, se lanzaban a caballo, machete en mano, contra los batallones coloniales españoles; un siglo después, mujeres cubanas (y muchos hombres) se lanzan contra los turistas con sus artes de placer, tan eficaces como el filo de un machete.

Antes del triunfo de la Revolución, la isla era el reino de la tolerancia, donde los turistas estadounidenses, en palabras de Enrique Cirules, «venían a beber y a bailar; a probar fortuna en los casinos; a esnifar los polvos de la cocaína, y a refocilarse con las mejores cinturas de La Habana, además de satisfacer cualquier otro gusto o preferencia, por muy exquisito o insólito que pareciera».[3] Pero entonces llegó Fidel «y se acabó la diversión, llegó el comandante y mandó a parar», como dice la canción de Carlos Puebla. La prostitución fue eliminada en Cuba, al menos oficialmente, porque hasta el año 1963 se mantuvieron en La Habana las llamadas zonas de tolerancia, en los *repartos* de Colón y La Victoria.

Colón nació en los albores del siglo XX, después de la clausura de la zona de San Isidro, luego del asesinato del célebre chulo Alberto Yarini; La Victoria surgió al calor de la Segunda Guerra Mundial, con el arribo de buques de la Armada de Estados Unidos, y cuando ya se vislumbraba el triunfo de los aliados. En esa época coexistían las *fleteras*, especializadas en urgencias callejeras, con *madames* de lujo, como una renombrada Marina, quien en 1959 se mudó con su reputación y sus pupilas a Miami, donde proporcionó consuelo a no pocos altos funcionarios del régimen del depuesto Fulgencio Batista que lograron escapar del paredón.

Prostitutas de «mínimo técnico»

El Gobierno revolucionario cerró las casas de tolerancia e internó a las prostitutas (había más de 100.000 para una población de 6 millones) en escuelas especiales, donde recibieron cursillos llamados de «mínimo técnico», para aprender otros oficios más acordes con la nueva moral. Algunas, sobre todo las que procedían del campo, recibieron clases de corte y costura y otras se reciclaron como taxistas; circulaban por la ciudad en coches de color morado, en cuyas puertas se pintaron las iniciales TP, que correspondían a Transporte Popular, y que los chistosos traducían como Taxis de Putas. Muchos de aquellos *carros* se sabían de memoria el camino a las posadas, donde los cubanos y cubanas podían echar una cana al aire sin tener que mostrar el Libro de Familia.

Después de la Revolución, las posadas fueron rebautizadas como albergues y fueron adscritas al Instituto Nacional de la Industria Turística, que, como el Ministerio de Marina en Bolivia, no dejaba de ser una entelequia, porque si el país andino perdió su mar por culpa de Chile, tampoco Cuba tenía ya turismo debido al bloqueo de Estados Unidos.

> Esta ciudad nació en la sal del puerto
> Y allí creció caliente, deschavada,
> el sexo abierto al mar,
> el clítoris guiando a los marinos
> como un faro de luz en la bahía
> y dentro el Barrio Chino, Tropicana,
> Floridita, Alí Bar, los Aires Libres,
> orquestas de mujeres musicando
> un chachachá bailado por marcianos.

Caliente y deschavada, como dice en su poema, Jesús Díaz, La Habana se abrió de piernas al turismo, a partir de la década de los años noventa del siglo pasado, después de la «muerte» del padrino soviético. Los extranjeros que llegaron a La Habana en pleno *período especial* se sintieron como los animales de un zoológico. Los cubanos les miraban y remiraban como bichos raros, no por sus rostros, enrojecidos por el sol caribeño, sino por su vestimenta. Camisas, faldas, pantalones, zapatos..., todo era objeto de atención y de deseo. El arco iris de diseños «capitalistas» contrastaba con la anticuada indumentaria en «blanco y negro» de los cubanos, confeccionada en las hermanas repúblicas socialistas del este de Europa.

Al principio, casi como en un juego furtivo, pues la policía vigilaba que los nativos no se acercaran a los turistas, las *pepillas*[4] se les arrimaban para pedirles cualquier cosa, un cigarrillo, un bolígrafo, un paquete de kleenex; luego, ya más confiadas, se lamentaban porque ellas no tenían *fulas* para comprar en las tiendas de los hoteles las cosas lindas para extranjeros. Y así, entre palabras y mohínes, zalameras, pedían, por favor, una blusa, anda papito, no seas malo, o un pañuelo de seda, un frasco de colonia e incluso un *blumer*,[5] las más atrevidas. Hasta que ese regalo terminó por convertirse en moneda de trueque para otro tipo de comercio.

El sexo de los ángeles

Por aquellos tiempos Fidel Castro dijo que si una familia, antes de partir de vacaciones, preguntara por un país donde no hubiera sexo de alquiler ni drogas ni delincuencia ni gánsters ni secuestros, se le podría responder que en el Caribe hay una isla donde se puede lograr eso, y se llama Cuba. Pero no era cierto. En esa isla del Caribe, en Cuba, el trueque «inocente» de regalos por sexo se estaba convirtiendo ya en comercio, puro y duro. Las carencias del *período especial* no admitían juegos. Ya no se trataba de vestir en tecnicolor, ni de llevar unos ajustados *pitusa*[6] marca Levi's, made in USA. Era algo mucho más serio. Había que comer, subsistir al precio que fuera, y eso significaba que la esposa, la hija, la hermana, el esposo, el hijo, el hermano..., todos tenían que lanzarse contra los turistas como hacían sus antepasados, los *mambises*, machete en mano, contra los soldados españoles. Un estudio sobre la juventud cubana lo refleja de esta manera: «Así (y producto del paso contradictorio de una ética del trabajo a un hedonismo del consumo) la prostitución reaparece en Cuba como elemento de acceso a un espacio de consumo al cual es imposible llegar por las formas tradicionales o socialmente legítimas».[7]

Colonias de *jineteras* y *jineteros*, venidos de todos los rincones de la isla, anidaron alrededor de los hoteles de La Habana para ofrecer sus servicios a los turistas, especialmente en el llamado Triángulo de las Bermudas, la zona del Meliá Cohiba, el hotel Riviera y las Galerías de Paseo, frente al Malecón; también en la zona de Rampa, alrededor de los hoteles Habana Libre y Capri y la heladería Coppelia. Fuera de la capital, en la zona turística de Varadero, el afán de mujeres y hombres en su lucha por la vida era un duro contraste con la idílica valla que todavía hoy puede verse a la entrada del istmo: «Todo lo que aquí se recauda es para el pueblo». Pero el pueblo soberano no estaba muy convencido de que el Gobierno fuera a repartir con ellos los beneficios del turismo, y recaudaba por su cuenta. Taxistas, porteros, recepcionistas, camareros..., todos los que tenían relación con el turismo se graduaron en cursos intensivos de proxenetismo amateur. La carne fresca de la revolución se vendía a precios más que aceptables para las monedas fuertes extranjeras.

> Sólo por dinero no vale la pena, chica, no.
> No, escucha, éste es tu drama.
> Escucha, chica, no, no.
> Sólo por dinero no vale la pena.
> Chica, escucha, éste es tu drama.
> Escucha, chica, no, no.[8]

Ojo con las Lobas

En pocos años, Cuba se convirtió en un enorme prostíbulo para turistas, principalmente canadienses, italianos, británicos y españoles. La oferta, aunque abundante, se volvió muy competitiva y propició la especialización y aun el mito, como la leyenda de *Las Lobas*: cinco soberbias mulatas que devoraban, literalmente, a quien se atreviera con ellas. *Jineteras* y *jineteros* se volvieron más osados, y desplegaron sus enseñas en el aeropuerto José Martí, de La Habana, donde dirigían a los recién llegados miradas de *aloha, aloha,* y les colocaban alrededor del cuello invisibles collares de flores. Después de una semana de amor mercenario, en el mismo hall del aeropuerto se celebraba la ceremonia inversa de la despedida, adiós, papito, regresa pronto, te estaré esperando, con un ojo atento al panel de llegadas de nuevos aviones, para reiniciar el juego, como si se tratara del mito del eterno retorno.

La «hospitalidad» cubana propició la llegada de vuelos chárter con hombres y mujeres de mediana edad que aterrizaban en la isla «en viaje de negocios». La Revolución, que pocos años antes había lanzado una «cruzada» contra los homosexuales, a los que encerró en campos de trabajo, las tristemente célebres Unidades Militares de Apoyo a la Producción (UMAP), se abría ahora de piernas, transformada en una gran puta, con una miríada de *jineteras* y *pingueros*,[9] altamente cualificados, gracias a los avances logrados en el país en materia educativa.

Y en eso llegó Fidel de nuevo, «y se acabó la diversión». A finales de 1996, el Gobierno cubano puso en marcha la Operación Lacra porque, como dijo el comandante, «no podemos permitir que las prostitutas nos tomen los hoteles y las calles». Para Fidel Castro, la prostitución, el robo y las drogas «son inadmisibles en una sociedad socialista». La policía se empleó a fondo con redadas masivas y cierre de discotecas y otros lugares de diversión, como el célebre Palacio de la Salsa, en La Habana.

Como la prostitución no es un delito en Cuba,[10] a todos los que trabajaban «por cuenta propia» se les abrió un expediente de advertencia por «conducta peligrosa» para la sociedad que, en caso de reincidencia, podía conducir a los interfectos a la cárcel. Las penas más fuertes, de hasta cinco años de prisión, eran para los proxenetas. A los que no estaban domiciliados en La Habana los deportaron sin contemplaciones a sus lugares de origen. Con esas medidas, la Revolución quiso hacerse un lavado de cara, porque si había perdido la virginidad no era por culpa suya, naturalmente, sino de los turistas, que «nos han traído como efecto negativo los vicios de su país de origen», como aseguró en un «Informe» el Centro de Investigación Psicológica y Sociológica de La Habana.

La imagen de una Cuba mancillada por los vicios del capitalismo no se sostenía en pie. La prostitución era un producto genuino de una Revolución trufada de eslóganes grandilocuentes, pero incapaz de salir del pozo sin fondo en que se encontraba, huérfana de los subsidios soviéticos. Todavía en un libro publicado en 1999, al referirse al *período especial*, los exegetas del sistema remachan que «la crisis recesiva cubana no es un indicador de fracaso, sino un momento de reestructuración y renovación para retomar el desarrollo con el máximo de eficacia». Una frase que envidiaría Herr Goebbels, el inefable ministro de Propaganda de Adolf Hiltler, quien, para disfrazar que las tropas alemanas se batían en retirada, aseguró que estaban realizando un «avance táctico sobre la retaguardia».

«Somos como las cucarachas, lindón»

La Operación Lacra no sirvió de mucho. Los escaparates se vaciaron, pero el negocio continuó en la trastienda. La tela de araña era demasiado fuerte y tenía demasiadas ramificaciones como para poder romperla a golpes de hacha. Además, la policía participaba abiertamente en el negocio, en calidad de comisionistas o chulos, y eran los primeros interesados en no matar a la gallina de los huevos de oro. En definitiva, más *cornás* da el hambre, o en palabras de una *jinetera*: «Somos como las cucarachas, lindón. Nos fumigan y nos escondemos, pero cuando salimos otra vez ya somos inmunes a esa fumigación, ya sabemos qué cosa hacer para seguir sobreviviendo. Esos que se pasan la vida gritando que lo que hacemos está mal y es inmoral, nunca vinieron a preguntarme qué comía yo cuando tenía trece o catorce años, y ahora tampoco me van a resolver mi problema porque el de ellos lo tienen resuelto, y bastante bien resuelto, por cierto».[11]

El *jineterismo* en Cuba ha seguido creciendo en la misma proporción en que menguaban los productos de la cartilla de racionamiento. La división de los ciudadanos en dos clases, según tengan o no acceso al mercado en divisas, se ha hecho más patente en los últimos años. La frontera entre el peso cubano y el peso convertible ha fulminado el mito de la igualdad socialista. Dos sociedades, una de consumo y otra de carencias, conviven bajo un mismo dogma, y hasta los sacerdotes de la revolución así lo admiten, pero niegan que se utilice la prostitución como vehículo para transitar de una realidad a otra.

> ¿Adónde vas, cubanita,
> empapada de sudor,
> en los brazos de ese yanqui
> corriendo por el salón.[12]

Cincuenta años después de la entrada de Fidel Castro en La Habana, las «nietas» de la Revolución se pasean por las calles de la capital colgadas del brazo de viejos pulpos verdes. Ellos son el salvoconducto para acceder, siquiera por unos días, al otro lado del muro de cristal. «Hay otros mundos, pero están en éste», decía H. G. Wells, y las *jineteras* dan fe de ello, cuando franquean, como «invitadas», la entrada del exclusivo Club Habana, en la

5.ª Avenida de Miramar, con playa privada, piscina, gimnasio, jacuzzi, pistas de tenis y otras comodidades sólo aptas para turistas, diplomáticos y residentes extranjeros. Allí, tumbadas indolentemente en las confortables hamacas de la playa, exhiben sin pudor sus señas de identidad, mientras sus dueños ocasionales se pavonean por la calidad del producto, comprado a precio de saldo.

Son muy jóvenes, en torno a los 20 años, a veces incluso menos, y sus acompañantes, sobre los 60 años o más, son grandes consumidores de Viagra. Algunas muchachas son negras, el mito del ébano, ya tú sabes, como dicen los cubanos, aunque las mulatas suelen estar mejor valoradas, como las trigueñas, y no digamos las blancas, más escasas. Un amplio muestrario para un intercambio desigual, que tiene su continuación en las *paladares*, reverso de la bodega y la cartilla de racionamiento, donde de manera automática, sin que lo pidan, después de comer les ofrecen la *javita* para que la familia aproveche las sobras de la langosta, la carne de res o el arroz congrí.

El mercado del sexo en Cuba alcanza proporciones de escándalo. Pero el Gobierno no ha podido (ni querido) acabar con él. Por eso esconde la cabeza, como los avestruces, detrás de *Granma*. Lo que *Granma* no publica no existe, por lo tanto no hay prostitución en Cuba. Ésa es la verdad oficial. De cuando en cuando, *Granma* se refiere a la prostitución, pero la que hay fuera de la isla, como una cortina de humo, cuando arrecian las denuncias sobre el turismo sexual en Cuba. En vísperas del Mundial de fútbol de 2006, en Alemania, y con el título de «La cara más sórdida del Mundial», el órgano del Partido Comunista publicó un extenso reportaje sobre la prostitución en ese país europeo, ilustrada con la fotografía de dos profesionales que bien podía haber sido tomada en el Malecón habanero. Con su habitual prosopopeya, *Granma* decía que «lejos de la alegría de los cánticos y colores de los estadios, decenas de miles de prostitutas, varias de ellas forzadas y engañadas, venderán su cuerpo a los asistentes al evento deportivo».

En Cuba no ocurren esas cosas. La mujer cubana no hace caso de los cantos de sirena del consumismo capitalista. La mujer cubana no se ve forzada a vender su cuerpo por un plato de arroz con frijoles para ella y su familia. La mujer cubana es capaz de superar todas las vicisitudes de un país bloqueado. Ya lo dijo el 8 de marzo de 2007, en el Día Internacional de la Mujer,

Yolanda Ferrer, secretaria general de la Federación de Mujeres Cubanas: «La inteligencia, la acometividad y el espíritu revolucionario de las cubanas se han puesto a prueba durante estos 48 años en que hemos enfrentado el bloqueo económico, las agresiones de todo tipo del Gobierno de Estados Unidos, pelea en la que hemos salido victoriosas y seguiremos venciendo junto al resto del pueblo».

Lo que tenía que tener

En previsión de que flaqueara el «espíritu revolucionario», el Gobierno decidió que lo mejor era prohibir a los cubanos el acceso a los hoteles, playas y otros lugares frecuentados por los turistas, para que no se contagien de «los vicios de su país de origen». El apartheid turístico, que Raúl Castro eliminó en abril de 2008, fue una de las medidas más controvertidas de la Revolución, porque convirtió a los cubanos en ciudadanos de segunda categoría en su propio país. Es una discriminación que va en contra de la propia Constitución de la República de Cuba, aprobada en Referéndum, según cifras oficiales, por el 97,7 % de los electores, el 15 de febrero de 1976. El artículo 43 del capítulo VI, que trata de la Igualdad, establece, entre otras cosas, que «el Estado consagra el derecho conquistado por la Revolución de que los ciudadanos, sin distinción de raza, color de la piel, sexo, creencias religiosas, origen nacional y cualquier otra lesiva a la dignidad humana [...] se domicilian en cualquier sector, zona o barrio de las ciudades y se alojan en cualquier hotel».

Si Nicolás Guillén, consagrado como poeta oficial de la Revolución, no hubiera muerto, habría tenido que modificar su célebre poema *Tengo*, porque hasta hace muy poco los cubanos no tenían lo que tenían que tener.

> Tengo vamos a ver,
> que siendo un negro
> nadie me puede detener
> a la puerta de un dancing o de un bar.
> O bien en la carpeta[13] de un hotel
> gritarme que no hay pieza,
> una mínima pieza y no una pieza colosal,
> una pequeña pieza donde yo pueda descansar.

El poema de Guillén se refiere a la discriminación racial anterior a la Revolución, que impedía a los negros hospedarse en los hoteles de lujo. La Revolución acabó con la segregación: ni los negros ni los blancos podían alojarse en los establecimientos hoteleros para turistas extranjeros. ¡Para que luego digan que hay racismo en Cuba! Sólo los *vanguardia nacional* y sus familias han disfrutado del privilegio de poder albergarse en hoteles de 3 y 4 estrellas y pagar, además, la factura en pesos cubanos. Los *vanguardia* son trabajadores que, en opinión de los *factores*, los cuadros del Partido Comunista de Cuba, siguen fielmente las orientaciones dadas y destacan «por su heroísmo cotidiano». Sus «relevantes méritos» les hacen merecedores, cada Primero de Mayo, de los títulos honoríficos de Héroes y Heroínas del Trabajo de la República de Cuba, y de la medalla de Hazaña laboral. Pero los *vanguadia*, como todos los cubanos, tienen necesidades y suelen vender su bono de hotel a otros compañeros que, si bien no destacan por sus hazañas laborales, al menos disponen de pesos convertibles. Ese trueque en nada desmerece, así lo entienden ellos, los relevantes méritos de quienes representan los valores éticos de la Revolución. «No somos un Imperio, somos una fuerza moral» es una de las frases favoritas de Fidel Castro, pero los cubanos todos tienen que vivir.

En el apartheid turístico hay otras excepciones. Los *gusanos* que se fueron del país y regresan de vacaciones para visitar a sus familiares, tienen los mismos derechos que los turistas extranjeros. Hasta que Raúl Castro no levantó la barrera de los hoteles a los cubanos, los «desertores» gozaban de más privilegios que los que se quedaron en la isla para disfrutar de las «ventajas» de la Revolución. La escritora Lissette Bustamante[14] recoge un chiste que refleja muy bien esa situación:

> Éste es un cubano que trata de entrar en un hotel en Varadero; un agente le dice:
> —Oye, compañero, no puedes pasar.
> —Mire —replica el otro—, yo combatí en la Sierra Maestra.
> —No me importa, compañero, esto es para extranjeros.
> —Oiga —vuelve a insistir el cubano—, que yo también peleé en Girón cuando la invasión de Bahía Cochinos.
> —No, compañero, ya te he dicho que no puedes entrar, esto es con dólares.
> —Mira, chico —insiste el cubano—, no me has entendido bien, yo fui un soldado de Batista y peleé en la Sierra Maestra

contra Fidel Castro, después vine en la invasión de Bahía de Cochinos y me cambiaron por compota y ahora estoy aquí porque vine a ver a la familia que me queda por aquí.
Dice entonces el guardián:
—¡Ah!, perdone, señor, así, sí, pase, pase.

Los vigilantes de la playa

Las prohibiciones que limitan el desenvolvimiento normal de los cubanos alcanzan muchas veces tintes tan esperpénticos como los establecidos en el Nuevo Reglamento para las Relaciones con el Personal Extranjero en el Sistema de Turismo, aprobado por el ministro del ramo, Manuel Marrero Cruz, el 19 de enero de 2005. De acuerdo con esa Resolución, los trabajadores del sector deben limitar sus relaciones con extranjeros «a las estrictamente necesarias» y tienen que guiarse por «principios éticos, morales y profesionales», como la fidelidad a la patria, a la legalidad socialista y a la política del Gobierno. Deben también «mantener permanente vigilancia contra todo hecho o actitud lesiva a los intereses del Estado», y «comunicar de inmediato al nivel correspondiente a las acciones o hechos que puedan atentar contra la dignidad, la seguridad y los principios de nuestra Revolución».

Además de convertir en chivatos a los trabajadores, el nuevo reglamento les exige que rechacen invitaciones a comidas u «otras actividades festivas o sociales», salvo que estén debidamente autorizadas. Tampoco pueden aceptar regalos, y en caso de recibirlos «deben ser siempre entregados al jefe de la unidad, quien decidirá su destino». El colmo de los despropósitos es que el envío de felicitaciones por Navidad necesita también autorización previa y tiene que efectuarse a través del Ministerio de Relaciones Exteriores.

La recompensa de Amarilis

El reglamento del ministro Marrero debería figurar en la antología del disparate, como otros textos oficiales o algunas de las historias edificantes de la prensa cubana con las que han tratado de disfrazar el apartheid turístico. Una de ellas, publicada por el diario *Granma* el 24 de agosto de 2006, titulada «El día de recompensa de Amarilis», habría que escucharla en voz alta y con un fondo de música de violines: «¿Qué más podía pedirle Amarilis a este miércoles? —dice *Granma*—. Por fin tendría su recompensa de verano. Un día sin demasiada agitación para irse a tomar el sol tumbada en la arena, mientras su familia gozaba de la playa. Esta vez no habría impedimento, porque hasta los ómnibus llegaban uno tras otro a la parada». No, Amarilis Capote, enfermera en el hospital capitalino Fructuoso Rodríguez, no podía pedirle más a la vida cuando decidió pasar la mañana y parte de la tarde con su familia en la playa de Guanabo, cerca de La Habana. Las guaguas, como en un sueño, «llegan cada veinte minutos. Es una maravilla» e incluso hay policías para garantizar la seguridad de los veraneantes, «visten de short y pulóver. No tienen aires de arrogancia ni presunción, únicamente esa mirada capaz de persuadir al más osado, al atrevido o alborotador».

> Tiene que haber un modo menos amargo
> de salvar la luminosidad del cielo
> para la foto infinita del turista.[15]

A *Granma* se le da muy bien el arte de engatusar o *bajear*, como dicen los cubanos, porque ocultaba que la «recompensa» de Amarilis no incluía el disfrute de las tumbonas de los hoteles de las Playas del Este, sólo para turistas extranjeros o *vanguardia nacional*; ni las sombrillas de guano, sólo para turistas extranjeros o *vanguardia nacional*. Amarilis no pudo disfrutar tampoco de ningún refresco, porque en los quioscos de la playa todo lo que se vende es en divisas; tampoco pudo entrar en un hotel para tomar un café, porque los custodios le dijeron que los cubanos tenían prohibida la entrada, salvo que fueran *vanguardia nacional*. No, «el día de recompensa de Amarilis» no contemplaba esas minucias, sólo para extranjeros o *vanguardia nacional*.

Amarilis quizás pueda ir ahora a los hoteles de la playa, una vez levantada la veda para los cubanos. Pero su salario no se lo permite. Amarilis gana 350 pesos cubanos al mes, que equivalen a 15 pesos convertibles, y el precio diario, todo incluido, de un hotel de tan sólo dos estrellas, el Terrazas Atlántico, en las Playas del Este, es de 50 pesos convertibles la habitación individual y 75 la doble. Si Amarilis quisiera ir al hotel de cinco estrellas

Meliá Varadero, el precio es de 175 pesos convertibles la habitación individual y 260 la doble.

Granma, lógicamente, no refleja la desproporción que hay entre salarios y precios de los hoteles; es un sociólogo, Daniel Díaz Mantilla, quien lo hace. Al analizar las prohibiciones a las que tienen que enfrenarse los cubanos, Díaz Mantilla habla abiertamente de marginalidad. «No puedes ir a muchos lugares en Cuba —dice el sociólogo cubano—, no sólo porque no tengas dinero, sino porque aunque lo tengas no puedes ir, eso es marginación; y es marginación cuando vas a una tienda y ves muebles, aparatos y cosas, ropas y todo lo que tú jamás vas a poder comprar, eso es marginación también. Es marginación cuando tú ves que tus ideas, que son tuyas y de una pila de gente no tienen un eco en los medios, no hay una voz que te represente...»[16]

Las *jineteras*, paradójicamente, han logrado escapar de esa marginalidad, porque han regresado a los hoteles de lujo de Varadero, colgadas del brazo de un *yuma*, y pueden alojarse de nuevo en las magníficas habitaciones frente al mar turquesa, como hacían antes de la Operación Lacra. Y todo ello gracias a las «reformas» de Raúl Castro.

Capítulo 9

Los milagros de Nuestro Señor

> Nosotros, más que revolucionarios po-
> líticos, más que hombres de una patria li-
> mitada y tangible, somos catecúmenos de
> un credo religioso. Iluminados por la luz
> de una nueva conciencia, nos reunimos
> en la estrechez de este recinto, como los
> esclavos de las catacumbas, para crear
> una Patria Universal.
>
> *Tirano Banderas*,
> RAMÓN DEL VALLE-INCLÁN

Lázaro González Moreno no pudo operarse de glaucoma
en un hospital de Santa Clara. La citación le llegó el 12 de noviembre de 2005, casi tres años después de su muerte, y a los
5 años de haberlo solicitado. «Es una falta de respeto a su memoria», dijo amargamente su hijo, Manuel González, cuando
recibió la citación. La historia de Lázaro González no salió publicada en la prensa cubana, «entretenida» con otros relatos,
como el de Domingo González, un venezolano de 85 años,
quien después de ser operado de cataratas en La Habana le
preguntó a su médico: «¿Usted cree que le pueda dar un abra-
zo a Fidel?».

El *cuento*, como dicen los cubanos, lo publicó el diario *Granma*,[1] que recogía también el testimonio de una médica, Yenisey
Ponce, quien cumplía una «misión» en una región pobre de Venezuela, el Delta Amacuro: «No hace mucho el sepulturero me
dijo que desde que los médicos cubanos estábamos allí, trabaja-

ban menos. Todas las semanas enterraba al menos a un niño y ahora en once meses sólo se había registrado un deceso». El órgano oficial del Comité Central del Partido Comunista de Cuba terminaba señalando que «estas y otras vivencias motivaron reflexiones del Comandante en Jefe acerca de cuánto es posible hacer si en el mundo se aplicaran conceptos solidarios y predominan las ideas humanistas y la utilización racional de los recursos, en lugar de los modelos consumistas, el despilfarro y el egoísmo que caracterizan el orden que el imperialismo y los países ricos han impuesto a escala planetaria».

No es extraño que después de las *reflexiones* de *Granma*, una vecina del *reparto* habanero de La Lisa colgara en su balcón una sábana donde había pintado estas palabras: «Se permuta para Venezuela». Cuando acudió la policía, avisada por el CDR, la señora les dijo: «Miren, compañeros, yo soy tan revolucionaria como el que más, pero para que nos atienda un médico cubano hay que irse a vivir a Venezuela».

La historia de la permuta tiene que ver con una de las últimas y más famosas «hazañas» de Fidel Castro, la Misión Milagro, un programa en colaboración con Venezuela que nació en julio de 2004, con el objetivo de operar gratuitamente de la vista, en 12 años, a 6 millones de pacientes pobres de América Latina, el Caribe y otros países, incluido Estados Unidos. La Misión Milagro acabó por dar un golpe de gracia a la sanidad cubana, que se encontraba en terapia intensiva desde la puesta en marcha de otro programa, Barrio Adentro, fruto de un acuerdo firmado también con Venezuela, en abril de 2003, para enviar a ese país alrededor de 30.000 médicos y profesionales de la salud, para atender gratuitamente a pacientes en zonas rurales y barrios marginales de las grandes ciudades.

Barrio Adentro, que los medios de comunicación cubanos «venden» como un programa fruto de la solidaridad entre los dos países, esconde, sin embargo, un importante aspecto económico, porque con esos miles de médicos y con maestros alfabetizadores, Cuba paga una parte de la factura del petróleo que recibe de Venezuela. Hugo Chávez suministra cerca de 100.000 barriles de petróleo diarios a la isla, y ha terminado por convertirse en el padrino rico de la Revolución, como antes lo fue la Unión Soviética. Según el economista de origen cubano Carmelo Mesa Lago,[2] profesor emérito de la Universidad de Pittsburgh, en Estados Unidos, Cuba sólo paga una parte muy pequeña del petróleo venezolano, y acumula una deuda que en 2005 superaba los 2.500 millones de dólares.

Cuba recibe también sustanciosos créditos de la «hermana» República Bolivariana de Venezuela, otorgados por los Bancos Industrial y de Comercio Exterior; asimismo, ha firmado compromisos de inversión de cientos de millones de dólares para proyectos de infraestructuras que incluyen la modernización de la refinería de petróleo de Cienfuegos. Según reveló Fidel Castro en una de sus *reflexiones* el 29 de noviembre de 2007, «el intercambio de bienes y servicios, de casi cero, se elevó a más de 7.000 millones de dólares anuales, con grandes beneficios económicos y sociales para ambos pueblos».

Las enfermedades del mundo

La dependencia de Venezuela crece en Cuba al amparo del ALBA, la Alternativa Bolivariana para las Américas. Como dijo el vicepresidente cubano Carlos Lage en Caracas el 10 de abril de 2007, Cuba tiene dos presidentes, Fidel Castro y Hugo Chávez, «que son médicos de almas, médicos de pueblos, diagnostican con acierto las graves enfermedades del mundo en que vivimos y han dado la receta: luchar».

Precisamente para luchar contra las enfermedades humanas, Fidel Castro anunció un año antes, el 10 de marzo de 2006, en el Palacio de Convenciones de La Habana, que «nuestros médicos estarán en cualquier lugar donde hagan falta». Pero el comandante no se refería a Cuba, enfrascado como estaba en una cruzada para salvar al mundo, sino a otros países más necesitados, según él, pero que «prefieren que se mueran sus hijos que aceptar el ofrecimiento de Cuba. ¡Hasta dónde han degenerado algunos gobiernos!».

Según datos del Ministerio de Salud Pública (MINSAP), en marzo de 2006, Cuba tenía 65.000 médicos, una cifra que muchos profesionales de la salud consideran muy inflada. Cinco meses más tarde, el número de profesionales había aumentado, como por arte de magia, a 71.000, de acuerdo con datos facilitados por el propio ministro de Salud Pública, José Ramón Balaguer,[3] quien informó además de que «nuestro país presta asistencia médica en 68 naciones, y ha ofrecido su ayuda en un centenar de países». Esa diáspora tiene, sin embargo, un efecto negativo sobre la salud de los cubanos, que se quejan por la falta de médicos. Pero el Gobierno responde que no es cierto, que hay suficientes profesionales en el país, y lo corrobora con cifras de dudosa fiabilidad.

Según estimaciones, más de la mitad de los médicos cubanos, unos 30.000, cumplen «tareas internacionalistas». Con la falsificación de datos se quieren acallar las protestas internas, a la vez que se magnifica la labor del Gobierno porque, como dijo Fidel Castro, «la salud de los pobres del planeta está constantemente amenazada»

El dictador siempre se enorgulleció de la labor de los médicos internacionalistas, a los que llamó «misioneros de la salud», porque podían ver «infinitos abismos de desigualdades, fosas de miseria, parajes donde hay todos los tipos de calamidades». Esa situación le llevó a plantear la necesidad «casi inevitable» de crear en la isla un Ministerio de Salud Pública Internacional, que finalmente recibió el nombre menos pomposo de Servicios Médicos Cubanos, «como instrumento de la política médica de la Revolución y el Estado cubanos en sus relaciones con el mundo».

Pero las calamidades no faltan en Cuba. La «exportación» de médicos a todo el mundo es una cortina de humo con la que se pretende disfrazar el calamitoso estado de la sanidad en el país. El mensaje que se quiere transmitir es que los cubanos están suficientemente atendidos, hasta el punto de que pueden permitirse el lujo de ser solidarios con otros países y prescindir de miles de médicos y de toneladas de medicinas. Pero la realidad es muy diferente. Los cubanos dicen que «no se puede ser candil de la calle y oscuridad de la casa». Y no les falta razón, porque sufren a diario las consecuencias provocadas por el desmantelamiento de un sistema de salud que en su día fue ejemplar.

Cuando Dios no determina
o no remedia los males,
no le valen los cordiales
ni los caldos de gallina,
ni le valen los collares
que le puso su madrina.[4]

ren a «las reservas del comandante» para describir un entramado de cuentas en bancos extranjeros, nutridas con dinero procedente de los porcentajes que obtiene el dictador de los ingresos de las empresas estatales y de los bienes raíces que el Estado posee en Cuba y en el exterior. Esos fondos son administrados por personas de la máxima confianza de Fidel y de Raúl Castro, incluidos altos oficiales de las Fuerzas Armadas Revolucionarias.

Según ese esquema, las «reservas del comandante» se alimentan principalmente de:

— Un porcentaje sobre los ingresos por turismo, remesas de cubanos en el exterior, y de réditos de negocios en divisas dentro y fuera de Cuba.
— Un porcentaje sobre los ingresos de los cubanos que trabajan fuera del país o que mantienen negocios en el exterior bajo la autoridad o el control del Gobierno cubano.
— Venta de recursos del Estado cubano a extranjeros.
— Venta, fuera del país, de arte cubano, joyas, antigüedades y otros valores confiscados a todos los que se marchan del país.
— Réditos del narcotráfico y otras actividades delictivas que llevan a cabo grupos terroristas con ayuda de agentes cubanos o coordinados por Cuba.

A Fidel Castro nunca le importó que le llamaran dictador, pero tildarle de ladrón es otra cosa. Las denuncias por graves violaciones a los derechos humanos y el maltrato a los presos de conciencia le tuvieron siempre sin cuidado. Pero incluirle en la lista de los hombres más ricos del mundo, junto al rey de Arabia Saudita, las reinas de Inglaterra y Holanda o el sátrapa de Guinea Ecuatorial, Teodoro Obiang, es demasiado para él. La revista *Forbes* no ha podido probar que Castro tenga cuentas a su nombre en Suiza o en cualquiera de los muchos paraísos fiscales que en el mundo son. Pero que no se hayan descubierto no quiere decir que no existan. Quizás *Forbes* exageró, o quizás no, al atribuirle, con «más arte que ciencia», una fortuna de 900 millones de dólares, pero cuesta trabajo creer que todo el patrimonio de Castro, como él mismo dijo, cabe en el bolsillo de la camisa de George Bush.

Lo que el viento se llevó

Uno de los más poderosos mitos de la Revolución, además de la educación, es la salud. En Cuba podían ir mal las cosas, pero la enseñanza y la sanidad eran intocables. El escritor exiliado Eliseo Alberto[5] relata una anécdota muy ilustrativa sobre el particular. En una entrevista realizada hace años, un pescador cubano que pidió asilo político en Canarias, no tuvo reparos en reconocer los logros de la Revolución en materia de salud y educación. Ante la sorpresa del periodista que le entrevistaba, quien le preguntó que por qué entonces huía de su país, el pescador, después de reflexionar, contestó: «Mire usted, compañero, lo que sucede es que uno no siempre está enfermo ni estudiando. ¿Me explico?».

El acceso universal y gratuito a los servicios de salud fue, sin duda, uno de los mayores éxitos de la Revolución, además de la masiva alfabetización. Médicos y maestros llegaron hasta el último rincón de Cuba para enseñar a leer o para atender y vacunar contra la tuberculosis, la poliomielitis y otras enfermedades endémicas, sobre todo en las zonas rurales, donde en 1959 vivía más del 40 % de la población.

En 1987, el Gobierno puso en marcha el Sistema de Atención Primaria de Salud, que fue la guinda que coronó el pastel. El Programa Médico de la Familia mejoró considerablemente la asistencia médica, a partir de pequeños consultorios o módulos por cada 120 familias, atendidas por un médico y una enfermera estrechamente vinculados con la comunidad. Mediante consultas, visitas a domicilio y en hospitales, los profesionales disponían de un historial clínico del núcleo familiar, a partir del cual podían dibujar un mapa detallado de las características sanitarias de la población, la incidencia de determinadas enfermedades, así como los factores de riesgo. Además, y en coordinación con el Departamento de Higiene y Epidemiología, los profesionales de los módulos se ocupaban del saneamiento ambiental y de la lucha contra epidemias como el dengue.

Los médicos de familia atendían las especialidades básicas, medicina interna, pediatría y ginecología y, en caso necesario, derivaban a los pacientes al Policlínico de la zona, donde se les realizaban análisis clínicos, radiografías, electrocardiogramas y otras pruebas más complejas. El último eslabón era el hospital, muy descongestionado gracias a la eficaz asistencia preventiva.

Hoy, el Sistema de Atención Primaria de Salud es apenas una sombra de lo que fue, con tres de cada cuatro módulos cerrados por falta de médicos y medicinas. En el año 2006, lo sucedido en San Germán, un pueblo azucarero del Oriente de la isla, es sólo un ejemplo de lo que ocurre en la sanidad cubana. En esa localidad, a unos 40 kilómetros de Holguín, la mayoría de los médicos fueron enviados a Venezuela, y una sola doctora quedó a cargo de cinco consultorios del Programa Médico, con más de 600 núcleos familiares a su cargo.

Una salud cuestionada

En diciembre de 2007, el médico disidente Darsi Ferrer, fundador del Centro de Salud y Derechos Humanos Juan Bruno Zayas, hizo un diagnóstico demoledor de la sanidad cubana. Según el doctor Ferrer, «el sistema de salud no está ni siquiera enfocado en la prevención, porque los tópicos más importantes para prevenir son, por ejemplo, un abastecimiento regular, tratamiento adecuado del agua potable, mantener limpio el país a través de la recogida de desechos sólidos y líquidos, alcantarillados adecuados, etc. En Cuba todo eso está en gran abandono, genera una cantidad enorme de enfermedades, o sea, de rareza visible y alta frecuencia. Se generan muchas epidemias como el dengue, que ya se ha hecho endémico, o la leptospirosis, producida por la mala calidad del agua».[6]

Un paseo por las calles de cualquier ciudad de Cuba, sobre todo por La Habana, la más sucia del país, basta para confirmar las palabras del doctor Ferrer. Las basuras se acumulan en las calles, a veces en medio de enormes charcos de agua que reciben el tributo de otras menos salubres, debido al mal estado de la red de conducción de aguas fecales, que contaminan todo a su paso. En ese caldo de cultivo, el *Aedes aegypti*, el mosquito que transmite la enfermedad del dengue, mortal en caso de ser hemorrágico, espera que las aguas se detengan para poner allí sus huevos.

El Decreto Ley número 272, promulgado el 20 de febrero de 2001, establece fuertes multas para las personas que arrojen basuras y escombros en la vía pública o que tengan fugas de agua en sus casas o locales. La medida se dictó para evitar epidemias, sobre todo de dengue. Pero Cuba es un país de paradojas: el Gobierno incumple muchas de sus disposiciones legales en materia de salud pública, pero culpa y castiga a los ciudadanos por infringirlas. Según un Informe realizado por el doctor Gonzalo Estévez, viceministro para la Higiene y Epidemiología del Ministerio de Salud Pública, MINSAP, y que publicó *Granma* el 9 de junio de 2006, un 76 % de los focos detectados en la campaña anti-*Aedes aegypti* se encontraron «dentro de las viviendas», debido a las «transgresiones higiénicas» de los habaneros, por lo que les exhortaba a vigilar los depósitos de agua del «hogar y su entorno» para «evitar que se genere un brote epidémico de dengue».

La ira popular ante tamaño desatino fue grande, porque el viceministro de Higiene y Epidemiología no sólo se lavaba las manos por el estado general de suciedad de la capital, sino que culpaba a los habaneros por la propagación del dengue. Pero, por una extraña coincidencia, *Juventud Rebelde* desautorizó, sin proponérselo, al doctor Estévez, y puso el dedo en la llaga del problema. Fue el 29 de septiembre, en la sección «Acuse de recibo», cuando el diario se hizo eco de la carta de una indignada ciudadana, Teresa Rodríguez Torres, quien llevaba más de cuatro años esperando que las autoridades reparasen una tubería obstruida «inundando la colectividad de aguas negras», en su *cuartería*, donde residen 10 familias.

Durante cuatro años, Teresa Rodríguez y otros vecinos enviaron cartas a cuantos organismos tenían que ver con la vivienda, pero no consiguieron nada. En su carta, que *Juventud Rebelde* tituló «Cuatro años esperando», Teresa Rodríguez dice que para entrar y salir de las viviendas tuvieron que improvisar un puente de madera en medio del pasillo, única forma de evadir el excremento que brota por los tragantes. «Cuando llueve —dice la indignada vecina—, todo se agrava más, pues las aguas pútridas se cuelan en el interior de las viviendas, que ya de por sí tienen filtraciones en los techos. No sabemos siquiera por dónde sale el agua, lo que nos conduce a creer que se van debilitando los cimientos, pues la tierra debe estar absorbiendo una parte, el sol evaporando otra y todo el excremento va quedando estancado».

Ésas son algunas de las «transgresiones higiénicas» que según los cubanos favorecen la propagación del dengue, no las que apunta el viceministro de Higiene y Epidemiología.

Tigres en el Caribe

El *Aedes aegypti* es un insecto fácil de reconocer por sus rayas transversales negras —de ahí que lo llamen tigre— que se ensaña especialmente con los niños y los ancianos mal nutridos. En Cuba nunca se dan datos oficiales sobre la cifra de víctimas por dengue, que se ha convertido en una enfermedad endémica, y en los hospitales se camuflan los partes médicos. Cuando alguien fallece después de su ingreso en un centro médico, con los síntomas clásicos del dengue hemorrágico, fiebre alta, úlceras en la piel, encías sangrantes y hemorragias internas, los médicos están obligados a falsificar la causa del deceso. En el acta de defunción figurará una cefalea aguda o una perforación intestinal como causa de la muerte, pero nunca el dengue hemorrágico.

Según datos de la Organización Mundial de la Salud, el dengue se ha convertido en una enfermedad endémica en más de 100 países. Pero Cuba niega sistemáticamente estar entre ellos y oculta las cifras de infectados y, por supuesto, de muertos. En la isla nadie muere, al menos oficialmente, por la picadura de ese tigre. Pero como toda norma, también ésta tiene su excepción. Cuando la cifra de muertos es difícil de ocultar, cuando *radio bemba*[7] rompe el silencio oficial, entonces el Gobierno no tiene más remedio que salir a dar la cara, pero no para reconocer sus deficiencias, sino para culpar al causante de todos los males del país, el «imperio».

En 1981, Fidel Castro agitó su dedo acusador contra el Gobierno de Estados Unidos, al que culpó de introducir en la isla una epidemia de dengue. Fue un año trágico para Cuba. Según datos oficiales, facilitados por el Instituto de Medicina Tropical Pedro Kourí, de La Habana, en el país hubo 344.203 casos de dengue, de los cuales 10.300 fueron de tipo hemorrágico. En total murieron 158 personas, de ellas 101 niños. El imperialismo lo hizo, ésa fue la consigna oficial. Pero nada se dijo de la dejación de las autoridades, ni del deficiente, por no decir nulo, servicio de recogida de basuras, ni de los sumideros atascados, ni de las pésimas condiciones de los tanques de almacenamiento de agua de las viviendas, que han provocado epidemias periódicas de dengue en Cuba en 1977, 1997, 2001 y 2006.

Aprende, comprende, lucha contra el dengue.
Cuida de tu vecino mira cuida de tu gente
No ves que de repente te puedes enfermar
Por eso con higiene tu salud debes cuidar.

Así es que tapa bien los tanques y mantenlos con Abate
Así al enemigo le daremos jaque mate.
No tenemos que llegar a la fumigación
Si para ganar existe la prevención.

En agosto de 2006, la canción *Contra el dengue*, de los rape-
ros Ezequiel y Rubén, permitió a los habaneros liberar los demonios que llevaban dentro. Fue un verdadero exorcismo. Una
epidemia de dengue se había adueñado de la isla, pero el silencio oficial aconsejaba prudencia. Nadie podía hablar abiertamente del «tigre». Los familiares llevaban a los enfermos a los
hospitales, atestados de gente, y los muertos eran enterrados si-
gilosamente. Gracias a la canción, el tabú pudo ser violado, y los
cubanos pudieron liberar su angustia.

Épica versus realismo

El 15 de agosto, *Granma*[8] anunció que se estaba desarrollando una «campaña de dimensiones extraordinarias» contra el
mosquito, pero no hablaba de epidemia, ni de afectados, ni de
muertos, como si se tratara de una acción preventiva.

Con menos épica y más realismo, la doctora Sandra Domínguez, ex presidenta del Colegio Médico de Villa Clara, alertaba
en un Informe[9] sobre la verdadera dimensión de la epidemia.
Según la doctora Domínguez, la situación de su provincia era
idéntica a la del resto del país, y se debía al mal trabajo del Sistema de Salud Cubano, y en especial del Departamento de Higiene y Epidemiología. La doctora Domínguez señala que «las
visitas a los hogares no se realizan con la sistematicidad requeri-
da, así como la fumigación en los mismos, y en muchas ocasiones no cuentan con la sustancia para eliminar la larva del mosquito *Aedes aegypti* ni con el alcohol para flamear los tanques
donde la población almacena el agua, debido a la escasez de la
misma».

La ex presidenta del Colegio Médico de Villa Clara denuncia en su Informe lo que es un secreto a voces, que «el alcohol

y el petróleo de las motomochilas para la fumigación de las viviendas se lo roba el personal de la salud que está a cargo de esa labor, ya sea para el uso del mismo trabajador de salud o para vender, téngase en cuenta que este combustible se puede utilizar también para cocinar».

En esa fecha, agosto de 2006, todos los centros de salud de La Habana estaban atestados de personas infectadas, pero *Granma* no decía nada. En el hospital Salvador Allende, un subdirector quirúrgico dijo a la agencia de noticias inglesa Reuters:[10] «No puedo decir que sea dengue. Hasta el presente, estamos recibiendo personas con síntomas febriles» y la directora general de ese hospital, la doctora Sila Rodríguez Fernández, manifestó: «Sólo el ministro de Salud Pública puede autorizar a dar información». Pero los cubanos sabían ya por *radio bemba* que la epidemia de dengue se había extendido como una mancha de aceite por todo el país. En La Habana, el brote epidémico más intenso se localizó en el *reparto* de Santos Suárez; también en Habana Vieja, Centro Habana, Luyanó y Arroyo Naranjo.

En la zona de Jaimanitas, en los primeros días de agosto de 2006, unas 90 personas tuvieron que ser ingresadas, algunas de ellas con dengue hemorrágico. En la reunión que tuvieron los vecinos con los responsables del Comité local de los CDR, los Comités de Defensa de la Revolución, tuvieron que soportar la cantinela de que la epidemia había sido provocada por el imperialismo. Pero no todos permanecieron callados. Algunos familiares de enfermos increparon a los *cederistas*, a los que responsabilizaron por no preocuparse por la limpieza de los focos de contaminación de las calles.

A finales de agosto, el Gobierno cubano entró en pánico. La epidemia estaba fuera de control. Fidel Castro convalecía en un hospital desde el 26 de julio, y en La Habana estaba a punto de celebrarse la XIV Cumbre de Países No Alineados con la asistencia de medio centenar de jefes de Estado y de Gobierno. Había que combatir el dengue, pero sin reconocer la gravedad de la situación. Prensa, radio y televisión se aplicaron a una «Ofensiva contra el enemigo», un enemigo del que se hablaba en términos abstractos, como si se tratara de una operación profiláctica.

En la noche del 31 de agosto de 2006, en la Emisión Estelar del Noticiero de la Televisión cubana, se informó de que «en una reunión de trabajo para precisar la estrategia en la batalla vectorial, el vicepresidente Carlos Lage llamó hoy a lograr, de forma urgente, la disminución del mosquito transmisor de la enfermedad del dengue, y pidió a la población que se involucre en esa tarea». Después de señalar que «Cuba es el único país que ha logrado controlar por largos períodos de tiempo el *Aedes aegypti*, y es el único país que puede hacerlo ahora», Carlos Lage afirmó que «tan pronto concluya esta batalla y hayamos eliminado los niveles de infestación, las autoridades deberán analizar con profundidad, con espíritu crítico y el detenimiento necesario cuáles son las condiciones que el país tiene que crear, las medidas que tiene que adoptar y la forma en que tiene que trabajar para que no se repita».

Facetas de la batalla

¿Para que no se repita qué?, habría que preguntar al Vicepresidente cubano, cuyas palabras fueron seguidas de intensas fumigaciones, sobre todo en La Habana, casa por casa, barrio por barrio, con la utilización también de avionetas, helicópteros y camiones de las Fuerzas Armadas Revolucionarias, que «ahumaron» hasta el último rincón de la capital. El 24 de septiembre, *Tribuna de La Habana*, órgano del Comité Provincial del Partido Comunista de Cuba, un semanario dirigido supuestamente a los adultos, daba cuenta de «la ofensiva contra el enemigo», una de cuyas «facetas de la batalla» consistía en un imaginario diálogo con un mosquito:

Nos llaman *Aedes aegypti*. ¿Que por qué les cuento esta historia? Para que nos ayuden, pues nos han declarado la guerra en su país. Y sin avisarlo. Hace unos días, de pronto, nos vimos atacados por tierra y aire, con un bombardeo indiscriminado. En las calles, viene la metralla desde arriba, y si nos refugiamos en las viviendas, hasta allá entran y el ametrallamiento, horroroso. Estamos pasando por una tremenda odisea.

—*¿Qué hicieron para recibir tal tratamiento?*

—Nada, somos inocentes.

—*¿Cuál es la ayuda que piden?*

—Una bobería.

—*¿?*

—Sólo que nos permitan escondernos, casi no ocupamos espacio, vaya, ni nos van a ver a no ser que nos busquen bien.

183

—*Esconderse, ¿dónde?*
—En cualquier lugar, dentro o fuera, no importa, nada más nos dejan en él un poquito de agua, es lo único que necesitamos.
—*Pero dicen que ustedes son muy dañinos para la salud.*
—Es verdad, pero todavía hay quienes no lo creen, por eso los preferimos.
—*Y ¿qué les hace pensar que nosotros vamos a ayudarlos?*
—Bueno..., porque respetan los derechos humanos.
—*Sí, los respetamos, pero no los de insectos malignos como ustedes.*
—¡Ayyyy!

EPÍLOGO: Si cerramos todas las brechas al enemigo, lo eliminaremos. De nosotros todos depende la victoria.

El «enemigo oportunista»

Como cuento para niños, la historia del mosquito quizás tenga su gracia, pero *Tribuna de La Habana*, la voz del Partido Comunista de la capital, obviaba, como todos los medios, hablar de la epidemia. La palabra epidemia no aparecía por ningún lado, estaba prohibida, y las cifras de infectados y de muertos eran un secreto de Estado. El Gobierno tiró la casa por la ventana para maquillar La Habana de cara a la Cumbre de los No Alineados. No se podía asustar a las delegaciones de los 118 países del Movimiento, ni mucho menos a los turistas.

El 7 de septiembre, *El Nuevo Herald* de Miami informó de que las ciudades de Morón y Ciego de Ávila habían sido puestas en cuarentena «a causa de una epidemia general, aparentemente de dengue, que afecta a decenas de miles de residentes y ha sobrepasado la capacidad de los hospitales y centros asistenciales de la región». Según el diario, en Morón, donde al parecer la epidemia se había extendido con mayor rapidez, se creó un centro de operaciones de emergencia, bajo la dirección y supervisión de altos dirigentes del Gobierno y oficiales de las Fuerzas Armadas Revolucionarias, quienes dirigían la «ofensiva» contra el «tigre» con el mayor secreto.

Después de la Cumbre continuaron las fumigaciones, y el Gobierno se planteó declarar La Habana en cuarentena. Pero eso era tanto como reconocer que Cuba no se diferencia de otros países, como Paraguay, donde el dengue es también endémico. ¿Cómo explicar, además, que la mitad de los médicos cu-

Ayer tuve un sueño…

… soñé que caminaba por una calle sin heridas de guerra…

… que mi casa tenía tiestos en las ventanas.

Soñé que se había cumplido la promesa de tener una vivienda digna…

… que el tiempo de espera había terminado.

Los periódicos hablan de un imperio derrotado...

... de una revolución pujante.

Sueña el rey que es rey…

… frente a la nada cotidiana.

El escaparate de la necesidad.

Una «fiesta» de cumpleaños.

La guerra está en todas partes…

… ni siquiera la desgasta el tiempo.

Una «jaculatoria» en cada esquina.

Un paseo en «camello» por La Habana.

Medio siglo de racionamiento.

Al reloj se le rompió la cuerda.

La olla arrocera, una conquista de la revolución…

… como el optimismo desmedido…

… por tanto prodigio después de 50 años.

El bloqueo como seña de identidad.

El partido como guía.

La revolución como utopía.

Si el bloqueo no existiera…

… habría que inventarlo.

«Los mercados debieran estar abarrotados de productos…

… las despensas de las casas debieran estar llenas». Fidel Castro en 1953.

«Las ideas y convicciones…

… son más importante que el consumo material». Felipe Pérez Roque.

«Palabras / quisiste con palabras engañarme / fingiendo que tenías corazón».
Bolero de Marta Valdés.

Un dictador multimillonario, según Forbes.

La sagrada misión de combatir al «imperio».

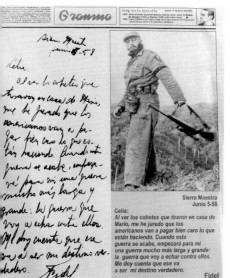

«Y luego dicen que el pescado es caro».

27-abril-2008

Lo que dijo Fidel

Un día Fidel se reunió con un grupo de pioneros, y les
dijo:
Queremos que nuestros niños sean los más estudio-
sos, los que mejor se porten.
Queremos que nuestros niños sean los más felices.
Queremos sentirnos siempre orgullosos de los niños.
Los niños lo oyeron con emoción y pensaron que
debían ser mejores.

Pensamientos de Fidel

"... El niño que no estudia, no es un buen revolucionario."

"... para saber hacer las cosas hay que estudiar."

.Responde:

¿Cómo quiere Fidel que sean los pioneros?

Fidel

Fidel, barbudo, llega primero ;
Fidel, ligero
con sus botazas de guerrillero.

Así en Oriente
o en Vueltabajo,
en horas buenas o en horas malas.
En todas partes, Fidel presente :
en el trabajo
o entre las balas.

Como si fueran hechos de alas
sus zapatones de combatiente.

Mirta Aguirre

. Lee de nuevo estas palabras :

guerrillero   trabajo   Oriente   Vueltabajo
presente   entre   combatiente   zapatones

. Lee la primera estrofa. ¿ Qué se dice de Fidel ?

«El niño que no estudia no es un buen
revolucionario».

«En todas partes, Fidel presente».

Girón

Abril es un mes muy lindo.

En abril se abren las flores.

Y abril es el mes de Girón.

Una vez, en abril, los yanquis nos atacaron. Mandaron a

mucha gente mala.

Querían acabar con Cuba libre. El pueblo los derrotó.

Fidel dirigió la lucha.

| a | b | c | ch | d | e | f | g | h | i | j | | l | ll | m |
| n | ñ | o | p | q | r | s | t | u | v | | | y | z | |

sa
so
sil

___ bato   ti ___
a ___ do   an ___ lo
li ___   ___ na

z
z
z

dé ___ ma   cia
___ mento   ci
noti ___   ce

El miliciano tiene un fusil.
Él ama la paz.
En manos buenas,
un fusil es bueno.

«Fidel dirigió la lucha».

Culto a la personalidad y fusiles «buenos
para niños.

banos se encuentran en el exterior, mientras que en los hospitales de la isla no hay profesionales suficientes para atender la avalancha de enfermos?

A finales de septiembre de 2006, un despacho de la agencia EFE informaba de que «el Gobierno cubano reconoció el pasado mes de agosto la existencia de dengue hemorrágico, en una carta enviada a la Organización Panamericana de la Salud (OPS), aunque en la isla no se ha informado públicamente sobre la presencia del mal».[11] La representante de la OPS en Cuba, Lea Guido, manifestó que no podía dar detalles sobre la magnitud de la epidemia, porque «la Organización no tiene un sistema de información propia, nos basamos por razones obvias en datos oficiales de los Gobiernos». Y el Gobierno, claro está, sólo habló de «casos de dengue» y aun así no informó a la población.

El 18 de enero de 2007, en pleno invierno, época poco propicia para los mosquitos, *Granma* publicó una información titulada «¡Ojo, el mosquito no se ha ido!» en la que recordaba que el «enemigo oportunista», así llamaba al *Aedes aegypti*, todavía no había sido derrotado, a pesar de que los cubanos son «protagonistas de resultados sanitarios, educativos y culturales envidiables y envidiados en el mundo entero». El periódico recordaba la culpabilidad de Estados Unidos en la introducción del dengue en Cuba «como parte de la guerra bacteriológica que un imperio, incapaz de vencernos de frente, ha desatado contra esta rebelde nación», y terminaba diciendo que «el pueblo estará en guardia permanente. No libramos ahora un combate de miles, sino una batalla de millones: ¡nosotros!».

A la célebre canción de Los Platers, *El humo ciega tus ojos*, habría que añadirle, «y también los oídos», al menos los de los cubanos, que nunca conocieron la verdadera dimensión de la epidemia que, según estimaciones no oficiales, provocó la muerte de varios centenares de personas en todo el país. La epidemia rebrotó de nuevo en el año 2007, aunque con menor intensidad, a pesar de que se llevaron a cabo numerosas campañas contra el «enemigo».

Tisanas para el cáncer

El Gobierno cubano oculta o falsifica la verdadera situación sanitaria del país y es necesario recurrir a fuentes independientes para conocerla. En un Informe sobre la Salud en Cuba, publicado por la revista digital de la disidencia *Bitácora Cubana*,[12] un galeno, que por razones obvias prefirió mantener su identidad oculta, manifestó que la falta de médicos en los hospitales es alarmante, sobre todo especialistas, que se han ido del país, «unos al exilio, otros en programas gubernamentales de colaboración entre los que una vez más está Venezuela, como agravante mayor de la crisis». Modernos equipos, «al servicio del pueblo», que la propaganda oficial muestra por el derecho y el revés, languidecen faltos de piezas de repuesto, en salas sucias, sin pintar, con las paredes desconchadas, llenas de humedad. Los estudios radiológicos y los exámenes de laboratorio se ven seriamente afectados por la falta de insumos, equipos en mal estado o rotos.

Algunos quirófanos, según el Informe de *Bitácora Cubana*, se han convertido en lugares peligrosos, debido a las infecciones que contraen muchas de las personas operadas. «Actualmente —dice otro médico que también guarda el anonimato— los pacientes, para ser hospitalizados, deben llevar jabón, detergente, bombillos, sábanas, toallas y hasta los alimentos en muchos casos, y los médicos disponen de unos pocos antibióticos de sus primeras generaciones, así como muy escasa variedad de medicamentos, lo que atenta contra la vida de los enfermos y crea una gran incertidumbre y estrés entre los profesionales, a los que se les prohíbe decir tales carencias a pacientes y familiares so pena de severas sanciones administrativas. A esto se le suma la sobrecarga laboral, al tener guardias de 24 horas cada 3 y 4 días por la falta de personal, y un salario entre 8 y 15 dólares al mes según cambio oficial.»

En una entrevista en *El Nuevo Herald* de Miami, el doctor Alcides Lorenzo Rodríguez, ex director del Grupo Nacional del Programa Médico de la Familia y ex profesor de la Escuela de Salud Pública de La Habana, exiliado en el año 2005, señaló que la atención primaria en Cuba ha retrocedido a la década de 1970. «Se ha perdido todo lo que habíamos adelantado en prevención de salud y en medicina familiar», dijo el doctor Rodríguez, quien añadió que «de los 31.000 médicos que atendían en consultorios del llamado Plan del Médico de Familia, la mayoría han pasado a formar parte del contingente de los 26.000 profesionales de la salud que se encuentran desplegados en Venezuela y otras misiones internacionales, desencadenando una crisis en los programas de salud pública de la isla».[13]

El fundador del Centro de Salud y Derechos Humanos Juan Bruno Zayas, el médico disidente Darsi Ferrer, indica también que el sistema de salud cubano está colapsado por la desarticulación del sistema de atención primaria, el mal estado de los hospitales y la escasez de medios y de médicos. «Hay personas —dice el doctor Ferrer— que prefieren tomar una infusión de hierbas antes de ir al consultorio, la mayoría de las veces cerrado por falta de médicos, y si los hay, no tienen modelos para las recetas, y si la consiguen, no encuentran el medicamento en la farmacia, y cuando van a la clínica, está roto el aparato de rayos X o el electro, por no hablar de una resonancia magnética, una tomografía axial, privilegios exclusivos para extranjeros y miembros de la cúpula del poder.»[14]

Los médicos del centro que dirige el doctor Darsi Ferrer trabajan gratuitamente en los barrios marginales de La Habana, especialmente en los *Llega y Pon*, lugares donde el hacinamiento y la falta de higiene y agua potable propician muchas enfermedades. Allí atienden a los enfermos y dan charlas preventivas sobre higiene y salud. Las autoridades no ven con buenos ojos la labor que realizan y tratan de impedirla por todos los medios.

En noviembre de 2005, la Fundación holandesa Cuba Futuro hizo un llamamiento a la Unión Europea para que exija la libertad de seis doctores cubanos, en prisión por colaborar con el Centro de Salud y Derechos Humanos Juan Bruno Zayas. Los galenos fueron detenidos en la llamada *primavera negra* de 2003, cuando 75 disidentes fueron condenados a fuertes penas de cárcel, acusados de conspirar con Estados Unidos y socavar los principios de la Revolución. Las condenas de los seis profesionales suman un total de 104 años de prisión: Óscar Elías Biscet, 25 años; Marcelo Cano Rodríguez, 18 años; José Luis García Paneque, 24 años; Luis Milán Fernández, 13 años; Ricardo Enrique Silva Gual, 10 años, y Alfredo Manuel Pulido López, 14 años.

En la actualidad, las acciones contra los médicos no son tan drásticas, aunque como al resto de los disidentes se les aplica la llamada «represión de baja intensidad», que consiste en encarcelamientos de corta duración seguidos de actos de repudio. Pero los actos de repudio, según el doctor Ferrer, no tienen demasiado éxito, porque en su caso, sus vecinos no quieren participar en ellos, a pesar de los requerimientos de la Seguridad del Estado. «Yo soy su médico —dice Darsi Ferrer—, quien les recomienda qué hacer ante un dolor, les lleva Tylenol, las vitaminas, las agujas para los diabéticos. Es imposible hacerles creer que los miembros del Centro somos malas personas».

Operación dignidad

La falta de medicinas es uno de los hechos que más denuncian los médicos, algo incomprensible en un país como Cuba, que produce más del 80 % de los medicamentos que teóricamente consume. Las farmacias están muy desabastecidas, hay muy pocos productos y faltan remedios básicos como alcohol, antipiréticos o jeringuillas desechables.

Las farmacias para extranjeros están mucho mejor abastecidas, pero los cubanos no pueden comprar en ellas, no sólo por los altos precios de los remedios, en pesos convertibles, sino porque tienen prohibido el acceso; sólo pueden entrar los residentes en el exterior, los «gusanos» que viajan a la isla como turistas, previa presentación del pasaporte. Por eso muchos cubanos recurren a la *bolsa negra* para comprar medicinas, pese a que los precios son también en pesos convertibles, aunque mucho más asequibles que los de las farmacias.

La corrupción que genera la venta de productos farmacéuticos es alarmante. En junio de 2005, Fidel Castro puso en marcha la «operación dignidad», después de que la policía descubriera una fábrica clandestina de medicamentos, que utilizaba la materia prima robada en laboratorios para producir remedios que luego eran vendidos en la *bolsa negra*. Según datos oficiales, sólo en el primer semestre de 2005, la policía registró 309 casos de venta ilegal de fármacos y confiscó casi un millón de tabletas y 3.636 envases de 325 productos farmacéuticos.

Las informaciones sobre la corrupción no son en absoluto «inocentes» porque, como informaba *Granma* el 16 de marzo de 2006, «el robo, el acaparamiento y la reventa ilícita han hecho que en Cuba falten medicamentos a pesar de los esfuerzos del Gobierno por recuperar la producción de fármacos».

Los bajos salarios de los médicos cubanos llevan a muchos profesionales del sistema de salud a cobrar «por la izquierda», como se llama en Cuba al soborno, a pacientes que no tienen más remedio que someterse a ese chantaje para poder ser atendidos o para obtener medicinas. El propio Fidel Castro se refirió a esa situación cuando dijo que «nuestro deber es evitar las condiciones que propicien eso, pero también combatirlo, y no nosotros solos, sino también todos los ciudadanos». Fue el 22 de junio de 2005, durante un largo discurso de casi cinco horas de duración, en el Palacio de las Convenciones de La Habana, donde anunció a bombo y platillo una subida de 57 pesos (unos dos euros) para los trabajadores de la educación y la sanidad, «dos pilares de la Revolución», según reiteró el dictador. Con ese aumento, los salarios de los médicos se situaron entre 425 y 600 pesos cubanos, según la especialidad, equivalentes a 15 y 21 euros, aproximadamente.

Quizá al aumentar el sueldo a los profesionales de la salud se trataba de «evitar las condiciones que propicien eso», es decir, la corrupción. Pero como el incremento salarial es a todas luces insuficiente, a los médicos siempre les queda el consuelo de escuchar los magníficos discursos del dictador: «¡Adelante, abanderados invencibles de tan noble profesión, demostrando que todo el oro del planeta no puede doblegar la conciencia de un verdadero guardián de la salud y de la vida [Aplausos], listo para marchar a cualquier país donde se le necesite, y convencido de que un mundo mejor es posible!».[15]

Lejos de la retórica del comandante, las autoridades no tienen más remedio que reconocer algunos de los graves problemas que afectan a la sanidad cubana. En noviembre de 2007, el semanario *Trabajadores* informó del resultado de una reunión del ministro de Salud Pública, José Ramón Balaguer, con profesionales de la salud, en la que se reconocieron «las deficiencias en el sector que afectan a la calidad del servicio a la población». El encuentro se produjo después de una investigación realizada por el diario *Juventud Rebelde* en 22 clínicas estomatológicas de la isla, en las que se detectaron todo tipo de problemas, principalmente falta de personal y carencia de instrumental y de resinas y otros elementos imprescindibles para la confección de prótesis dentales. También se descubrieron «incipientes manifestaciones que afectan a la ética del sector», es decir, trabajos odontológicos «por la izquierda» para quien pueda pagarlos en pesos convertibles.

Apenas una semana después, el 5 de diciembre de 2007, en el programa *Mesa Redonda Informativa* de la televisión, se criticaron algunas de las «insatisfacciones» que impiden «dar al pueblo el servicio que se merece», luego de glosar, con la trompetería habitual, los «logros indiscutibles» alcanzados por la Revolución en materia de salud. El viceministro de Salud Pública, Roberto González, puso el dedo en una de las llagas de la sanidad, la escasez de médicos en el país por «la salida de aquellos que fueron a cumplir misiones internacionalistas», aunque dijo que el problema estaba en vías de solución. González habló también de la falta de ética de algunos profesionales, por exigir dinero a cambio de medicinas o exámenes médicos. También se refirió «a los problemas de organización», que obligan a los pacientes a tener que llevar sábanas y toallas a los hospitales. ¿La solución? Mañana.

La saludable nomenclatura

Como toda norma tiene su excepción, hay en Cuba médicos de alta confiabilidad para el Gobierno, bien pagados y con estímulos en buenos pesos convertibles, que trabajan en hospitales donde no faltan medios ni medicinas. Son los centros donde recibe atención la nomenclatura, dirigentes de alto nivel del Gobierno y sus familiares, oficiales de alta graduación de las Fuerzas Armadas Revolucionarias, del Ministerio de Interior y de la Dirección de la Seguridad del Estado. En esas clínicas atienden también a los extranjeros, residentes y turistas («turismo de salud»), que pagan en divisas, y a visitantes «amigos», como guerrilleros, dirigentes de izquierda y políticos de países ideológicamente afines, que reciben servicio médico gratuito. La más exclusiva de todas es «la 43», como la llaman los cubanos por estar ubicada en esa calle, en el Barrio del Vedado en La Habana, a la que sólo tienen acceso los altos dignatarios del régimen.

Algunos de esos centros hospitalarios están en el exclusivo *reparto* de Siboney, como el CIMEC, Centro de Investigaciones Médico-Quirúrgicas, y el CIREN, Centro de Investigaciones y Restauración de Enfermedades Neurológicas. En La Pradera, una clínica de lujo para millonarios en apuros, un visitante especial, Diego Armando Maradona, recibió hace años tratamiento por su adicción a la cocaína.

En otros hospitales, como el Hermanos Ameijeiras, frente al Malecón habanero, se atiende casi exclusivamente a venezolanos y pacientes de otros países que acuden a Cuba en el marco de la Misión Milagro. Hospitales provinciales como el de Morón sufrieron la «amputación» de la Sala de Gastroenterología para instalar allí el programa de la Misión Milagro. Edificios emblemáticos de La Habana, como el FOCSA, próximo al hospital Hermanos Ameijeiras, fue desalojado y está ocupado únicamente por venezolanos. Instalaciones hoteleras de lugares turísticos como la Marina Hemingway y complejos residenciales próximos a La Habana, como Tarará, en las Playas del Este, fueron destinados, hasta el año 2007, a la recuperación de pacientes latinoamericanos operados de cataratas, estrabismo, pterigium (enfermedad de la conjuntiva y la córnea) y ptosis palpebrales (malformaciones congénitas).

www.barrioafuera.com

Uno de los problemas a los que se enfrenta el Gobierno cubano es la deserción de médicos enviados a trabajar al exterior. Las «misiones internacionalistas» son, en muchos casos, una vía de escape para los profesionales cubanos, que aprovechan esa oportunidad para no regresar a su país. De acuerdo con datos facilitados por Solidaridad sin Fronteras, una organización de Estados Unidos que presta ayuda a los médicos cubanos que deciden exiliarse, la cifra de «desertores» en el año 2006 fue de más de 500. Dos de ellos, Carlos Rodríguez y Johan Mary Jiménez, huyeron a Colombia desde Venezuela, donde formaban parte del contingente del programa Barrio Adentro. En una entrevista con el corresponsal de *The Miami Herald* en Cartagena de Indias el 17 de agosto de 2006, los dos médicos dijeron que su vida y la de sus colegas en Venezuela no era nada fácil. Cada uno de ellos recibía en bolívares el equivalente a 200 dólares de salario mensual; ambos desconocían cuánto pagaba Hugo Chávez al Gobierno cubano por cada médico, una cantidad estimada en unos 2.000 dólares mensuales.

Los dos profesionales confirmaron que todas las semanas llegan desde Cuba «cajas, cajas y más cajas» de medicinas enviadas en aviones militares. «A mí me preocupaba ver todos esos medicamentos que salían de Cuba. ¿Y con los cubanos qué?», dijo la doctora Jiménez, quien manifestó que agentes de la Dirección de la Seguridad del Estado vigilan de cerca a los médicos para evitar que deserten, pero que a ellos les resultó más fácil hacerlo porque trabajaban en el pueblo de Lagunillas, cerca de la frontera noroeste con Colombia. Para facilitar las «deserciones», en septiembre de 2006, Solidaridad sin Fronteras abrió una página electrónica, www.barrioafuera.com, en contraposición a Barrio Adentro.

Los medios cubanos silencian esas situaciones, como también las protestas de Colegios de médicos de algunos de los países donde cumplen «misiones» los doctores cubanos y que, como el de Bolivia, los acusan de ejercer la profesión de forma ilegal, sin convalidar los títulos, como establece la ley. También acusan al Gobierno cubano de falsificar los datos sobre las prestaciones médicas en ese país andino. Según cifras facilitadas por la embajada de Cuba en La Paz, en el primer semestre de 2006, los 1.700 médicos cubanos que trabajan en Bolivia atendieron gratuitamente a 1,2 millones de pacientes, salvaron más de 1.800 vidas, auxiliaron en 1.087 partos y realizaron operaciones de la vista a 27.327 bolivianos. El presidente del Colegio Médico de Bolivia, Fernando Arandia, dijo que según esos datos, Bolivia «es un país de enfermos o de ciegos», porque la cifra de 1,2 millones de personas significaría, según él, haber atendido al 13 % de la población en menos de seis meses. «Si pensamos que ellos atienden solamente a la población rural, que es donde menos gente hay, eso es imposible y es una mentira», dijo Arandia.

Bandera de batas blancas

La falta de médicos en Cuba ha llevado al Gobierno a cubrir muchas plazas en policlínicos y hospitales con alumnos de la Escuela Latinoamericana de Medicina, ELAM, donde estudian 12.000 becarios de 28 países, «jóvenes que siembran la esperanza de ver niños fuertes, ancianos briosos, y una salud al alcance de todos parecen conspirar contra la deshumanización reinante y se alzan sin más causa que un futuro mejor, ni más bandera que sus batas blancas», como dijo *Granma Internacional*. Pero la enseñanza que se imparte en la ELAM es cuestionada por médicos independientes, alarmados por la sangría de profesores destinados a «tareas internacionalistas». La formación está muy limitada, además, por la falta de recursos y medios técnicos, la ausencia de revistas especializadas y los filtros para acceder a internet. La desconfianza en esos médicos improvisados aumenta a medida que se tiene conocimiento, a través de *radio bemba*, de graves errores que en ocasiones han provocado la muerte de algunos pacientes.

En septiembre de 2005, la agencia de prensa independiente Cubanacán Press, que trabaja clandestinamente en Cuba, informó de la muerte de la recién nacida Melinda López Ortiz, nacida el 25 de julio en el Hospital 9 de Abril de Sagua la Grande. Su madre, Mailín Ortiz Domínguez, contó que durante el parto se produjo un apagón y tuvieron que quemar papeles para alumbrarse. Días después de recibir el alta, regresó alarmada al hospital, porque en el ombligo de la niña habían aparecido unas extrañas manchas rojas y verdes. El pediatra le dijo que no tenía por qué preocuparse, que aquello carecía de importancia. Al cabo de unos días, ante el empeoramiento de Melinda, su madre la llevó al hospital de Santa Clara, donde le realizaron algunas pruebas. Pero era demasiado tarde. La niña murió a causa de una infección generalizada, provocada por un estafilococo, transmitido por una tijera mal esterilizada que se utilizó para cortar el cordón umbilical. «A mi hija la mataron en el Hospital 9 de Abril», dijo Mailín Ortiz Domínguez.

Pese a todo, el país presenta signos favorables en materia de salud. En enero de 2008, el estudio anual del Fondo de Naciones Unidas para la Infancia, UNICEF, reconoció que Cuba tiene el porcentaje más reducido de mortalidad infantil entre los países en desarrollo: sólo siete niños menores de cinco años fallecen por cada 1.000 nacidos. Es una cifra significativa, pero en la Cuba anterior a Castro, los indicadores de salud eran superiores a los de muchos países desarrollados. En 1959, el índice de mortalidad infantil de la isla era el más bajo de Latinoamérica y ocupaba el lugar número 13 del mundo, según datos de Naciones Unidas. Cuba estaba en mejor posición que Francia, Bélgica, Japón, Italia y España, mientras que hoy el Gobierno compara los «logros» obtenidos con los países subdesarrollados.

La maldad despertó al genio

Cuba tiene una larga tradición en investigación médica, como lo demuestran los logros alcanzados por científicos de la talla del camagüeyano Carlos Juan Finlay, quien en 1881 descubrió que la fiebre amarilla se transmitía por la picadura de un mosquito. Hoy, la biotecnología se ha convertido en uno de los principales capítulos de las exportaciones cubanas, junto con el níquel y el tabaco, con ingresos de más de 200 millones de euros anuales.

Cuba cuenta con un Polo Científico Biotecnológico, con prestigiosas instituciones como el Centro de Ingeniería Genética y Biotecnología (CIGB), el Instituto Finlay, el Centro de Inmunología Molecular, el Centro Nacional de Biopreparados, el Centro Inmunoensayo, el Centro de Trasplantes y Regeneración del Sistema Nervioso y el Centro Nacional de Investigaciones Científicas. En esos institutos trabajan más de 12.000 personas, entre ellas 7.000 científicos e ingenieros, en la investigación y elaboración de productos farmacéuticos, vacunas y compuestos anticancerígenos que se comercializan en más de 35 países. Fruto de sus investigaciones son una vacuna contra la hepatitis B, el desarrollo de tecnología propia para producir interferones (proteínas producidas por células del sistema inmunológico que se utilizan para tratar enfermedades virales y varios tipos de cáncer), retrovirales para el tratamiento del sida, antibióticos, vasodilatadores, anticoagulantes y otros.

En 2006, cuando el Centro de Ingeniería Genética y Biotecnología estaba próximo a cumplir 20 años, el diario *Juventud Rebelde*[16] publicó un suplemento especial en el que señalaba que Cuba había movilizado todo su potencial científico en 1981, después de que «el terrorista de origen cubano Eduardo Arocena fue el responsable de introducir el virus [del dengue hemorrágico] en la isla y la CIA quedara satisfecha». Según el periódico de la juventud cubana, «no se puede morir un niño más», orientó Fidel, y la dirección del país no escatimó recursos: más de 45 millones de dólares se invirtieron para controlar la epidemia».

La obsesión del Gobierno cubano con Estados Unidos, al que culpa de todos sus males, se refleja también, lo que no deja de ser una paradoja, en los éxitos de la Revolución, que quedan en cierto modo devaluados al presentarlos como una respuesta a la agresión del «imperio». El reportaje de *Juventud Rebelde* sobre el Centro de Ingeniería Genética y Biotecnología» se titula precisamente «La maldad despertó al genio», y entre otras cosas dice: «Quizás parezca descabellado decirlo, pero la maldad imperialista y sus tristes secuelas en no pocos casos inspiraron nuestros éxitos. Nos atacaron biológicamente y desarrollamos antídotos. Nos niegan materias primas y tecnología, y nos obligan a crear alternativas. Su brutalidad y acoso nos causaron siempre sufrimiento y dolor, aunque también consiguieron hacernos más ingeniosos y tenaces».

En marzo de 2006, Fidel Castro aseguró que «ninguna nación del mundo estará por encima de nosotros en la medicina», y en verdad Cuba dispone de una potente industria biotecnológica que vende sus productos a Europa, Canadá, Japón y otros países desarrollados. No se sabe muy bien si eso es fruto del genio espoleado por la maldad o del genio a secas del que los cubanos han dado siempre suficientes pruebas.

Los mártires del *Katrina*

Genio y figura también, Fidel Castro sitúa a Cuba entre las naciones con mayor desarrollo biomédico, pero los cubanos tienen problemas para encontrar a veces una simple aspirina. Es la consecuencia de ver la paja en el ojo ajeno y no ver la viga en el propio. De pajas y vigas está trufado su camino, de hechos de difícil explicación que demuestran lo alejado que estuvo siempre de la realidad cubana. El 4 de septiembre de 2005, el dictador ofreció a Estados Unidos 1.586 médicos, 36 toneladas de medicamentos y hospitales de campaña para atender a las víctimas del huracán *Katrina* que asoló Nueva Orleans. Nunca los cubanos, víctimas ese año de varios huracanes, entre ellos el devastador *Dennis,* en el mes de julio, tuvieron un ofrecimiento semejante.

En el Palacio de las Convenciones de La Habana, Castro reunió a los 1.586 médicos listos para viajar a Nueva Orleans, vestidos todos con sus batas blancas, cada uno de ellos con dos mochilas, con 24 kilos de medicamentos, difíciles de encontrar en farmacias y hospitales de Cuba. El comandante los presentó como la Brigada Henry Reeve, en honor de un norteamericano que murió en 1876 luchando con los *mambises* por la independencia de Cuba. Aquel espectáculo resultaba grotesco. Estados Unidos no había aceptado —ni aceptó— la ayuda cubana, pero Fidel Castro se mostró dispuesto a mantener allí a los médicos con sus medicinas. «Han pasado 48 horas —dijo— y no hemos recibido respuesta alguna a la reiteración de nuestra oferta. Esperaremos pacientemente los días que sea necesario.» Eso dijo y cumplió su palabra.

La Brigada Henry Reeve, con sus mochilas a cuestas, esperó durante varias semanas que Estados Unidos llamara a su puerta. Médicos y remedios fueron trasladados a la Escuela Latinoamericana de Medicina, donde la prensa internacional recibió todo tipo de facilidades para entrevistar, fotografiar o grabar a los 1.586 «voluntarios». Ninguno de los médicos entrevistados supo contestar a esta pregunta: «¿Sabía usted que hace solamente dos meses Fidel Castro rechazó la ayuda ofrecida por Estados Unidos y la Unión Europea, tras el paso por Cuba del ciclón *Dennis*, que provocó la muerte de 19 personas y cuantiosos daños materiales en viviendas, cultivos, comunicaciones, tendido eléctrico... valorados en cerca de 2.000 millones de dólares?».[17]

> La pelota va y va,
> y va, y va, se fue,
> han bateado un jonrón
> qué tremendo batazo,
> qué tremenda emoción.
> Es Miñoso, señores,
> que la bola botó.
> Cuando Miñoso batea, verdad
> la bola baila el cha cha chá.[18]

Semanas después del show de las batas blancas, los medios cubanos pasaron página y se olvidaron del *Katrina* como ya habían hecho con el *Dennis*. Pero los damnificados por el meteoro tuvieron que lamer solos sus heridas, sin apenas ayuda, y sin el consuelo de aquellos médicos y medicinas que tan generosa como inútilmente ofreció el dictador a Estados Unidos. Claro que ellos eran sólo afectados, perjudicados o víctimas si se quiere, de la furia del *Dennis*, mientras que los habitantes de Nueva Orleans eran mártires. Fue el propio Fidel Castro quien hizo esa distinción cuando, en un alarde de generosidad, anunció que Cuba tenía intención de donar los beneficios económicos que le correspondieran a la Selección Nacional de la isla en el Clásico Mundial de Béisbol de San Diego, en Estados Unidos. «El dinero que recibamos del Clásico Mundial lo entregaremos allá a los mártires del *Katrina*», dijo el comandante durante el recibimiento «apoteósico», como tituló *Granma*, de la Selección Nacional, que obtuvo la Medalla de Plata y a punto estuvo de arrebatar el oro a Estados Unidos. Pero no había nada que donar, salvo demagogia.

La Oficina de Control de Activos Extranjeros (OFAC) del Departamento del Tesoro de Estados Unidos dejó bien claro que la participación de Cuba en el Clásico Mundial de Béisbol está sujeta a las leyes de bloqueo, que prohíben a las empresas e instituciones cubanas recibir un solo dólar, incluso en competiciones deportivas, como era el caso. Fidel Castro lo sabía, y aun así, ofreció su bolsa a los «mártires» del *Katrina*. Lo mismo hizo el presidente de la Federación Cubana de Béisbol, Carlos Rodríguez Acosta, quien en una carta dirigida a Paul Archey, vicepresidente primero de las Grandes Ligas de Béisbol, insistió en que «la Federación Cubana estaría dispuesta a que el dinero que le corresponde por su participación en el clásico sea destinado a: Damnificados del Huracán *Katrina* en Nueva Orleans».

Como Fidel Castro, el presidente de la Federación Cubana de Béisbol renunciaba a un dinero que sabía que no iba a recibir. Pero el dictador cubano introdujo un significativo cambio al trocar el término de *damnificados* por el de *mártires* para designar a las víctimas del *Katrina*. El comandante salió a «robar la base», como se dice en la jerga beisbolera, y utilizó, además, el triunfo deportivo como un acto de afirmación patriótica y antinorteamericana: «Si el imperio nos intenta agredir, sólo habrá medalla de oro para el pueblo de Cuba, que ha demostrado su capacidad para resistir cualquier agresión».

Con el puño levantado, imbuido de la furia que le llevó al principio de la Revolución a prohibir el deporte profesional y proclamar «la victoria de la pelota libre sobre la pelota esclava», Fidel Castro parecía el mismísimo Kid Gavilán, el púgil cubano que en octubre de 1952 disputó el título mundial de los pesos Welter al norteamericano Billy Graham en el Gran Stadium de La Habana, como entonces se llamaba al Estadio de Béisbol Latinoamericano.

Todo vale en la pugna entre el Pulgarcito cubano y el «imperio» gigante. La salud, además de la educación y el deporte, es una de las joyas de la corona de la Revolución. Pero es una corona virtual. Los logros de ayer se han ido difuminando con el tiempo. De ahí la importancia de los shows mediáticos, como el de la Brigada Henry Reeve o la exportación de médicos a «cualquier lugar donde hagan falta», para alimentar el candil, para seguir deslumbrando extramuros de la isla, mientras los cubanos sufren las consecuencias de un sistema de salud seriamente enfermo.

Capítulo 10

La sagrada misión de enseñar

Los cuatro puntos cardinales son tres:
el sur y el norte.

Altazor o el viaje en paracaídas,
VICENTE HUIDOBRO

«En Estados Unidos hay miles de millones de analfabetos funcionales.» No es un titular del diario *Granma*, siempre atento a los males del «imperio». Es una frase que Fidel Castro dijo en la *Mesa Redonda Informativa* de la Televisión Cubana el 24 de mayo de 2006. El dictador hablaba de los fabulosos programas educativos de la Revolución y de la cantidad de horas que la televisión dedica a la cultura, muchas, muchísimas, un 62 %, según dijo, pero como seguramente esa cifra no le pareció suficiente por sí sola, decidió adornarla, porque, fíjense qué diferencia con Estados Unidos, con tantos recursos y sin embargo hay «miles de millones» de analfabetos funcionales. La pasión por defender su obra le jugó una mala pasada. Miles de millones es una cifra demasiado alta, pero, claro, nadie se atrevió a contradecirle, como cuando el comandante situó la guerra del Pacífico entre Chile, Bolivia y Perú, cien años antes de que tuviera lugar. Son cosas del arrebato.

En *La historia me absolverá*,[1] Fidel Castro dedicó un importante pasaje a los maestros y educadores de Cuba, seres «enamorados de su vocación [...] que tienen en sus manos la misión más sagrada del mundo de hoy y del mañana, que es enseñar [...] a los que se les paga miserablemente». Los maestros y profesores, según dijo entonces, deberían tener un salario digno «si queremos que se dediquen enteramente a su sagrada misión, sin tener que vivir asediados por toda clase de mezquinas privaciones...».

Después del triunfo de la Revolución, el Gobierno cubano dedicó importantes recursos a la enseñanza siguiendo la máxima de José Martí, «ser culto es el único modo de ser libre». En 1961, la Revolución se propuso la meta de eliminar el analfabetismo en Cuba en un solo año y puso en marcha una impresionante campaña de alfabetización. Maestros, estudiantes y obreros, organizados en brigadas, como las Conrado Benítez, en homenaje a un alfabetizador asesinado, y otras, como las denominadas Patria o Muerte, se desplegaron por todos los rincones del país con la «sagrada misión» de enseñar a leer y escribir a todos aquellos que no habían tenido la oportunidad de aprender.

Al finalizar el año 1961, 700.000 adultos habían sido alfabetizados en todo el país, y Fidel Castro declaró a Cuba Territorio Libre de Analfabetismo: «Ningún momento más solemne y emocionante, ningún instante de legítimo orgullo y de gloria, como este en que cuatro siglos y medio de ignorancia han sido derrumbados. Hemos ganado una gran batalla, y hay que llamarlo así, batalla, porque la victoria contra el analfabetismo en nuestro país se ha logrado mediante una gran batalla, con todas las reglas de una gran batalla».

> Cuántas cosas ya puedo decirte
> Porque al fin he aprendido a escribir
> Ahora puedo decir que te quiero
> Ahora sí te lo puedo decir
>
> [...]
>
> Ya la Patria me ha dado un tesoro
> He aprendido a leer y escribir.

Con su canción *Despertar*, Esther Borja ensalzó de forma poética la Campaña de Alfabetización. Pero no todo en la isla comenzó con el triunfo de la Revolución, aunque según *Granma*,[2] en 1958 Cuba era un país con «niños sin escuelas, maestros sin empleos, miles o millones de analfabetos, universidades sólo para hijos de ricos, entre otros grandes males».

Desde los tiempos de la Colonia se consolidó en el país una

importante tradición pedagógica, con precursores como José Agustín Caballero y el padre Félix Varela, tradición que, según el economista y periodista independiente Óscar Espinosa Chepe, se fortaleció a partir de la instauración de la república en 1902. En un Informe,[3] Espinosa Chepe señala que «según el censo de 1899, sólo el 43,2 % de la población de 10 años o más estaba alfabetizada. En 1931 alcanzó el 71,7 %, y según el censo de 1953 fue de 76,4 %; un indicador únicamente superado en el área entonces por Argentina (87 %), Chile (81 %) y Costa Rica (79 %). Los analfabetos urbanos eran 11,6 % y los rurales 41,4 %». Espinosa indica que en la mayor parte del país se podían realizar estudios, desde la escuela primaria hasta la universidad, en la enseñanza pública. En La Habana, Santa Clara y Santiago de Cuba había tres grandes universidades públicas, aunque, según Espinosa, «la población rural de algunas zonas enfrentaba serias dificultades para instruirse debido al aislamiento y la pobreza». De acuerdo con el censo de 1953, el 43 % de la población vivía en zonas rurales de forma muy dispersa.

Solos en la vanguardia

La Revolución cubana no partió de cero, sino que potenció los avances anteriores y extendió la educación a las zonas rurales, donde las deficiencias eran mayores. Casi cinco décadas después de la campaña de alfabetización, Castro podía exhibir con orgullo el desarrollo cultural alcanzado por los cubanos. Según el Programa de Naciones Unidas para el Desarrollo (PNUD), en Cuba, el porcentaje de alfabetización de personas de 15 y más años de edad es del 96,7 %, sólo menor, en América Latina y el Caribe, a Barbados (99,7 %), Uruguay (97,7 %) y Argentina (97,2 %). Asimismo, el nivel promedio de escolarización es de noveno grado, y hay más de 700.000 graduados universitarios.

En Cárdenas, durante el décimo segundo cumpleaños del niño balsero Elián González, el 6 de diciembre de 2005, Castro dijo que: «Nada hoy se parece a lo que en otros tiempos se podía ver en materia de educación, y el país está acumulando un fabuloso capital humano, porque nos hemos convertido en un pueblo de estudiantes. Quizás somos los primeros en utilizar de forma masiva todas las nuevas tecnologías, y sin haber pretendido dejar atrás a nadie, nos hemos quedado casi solos en la vanguardia». Pero la realidad es mucho más compleja, porque la educación en Cuba no tiene nada que ver con esas palabras, aunque quizás sí es cierto que el dictador se había quedado solo, pero no en la vanguardia, sino en la retaguardia.

¿Educar o adoctrinar?, ésa es la cuestión. En Cuba se confunde la educación con el adoctrinamiento que, desde la más tierna infancia hasta después de la universidad, a través de todos los medios al servicio del Estado, padecen los cubanos de manera inmisericorde. El dogma tiene preferencia sobre el conocimiento y las «orientaciones» del Partido Comunista son la guía indispensable para interpretar la realidad. Si como dice George Orwell en *1984*, el pasado, es decir, la historia existe en los documentos y en la memoria de los hombres, también en Cuba «... nosotros, el Partido, controlamos todos los documentos y controlamos todas las memorias. De manera que controlamos el pasado...». Y, de acuerdo con el eslogan del Partido orwelliano, «el que controla el pasado controla también el futuro. El que controla el presente, controla el pasado». El sistema de enseñanza cubano no es ajeno a esa fórmula que se aplica desde la escuela primaria.

> El Che murió en Bolivia
> con una estrella en la frente,
> para alumbrar al continente
> de la América Latina.

¡Seremos como el Che!

Los niños y niñas de 5 años de edad repiten machaconamente, hasta aprenderlos de memoria, estos versos dedicados a uno de los «mártires» de la Revolución, el argentino Ernesto Che Guevara. Encuadrados ya desde la escuela primaria en la organización de «jóvenes pioneros», a los pequeños se los bombardea varias veces al día con la consigna «¡Pioneros por el comunismo!», a la que tienen que responder al unísono: «¡Seremos como el Che!». Esa primera identificación de los niños con un muerto abre el camino a otros muertos, cuyo ejemplo tiene que servirles de estímulo. Luego, vienen los héroes de la lucha por la independencia, con José Martí al frente, seguidos por Antonio Maceo, Carlos Manuel de Céspedes, Máximo Gómez y así, sin respiro, se llega hasta los mártires de la Revolución, Abel Santamaría, Camilo Cienfuegos, Conrado Benítez... hasta desembocar en los «cinco héroes», en realidad espías de la Dirección de la Seguridad del Estado cubano, condenados por «trabajar» en Estados Unidos.

Con tantos héroes, no es extraño que a los niños y niñas se les instruya desde la escuela primaria en las bondades de las armas de fuego, necesarias para defender la Revolución. Y así, junto con las primeras letras, los infantes aprenden barbaridades como ésta, ilustradas con la imagen de un miliciano armado con un kalasnikov:

> El miliciano tiene un fusil.
> Él ama la paz.
> En manos buenas,
> un fusil es bueno.

La mayoría de las ilustraciones del libro *¡A leer!*,[4] de primer grado, el primer texto escolar que reciben los pequeños, están relacionadas con la «epopeya» de la Revolución: un barbudo armado con su fusil en la Sierra Maestra, Fidel Castro descendiendo de un tanque durante la invasión de Playa Girón, un desfile de milicianos armados en la plaza de la Revolución, otro desfile de soldados de las Fuerzas Armadas Revolucionarias junto a un tanque en la misma plaza, fotografías de Celia Sánchez, «una mujer sencilla y cariñosa que peleó en la sierra y en el llano»; Camilo Cienfuegos, «cuchillo de filo, barbas de vellón»; o del Che, «¿quién no quiere ser como era Che Guevara? Y Fidel, claro está, siempre Fidel, «en todas partes, Fidel presente: en el trabajo o entre las balas».

Lo que dijo Fidel

Un día Fidel se reunió con un grupo de pioneros y les dijo:
—Queremos que nuestros niños sean los más estudiosos, los que mejor se porten.
—Queremos que nuestros niños sean los más felices.
—Queremos sentirnos siempre orgullosos de los niños.
Los niños lo oyeron con emoción y pensaron que debían ser mejores.

Pensamientos de Fidel

... El niño que no estudia, no es buen revolucionario.
... Para saber hacer las cosas hay que estudiar.

Responde:

¿Cómo quiere Fidel que sean los pioneros?

Cantera inagotable de héroes

Está claro que Fidel siempre quiso que los niños fueran, ante todo, buenos revolucionarios, mártires a ser posible, para poder entrar por la puerta grande en la historia: «¡Y qué útil es hurgar en la historia extraordinaria de nuestro pueblo! ¡Cuántas enseñanzas, cuántas lecciones, cuántos ejemplos, qué cantera inagotable de heroísmo!». Son palabras del dictador, reproducidas en el libro de noveno grado *Historia de Cuba*, para niños y niñas de 14 años. El propósito de tanto martirologio es convencer a los cubanos, ya desde niños, de que la historia de su país no es sino una larga marcha, plagada de luchas y sacrificios, hasta llegar a la Cuba de hoy, meta de todos los sueños y Edén fortificado para defenderse de las asechanzas del enemigo imperialista, que quiere borrar el glorioso pasado y el presente luminoso para devolver a Cuba a los tiempos de la Colonia:

> El triunfo de la Revolución del primero de enero fue el resultado del largo proceso de luchas que nuestro pueblo inició en 1868. Con él, después de tanta sangre y sacrificio, se verían satisfechos los objetivos de plena independencia nacional y de revolución social, los sueños tantos años incumplidos y burlados de José Martí, pues los hombres que recorrían triunfantes las calles y campos del país tenían la convicción de seguir trabajando para hacerlos realidad.[5]

Después de esa «introducción», no puede sorprender que en la *Historia de Cuba*[6] de 10.º grado, para alumnos de 15 años, se diga lo siguiente:

> La Época Contemporánea se inicia en 1917 con el triunfo de la Gran Revolución Socialista de Octubre, su segunda etapa se ca-

racteriza por la conversión del socialismo en sistema mundial, y la tercera etapa comienza a mediados de la década del 50, en que la Revolución cubana señaló un importante hito en esta época, pues a partir de ella el socialismo trascendió los límites de Europa y Asia y se instaló en América, a sólo 90 millas del país imperialista más agresivo y poderoso de la actualidad.

Problemas de redacción aparte, en el capítulo 5.º de ese mismo libro, dedicado a «La Revolución cubana», se explica que:

> Es importante tener en cuenta que el cumplimiento de las tareas de la Revolución se llevó a cabo en una etapa de la crisis general del capitalismo en que se evidenciaba un cambio sustancial a favor de las fuerzas que luchaban contra el imperialismo y cuando el sistema socialista mundial se había convertido en el factor decisivo del desarrollo de la humanidad.

Una vez establecidas esas premisas, no llama demasiado la atención que el libro de 7.º grado *Historia antigua y medieval*,[7] para niños y niñas de 11 años, divida la historia universal en cinco etapas: comunidad primitiva, esclavismo, feudalismo, capitalismo y socialismo. En la comunidad primitiva «todo lo que obtenían era propiedad del colectivo, era de todos por igual [...] hasta que comenzó a destacarse una minoría formada por los jefes y los hechiceros que no trabajaban y vivían del trabajo de los demás».

El esclavismo está caracterizado por «el trabajo masivo y el perfeccionamiento de los instrumentos de trabajo», que posibilitaron la aparición del excedente, «pero éste no benefició a todos los miembros de la comuna, sino solamente a los jefes que se adueñaron de esos productos. A partir de ese momento, en la sociedad egipcia se fueron diferenciando dos grupos: los explotadores y los explotados» hasta que se sublevaron, pero la sublevación fracasó por «falta de organización».

El arma del proletariado

En el libro de 8.º grado *Historia moderna*,[8] para alumnos de 12 años, se estudia el tránsito del feudalismo al capitalismo, «hasta su transformación en imperialismo», así como «el desarrollo de la clase obrera, la cual se convirtió en la fuerza social portadora del desarrollo económico, social y político de la sociedad, especialmente cuando las ideas marxistas constituyeron una poderosa arma ideológica del proletariado en su lucha contra la explotación capitalista». Por eso, el *Manifiesto Comunista* «es una valiosa arma ideológica del proletariado, porque le explica lo que debe hacer para derribar al capitalismo y lograr la victoria del comunismo; además, inicia la fusión del marxismo con el movimiento obrero, para su triunfo mundial». Por fin, el 25 de octubre de 1917, «bajo la dirección del Partido Bolchevique y su máxima figura, Lenin, los obreros, campesinos y soldados rusos dieron el golpe definitivo a las clases explotadoras, llevando al poder a la Primera Revolución Socialista del mundo».

La Primera Revolución Socialista del mundo no lo tuvo nada fácil, según explica el libro de 8.º grado *Historia contemporánea*: «Fue así como en la segunda mitad de la década de 1930, en el mundo se fueron perfilando dos bloques imperialistas opuestos: uno, integrado por Alemania, Italia y Japón, quienes aspiraban a un nuevo reparto del mundo y luchaban contra el comunismo internacional [...] el otro, formado por Estados Unidos, Gran Bretaña y Francia, tenía también dos propósitos: no ceder las posiciones ventajosas alcanzadas con la paz de Versalles-Washington y aplastar al joven Estado soviético». Lo sorprendente es que a pesar de todo, esos dos grupos antagónicos «tenían algo en común: el odio hacia el socialismo y el deseo de destruir a la URSS».

Pero si el propósito de los dos bloques imperialistas era destruir a la Unión Soviética, ¿cómo se explica entonces el pacto entre Hitler y Stalin días antes de que Alemania invadiera Polonia y diera comienzo la Segunda Guerra Mundial? Pues está bien claro, para «ganar tiempo para reforzar la defensa del país y frustrar momentáneamente los planes antisoviéticos de las potencias occidentales». Pero entonces, ¿cómo se entiende que la URSS se uniera al bloque formado por Estados Unidos, Gran Bretaña y Francia, que querían «aplastar al joven Estado soviético»? Pues no es nada complicado, porque «la lucha de resistencia de los pueblos europeos a los invasores fascistas y la entrada de la URSS en el conflicto le daban a la Segunda Guerra Mundial un cambio de carácter, el de guerra justa y de liberación nacional antifascista».

Visto de esa forma, el bloque de los Aliados estaba más que justificado, aunque de todas maneras, «el peso principal de la guerra continuó recayendo en la URSS. Las graves derrotas sufridas por Alemania en la guerra contra la URSS, unidas a la derrota fascista en sus países satélites, contribuyeron al desplome definitivo del fascismo alemán». No es extraño, por tanto, que «el enorme prestigio alcanzado por la URSS, unido a la pujanza y fuerza demostradas por los pueblos en la lucha de resistencia contra el fascismo dejaron un saldo positivo a favor del progreso y la democracia en todo el mundo. Muchos países, como verás más adelante, iniciaron su marcha hacia el socialismo y se incrementaron los movimientos de liberación nacional en los antiguos territorios coloniales o semicoloniales».

Con tanto «prestigio», ¿cómo pudieron entonces desaparecer la URSS y los demás países comunistas? En relación con esos dramáticos acontecimientos, dicen los autores de *Historia contemporánea*, nuestro Comandante en Jefe Fidel Castro dijo en diciembre de 1989: «La destrucción sistemática de los valores del socialismo, el trabajo de zapa llevado a cabo por el imperialismo, unido a los errores cometidos, han acelerado el proceso de desestabilización de los países socialistas de Europa oriental [...] A tal punto que [...] el imperialismo y las potencias capitalistas [...] están persuadidos, no sin fundamento, de que a estas horas el campo socialista virtualmente ya no existe».

El pasado, en los libros de texto cubanos, sufre interpretaciones de lo más variopintas. Se ha sustituido el rigor histórico por una burda manipulación para que los cubanos conozcan sólo la verdad oficial, porque, como dice George Orwell, «sólo la mente del Partido, que es colectiva e inmortal, puede captar la realidad. Lo que el Partido sostiene que es verdad es efectivamente verdad. Es imposible ver la realidad sino a través de los ojos del Partido». Y como refuerzo de esa verdad, todos los libros que manejan los escolares cubanos están trufados de citas, en las que Fidel Castro, como Maestro Supremo, da su particular visión de los hechos que se estudian. «En relación con ese problema, el Comandante en Jefe Fidel Castro dijo...» «Al respecto nuestro Comandante en Jefe ha planteado...» «Como ha dicho Fidel...» Esas coletillas acompañan todos los textos escolares, para que quede claro que el Gran Hermano lo controla todo.

No hay cerco para el saber

En Cuba no hay analfabetos y de ello puede ufanarse el Gobierno. Pero la enseñanza descansa sobre premisas ideológicas que falsean o distorsionan la realidad pasada y presente. Y los cubanos se resienten de ello. Saber leer no lo es todo y lo que leen es todo para ellos, privados de otras fuentes de conocimiento que no sean los panfletos oficiales. Por si fuera poco, la enseñanza en Cuba se ha ido deteriorando con el paso de los años, a pesar de los oxidados cantos de sirena que repiten machaconamente la consigna de que el país tiene «un sistema educacional sorprendente». Siempre podría ser mejor, claro está, y si no es así, la culpa la tiene, por supuesto, Estados Unidos, que, como dice *Granma*, quiere «liquidar a la nación cubana» y para ello «necesitaría borrar la memoria histórica de nuestro pueblo y en particular de las futuras generaciones».

«No hay cerco para el saber», titulaba *Granma* en su primera plana, el 25 de octubre de 2006, una información con la que trataba de justificar los graves problemas de la educación en Cuba. El artículo comenzaba así: «El sistema nacional de educación hubiera dispuesto de unos 166 millones anuales más si no existiera el bloqueo económico de Estados Unidos. Con esa cifra se hubieran erradicado las dificultades materiales y su efecto negativo en la calidad de la enseñanza». *Granma* hacía un detallado informe de la precariedad de la enseñanza en Cuba, destacando el enorme deterioro de los centros escolares y de los laboratorios para la enseñanza técnica, la falta de mobiliario, material didáctico y libros, así como la escasez de recursos para la educación especial, el deporte y las actividades culturales. Nada escapaba al ojo escrutador del órgano oficial del Comité Central del Partido Comunista, que destacaba que, pese a todo, «las carencias no han logrado detener el avance de la educación cubana, no sólo por la voluntad política, sino por el esfuerzo abnegado y patriótico de maestros, padres y alumnos, conscientes de que la causa principal que tienen estas afectaciones es el cerco económico».

«Yo sí puedo»

Pero la causa principal de las «afectaciones» no es la que apunta *Granma*, sino que hay otras, mucho más fáciles de identificar, aunque difíciles de admitir, y que desde hace años vienen denunciando en todo el país los «abnegados» maestros, padres y alumnos: el desvío de recursos financieros y materiales de la educación para otros fines «prioritarios» de la Revolución.

«Enseñemos a leer y escribir y tendremos cientos de millones de revolucionarios, de luchadores capaces de cambiar el mundo», dijo Fidel Castro, en junio de 2006, durante el Seminario Internacional de Alfabetización y Postalfabetización celebrado en La Habana. Se trata de una nueva concepción del internacionalismo, una adaptación a los nuevos tiempos de aquella máxima del Che Guevara de «crear dos, tres, muchos Vietnam». Si durante años Cuba apoyó a los movimientos guerrilleros, sobre todo en América Latina, ahora destina enormes recursos a proyectos sociales fuera del país, necesarios sin duda, pero que parten de la premisa falsa de que la Revolución ha cumplido sus objetivos en áreas como la educación o la salud, y ahora toca llevarlos allende las fronteras. Uno de esos proyectos es el método de alfabetización «Yo sí puedo», con el que han aprendido a leer y escribir más de tres millones de personas, en 28 países, y que ha sido valorado de forma muy positiva por la Unesco. El programa utiliza la televisión, la radio, el vídeo y una cartilla muy simple como soportes para el aprendizaje que se realiza en tan sólo diez semanas.

Durante su enfermedad, la preocupación de Fidel Castro por los males de este mundo, la crisis energética, el consumismo, la degradación medioambiental... se puso de manifiesto en casi todas sus *reflexiones*, publicitadas hasta el cansancio por todos los medios oficiales. Pero muy pocas veces el comandante habló de los problemas de los cubanos, entre ellos el de la enseñanza, quizás porque está convencido de que viven en el mundo feliz dibujado en sus discursos. Como dijo en uno de sus mensajes, el 4 de septiembre de 2006, «el país marcha bien y avanza». Pero la realidad es otra.

En octubre de 2005, los medios oficiales abusaron del bloqueo como excusa para ocultar las protestas generalizadas en todo el país por el desastroso comienzo del curso escolar a principios de septiembre. Muchos de los recursos materiales destinados a la reparación de escuelas, así como partidas presupuestarias para mejorar el transporte y la merienda escolar o para material educativo y uniformes, fueron desviados para atender otra «prioridad»: la XIV Cumbre del Movimiento de Países no Alineados, que con la significativa ausencia de Castro se celebró en La Habana entre el 11 y el 16 de septiembre. La Cumbre devoró más dinero del presupuestado y todo el país tuvo que pagar las consecuencias. En cinco provincias los colegios no pudieron comenzar el curso a tiempo, y algunos lo hicieron dos meses más tarde.

¡Pobres *pobresores*!

El deterioro de la enseñanza se ha agudizado por la deserción de maestros, que prefieren realizar otros trabajos más lucrativos para compensar los bajos salarios que perciben. En Cuba a los maestros se les llama *pobresores* y no es una metáfora. En el año 2008, el salario mensual de un maestro era de algo más de 400 pesos cubanos, unos 14 euros al cambio, es decir, 0,50 centavos de euro al día. Un «parqueador estatal» o guardacoches, cargo que desempeñan algunos jubilados en lugares que frecuentan los turistas y residentes extranjeros, gana 10 veces más con las propinas que recibe, obligatoriamente en pesos convertibles. No es extraño ver a antiguos maestros transformados en camareros, custodios de viviendas de extranjeros, guías turísticos improvisados, etc.

Mi amigo el ingeniero se lo debe todo a la Revolución
que lo sacó del monte pa' La Habana y le dio buena educación.
Él fue de aquellos niños de las Cuatro Bocas de Girón,
pero el tiempo cruel que le fue pasando, todo lo cambió.
[...]
Mi amigo el ingeniero ya es custodio de la puerta de un hotel,
tanto Cálculo no le daba pa' pagar el alquiler.
Él no llegó a ministro,
ni a todo lo que tú debes saber,
y tuvo que entender que pa' pensar, primero hay que comer.[9]

En diciembre de 2007, Julio Martínez, secretario de la Unión de Jóvenes Comunistas, afirmó que la falta de maestros era una amenaza para la Revolución. «Si no hay educación, no hay revolución», dijo Martínez. Dos meses antes, el ministro de Educación, Luis Ignacio Gómez, reconoció ante una comisión de la Asamblea Nacional del Poder Popular que el sistema educativo cubano estaba en crisis debido, principalmente, al éxodo de maestros. El ministro dijo que había también otros factores que afectaban a los docentes, principalmente «la falta de vivienda, transporte y vestuario», así como «la insatisfacción por el bajo reconocimiento laboral y social».

El 22 de abril de 2008, el ministro de Educación fue cesado de manera fulminante, no por sus palabras, sino porque «había perdido energía y conciencia revolucionaria», según una nota oficial del Consejo de Estado. El propio Fidel Castro, quien fue «consultado e informado plenamente», según dijo en una de sus *reflexiones*, apoyó la decisión de *tronar* a Luis Ignacio Gómez porque, entre otras razones, dijo que viajaba mucho al exterior. «En el transcurso de diez años —señala Castro— ha viajado al exterior más de 70 veces. Durante los tres últimos lo hizo con la frecuencia de un viaje por mes, utilizando siempre el pretexto de la cooperación internacional de Cuba. Por este y otros elementos de juicio, no se tiene ya confianza en él; más claro todavía: ninguna confianza.»

El ministro fue el chivo expiatorio del deterioro de la enseñanza en Cuba de la que Fidel Castro es el máximo responsable. Pero el comandante nunca se caracterizó por su sentido autocrítico; siempre se negó a aceptar una realidad contraria a sus delirios. El 21 de julio de 2008, en una *reflexión* titulada «La educación en Cuba», Castro señaló que la educación en Cuba no está «tan mal». «Parecería ser nuestro país el que más problemas de educación tiene en el mundo —dijo—. Todas las noticias cablegráficas que llegan divulgan información sobre muchos y difíciles retos: déficit de más de 8.000 maestros, groserías y malos hábitos de estudiantes, insuficiente preparación; problemas, en fin de todo tipo. No creo, en primer lugar, que estemos tan mal [...] Estados Unidos y otros países ricos no pueden siquiera equipararse con el nuestro.»

La *reflexión* del comandante venía a cuento de un Informe del Ministerio de Educación de Cuba sobre el curso 2007-2008, publicado cuatro días antes por el diario *Granma,* en el que reconoce un déficit de 8.192 maestros, al tiempo que más de 21.000 estudiantes de la enseñanza preuniversitaria y técnica «dejaron de graduarse en el último ciclo». El diario *Juventud Rebelde* se hizo eco también del Informe, presentado por la ministra de Educación Ena Elsa Vázquez, quien reconoció que «la preparación del maestro, no sólo pedagógicamente sino en las materias que debe impartir, sigue siendo el talón de Aquiles en las escuelas cubanas». De acuerdo con el rotativo, el documento del Ministerio de Educación tiene un carácter «crítico», detalla dificultades en los alumnos de la enseñanza media que van de la ortografía y redacción a la geometría, y precisa que según un «trabajo preventivo», se conoció que más de 50.000 estudiantes «no cumplen con sus deberes escolares».

El marchamo ideológico

A finales de 2007 se dio a conocer en Estados Unidos un Informe que cuestiona seriamente el sistema educativo cubano. El documento titulado «¿Cuál es el futuro de la educación en Cuba?», fue elaborado por la organización eslovaca People in Peril (Gente en Peligro), que desde 2005 trabaja de manera conjunta con educadores y padres de la isla. «La educación cubana está destruida, con problemas tan graves como el deterioro de las escuelas, el predominio de la ideología sobre la docencia y la mala preparación de los maestros», señala el estudio, que fue presentado en Miami por Eliska Slavikopva y Suzana Humajova, coordinadoras del mismo, bajo los auspicios del Centro de Estudios Cubanos y Cubanoamericanos (ICAAS) de la Universidad de Miami, y el Centro para una Cuba Libre, con sede en Washington.

El Informe destaca que en Europa existe una visión estereotipada del modelo educativo de Cuba, que todavía se considera como uno de los mejores, por la falta de información o la falsificación de muchos de sus problemas, entre los que figuran:

— Decrecimiento de los recursos materiales y deserción progresiva del personal docente por la depreciación de los salarios y la falta de reconocimiento social.
— Ideologización del sistema educativo y subordinación de la profesionalidad a los intereses políticos, con el objetivo de formar futuros revolucionarios comunistas.
— Falta de un sistema fiable de control y evaluación de la enseñanza, distorsionada con datos falsos.
— Empeoramiento de la calidad de la enseñanza por la utilización de maestros emergentes, «jóvenes casi adolescentes que, al terminar los estudios de nivel medio, toman un curso remedial de unos ocho meses y luego salen a ejercer como maestros en escuelas primarias y secundarias».
— Utilización de canales educativos de televisión donde se imparte un alto porcentaje de contenidos docentes, sin posibilidad de interacción con los alumnos.

Después de señalar algunas de las principales deficiencias de la educación en Cuba, los autores de la investigación proponen algunas soluciones que se aplicaron en Eslovaquia tras la caída del régimen comunista, entre ellas, la creación de escuelas alternativas (colegios privados, escuelas religiosas, etc.), la supresión del marchamo ideológico de toda la enseñanza y la descentralización de la educación, de manera que el Estado no tenga el control absoluto sobre las escuelas, para que los padres y el resto de la comunidad puedan jugar un papel más activo en la educación de sus hijos.

Por tratar de lograr objetivos semejantes, más de 300 profesores han sido apartados de la enseñanza en los últimos años. Uno de ellos, Roberto de Miranda, fundó en 1996 el Colegio de Pedagogos Independientes de Cuba y fue condenado a 20 años de prisión, en la *primavera negra* de 2003, aunque fue posteriormente excarcelado con una licencia extrapenal por motivos de salud. Roberto de Miranda critica el adoctrinamiento que reciben los estudiantes y el empeño del Gobierno de graduar masivamente a maestros y médicos, a costa de una deficiente preparación: «Hasta 1989 —dice de Miranda—, la calidad de los profesores que salían de las universidades era buena. Casi todo el mundo tenía que graduarse de licenciado [...] no te podías quedar con el título de profesor de secundaria, que es un técnico medio. Tenías que terminar la universidad. A pesar del férreo adoctrinamiento, en ese momento había calidad [...] Es bueno que en los municipios haya sedes universitarias, pero hablemos de la calidad de los profesores que imparten las clases: no están preparados. Hay muchos que lo hacen para evitar el servicio militar, para salir de las provincias orientales hacia La Habana».

El secreto de la seducción

En el año 2008, según cifras oficiales, el 50 % de los enseñantes en Cuba eran maestros emergentes, jóvenes que no habían terminado sus estudios, una cifra muy alta, aunque *Tribuna de La Habana*[10] lo ve de otra manera: «La audacia de los maestros emergentes posee sorprendentes matices, lo demostraron; tan jóvenes aprendieron a sembrar la maravilla del amor a la escuela y al profe. Felizmente, el tiempo devastó las dudas. Por pura voluntad de cambiar el destino, se encontró el secreto para seducirlos y ahí está una avalancha de alegría y talento que se adueña de las aulas capitalinas, tal como aquellos alfabetizadores, cuando casi alumbraba la luz de Enero».

Los «violines» de *Tribuna de La Habana* quedaron opacados por el sonido, aunque muy matizado, de *Juventud Rebelde*, el 30 de marzo de 2008, al reconocer que muchos padres cubanos se ven obligados a pagar clases particulares a sus hijos para compensar su déficit educativo. En cualquier país es normal que los padres recurran a profesores particulares fuera del horario escolar de sus hijos, pero en Cuba son «un mal necesario», tolerado muy recientemente, porque dejan en evidencia a un sistema que siempre ha esgrimido la educación pública y gratuita como uno de sus «logros» más importantes.

El 28 de octubre de 2005, en un discurso con motivo de la graduación de los Instructores de Arte, Fidel Castro se dirigió a ellos con un «¡Adelante, valientes abanderados de la cultura y el humanismo! Toda una vida de gloria os espera!». Pero la gloria está muy lejos de ellos, porque la siembra de «semillas de una sociedad mejor» necesita de fertilizantes más eficaces que las palabras para poder dar frutos.

Con palabras menos grandilocuentes, Raúl Castro, en un discurso en la Asamblea Nacional del Poder Popular, el 11 de julio de 2008, ya como presidente de Cuba, hizo un llamamiento a los maestros jubilados y a los que salieron del área educativa a regresar a las aulas ante las dificultades y la escasez de profesores en el sistema de enseñanza de la isla. «Hoy nos faltan maestros y profesores —dijo Raúl Castro—. Por diversas causas, miles ya no están en las aulas, algunos por jubilarse y otros al asumir nuevas responsabilidades fuera del sector de la educación [...] Hago un llamado a esos maestros y profesores a regresar a su noble profesión.» Días más tarde, el 18 de julio, el Gobierno aprobó un Decreto-Ley que establece las condiciones para el regreso a las aulas de las escuelas de primaria y secundaria de los maestros jubilados, sin que pierdan su derecho a percibir la pensión y a cobrar el salario de acuerdo con el nivel profesional que tenían en el momento del retiro. En el preámbulo del Decreto-Ley se indica que es una autorización «provisional» y «excepcional» en un momento en el que el país «está enfrascado en elevar y perfeccionar la calidad de la educación, existe déficit de maestros y profesores para las escuelas del Ministerio de Educación».

Trabajo *volungatorio*

El éxodo de maestros se ve acompañado en Cuba con una progresiva disminución de matrículas en la enseñanza superior. Los bajísimos salarios de los graduados universitarios, ya sean médicos, ingenieros o economistas, ha llevado a muchos alumnos a abandonar los estudios, convencidos de que es mejor «buscarse la vida» que perder el tiempo en la universidad. A ello contribuye también la resistencia a trabajar gratis para el Estado durante los dos años posteriores a la graduación, en pago por la educación «gratuita» recibida.

> Ven, aquí te dan la posibilidad
> de estudiar gratuitamente en la universidad
> pero a decir verdad esto es un chantaje tapiñado
> porque después tienes que trabajarle dos años al Estado.[11]

Todos los escolares cubanos tienen que pagar los estudios que realizan, no en metálico, pero sí en especie, trabajando 15 días en granjas estatales durante sus vacaciones de verano. Los niños, encuadrados en las Fuerzas de Acción Pioneril (FAPI); los alumnos de enseñanza media en las Brigadas Estudiantiles de Trabajo (BET), y los universitarios en las Brigadas Universitarias de Trabajo Social (BUTS); todos tienen que hacer un aporte *volungatorio* a la revolución, como obreros agrícolas sin salario.

Para muchos alumnos, trabajar en el campo es una verdadera pesadilla, muy diferente de la visión idealizada que ofrecen los medios oficiales. «Disfrutar de la serie televisiva *Amigos y amantes*, conocer a unos biólogos que luchan cotidianamente para que el manatí no se extinga, y sumarse como miles de jóvenes a las Brigadas Estudiantiles de Trabajo (BET), fueron los mejores sucesos de este verano en la vida de Ánika Batista», decía *Granma* el 25 de agosto de 2006. En un artículo titulado «Conquista que traspasa el verano», el periódico informaba de que durante las vacaciones, 317.000 estudiantes de enseñanza media y 98.000 universitarios integraron las Brigadas Estudiantiles de Trabajo, «una oportunidad para confraternizar fuera del período lectivo, que el curso anterior los unió en la solución de problemas, interiorización de fórmulas y leyes de las Ciencias Exactas. Ahora la recreación no converge con los deberes docentes y por eso dicen sentirse relajados».

Traducido al lenguaje común, lo que *Granma* venía a decir es que durante 15 días, los estudiantes trabajaron gratis en labores de albañilería, recogida de escombros y «otras tareas que no requieren especialización», con lo que quedó probado «el compromiso de la juventud con su Comandante en Jefe, y el momento histórico que nos pertenece», en palabras de Arlet Santana Rodríguez, jefe de la sección estudiantil del Comité Nacional de la Unión de Jóvenes Comunistas.

Muchos jóvenes compaginan durante todo el curso escolar las labores agrícolas con los estudios, como parte del llamado Plan La Escuela al Campo (PEC), popularmente llamadas *becas*. Los alumnos de enseñanza media, politécnicos y preuniversitario realizan arduas tareas en granjas situadas en lugares muy alejados, con muchas dificultades de comunicación por la falta de transporte. Las condiciones estructurales, higiénicas y alimenticias no son buenas, y son muy frecuentes las infecciones por amebas, debidas sobre todo a la mala calidad del agua. Esa situación provoca muchas deserciones, apoyadas por los padres de los alumnos. Ante las quejas, la prensa oficial capea el temporal como puede y algunos medios, como *Juventud Rebelde*, culpan a los padres por sus «actitudes sobreprotectoras». Pero las condiciones de vida en las *becas* son tan deplorables que el periódico no tiene más remedio que reconocer que «esta tendencia al finalismo [*sic*] en la preparación de las movilizaciones tiene muchas veces su consecuencia más palpable en el escaso aseguramiento de las condiciones de vida de los campamentos, que tanto lesiona la imagen y limita el alcance educativo del PEC».[12]

La educación en Cuba, orgullo de la Revolución, se resiente, aquejada por múltiples males. Ernesto Che Guevara escribió que la última y más importante ambición revolucionaria es «ver al hombre liberado de su enajenación» para construir el comunismo y «hacer al hombre nuevo». En ese proceso es esencial instruir a las masas a través del aparato educativo del Estado. «La sociedad en su conjunto —señala Guevara— debe convertirse en una gigantesca escuela.»[13] Pero la escuela cubana no ha logrado alcanzar esa meta. El Gobierno puede presumir del alto índice de escolarización del país y del número de graduados universitarios, aunque disminuyan de año en año. Pero la educación no es sólo una cuestión de estadísticas. Detrás de las cifras hay una realidad que se puede maquillar, pero que resulta difícil ocultar.

Capítulo 11

A la hoguera, las «vanidades»

> Dale a un hombre unas pocas líneas de
> poesía, y se creerá dueño de la Creación.
> Creerá que con los libros podrá caminar
> por encima del agua.
>
> RAY BRADBURY, *Fahrenheit 451*

«En Cuba no hay libros prohibidos, lo que falta es dinero para comprarlos.» Ramón Humberto Colás y su esposa, Berta Mexidor Vásquez, se quedaron de una pieza cuando escucharon las palabras que pronunció Fidel Castro en la VII Feria Internacional del Libro de La Habana en febrero de 1998. Era como si el dictador se dirigiera a ellos en particular, porque desde hacía tiempo acariciaban la idea de poner en marcha un proyecto de bibliotecas independientes, «con pocos, pero doctos libros juntos», para llenar el enorme vacío de las bibliotecas estatales, alimentadas exclusivamente con obras políticamente correctas. Un mes más tarde, el matrimonio inauguró en su domicilio de la ciudad de Las Tunas la primera biblioteca independiente de Cuba, bautizada con el nombre de Félix Varela, en honor del «padre» de la cultura cubana.

En poco tiempo, las bibliotecas independientes fueron una realidad en todo el país. No se trataba de una organización, ni de lugares específicos de lectura; eran personas que tenían libros en sus casas y los ponían a disposición de todos aquellos que quisieran leerlos. En palabras de Ramón Humberto Colás: «Esos espacios pequeños ubicados en hogares, con estantes deteriorados y muebles frágiles, dispuestos a ofrecer al público, únicamente, libro e información desideologizada bajo condiciones especiales de control y vigilancia política, son bibliotecas».

El Gobierno consideró que aquella iniciativa era peligrosa y envió a sus «bomberos» para confiscar los libros no autorizados por la censura, muchos de ellos de escritores cubanos no gratos, como Guillermo Cabrera Infante y Reinaldo Arenas, y detener a aquellos incautos que se creyeron a pie juntillas las palabras de Fidel Castro de que en Cuba no hay libros prohibidos. Ya lo había advertido el fundador de la primera biblioteca independiente: «Los riesgos por asumir el desafío que significa ofrecer libros sin la autoría oficial, son inevitablemente altos y peligrosos, pero ubican al cubano que lo emprende en una postura plausible y responsable».

Las detenciones y las confiscaciones de libros no lograron acabar con las bibliotecas independientes, que recibieron muestras de solidaridad, y sobre todo libros, de organismos y de personas de todo el mundo. Pero en el año 2003 el Gobierno decidió dar un fuerte escarmiento. En la llamada *primavera negra*, un verdadero aquelarre contra la libertad de expresión, 75 personas fueron condenadas por delitos de opinión a penas de hasta 28 años de cárcel; 17 de ellas eran bibliotecarios independientes. «Si logramos que sean liberados los bibliotecarios —dijo Colás—, también serán libres los libros que ellos desean promover entre el pueblo cubano.»

Malos tiempos para la lírica

El auto de fe contra libros y libreros no comenzó en aquella bochornosa *primavera negra* de 2003. La hoguera se había encendido con los albores de la Revolución, y las brasas todavía estaban calientes. En 1961 tuvo lugar el primer acto inquisitorial de las nuevas autoridades, al censurar el Gobierno el cortometraje *PM*, realizado por Sabá Cabrera Infante y Orlando Jiménez, emitido en el programa *Lunes de Revolución en Televisión*. *PM* era un film sobre la vida nocturna en Cuba, bulliciosa y jaranera, en claro contraste con la rígida moral revolucionaria, rodado con técnica de documental, con sonido ambiente y sin voz en off. El semanario del diario *Revolución, Lunes*, dirigido por Guillermo Cabrera Infante, hermano de Sabá, protestó por esa medida con un manifiesto firmado por más de 200 escritores y artistas. Pero el horno no estaba para bollos. Semanas antes, y al calor de la victoria de Playa Girón, Fidel Castro había puesto en marcha un pogromo contra todos los antiguos «compañeros de viaje» que se oponían al giro comunista de la Revolución, que, como quedó una vez más demostrado, devoraba a sus propios hijos.

La censura de *PM* y la posterior clausura de *Lunes* fueron las primeras víctimas del nuevo orden que, en el ámbito cultural, iba a imponer las pautas del realismo socialista imperante en la Unión Soviética, país bajo cuyo paraguas se guareció el dictador caribeño. Como escribió Dennos Matos, «es el nuevo Partido Comunista de Cuba quien, armado ya de una retórica marxista-estalinista, comienza a articular sobre las bases del nacionalismo revolucionario un discurso donde se redefine tanto la figura como la función de los intelectuales y artistas en una sociedad socialista. La educación y el desarrollo de la cultura serán patrimonio exclusivo e inalienable del Partido».[1]

> ¡Al poeta, despídanlo!
> Ése no tiene aquí nada que hacer.
> No entra en el juego.
> No se entusiasma.
> No pone en claro su mensaje.
> No repara siquiera en los milagros.
> Se pasa el día entero cavilando.
> Encuentra siempre algo que objetar.[2]

Escritores como Severo Sarduy, Lydia Cabrera, Gastón Baquero y Lino Novás Calvo, entre otros, se marcharon al exilio, pese a que Cuba era todavía un referente para los intelectuales de izquierda, de América Latina y Europa. Pero el libro de Heberto Padilla *Fuera del juego*, publicado en 1968, demostró que los tiempos no eran buenos para la lírica. Ese año, Heberto Padilla obtuvo el prestigioso Premio de Poesía Julián del Casal, convocado por la UNEAC, la Unión de Escritores y Artistas de Cuba, por su libro *Fuera del juego*. El jurado adoptó esa decisión por unanimidad, al reconocer, no sólo la calidad formal de la obra, sino el compromiso vital e ideológico de Padilla, que «se sitúa del lado de la Revolución, se compromete con la Revolución y adopta la actitud que es esencial al poeta y al revolucionario: la del inconforme, la del que aspira a más porque su deseo lo lanza más allá de la realidad vigente». Pero esa inconformidad, paradójicamente, le costó cara a Padilla.

Seis días después de obtener el premio, la Unión de Escritores y Artistas de Cuba, presidida a la sazón por el poeta Nicolás Guillén, hizo pública una declaración en la que criticaba duramente la decisión del jurado por galardonar *Fuera del juego*; también arremetió contra el fallo que distinguió a Antón Arrufat con el Premio de Teatro José Antonio Ramos, por su obra *Los siete contra Tebas*. El Comité Director del organismo patrocinador de los premios argumentó que las dos obras «ofrecían puntos conflictivos en un orden político, los cuales no habían sido tomados en consideración al dictarse el fallo». ¿Y cuáles eran esos puntos conflictivos? Los guardianes de la ortodoxia señalaron, entre otras consideraciones, que «nuestra convicción revolucionaria nos permite señalar que esa poesía y ese teatro sirven a nuestros enemigos, y sus autores son los artistas que ellos necesitan para alimentar su caballo de Troya a la hora en que el imperialismo se decida a poner en práctica su política de agresión bélica frontal contra Cuba».

El sambenito de la agresión contra Cuba, que el Gobierno coloca de manera inmisericorde a todo el que no comulga con la verdad oficial, se repite devotamente a lo largo del tiempo. Sorprende la fidelidad a ese anatema de consecuencias tan devastadoras para todos aquellos a quienes se les aplica. Antón Arrufat fue condenado al silencio; ninguna de sus obras fue publicada ni representada en un teatro de la isla durante casi dos décadas, y sólo 39 años después de ser premiado por la UNEAC, *Los siete contra Tebas* pudo estrenarse en el Teatro Mella de La Habana, en noviembre de 2007.

«Compañeros» torturadores

Heberto Padilla fue quien se llevó la peor parte. En 1971 fue detenido durante 37 días y torturado por agentes de la Seguridad del Estado, que le liberaron sólo después de que se comprometiera a hacer una humillante autocrítica ante el pleno de la UNEAC, en la que no sólo se retractó por haber cometido «muchísimos errores, errores realmente imperdonables, realmente censurables, realmente incalificables», sino que acusó de «desafecto y de resentimiento» contrarrevolucionarios a otros escritores, entre ellos a su propia esposa, la poetisa Belkis Cuza Malé. En aquel «proceso» de corte estalinista, y después de lamentar «las veces que he sido injusto e ingrato con Fidel, de lo cual nunca realmente me cansaré de arrepentirme», Padilla afirma que «es increíble los diálogos que yo he tenido con los compañeros de la Seguridad del Estado, quienes ni siquiera me han interrogado, porque ésa ha sido una larga e inteligente y brillante y fabulosa forma de persuasión conmigo. Me han hecho ver claramente cada uno de mis errores».

Años después, en su libro, *La mala memoria*, Padilla ofreció una versión muy diferente sobre los «diálogos» que mantuvo con los «compañeros» de la Seguridad del Estado, que le provocaron diversos hematomas, y tuvo que ser ingresado en un hospital militar, después de los golpes que recibió en la cabeza, incluso con el grueso manuscrito de su novela *En mi jardín pastan los héroes*. Y cuando en una ocasión le preguntaron por qué se había sometido a aquella humillante autocrítica, Padilla contestó: «Porque cuando a un hombre le ponen cuatro ametralladoras y lo amenazan con cortarle las manos si no se retracta, generalmente accede, ya que esas manos son más necesarias para seguir escribiendo».[3]

El 9 de abril de 1971, el diario francés *Le Monde* publicó una carta abierta dirigida a Fidel Castro, firmada por cien de los más prestigiosos intelectuales de todo el mundo, quienes después de manifestarse «solidarios de los principios y objetivos de la Revolución cubana», expresaban a Castro su preocupación «ante el arresto del poeta y escritor Heberto Padilla, y para solicitar de usted tenga a bien examinar la situación creada por dicho arresto». La carta llevaba las firmas, entre otros, de Simone de Beauvoir, Julio Cortázar, Italo Calvino, Marguerite Duras, Carlos Fuentes, Gabriel García Márquez, Alberto Moravia, Pier Paolo Pasolini, Octavio Paz, Juan Rulfo, Jorge Semprún, Jean-Paul Sartre, Susan Sontag y Mario Vargas Llosa.

La misiva, aunque respetuosa, provocó una airada respuesta de la *intelligentsia* oficial cubana, que aplicó a los firmantes el sambenito tradicional, como hizo la dirección de la Casa de las Américas: «La prensa capitalista desató una calumniosa campaña contra Cuba, a la cual colaboraron algunas decenas de intelectuales colonizadores, con su secuela de colonizados, de destartalada ideología, quienes aprovecharon una coyuntura para mostrar su verdadero rostro, contrario a la Revolución, y prestar servicios conscientes o no al imperialismo norteamericano».

No lo olvides, poeta.
En cualquier sitio y época
en que hagas o en que sufras la Historia,
siempre estará acechándote algún poema peligroso.[4]

Las botas de Shakespeare

El «caso» Padilla significó el fin de la inocencia para muchos intelectuales que creyeron en la Revolución cubana; algunos, como Octavio Paz y Mario Vargas Llosa, rompieron abruptamente con el régimen de Castro; otros, como Julio Cortázar y Gabriel García Márquez, se mantuvieron fieles, aunque con matices. Pero fue el dictador cubano el que trazó, de manera definitiva, la línea divisoria entre unos y otros, al señalar que los «arrogantes y prepotentes» ignoran que el verdadero problema de Cuba es defenderse del imperialismo y por eso, «el artista más revolucionario sería aquel que estuviera dispuesto a sacrificar hasta su propia vocación artística por la Revolución». En definitiva, para Castro «un par de botas es más útil que Shakespeare», como escribió Albert Camus[5] del nihilista ruso, Pisarev, quien en su defensa de los valores pragmáticos sobre los valores estéticos, no tuvo empacho en decir: «Preferiría ser un zapatero ruso antes que un Rafael ruso».

En su discurso del 30 de junio de 1961, durante la clausura del Primer Congreso de Educación y Cultura, conocido luego como «Palabras a los intelectuales», Fidel Castro fijó las nuevas reglas del juego: «Dentro de la Revolución, todo; contra la Revolución, nada, porque la Revolución tiene también sus derechos y el primer derecho de la Revolución es el derecho a existir. Y frente al derecho de la Revolución de ser y de existir, nadie, por cuanto la revolución comprende los intereses del pueblo, por cuanto la Revolución significa los intereses de la nación entera, nadie puede alegar con razón un derecho contra ella. Creo que esto es bien claro».

Las palabras de Castro se parecían demasiado a las que pronunció en 1925 Benito Mussolini en la Scala de Milán: «Nuestra fórmula es ésta: todo dentro del Estado, nada fuera del Estado, nada contra el Estado».[6] A partir de esas premisas, la cultura cubana entró en una zona de sombras, dirigida por comisarios políticos que quedaron legitimados para otorgar el certificado de buena conducta a los intelectuales para que pudieran escribir y, sobre todo, para publicar sus libros. El escritor Ambrosio Fornet dijo años después que «en el 71 se quebró, en detrimento nuestro, el relativo equilibrio que nos había favorecido hasta entonces, y con él, el consenso en que se había basado la política cultural. Era una clara situación de antes y después: a una etapa en que todo se consultaba y discutía —aunque no siempre se llegara a acuerdos entre las partes—, siguió la de los ucases, una política cultural imponiéndose por decreto y otra complementaria, de exclusiones y marginaciones, convirtiendo el campo intelectual en un páramo...».[7]

El «machismo-leninismo»

El proceso de depuración que se puso en marcha arrojó a la hoguera del olvido, al silencio editorial y al exilio a decenas de intelectuales y artistas cubanos que no encajaban con las exigencias o parámetros oficiales. Pero los «parametradores» llegaron aún más lejos. Imbuidos de una fe que alguien calificó de «machista-leninista», persiguieron a todos aquellos que mantenían una «conducta impropia»,[8] porque «los medios culturales no pueden servir de marco a la proliferación de falsos intelectuales que pretenden convertir el esnobismo, la extravagancia, el homosexualismo y demás aberraciones sociales en expresiones de arte revolucionario».[9]

> ¿Dónde encontrar en este cielo sin nubes el trueno
> cuyo estampido raje, de arriba abajo, el tímpano de los
>   durmientes?
> ¿Qué concha paleolítica reventaría con su bronco cuerno
> el tímpano de los durmientes?[10]

Escritores como Virgilio Piñera, «indignos del temple viril de la Revolución», ya habían sufrido la ira homofóbica una década atrás en aquella infame razzia policial, bautizada como *Noche de las tres P*, que se desató contra prostitutas, proxenetas y pederastas. Muchos intelectuales fueron encerrados en campos de trabajo forzado, eufemísticamente llamados Unidades Militares de Apoyo a la Producción (UMAP). Aquella intolerancia, nunca extinguida del todo, regresaba ahora con más brío, para espanto de escritores como Reinaldo Arenas, que fue linchado física y moralmente, hasta que logró escapar del país por el puerto del Mariel en uno de los éxodos más dramáticos de la historia de Cuba.

Como el unicornio azul de la canción de Silvio Rodríguez, la cultura cubana se perdió también, convertida en un instrumento del Estado para la *educación* del pueblo. Tres comisarios políticos recibieron el encargo de llevar a la práctica las directrices oficiales: el teniente Luis Pavón, presidente del Consejo Nacional de Cultura; el comandante Jorge *Papito* Serguera, director de la Televisión Cubana, y Armando Quesada, también militar, quien recibió el justo apodo de *Torquesada* porque entre sus hazañas está el cierre del Teatro Guiñol y la quema de sus muñecos y marionetas. Los tres ejercieron su función a cabalidad y desaparecieron después de algunos años, luego de practicar con éxito una política de tierra quemada que no pudo impedir, sin embargo, que se produjeran destellos de lucidez intelectual.

Escritores, músicos, pintores, cineastas... lograron asomar la cabeza por encima del rígido dogmatismo oficial pero, salvo excepciones, sus obras tuvieron una mayor difusión fuera del país. El Gobierno podía presumir de tolerancia al liberalizar la exportación de «productos» de calidad, a la vez que mantenía férreas barreras arancelarias dentro de casa. A la larga, algunas de las manifestaciones de la «insurgencia estética» de los ochenta, como la definió Rafael Rojas,[11] acabaron por imponerse también en Cuba. Aquella *primavera* acabaría por ser sofocada en los duros años del *período especial,* aunque sin la parafernalia inquisitorial del pasado.

Los muertos vivientes

La política del palo y la zanahoria ha sido siempre una constante en Cuba. Los movimientos pendulares permitieron al Gobierno apretar o aflojar la tuerca según conviniera a sus intereses. La publicación en la isla de libros de algunos escritores «parametrados» o la realización de películas como *Fresa y chocolate*[12] o *Guantanamera,*[13] de amplia repercusión internacional, parecían indicar que los viejos tiempos habían desaparecido para siempre. Pero no era cierto.

El 5 de enero de 2007, muchos intelectuales cubanos se quedaron de una pieza cuando vieron «resucitar» a Luis Pavón Tamayo nada menos que en el programa de la televisión *Impronta,* dedicado a quienes han dejado huella en la cultura cubana. Allí estaba Tamayo, cuyo bisturí dejó profundas cicatrices, más que huellas, recibiendo un homenaje, como si fuera una vieja gloria literaria. La presencia de Pavón fue la gota que colmó el vaso, porque semanas antes, sus dos conmilitones, Jorge *Papito* Serguera y Armando Quesada, habían tenido también sus «15 minutos de gloria» en sendos programas de televisión, *La diferencia* y *Diálogo abierto,* respectivamente.

¿Qué significado tenía la reaparición de aquellos muertos vivientes? Las alarmas sonaron de nuevo. ¿Soplaban otra vez los vientos de la intolerancia? Primero por teléfono, y luego a través del correo electrónico, decenas de intelectuales, desde dentro y fuera del país, muchos de ellos víctimas del siniestro terceto de censores, protestaron por su reaparición. «Allí estaba, vestido de blanco, el gran parametrador de importantes artistas —escribió Antón Arrufat sobre la presencia de Pavón en televisión—, el que los persiguió y expulsó de sus trabajos, el que los llevó ante los tribunales laborales, los despojó de sus salarios y de sus puestos, quien los condenó al ostracismo y al vilipendio social.»

Desde el exilio, Eliseo Alberto le escribió a Reynaldo González: «Hasta mi azotea en Ciudad de México llegan desde La Habana las palomas mensajeras con los informes, o partes, de la cólera que ha desatado en la isla la resurrección televisiva de Pavón. Oigo, emocionado, el coro de los dignos. Cuenta con mi voz, mis cicatrices y mi palabra: suma mi ira al coraje de los amigos».

Las protestas subieron de tono, hasta el punto de que el Secretariado de la Unión Nacional de Escritores y Artistas de Cuba emitió una declaración en la que decía compartir «la justa indignación de un grupo de nuestros más importantes escritores y artistas» por la presencia del trío de censores en televisión. Pero era una concesión a la galería. Aquella nota no quería decir, como Bob Dylan, cuyas canciones y las de los Beatles fueron también *parametradas,* que «los tiempos están cambiando». Es verdad que «las aguas alrededor de vosotros han crecido», pero no hasta el punto de provocar «el hundimiento de vuestra época...». No, no hasta ese punto. El comunicado de la UNEAC reiteraba, como un aviso a navegantes, que el rumbo de la revolución seguía siendo el mismo: «No nos dividirán ni las torpezas ni los que quieren aprovecharse de ellas para dañar a la revolución. La política cultural martiana, antidogmática, creadora y participativa, de Fidel y Raúl, fundada con *Palabras a los intelectuales*, es irreversible».

«Tú no tienes voz, no existes»

Al exorcizar los excesos del pasado, la UNEAC obviaba los del presente, porque, aunque la situación no es en absoluto comparable, la caza de brujas sigue vigente en Cuba. El 12 de febrero de 2007, durante el discurso de apertura de la Feria del Libro de La Habana, César López, doblemente *parametrado* por su condición de escritor homosexual, reivindicó a algunos escritores *malditos*, entre otros, Severo Sarduy, Guillermo Cabrera Infante, Heberto Padilla, Reinaldo Arenas y Manuel Moreno Fraginals, todos ellos fallecidos en el exilio. Y lo hizo delante del entonces Presidente en funciones, Raúl Castro, y del ministro de Cultura, Abel Prieto, quienes ni siquiera pestañearon.

En el discurso de César López, oportuno, sin duda, faltó citar a otros escritores que no han muerto y viven en el exilio, *parametradas* sus obras total o parcialmente, sin la trompetería de los viejos tiempos. Simplemente, no se habla de ellos, no existen, ni se publican sus libros o sólo algunos, los que reciben el plácet de los nuevos centuriones de la cultura, que pueden alardear luego de que tal o cual escritor no está prohibido en Cuba. Es el caso de Zoe Valdés, Amir Valle, Eliseo Alberto, Iván de la Nuez, Jacobo Machover, María Elena Cruz Varela, Carlos Franqui, Norberto Fuentes, Gonzalo Rojas, René Vázquez Díaz, Daína Chaviano, Antonio José Ponte y tantos otros.

Antes de exiliarse en España en 2007, Antonio José Ponte, autor entre otros libros de *La fiesta vigilada*, explicó el proceso de *vaporización* que sufren en Cuba los escritores que no se someten al sistema. «Cuando no te dejan ser escritor en tu país —dice Ponte—, y no te dejan salir de tu país... y vivir en un país donde no puedo publicar mis textos, por ejemplo, donde las revistas tienen prohibido que aparezcan textos míos... han arruinado tu vida, te has convertido en una ruina. Mi vida como escritor dentro de este país no existe... Ellos saben qué es lo más importante para mí, que es la vida como escritor, ésa me la quitan, ya... De algún modo, todo lo que venga después puede ampliar o disminuir el castigo. Pueden ser variables según sus generosidades, según quieran mostrar generosidad o no, pero lo central es: tú no eres un intelectual, en qué se apoya tu vida intelectual, dónde están tus publicaciones, dónde están tus libros, quién te conoce, quién tú eres, tú no tienes voz, no puedes hablar en público, no existes.»[14]

También en el año 2007, otro escritor, Amir Valle, tuvo que exiliarse en Alemania, donde se encontraba en viaje profesional, después de que el Gobierno cubano le prohibiera regresar a la isla. Amir Valle, autor entre otros libros de *Las puertas de la noche* y *Jineteras*, asegura, como Ponte, que los escritores cubanos siguen teniendo los mismos problemas de siempre. «La política cultural de la Revolución —dice Amir Valle— ha seguido excluyendo a quienes han pensado distinto, a quienes se le han opuesto o a quienes no se le han sumado.»[15] Naturalmente ese espinoso tema no se debatió en el VII Congreso de la UNEAC, que se inauguró con gran pompa y circunstancia el primero de abril de 2008, en el Palacio de las Convenciones de La Habana, con asistencia del nuevo Presidente, Raúl Castro.

Patrióticos e internacionalistas

En un artículo publicado en *Granma*, el escritor Miguel Barnet, presidente de la comisión organizadora del Congreso de escritores y artistas, indicó que «éste va a ser un Congreso con las ideas de Fidel». Y no le faltaba razón. El propio Fidel Castro, en una carta que Barnet leyó a los asistentes, actualizó su famoso anatema a los intelectuales, al señalar: «Partiendo de nuestros esfuerzos sanos, patrióticos e internacionalistas en las tareas manuales e intelectuales que realizamos cada día, me atrevería a expresar: todo lo que fortalezca éticamente a la Revolución es bueno, todo lo que la debilite es malo». Al escuchar esas palabras, algunos escritores se removieron inquietos en sus asientos, pero fue sólo durante unos segundos. Miguel Barnet aclaró que el objetivo del Congreso, que no se celebraba desde hace 10 años, es aportar inquietudes para sus posibles soluciones: «Rigor y más rigor debemos exigirnos todos, compromiso y más compromiso con el destino de Cuba y de la Revolución, pero un compromiso combativo que aporte nuevas esencias».

En el marco de la política impulsada por Raúl Castro de «criticar todo lo que debe ser criticado» desde dentro del sistema, un documento elaborado por la comisión organizadora, que fue leído en el Congreso, cuestiona la política cultural de los años noventa y califica de «ineptos e improvisados» a funcionarios del sector que «degradaron con frecuencia los auténticos valores de nuestra cultura y ocasionalmente cayeron en conductas muy cercanas a la corrupción, que en algunos casos tuvieron que ser dilucidadas en los tribunales de justicia». También se criticó a la televisión, estatal como todos los medios de la isla, «con una programación aburrida, con muchas banalidades y copia de malos programas extranjeros y una deprimida producción nacional».

Los asistentes al Congreso reclamaron un mayor acceso a internet y a las nuevas tecnologías de la comunicación, «inventos del imperialismo», como calificó Fidel Castro, en la carta que leyó Miguel Barnet, al «disco compacto, GPS y DVD, teléfono celular, fax, internet, microonda, Facebook, cámara digital, correo electrónico, etcétera, etcétera, etcétera». Según Castro, «ya no puede ni siquiera garantizarse el secreto de lo que habla una pareja en un banco del parque», y luego se pregunta: «¿Tiene algún sentido ese tipo de existencia que promete el imperialismo? ¿Quiénes rigen la vida de las personas? ¿Puede incluso garantizarse la salud mental y física con los efectos no conocidos todavía de tantas ondas electrónicas para las cuales no evolucionó ni el cuerpo ni la mente humana?».

Lo conveniente y lo necesario

Con los pies en la tierra, algunos escritores exiliados y otros que dentro del país no pueden publicar sus obras, o todas sus obras, se preguntaron sobre el verdadero sentido del Congreso de la UNEAC, un acto de catarsis perfectamente controlado, en el que incluso el vicepresidente del Consejo de Estado, Carlos Lage, se permitió el lujo de criticar a la prensa cubana por no reflejar la realidad, aunque lo justificó por la situación de guerra [sic] y penuria que ha vivido Cuba en las últimas décadas. «La doble moral —dijo Carlos Lage—, las prohibiciones, una prensa que no refleja nuestra realidad como queremos, una desigualdad indeseada, una infraestructura deformada; son las heridas de la guerra, pero de una guerra que hemos ganado.»

Nadie le preguntó al vicepresidente Lage por qué, si se ha ganado la guerra, como dijo, no se hacen cambios en la prensa para que refleje la realidad.

La UNEAC logró el objetivo que pretendía, remover las aguas estancadas para aparentar que la corriente fluye pura y cristalina. Pero no se tocaron temas tan importantes como la censura y la marginación de quienes no comulgan con la verdad oficial. La mayoría de los que se rasgaron las vestiduras son los mismos que dirigen la cultura en Cuba desde hace 50 años, como Alfredo Guevara, fundador del Instituto Cubano de Arte e Industria Cinematográficos (ICAIC), o Eusebio Leal, historiador de la ciudad de La Habana, quien en un discurso largamente aplaudido manifestó que «lo que hasta ayer no fue conveniente o prudente hoy es necesario». Eusebio Leal también se refirió al espinoso tema del exilio para decir: «Yo no me avergüenzo de los que están fuera, porque mis hijos están fuera y jamás me avergonzaré de mi condición de padre ni jamás les quitaré a ellos el nombre de cubanos [...] siempre y cuando no hagan armas contra la patria que los vio nacer o levanten su mano contra el que les dio nombre».

Amir Valle, exiliado a pesar suyo, no ha hecho armas contra Cuba y sin embargo no puede publicar sus libros en la isla ni regresar a su país. Su opinión sobre la unidad de los intelectuales con la Revolución es demoledora. «Habría que hablar de la Unidad impuesta y la Unidad rebelde —dice Amir Valle—. Ha existido, sí, una Unidad de aquellos intelectuales y artistas al lado de la Revolución y su proyecto de Cultura. Pero Ojo: es una unidad impuesta y excluyente, porque si no estás allí simplemente no estarás en la Cultura y eso ha impuesto reglas bien rígidas que no deben violarse. En esa Unidad están los que creen en la Revolución, los que viven a costa de ella, los que se suman al carro para ver qué cuota del pastel cultural pueden comer, y los que no encuentran otro camino. Es una unidad falsa, viciada por los totalitarismos y las discriminaciones impuestas por el proyecto político. Una unidad a la sombra y bajo la égida del poder.»[16]

En las *Palabras a los intelectuales*, Fidel Castro dijo: «Creo que cuando al hombre se le pretende truncar la capacidad de pensar y razonar se le conviete de un ser humano en un animal domesticado». Bello discurso en un acto que sirvió para domeñar la libertad de creación. En una ocasión, el escritor norteamericano Paul Auster dijo: «Comparto la opinión de Franz Kafka de que un libro es como un hacha que corta el mar congelado que todos llevamos dentro».

Las hachas en Cuba son peligrosas.

Capítulo 12

Pedro Pan y los piratas

Rauda, la patria herida se levanta,
hecha una sola voz y un solo brazo;
en clamor infinito, su garganta
pide que el niño vuelva a su regazo.

Y crecerá el reclamo poderoso,
sin límite de tiempo ni frontera,
hasta que Elián retorne, venturoso,
con su padre, su pueblo y su bandera.

Año nuevo por Elián. Himno por la
liberación del niño balsero,
ELIÁN GONZÁLEZ

Peter Pan derrotó al capitán Garfio, pero generoso como era, le permitió escapar, como hizo Jim Hawkins con John Silver el Largo. Garfio logró llegar a Cuba y aunque no le admitieron en la hermandad de piratas, continuó sus fechorías en solitario. Una de las más sonadas fue el secuestro de 14.000 niños en la perla del Caribe. Eso ocurrió en 1960, y no lo contó Alfred Barrie, el autor de la fantástica historia de un niño que se negaba a crecer. No, ese cuento, como dicen los cubanos, se lo hizo Fidel Castro a Ignacio Ramonet,[1] al relatarle la Operación Pedro Pan.

Érase una vez un país en plena efervescencia revolucionaria donde unos padres fueron aterrorizados porque les dijeron, y ahora es Fidel quien lo cuenta, «que íbamos a convertir a los muchachos en carne enlatada». «¡Qué horror!», exclama Ignacio Ramonet, y Fidel continúa: «Que los íbamos a mandar para la URSS, que en la URSS los iban a convertir en carne enlatada y que iban a mandar esa carne enlatada para acá». «¡Qué cosa monstruosa!», dice Ramonet, y Castro le contesta: «Eso es fantasía, aunque no por ser una fantasía no se cree; se cree porque la mentira está asociada con un instinto tan poderoso como el instinto materno y paterno, sobre todo el materno». «¿Y se llevaron a los niños?», pregunta Ramonet. «Sí, se llevaron 14.000», respondió Fidel Castro.

Hamelin no lo hubiera hecho mejor para poder llevarse tantos niños de Cuba. El argumento de la carne enlatada es muy superior al sonido de una flauta, por muy bien que ésta suene. Parece una historia de piratas, de esos feroces bucaneros que asolaron las islas del Caribe. «Ríndete, Morgan, o te haré picadillo.» Pero la realidad es bien diferente: 14.000 niños se fueron de Cuba en 1960, es verdad, y también es verdad el temor de sus padres de que los hicieran picadillo, pero no en sentido literal, sino figurado, porque lo que de verdad querían era evitar que sus hijos fueran triturados por una Revolución que amenazaba con devorarlo todo. Lo mismo ocurrió con los «niños de la guerra» durante la contienda civil española. En ambos casos, los padres optaron por enviar a sus hijos lejos del drama que a ellos les tocó vivir.

La Operación Pedro Pan comenzó el 26 de noviembre de 1960 y terminó el 22 de octubre de 1962. La crisis de los misiles entre la Unión Soviética y Estados Unidos, después de que este país descubriera que la URSS estaba instalando en Cuba armas nucleares, puso fin a la mayor operación de éxodo infantil del hemisferio occidental.

El diablo en La Habana

Todo empezó cuando un grupo de padres, preocupados por el cariz que estaba tomando la Revolución, solicitaron ayuda para sacar a sus hijos del país, a la Cámara de Comercio Americana de La Habana, que hizo llegar su petición al Departamento de Estado de Estados Unidos. Washington mantenía entonces relaciones diplomáticas con La Habana (las interrumpió el 3 de enero de 1961), y encomendó la misión a la Agencia Católica de Bienestar Social, dirigida por el padre Bryan Walsh, un organismo dependiente de la jerarquía católica norteamericana. Las previsiones eran sacar del país a unos 200 niños y llevarlos a Miami hasta que la situación en Cuba se clarificara. Pero la noticia se extendió como la pólvora y miles de niños, hasta totalizar la cifra de 14.000, salieron del país en un doloroso puente aéreo.

La crisis de los misiles dinamitó los puentes entre ambas orillas del estrecho de la Florida. Muchos niños se quedaron sin poder salir de Cuba, y los que se fueron, quedaron separados e incomunicados de sus padres durante años. Algunas familias lograron reunirse tras el éxodo del puerto de Camarioca y los «Vuelos de la Libertad»,[2] pero otras tardaron mucho más tiempo en hacerlo, porque las autoridades cubanas se negaron a facilitarles el permiso de salida del país. El ex secretario de Vivienda de Estados Unidos, Mel Martínez, fue uno de aquellos niños, y también el cantante Willy Chirino, quien dedicó a Fidel Castro su canción *El diablo llegó a La Habana*.

No es necesario, Consorte, eso no es lo que yo quiero, no
sólo te pido te lleves contigo, a otro pasajero,
hazlo con mucha cautela y sin hacer tanto barullo,
llévate a ese sinvergüenza, llévate al amigo tuyo,
a ese que nos desgobierna, que nos oprime y maltrata,
al que nos cortó las alas, a esa culebra, a esa rata,
y en el momento que llegue al infierno ese cabrón desgraciado,
ese día Satanás, ese día estamos chao.

La Operación Pedro Pan, según Castro, fue lo más parecido a un acto de piratería, y así se lo contó a un incondicional como Ignacio Ramonet. Para el dictador, a quien le gusta retratarse con niños —los ajenos, no los propios; los suyos siempre han estado a buen recaudo, salvo la impetuosa Alina—, los niños son, han sido siempre, munición de su arsenal para atacar al imperialismo. Aquellos niños, según la versión oficial, se fueron del país por la perfidia de Estados Unidos, y si otros niños, muchos niños, no lo han hecho, es gracias a los desvelos de Fidel Castro como padre que es de la patria, como certifican a diario los medios y especialmente *Granma*, que en el 79 cumpleaños del dictador le llamó «el padre más noble, sabio y valiente». Y si no, que se lo pregunten al pobre Elián González, una víctima de la falta de escrúpulos de Castro con los niños, convertido en un icono de la Revolución.

¡Devuelvan a Elián!

En el Malecón habanero, anejo a la SINA, la Oficina de Intereses de Estados Unidos, hay un jardín de asfalto, con farolas coronadas de extrañas palmas que semejan arañas. Es la Tribuna Abierta Antiimperialista José Martí, un espacio orwelliano para celebrar la «Semana del Odio» contra el imperialismo. Aquí tienen lugar las grandes celebraciones, es el altar donde se exorciza al demonio yanqui. Se inauguró el 3 de abril de 2000, a raíz del caso de Elián González, un desgraciado niño de 7 años de edad que el 25 de noviembre de 1999 fue encontrado amarrado a un neumático en las costas de la Florida, después del naufragio de una balsa en la que murieron su madre y otras diez personas. El pequeño *balsero* —que salió de Cuba sin la autorización de su padre, Juan Miguel González— fue reclamado por su tío-abuelo paterno, residente en Miami, Lázaro González, quien se negó a la repatriación del niño. El caso derivó en una agria disputa legal, y sobre todo política, entre los familiares de Elián, apoyados por el exilio cubano, y el padre del niño *balsero*, detrás del cual se encontraba Fidel Castro.

El caso de Elián González fue para Castro un auténtico maná caído del cielo. Utilizó todas sus dotes mediáticas para librar un nuevo combate contra el «enemigo secular». Los periódicos, emisoras de radio y, sobre todo, los canales de televisión bombardearon a los cubanos de manera inmisericorde para protestar «contra ese acto de terrorismo amparado por la extrema derecha norteamericana en contubernio con la mafia de Miami».[3] Fidel Castro movilizó a millones de personas que ante la Oficina de Intereses de Estados Unidos, en La Habana, reclamaron la devolución del niño. Como en la zafra azucarera de los 10 millones, el dictador paralizó al país con gigantescas «marchas del pueblo combatiente» con la consigna «¡Devuelvan a nuestro niño!». Todo lo que no fuera Elián pasó a un segundo plano.

El propio José Martí, el *Apóstol*, fue «resucitado» para participar en esa batalla contra el imperialismo yanqui. Muerto en combate frente a las tropas coloniales españolas en 1895, el padre de la Independencia cubana fue bajado de su pedestal y hecho hombre para recibir en adopción a «Eliancito». En una estatua que se erigió en una de las esquinas de la Tribuna Antiimperialista, Martí sostiene a Elián González sobre su hombro derecho, mientras apunta acusadoramente con el índice de su mano izquierda a la Oficina de Intereses de Estados Unidos. Fidel Castro se salió con la suya. Después de siete meses de combate singular, el Tribunal Supremo de Estados Unidos falló que el niño debía volver a Cuba con su padre, Juan Miguel González, quien fue premiado con un escaño en la Asamblea Nacional del Poder Popular. La imagen del rescate del niño balsero de la casa de sus familiares por alguaciles federales del Servicio de Inmigración y Naturalización de Estados Unidos dio la vuelta al mundo.

El regreso de Elián, el 28 de junio de 2000, fue apoteósico. Miles de personas le recibieron en el aeropuerto con vítores y fanfarrias, como si regresara de un largo viaje por el espacio. Y allí estaba Fidel, naturalmente, sonriendo beatíficamente como un padre jubiloso que ha recuperado a su hijo pródigo. El diario *Granma*[4] lo contaba así: «Eran entonces las 12 y 10 p.m. Habían transcurrido 266 días desde que los cubanos, como uno solo, iniciamos el combate por la liberación del niño secuestrado. Combate al frente del cual, como siempre desde hace más de medio siglo, estuvo Fidel».

El dictador exhibió a Elián González como si fuera un trofeo de guerra, pero aún era muy niño, contaba tan sólo siete años de edad, para hacer de él un apologista de la Revolución. «Nuestros abnegados maestros y pedagogos —dijo entonces Fidel Castro— deberán llevar a cabo la obra maestra de convertirlo en un niño modelo, digno de su historia y de sus simpatías y su talento, para que sea siempre, a la vez que un ciudadano normal, un símbolo, un ejemplo y una gloria para todos los niños de nuestro país, y un orgullo para la educación de Cuba.»

Cinco años después de su regreso a la isla, el *balserito* recibió su «bautizo» político. Ese día, 5 de abril de 2005, vestido con su uniforme de *pionero*,[5] lijado, enjabonado y bruñido como una bandeja, leyó su primer discurso público en la «tribuna antiimperialista». Delante del dictador y de centenares de jóvenes adornados con banderitas de Cuba, el niño huérfano dio las gracias, primero a Castro, y después a la Revolución, por hacer realidad «mi sueño de ser un niño libre». En junio de 2008, con 14 años cumplidos, Elián González recibió el carné de la UJC, la Unión de Jóvenes Comunistas. *Granma* dice que el *balserito* dijo que «recibir este carné es un honor y a la vez un tremendo compromiso, el de estar a la altura de jóvenes como los que alfabetizaron, limpiaron el Escambary de bandidos o pelearon en Angola». El siguiente paso de Elián será entrar en los «camilitos», la escuela juvenil de las Fuerzas Armadas Revolucionarias, porque como dice *Granma* que dijo también el balserito, «es lo menos que puede hacer alguien que como yo debe tanto a este pueblo y a la Revolución: prepararse bien, pero que muy bien, para defenderlos en cualquier circunstancia».

El revés de la trama de ese «niño probeta» está en los chistes que se cuentan en la calle para desmitificar la parafernalia oficialista. En el Malecón, un señor grita desaforadamente frente al mar: «Devuelvan a Elián. Devuelvan a Elián». «Pero si Elián ya regresó hace muchos años», le dice un viandante. «No, Elián soy yo, quiero que me devuelvan a Estados Unidos», le contesta el ya crecido *balsero*.

Los niños dan mucho de sí en las dictaduras y el deseo de que se acerquen a Fidel Castro con fines propagandísticos nació ya en los primeros días de la Revolución. «Hechizada por Fidel», tituló una información el diario *Granma*, el 3 de febrero de 2007, al recordar que «cuando el 3 de febrero de 1959 el líder de la Revolución llegó a Guantánamo por primera vez, invitó a una niña de nueve años a realizar el recorrido de diez cuadras por el centro de la ciudad». A esa niña, que hoy tiene 57 años y se llama Zelma Carvajal Borges, le dieron un ramo de gladiolos rosas, según cuenta el periódico, para obsequiárselo a Celia Sánchez Manduley, estrecha colaboradora de Fidel, ya fallecida. Pero como «la flor de Sierra Maestra», como llama *Granma* a Celia Sánchez, no estaba, la niña entregó el ramo a una secretaria de Fidel. «Entonces éste —dice el periódico— percibió su gesto. La alzó y le pidió que hiciera el recorrido con él.» «¿Y tu mamá?» «Allí», señaló la pequeña a una mujer que, a pocos metros del carro, terció de inmediato: «Oiga, Comandante, cuídemela bien». Y Zelma se fue con Fidel, quien le pidió: «Saluda, saluda al pueblo». «Pero yo —dice hoy la cincuentona Zelma— sólo reparaba en aquella figura de la que mi madre me hablaba, en su uniforme verde olivo intenso, en su rostro angelical, las barbas negras... Estaba hechizada con su imagen y todo cuanto acontecía».

Los hijos del bloqueo

Los casos de Zelma, por ser el primero, y el de Elián, el más paradigmático, forman parte del santoral de niños de la Revolución. Pero son muchos los que han sido utilizados para resaltar la maldad del imperialismo.

En octubre de 2006, cuatro meses después de ocurrido el hecho, todos los medios fueron «orientados» para destapar el caso de Raysel Sosa González, uno de los ganadores del 15 Concurso Internacional Infantil sobre el Medio Ambiente, auspiciado por Naciones Unidas. La ceremonia de entrega de premios se celebró en Argel, el 5 de junio, Día Mundial del Medio Ambiente, y estuvo presidida por Abdelaziz Bouteflika, presidente de Argelia. Como los demás ganadores, Raysel fue a recoger su galardón, consistente en una cámara digital Nikon, pero a él no se la entregaron, porque el aparato tenía componentes fabricados en Estados Unidos, y los cubanos, los niños también, están sometidos a las leyes de bloqueo estadounidense.

Un hecho tal, que merece ser censurado —más aún tratándose de un niño— por discriminatorio, además de absurdo e ilógico, no mereció la atención de los medios cubanos, que lo exhumaron, extraña casualidad, cuatro meses después, en vísperas de la votación, en la Asamblea General de Naciones Unidas, de una resolución sobre el bloqueo de la isla por parte de Estados Unidos. «El bloqueo humilla a un niño», tituló a cuatro columnas en su primera página *Granma Internacional,* el 22 de octubre, acompañando una foto del pobre Raysel. El semanario reprodujo las declaraciones de Jorge González, profesor del niño, a la agencia nipona Jijispress, en las que califica lo ocurrido a Raysel de «bajeza política e intrigas internacionales, indiscutiblemente de acuerdo con Estados Unidos».

El profesor González aprovechó las páginas de *Granma Internacional* para dar su «particular» visión sobre el «paraíso» cubano, libre de las maldades de este mundo, que achaca, lógicamente, a Estados Unidos: «Nuestro niño no es un terrorista, no pone bombas en ningún lugar, como no las pone ninguno de los hijos que viven y trabajan en mi país por la grandeza de la humanidad, llevando salud y bienestar a otros millones de seres humanos en el resto del mundo; nuestro niño aún no conoce la maldad que abunda en este mundo —bueno, ahora, de un solo golpe, ha conocido una parte—, porque desde que nació sólo ha tenido amor a su alrededor, en la escuela, en los hospitales que visita con frecuencia y en su barrio, donde se mueve sin temor a las drogas, a que lo rapten para quitarle alguno de sus órganos o tema por su vida porque un delincuente común lo asesine. A nada de eso teme, porque en su país nada de eso es común, como sí lo es en Estados Unidos, cuyo Gobierno no es capaz de controlar esos males en su propia casa y pretende dar lecciones al universo, cuando es el principal promotor del terrorismo, de los asesinatos masivos de niños inocentes y de todo lo malo que existe en este maravilloso planeta, a pesar de esas cosas».

El filón daba todavía para más. El 27 de octubre, *Juventud Rebelde* informó de que «el niño cubano Raysel Sosa González, humillado por la empresa japonesa Nikon, recibió en la noche de este miércoles una cámara fotográfica digital enviada por el presidente Fidel Castro». Aún convaleciente como estaba desde el 31 de julio de ese año, Castro no podía dejar escapar la ocasión para demostrar a los cubanos que permanece en su puesto de combate, dispuesto a remediar los males provocados por el imperialismo. El viceministro de Salud Pública, Roberto González, entregó el obsequio en nombre del comandante al niño Raysel en la escuela donde cursa séptimo grado, la Secundaria Básica Olof Palme, en el municipio habanero de La Lisa. Su profesor, Jorge González, dijo: «Hoy se ha hecho justicia y ha venido de mano del hombre más justo del mundo». Pero la guinda, según *Juventud Rebelde*, la puso el propio Raysel: «El niño, quien no salía de su asombro y tardó unos minutos en abrir el obsequio cuidadosamente envuelto en papel de regalo, dijo estar muy feliz por el regalo enviado por Fidel. Confesó que le gustaría verlo cuando se recupere, darle un beso en la mejilla y agradecerle por ese tierno gesto».

Quizás el deseo de Raysel pueda cumplirse en vísperas de una nueva votación sobre el bloqueo en Naciones Unidas. Los niños de la Operación Pedro Pan, Elián González, Raysel Sosa y tantos otros son víctimas de un poderoso aparato de propaganda que se sirve del todo vale para desacreditar al «enemigo» y potenciar el papel de víctima de Cuba. Incluso con historias de piratas, ¡voto a bríos!

Capítulo 13

Los ángeles de Castro

> Con modales jamás escuchados o vistos en la actividad del expendio de combustible y la sencillez que todo padre desea para sus hijos, un numeroso grupo de trabajadores sociales arribaron en días pasados a esta provincia para asumir responsabilidades en servicentros o puntos de despacho de combustible. Así también ocurrió en otras zonas del país.
>
> Pastor Batista Valdés, *Granma*,
> 12 de diciembre de 2005.
> Noticia fechada en Las Tunas

En la madrugada del 1 de enero de 2006, tres mercedes negros sin ninguna identificación circulaban por el Malecón habanero en dirección al centro de la ciudad. La iluminación era escasa y apenas había tráfico, a pesar de ser la noche de fin de año. En el servicentro Tángana, una gasolinera próxima a la Tribuna Abierta Antiimperialista José Martí, en la esquina de Línea y Malecón, una veintena de trabajadores sociales miraba atentamente la televisión, que apenas unos minutos antes había transmitido en directo, desde el castillo del Morro, las 21 salvas de artillería, para anunciar a todos los cubanos no un año nuevo, sino un nuevo año «para el combate y la esperanza» en el 47 aniversario de la Revolución.

El locutor leía ahora un «trascendental» mensaje: «Compatriotas: amanece un nuevo enero para sumar 47 alboradas de victorias. Viene con la alegría y la fuerza que siempre nos acompañan el primer día del calendario. Hemos llegado hasta aquí librando colosales batallas contra el imperio y su genocida política, contra las mentiras y las injusticias, contra nuestros propios errores y dificultades [...] Con el concurso del pueblo y sus organizaciones, encabezado por el liderazgo de la Revolución, y con el protagonismo de los Trabajadores Sociales, comenzamos una batida frontal contra los privilegios y riquezas indebidas, contra la corrupción y los delitos por la defensa de los valores éticos y morales creados en nuestra sociedad».

Cuando el himno nacional puso fin a la perorata, los trabajadores sociales lanzaron gritos de júbilo. En una noche tan especial, venidos la mayoría de Oriente, lejos de sus familias, la televisión les recordaba la importancia de la misión que les había encomendado el Comandante en Jefe. Sus juveniles voces se fundieron con La Bayamesa:[1]

> Al combate corred, bayameses,
> que la patria os contempla orgullosa.
> No temáis una muerte gloriosa
> que morir por la Patria es vivir.
>
> En cadenas vivir es vivir
> en afrenta y oprobio sumido.
> Del clarín escuchad el sonido.
> ¡A las armas, valientes, corred!

Imbuidos de ardor patrio, los muchachos no se dieron cuenta de que tres mercedes negros acababan de detenerse junto a los surtidores. Pero no buscaban gasolina. Las puertas de los tres *carros* se abrieron al unísono y para su sorpresa vieron aparecer a Fidel Castro, sonriente, embutido en su uniforme color verde olivo. Había ido a saludarlos, dijo, y como un abuelo cariñoso compartió con ellos buena parte de la noche, en la que relató, como si hubiera sido ayer, los últimos días de la lucha del Ejército Rebelde contra el dictador Fulgencio Batista, y el cerco a Santiago de Cuba, el 31 de diciembre de 1958. «Las emociones de hoy —dijo Castro— son de otro tipo, tanto o más intensas. Son las emociones de los sueños realizados, de una victoria mucho mayor que la alcanzada contra la tiranía, la victoria frente a un imperio, la visión de un mundo que cambia, de un orden económico y social que no puede sostenerse.»

Médicos del alma nacional

Aquellos muchachos escuchaban arrobados a Fidel Castro. Eran parte del «ejército de médicos del alma nacional», como llamó el comandante a los trabajadores sociales, que llevaban algo más de dos meses en aquella «trinchera» entre surtidores con la importante misión de defender a la Revolución de sí misma, porque la Revolución «puede destruirse, y no por los Estados Unidos, sino por los propios cubanos». Así lo dijo el propio Castro, en un discurso de seis horas de duración, en el Aula Magna de la Universidad de La Habana el 17 de noviembre de 2005. «¿Es que las revoluciones están llamadas a derrumbarse o es que los hombres pueden hacer que se derrumben?»

Según Fidel Castro, los hombres, los cubanos, estaban haciendo peligrar el proyecto de construir una sociedad «enteramente nueva», la sociedad «más justa del mundo». Y nadie mejor que el propio demiurgo revolucionario para denunciar «los vicios generalizados, los desvíos de recursos y los robos» que hasta la fecha habían hecho imposible alcanzar la meta prometida. Gabriel García Márquez, gran amigo del dictador, explicó hace tiempo esa característica suya de ser al mismo tiempo «el jefe de Gobierno y el líder de la oposición». De esa manera puede «legitimar» sus fracasos, culpando a otros de sus propios errores, sin tener que reconocer, como dice Eliseo Alberto, que «la tarea de construir un hombre nuevo, superior, había sido encargada a hombres mediocres».[2]

El «hombre nuevo», según Fidel Castro, es una realidad. Nació en las canteras de la Revolución, amamantado por la *Batalla de Ideas*, un proyecto para poner en marcha obras sociales, que desencadenó el caso de Elián González, el niño balsero. Como los guardias rojos de Mao, los trabajadores sociales recibieron la heroica tarea de apuntalar una Revolución en ruinas.

El 26 de diciembre de 2005, en el 5.º aniversario de su creación, Gabriel Dávalos explicaba en *Granma*[3] los propósitos que animaban a los jóvenes cubanos a ingresar en la Escuela de Trabajadores Sociales: «Cinco adolescentes habaneros, amigos desde la infancia, estaban a las puertas del delito. Luego de casi abandonar los estudios malgastaban su abundante tiempo libre en coquetear con el robo y las conductas antisociales. [...] Cuatro consumaron el delito y fueron sancionados a privación de libertad. [...] El quinto, Igor Gutiérrez, decidió voluntariamente ingresar en la Escuela de Trabajadores Sociales. Tenía el propósito de devolver al barrio a sus amigos, convertidos en jóvenes de bien». Una moraleja cerraba la edificante historia: «No, todos los trabajadores sociales no eran jóvenes desvinculados, ni estaban a las puertas del delito. Todos se hicieron trabajadores sociales para dar solución a problemas sensibles con los que la sociedad cubana convive y que a ellos les tocaban de cerca».

A esos jóvenes, «muchachos, cuya humildad y honestidad se puede percibir con sólo mirar sus rostros», como dijo Castro en su discurso del Aula Magna de la Universidad de La Habana, les confió importantes «misiones estratégicas», como «tomar talla y peso a infantes, atender a discapacitados y jubilados, y reinsertar a ex reclusos en la sociedad», como recordaba *Juventud Rebelde*.[4] Pero la tarea más delicada de todas fue la de «enfrentar seriamente todas esas formas de robo que hay en el país», como señaló el Comandante en Jefe.

Pozos negros de corrupción

En la madrugada del 20 de octubre de 2005, todos los servicentros de La Habana fueron intervenidos sin previo aviso por brigadas de trabajadores sociales, después de una reunión secreta que mantuvieron con Fidel Castro en el teatro Karl Marx. Las gasolineras, según el dictador, eran uno de los «pozos negros» de corrupción del país, por el robo masivo de combustible. Los *pisteros*, expendedores de gasolina, fueron obligados a abandonar sus puestos de trabajo, que a partir de ese momento quedaron a cargo de aquellos jóvenes, que vestían camisetas negras con la leyenda «Más humanos, más cubanos».

Ningún medio de comunicación informó de la intervención de las gasolineras, pero la noticia se extendió como la pólvora por toda la ciudad. Las enormes colas de automóviles que se formaron en los servicentros de CUPET[5] eran todo un espectáculo. El trabajo de un *pistero* lo hacían ahora cinco muchachos; uno echaba gasolina; otro anotaba la cantidad de combustible despachado y la *chapa* del *carro*; otro vigilaba atentamente el trabajo de los dos primeros; un cuarto cobraba; y finalmente, el quinto pedía al automovilista el comprobante de pago y lo cotejaba con los litros de gasolina que indicaba el medidor del surtidor. Sin contar el tiempo de espera en la cola, que dependía del número de coches, cada persona tardaba unos 30 minutos en el complicado proceso de echar gasolina. La hasta entonces sencilla operación de llenar el depósito de un coche, se convirtió en una verdadera pesadilla que se extendió por todo el país, donde los trabajadores sociales se desplegaron como perros de presa. Pero gracias a su «ardor revolucionario», como dice Carlos Puebla del Che Guevara, al cabo de los seis meses que duró esa particular auditoría, se descubrió un fraude millonario de robo de combustible que el propio Castro cifró en más de mil millones de dólares.

El sistema de robo respondía a un modelo de socialismo bien entendido, porque cada uno aportaba según su capacidad y todos recibían según su necesidad. Los beneficios alcanzaban a un amplio espectro social: el empleado de la refinería, que cargaba combustible de más en el camión cisterna; el camionero, que transportaba el carburante; el *pistero*, que vendía la gasolina más barata; el conductor, que llenaba su depósito a un precio más reducido; el usuario de los *almendrones*, porque el viaje estaba «subvencionado»..., todos, en general, formaban parte del juego; también los coches, camiones y guaguas del Estado, porque entregaban al *pistero* sus bonos de gasolina a cambio de llenar sólo medio depósito, y luego se repartían las ganancias obtenidas por la venta de la otra mitad.

«Hoy —dijo Fidel Castro— los trabajadores sociales ya están en las refinerías, se montan en un carro-pipa de 20 mil o 30 mil litros, y van viendo, más o menos, por dónde va el carro-pipa, cuál se desvía... Por ahí se han ido descubriendo servicentros privados, ¡alimentados con el combustible de los piperos!»[6] En sus *conversaciones* con Ignacio Ramonet, el dictador dio por resuelto el problema del fraude de la venta ilegal de combustible, gracias a la inestimable labor desarrollada por los sabuesos sociales. Pero no era cierto, al menos no del todo.

> Disimulemos,
> mira que están mirando que nos miramos [...]
>
> Agáchate el sombrerito y por debajo mírame
> y con una miradita di lo que quieras hablarme.[7]

Acabar con el *relajito*

Es verdad que gracias al celo de los trabajadores sociales se descubrieron muchas irregularidades. Pero la corrupción también los salpicó a ellos, hijos de familias cubanas, hijos de familias necesitadas. El propio Fidel Castro lo reconoció, aunque indirectamente, al anunciar a finales de 2005 que se iba a instalar en cada camión y cada vehículo estatal un localizador de Sistema de Posicionamiento Global (GPS) para controlar todos sus movimientos y detectar los «desvíos» que muchos trabajadores sociales habían dejado de reportar. «Todo este relajito se va a acabar», dijo entonces el comandante, pero no fue así.

«Lo ocurrido con el desfalco en el expendio de combustible, en opinión de diversos economistas, es revelador de la magnitud del robo en la isla y se puede extrapolar a casi todos los renglones económicos. Sin embargo, hasta los funcionarios más leales advierten en privado que hay que distinguir entre corrupción y supervivencia.» Son palabras de un investigador de un centro de estudios estatal, recogidas por un corresponsal extranjero en la isla. El investigador, que ocultó su nombre por razones obvias, precisó aún más: «En América Latina, un solo corrupto puede robar 11 millones de un golpe. En Cuba, 11 millones roban un dólar cada día, y eso es difícil de evitar mientras los salarios sean los que son y a la gente no le alcance. Las autoridades no pueden convertir la supervivencia en delito. Antes de mirar cuánto se roba, hay que preguntarse las causas de por qué la gente roba».

Tres años después de las medidas contra el robo de combustible, mientras el convaleciente dictador predicaba en sus *reflexiones* contra los males del «imperio», el diario *Granma* reconoció que Cuba no estaba exenta de algunos de esos males. En un reportaje titulado «La guerra infinita,[8] el órgano oficial del Partido Comunista de Cuba se refería al robo de combustible en el país, y ponía como ejemplo a la provincia de Pinar del Río, donde, a juzgar por su bajo consumo, se encuentran los vehículos diesel «más eficientes del mundo». Después de permitirse esa ironía, *Granma* explicaba que «los 1.293 transportes del sector privado que usan aquí ese combustible circularon todo 2007 con 17 litros cada uno como promedio [...] O sea, que 289 camiones, 198 camionetas, 93 yipis, 703 autos, ocho paneles rodaron por avenidas, cubrieron muchas veces la ruta entre dos municipios como porteadores particulares, y viajaron a otras provincias empleando menos de 1,5 litros al mes».

El reportaje de *Granma* tenía trampa, naturalmente, porque se refería a los transportistas privados autorizados por el Gobierno para suplir su incapacidad en ese sector. Los trabajadores por cuenta propia, los *merolicos*, roban al Estado, que es tanto como decir que roban a todos los cubanos y también al Gobierno, que ha depositado su confianza en ellos. Ése era el mensaje que se quería transmitir.

Resolver no es robar

«¿Cuántas formas de robos hay en este país?», preguntó Fidel Castro, escandalizado, el 17 de noviembre de 2005 en el Aula Magna de la Universidad de La Habana. La respuesta es bien sencilla. Todos los cubanos tienen que delinquir todos los días para poder sobrevivir. La forma en que lo hacen es lo de menos. En los edificios de oficinas de empresas extranjeras, las encargadas de la limpieza venden al precio de un peso convertible cada uno, rollos industriales de papel higiénico, sustraídos del almacén. El papel higiénico no figura entre los artículos que se venden por la *libreta* de racionamiento y su precio, en pesos convertibles, resulta muy caro para los magros salarios cubanos. Resolver, que no robar, el papel higiénico, es probablemente el primer eslabón de una larga cadena en la lucha por la subsistencia. Los cubanos *resuelven* medicamentos en los hospitales; piezas de automóviles en los talleres; alimentos en los hoteles, agromercados y en las tiendas en pesos convertibles; materiales de construcción en las obras y almacenes del Estado...

Durante la construcción del llamado «bosque de banderas», frente al edificio de la Oficina de Intereses de Estados Unidos en La Habana, a finales de 2005, algunos ciudadanos pudieron *resolver* las cabillas que necesitaban para su vivienda, gracias a la «comprensión» de los trabajadores de la brigada de elite Antonio Maceo, más preocupados por conseguir *fulas* que por mantener el honroso título de *vanguardia nacional.* Fidel Castro supervisó personalmente las obras, frente a la «guarida imperial», pero eso no impidió la venta de materiales «por la izquierda».

Todo vale para resolver el día a día en Cuba. En la primavera de 2006, los vecinos del *reparto* habanero de Playa se quedaron sin helados porque la policía detuvo, en un control rutinario, a una furgoneta con el logotipo de la compañía de telecomunicaciones del Estado ETECSA, con 150 botes de 10 litros cada uno de helados de la fábrica Coppelia. Meses antes, al embajador de Su Majestad británica le cambiaron en el taller algunas piezas originales de su flamante Mercedes, que fueron a parar al mercado negro.

La *bolsa negra* en Cuba es como la chistera de un mago, pero de ella salen vacas en lugar de conejos; leche en lugar de vacas; carne en lugar de cartillas de racionamiento; huevos en lugar de pollos; carburadores de coches en lugar de pañuelos de seda; antenas parabólicas en lugar de televisión única; aparatos de DVD en lugar de discursos. De la *bolsa negra* salen alimentos, productos, objetos, todo lo que está fuera del alcance de los cubanos, porque es demasiado caro para sus salarios o porque está prohibido.

«La primera tarea de un jefe es que no le roben», dijo en junio de 2008 el vicepresidente Carlos Lage, en un discurso ante los presidentes municipales del Poder Popular. Un mes más tarde, más de 70 fábricas de plásticos y muebles, 31 talleres ilegales y 82 casas almacenes clandestinos fueron desmantelados en operaciones policiales en la capital cubana, según informó *Tribuna de la Habana.*[9] «Lo hallado —dice el semanario—, es consecuencia de la fuga de recursos de las entidades económicas, del descontrol administrativo y de la falta de fiscalización de los organismos encargados de detectar e impedir que en comercios estatales se materialice el producto delictivo.»

Guerra a los *merolicos*

La culpa de todos esos «vicios generalizados», según palabras de Fidel Castro, la tiene el *período especial,* porque esa etapa que siguió al hundimiento de la Unión Soviética «creó muchas desigualdades e hizo posible que mucha gente tuviera mucho dinero». Por eso el dictador emprendió una cruzada contra los «nuevos ricos». ¿Y quiénes son los nuevos ricos? Pues todos aquellos que no dependen directamente del Estado, trabajadores por cuenta propia, a los que Castro llamó siempre despectivamente *merolicos* o *cuentapropistas.*

Durante el *período especial,* los *cuentapropistas* contribuyeron a paliar los efectos del colapso económico del país tras el hundimiento de la Unión Soviética. Muchos ciudadanos se atrevieron a arriesgar su patrimonio para brindar servicios esenciales que el Gobierno era incapaz de ofrecer, a pesar de los precios abusivos de las licencias. Así surgieron los taxis privados, los célebres *almendrones* y los bicitaxis, los huertos familiares, los puestos de comida casera y también pequeños talleres de carpintería, cristaleros, fontaneros, etc.

En 1995 el Gobierno concedió unas 200.000 licencias para ejercer un total de 158 oficios. Pero en 2008 el número de licencias se había reducido a la mitad por la cancelación de permisos o por abandono de los *cuentapropistas*, crucificados por impuestos y normas cada vez más estrictas.

> Persiguieron la moamba, requisaron los insumos
> y multaron los indicios de la sociedad de consumo.
> Y una noche, en una de ellas, cuando mejor se comía,
> llegó el Jefe de Sector como con 30 policías.
>
> Y se acabó mi Paladar mejor que el Tocororo.
> Pa'que tú puedas comer chatitos y arroz moro.
> Mejor que el Tocororo.
> Chatitos y arroz moro.[10]

Las medidas contra la iniciativa privada afectaron sobre todo a los restaurantes privados o *paladares*,[11] uno de los símbolos de la tímida apertura económica a que obligó el *período especial*. «Puede ser que no quede ninguno, porque ninguno de nosotros se ha vuelto neoliberal», dijo Castro el 17 de noviembre de 2005. De las 600 *paladares* que había en La Habana quedaban apenas una treintena en 2008. Muchos cerraron al no poder hacer frente a los impuestos, y otros lo hicieron, después de rígidas inspecciones, al aplicarles a rajatabla el reglamento que los obliga a tener un máximo de 12 sillas.

La Guarida, la *paladar* más célebre, se convirtió en el referente de una época, cuando una película como *Fresa y chocolate*, de Tomás Gutiérrez Alea, que se rodó en ese lugar, parecía anunciar una apertura, un cambio, una mayor tolerancia. Pero como Rocco, el viejo frigorífico de lo que entonces era la guarida del personaje que interpretaba el actor Jorge Perugorría, la Revolución se quedó arrinconada en el ángulo oscuro de la historia.

Comprar el socialismo hecho

Como Isolina Carrillo, compositora del célebre bolero *Dos gardenias*, a muchos cubanos les gustaría preguntar a Fidel Castro «¿Qué quieres, que me persigues sin descanso?», porque su errática navegación, sus constantes anuncios de que «ahora sí vamos a construir el socialismo», les ha llevado al escepticismo, cuando no a la ironía, al sentenciar que es mejor comprar el socialismo hecho en lugar de pasar toda la vida intentando construirlo.

El dictador repitió muchas veces que la corrupción era una de las causas del lento avance de la Revolución, aunque seis meses antes de su retirada provisional del poder por enfermedad, se consoló, al constatar «alentadoras mejorías» en «cuestiones medulares» como «los disímiles males asociados al delito, ilegalidades y manifestaciones de corrupción». Pero esas mejorías alentadoras no debieron ser suficientes para acabar con los «disímiles males» que corroen a la Revolución porque hubo que reforzarlas, en marzo de 2006, con un cuerpo de inspectores anticorrupción, compuesto por «hombres y mujeres muy bien seleccionados, con experiencia en la tarea y con condiciones morales y revolucionarias probadas», como informó la Agencia de Información Nacional (AIN).

Los 113 primeros «inspectores integrales» tuvieron que jurar un Código de Ética por el que se comprometieron a «actuar en nombre de los más nobles propósitos de la sociedad y mantenerse incorruptibles en el combate contra el delito y las indisciplinas sociales». La directora de Inspección Integral de La Habana, Isabel Hamze, explicó que ese cuerpo oficial iba a controlar la política de precios en las entidades del Estado, desde un mercado agropecuario hasta un hotel, las transacciones entre empresas y la calidad del comercio, por lo cual «sus integrantes están llamados a ser verdaderos representantes del pueblo».

Después de la creación de ese cuerpo de «intocables», todas las instituciones del Gobierno salieron a la palestra como llamadas por el *botasilla*, el toque de corneta *mambí* que alertaba de la presencia de tropas españolas, para jurar por lo más sagrado que estaban empeñados también en una lucha sin cuartel contra la corrupción. Los Comités de Defensa de la Revolución (CDR) realizaron un Ejercicio Nacional de Vigilancia, «enfocado a concienciar sobre el flagelo que representa la corrupción y las irregularidades». La Central de Trabajadores de Cuba (CTC), por su parte, anunció que iba a implantar un sistema de «guardia obrera» para combatir las ilegalidades. La Corporación CIMEX, uno de los mayores grupos empresariales del Estado, hizo un llamamiento para «preservar» el entorno de sus comercios de ventas ilegales... Pero ¿quién vigila al vigilante?

El debilitamiento ideológico

El 21 de junio de 2006, *Granma* publicó un comunicado del Buró Político del Comité Central del Partido Comunista en el que informaba de que un alto cargo del Partido Comunista de Cuba había sido juzgado y condenado a 12 años de cárcel por tráfico de influencias y corrupción. Según la sentencia, Juan Carlos Robinson Agramonte, miembro del Buró Político del Comité Central, secretario del PCC en Santiago de Cuba y diputado de la Asamblea Nacional del Poder Popular, «en franco proceso de debilitamiento ideológico, con abuso de su cargo, olvido de sus altas responsabilidades y de la probidad exigida para un cuadro revolucionario, hizo uso de sus influencias con el propósito de obtener beneficios».

Era la primera vez que se condenaba a prisión a uno de los altos cargos del Partido Comunista de Cuba. Desde su fundación en 1965, el PCC sólo había expulsado a dos miembros de su Buró Político: Carlos Aldana Escalante, jefe del Departamento Ideológico del PCC, en 1992; y Roberto Robaina,[12] ex ministro de Relaciones Exteriores, en 2002. Ambos fueron acusados de corrupción y destituidos de sus cargos, sin que fueran juzgados ni mucho menos condenados a prisión, como le ocurrió a Juan Carlos Robinson, uno de los pocos negros del Buró Político.

Dos meses antes del encarcelamiento de Robinson, cuando se le destituyó de sus cargos en el PCC, el Buró Político reafirmó la necesidad de mantener el «combate contra todo aquello que tienda a lesionar, retrasar o impedir el desarrollo de la obra de la Revolución, por lo que cada vez será más intenso y coordinado el enfrentamiento a las manifestaciones de indisciplina, corrupción y negligencia, entre otras actitudes negativas». Pero acabar con la corrupción en Cuba es una tarea poco menos que imposible y más cuando el Gobierno, salvo en contados casos, niega que afecte a altas esferas del poder.

En una entrevista publicada en el semanario *Trabajadores*, en noviembre de 2007, la jefa de la Dirección de Procesos Penales de la Fiscalía General de la República, Osiris Martínez López, aseguró que «por suerte, en las altas esferas del Estado y el Gobierno no tenemos corrupción política, por eso decimos que aquí este mal no ha minado la esencia de la sociedad». Por su parte, el Vicefiscal General, Carlos Raúl Concepción, reconoció que en los últimos diez años ha habido «cierto auge» de la corrupción. «Antes —dijo el Vicefiscal— nos encontrábamos ante la malversación sencilla de un trabajador de comercio o de los servicios. Hoy, con la presencia de firmas extranjeras tenemos hechos más graves. Ahora, con alguna frecuencia encontramos contratos perjudiciales por la sencilla razón de que las personas que tienen que ver con este proceso han recibido dinero para favorecer a los capitalistas extranjeros en detrimento del país.»

Como la prostitución y otros males que aquejan al país, los culpables siempre son los otros. El Gobierno quiere transmitir la imagen del cubano como un buen revolucionario, un Calibán que, como el personaje de *La Tempestad*, de William Shakespeare, puede ser esclavizado, en este caso corrompido, por «los capitalistas extranjeros», como Próspero, que explota a Calibán porque le necesita, porque «nos hace el fuego / sale a buscarnos leña, y nos presta / servicios útiles».

«Atacar hoy a Cuba sería atacar al santuario de la ética mundial y universal.» Eso dijo Fidel Castro el 23 de diciembre de 2005 en el Palacio de las Convenciones de La Habana. Pero esas palabras no pueden ocultar el hecho de que la Revolución se desvió, hace mucho tiempo, de los valores que siempre predicó. El llamamiento que hizo Castro en el Aula Magna de la Universidad de La Habana, para «refundar la sociedad socialista», llegaba tarde. El «huracán de fuerza 5 contra la corrupción y el mal ejemplo», que también anunció el dictador, se quedó en apenas un soplido.

Capítulo 14

El corredor de la muerte

Paradójico edén por el que mueren
Los que en volverla a ver mueren soñando
Y los que en escapar sueñan muriendo.

«Cubasueño», poema de
JUAN CUETO ROIG

En 1991, Bernardo Heredia se lanzó al mar en una balsa
con intención de llegar a Estados Unidos y casi muere en el intento. Estuvo siete días a la deriva, sin agua ni alimentos, pero
tuvo la suerte de ser rescatado por un barco. Fue ingresado en
un hospital de Miami, deshidratado y a punto de morir, pero logró salir con vida. Gracias a la Ley de Ajuste Cubano[1] obtuvo la
tarjeta de residente y se trasladó a Las Vegas, donde trabajó
como camarero en un hotel. Allí conoció a María Teresa Fernández, cubana como él, se casaron y tuvieron una hija, Ánge-
la Mari. En junio de 2005, Bernardo viajó a Cuba para visitar a
su familia. Llevaba pasaporte cubano con cuño de residente en
Estados Unidos. Ese estatus le permitió alquilar un coche y viajar por la isla con su hermano Fidel, tres años menor que él,
pero de gran parecido físico, hasta el punto de que muchos creyeron siempre que eran gemelos. Fidel se aprovechó de esa
coincidencia para conducir el coche alquilado por su hermano
y pudo alojarse en hoteles para turistas extranjeros, utilizando
el pasaporte de Bernardo.

La facilidad de la suplantación les hizo concebir a los dos
hermanos un plan para que Fidel pudiera marcharse del país sin
necesidad de arriesgar su vida, como hizo Bernardo 14 años

atrás. El plan era muy simple, aunque no exento de riesgos. Fidel saldría de Cuba en avión con el pasaporte de Bernardo, y luego se lo haría llegar, a través de una *mula*, para que él pudiera salir de la misma forma. Y así lo hicieron. Fidel se armó de valor para pasar los férreos controles aduaneros del aeropuerto José Martí de La Habana, mientras Bernardo rezaba a la Virgen de la Caridad del Cobre[2] para que todo saliera bien.

La policía no notó nada extraño en el pasaporte de Fidel, cuya fisonomía coincidía con la foto del documento, y le dio luz verde. Fidel pudo así embarcar en un avión con destino a México. Una vez en la capital azteca, Fidel se puso en contacto con un mensajero para que hiciera llegar el pasaporte a su hermano en La Habana, y luego viajó hasta la frontera con Estados Unidos, donde solicitó y obtuvo asilo.

A Bernardo las cosas no le salieron tan bien. Con el pasaporte de nuevo en su poder, se presentó en la ventanilla de inmigración del aeropuerto, pero la policía descubrió que el documento ya había sido utilizado. Bernardo trató de hacerse el inocente hasta que acabó por confesar la verdad. Le detuvieron y le llevaron a una cárcel. Un mes después le pusieron en libertad sin cargos, pero le dijeron que nunca podría salir del país, al menos legalmente. «Si quieres irte, puedes hacerlo en balsa como la otra vez», le dijeron.

Bernardo no podía creer lo que le había sucedido. Habló por teléfono con su mujer y trató de tranquilizarla. Pero María Teresa estaba furiosa. Le reprochó que se hubiera arriesgado tanto por su hermano sin medir las consecuencias que su actitud podría tener para su familia. Fidel, que se encontraba con su cuñada en Las Vegas, se ofreció para volver a Cuba, si con ello lograba que permitieran dejar salir a su hermano. Bernardo no quiso escucharle y trató de buscar otra solución. Estaba desesperado y no se le ocurrió una idea mejor que intentar llegar a Miami en balsa, como hizo 14 años atrás. Pero esta vez no tuvo suerte. Las olas le impidieron alejarse de la costa y le devolvieron a la playa. Un mes después, contra todo pronóstico y luego de que su historia apareciera en medios internacionales, recibió la autorización para salir del país y pudo regresar a Las Vegas.

Fotingos **en el mar**

La historia de Bernardo y Fidel tuvo un final feliz. Pero es una excepción. Desde el triunfo de la Revolución, escapar de la isla se convirtió en una verdadera obsesión para muchos cubanos, que utilizan el llamado *corredor de la muerte*, en el Estrecho de la Florida, para intentar llegar a Estados Unidos. La mayoría de los que se van lo hacen en balsa, de ahí su denominación de balseros, pero hay quien se vale de los objetos flotantes más insólitos, algunos de los cuales pueden verse en el Museo Histórico del Sur de la Florida, en Miami.

En 1991, el surfista Roberto Barreiro se fue de Cuba en una tabla de windsurf; tardó 30 horas en llegar a Cayo Hueso, pero lo logró. En junio de 2005, el mecánico Rafael Díaz Rey, su esposa, Nivia Valdés Galvez, y sus dos hijos, Pablo y David, junto con otras 10 personas, fueron interceptados en alta mar por un guardacostas de Estados Unidos, cuando iban en dirección a Miami en un taxi marca Mercury del año 1948 adaptado para navegar. No era la primera vez que eso sucedía. En julio de 2003, otra patrullera estadounidense se topó con un camión Chevrolet de 1951, con un grupo de balseros a bordo. Otros lo intentaron también en coches Buick de los años 1947 y 1959, como si confiaran en el «instinto» de esos *fotingos* made in USA para llevarlos consigo en su viaje de retorno a casa.

Los medios de prensa cubanos suelen silenciar esas informaciones, salvo cuando utilizan a los balseros con fines propagandísticos, para atacar al «imperio». El 16 de agosto de 2005, treinta y una personas desaparecieron en el naufragio de una lancha con la que trataban de llegar a Estados Unidos. El hecho se conoció en Cuba gracias el testimonio de tres supervivientes, dos mujeres y un hombre, que fueron rescatados cinco días después del naufragio por un mercante en alta mar. Una de las mujeres, Surelis López Villalón, de 24 años, sobrevivió aferrada al bote con un chaleco salvavidas, y consumió su propia orina y una caja de pastillas anticonceptivas para paliar la sed y el hambre, según su propio testimonio.

La noticia del naufragio no apareció en ningún periódico ni en la televisión cubana. Pero muchas personas tienen antenas parabólicas, ilegales por supuesto, orientadas hacia Miami, y pudieron enterarse de lo sucedido a través del Canal 23, de la cadena Univisión, su habitual fuente de información. El horror conmocionó a toda la isla. Aquélla era, sin duda, una de las peores tragedias de balseros de la última década. Ante un hecho así, el Gobierno no podía permanecer mudo. Por fin, el 26 de agosto, Fidel Castro apareció en televisión. Pero no lo hizo para condolerse por las víctimas, ni para hacer un mea culpa por su responsabilidad en aquellas muertes, que se habrían podido evitar si los cubanos pudieran salir del país libremente. El dictador utilizó la *Mesa Redonda Informativa* de la televisión para denunciar la existencia de una red de tráfico de personas, «fuertemente estimulada por la sucia e inescrupulosa política de Estados Unidos».

En opinión de Castro, la Ley de Ajuste Cubano, «ley maldita» la llamó, era el «principal estímulo» a la emigración ilegal y una «grosera violación» de los acuerdos migratorios suscritos entre Cuba y Estados Unidos. Pero el dictador calló que los cubanos, salvo excepciones, no pueden salir de la isla. El Telón de Azúcar —como algunos llaman a la barrera de dificultades levantada por el Gobierno cubano— es más impenetrable que el Telón de Acero de la guerra fría. La *taxinauta* Nivia Valdés Gálvez, que atravesó el *corredor de la muerte* en un Mercury en junio de 2005, es médica, como también lo eran algunos de los 31 muertos del naufragio del 16 de agosto. Y no es casualidad.

Comegentes y cigarretas

La Resolución 54-99 del MINSAP, Ministerio de Salud Pública, establece un plazo mínimo de cinco años para tramitar la solicitud de salida del país de un médico cubano. Para obtener lo que se denomina *la liberación*, los interesados tienen que sufrir un verdadero calvario político-burocrático que en muy pocas ocasiones acaba bien. Por eso, algunos médicos se lanzan al mar como balseros, y otros aprovechan una «misión internacionalista» para no regresar a la isla, opción muy difícil porque la familia queda como rehén en Cuba. En la década de los 70, para obtener *la liberación*, los médicos tenían que abandonar obligatoriamente su profesión y trabajar durante dos años como peones agrícolas, en una granja del Estado, como castigo por su «traición a la Revolución y a la Patria».

En la actualidad hay muchos galenos que abandonan el ejercicio de la medicina y trabajan en los oficios más diversos, distanciándose de su profesión, porque creen que así podrán marcharse más fácilmente de la isla. La desesperación los lleva en ocasiones a lanzarse al mar en precarias embarcaciones, o se ponen en manos de traficantes, *comegentes*, los llaman en Cuba, que por 8.000 o 10.000 dólares por persona, los llevan en una *cigarreta*[3] a la otra orilla. Pero a veces las cosas no salen bien y las embarcaciones, no siempre en buen estado, naufragan.

El 5 de abril de 2006, una patrullera cubana abrió fuego contra una *cigarreta* en aguas de Pinar del Río. A consecuencia de los disparos, una persona murió y otras dos resultaron heridas. En la lancha viajaban 39 personas, entre ellas 14 mujeres y 7 niños de edades comprendidas entre 23 meses y 14 años. El diario *Granma* acusó una vez más a Estados Unidos y a la «ley maldita», «que estimula las salidas repetidas de manera ilegal [...] mientras obstaculiza los trámites de quienes pretenden hacerlo por medios legales, a la vez que incumple con los acuerdos migratorios». Para rubricar esa cantinela, el Gobierno cubano decidió procesar a las madres de los siete niños que iban en la lancha, por exponer a sus hijos a «graves peligros para su salud y sus vidas». Nada dijo *Granma* de las dificultades de los cubanos para salir del país por medios legales.

A veces los medios de comunicación ponen una nota surrealista en el drama de los balseros. El 26 de junio de 2006, *Granma* publicó en primera página el siguiente titular: «Arribo masivo de inmigrantes ilegales a Italia y España». La información iba acompañada con la fotografía de una patera a punto de naufragar, con inmigrantes africanos en aguas de Canarias. En España o Italia, ese tipo de noticias no sorprende a nadie porque aparecen a diario en prensa, radio y televisión. En Cuba, por el contrario, los medios, todos oficiales, suelen silenciar todo lo que tiene que ver con la emigración ilegal, no fuera que a alguien se le ocurra hacer comparaciones. ¿El titular de *Granma* obedecía a un cambio de política? No, la explicación era más sencilla. El órgano oficial del Partido Comunista de Cuba quería levantar una cortina de humo para ocultar una noticia que *radio bemba* había difundido ya por toda la isla.

La noche anterior, el Canal 23 de Univisión, de Miami, había dedicado buena parte de su *prime time* a informar de la llegada a esa ciudad de una *cigarreta* procedente de Cuba con 39 personas a bordo, 28 hombres, 8 mujeres y 3 niños. Los pasajeros desembarcaron en el céntrico Key Biscayne sin que nadie se sorprendiera por ello. En esa época del año, las llegadas de cubanos a la

Florida son constantes. Las condiciones de la mar suelen ser buenas, y familias enteras, con niños incluidos, aprovechan el «corrido del pargo»[4] para capturar ese sabroso pescado, aunque en su persecución tengan que llegar hasta Miami.

Noticia de un naufragio

«Y luego dicen que el pescado es caro», podría rubricar Julio Beltrán Iglesias, porque no siempre se llega a buen puerto. En junio de 2006, la revista digital de la disidencia *Bitácora Cubana* publicó el siguiente testimonio sobre un naufragio de ocho personas en el Estrecho de la Florida, todos miembros de tres grupos de la disidencia, Comisión Nacional Cuba (CNC), Movimiento Plantados por la Libertad de Cuba (MPLC) y Proyecto Pro Cambio:

> Mi nombre es Julio Beltrán Iglesias, con domicilio en Soledad número 602, entre Salud y Jesús Peregrino, en Centro Habana. Quisiera denunciar por este medio el maltrato y el abuso que se está llevando a cabo con mi persona y las de mis hermanos de causa.
> El día 1 de marzo otros siete hermanos y yo nos lanzamos al mar en busca de la libertad, ya que aquí estábamos sometidos a actos de repudio, maltratos por agentes de la Seguridad del Estado y amenazas de llevarnos a prisión quizás sin poder salir vivos.
> El día 3 de marzo sufrimos un lamentable accidente, ya que nuestra embarcación se partió en dos, cruzando el Estrecho de la Florida, quedando cinco de un lado: Alexeis Verdesias, Manuel Román Alarcón, Omar Martínez, Vladimir [no figura apellido] y Yoel [no figura apellido]; del otro lado quedamos Julio Beltrán Iglesias, Omar Bustamante y Joan del Risco.
> Al amanecer intentamos buscarlos pero no supimos más de ellos. Por nuestra parte perdimos un remo así como la comida y el agua, siendo rescatados el día 7 de marzo por unos pescadores a 12 millas de Santa Cruz del Norte. Debido a que nos encontrábamos deshidratados y en mal estado de salud, dos de nosotros fuimos trasladados al punto de guardacostas, donde tuvimos que insistir para que al cabo de una hora nos llevaran al médico; sólo a Joan y a mí, pues no quisieron llevar a Omar Bustamante.
> Fuimos llevados al Calixto García [un hospital de La Habana] y de allí nos llevaron para el Juan Manuel Márquez [hospital], donde a pesar de nuestro estado de salud fuimos sometidos a intensos interrogatorios y al día siguiente nos sacaron del hos-

pital agentes de la seguridad alegando que ya estábamos bien y a mí me sacaron en un sillón de ruedas ya que yo no podía caminar, teniendo que regresar a dicha institución hospitalaria al cabo de tres días debido a que me encontraba con fetidez en las quemaduras, sangramiento rectal y con una severa infección.

Se me indicó penicilina cristalina o acuosa, metronidazol y dextrosa al 5 %, todo eso en vena cada 8 horas. El martes 14 de marzo, un enfermero nombrado César me suministró penicilina rapilenta en la vena, la cual me produjo temblores, enrojecimientos, alucinaciones y otros síntomas. Al quejarme se me planteó que «esas cosas podían suceder». Desde ese momento siento temor hasta de caminar por las calles, ya que en ocasiones hasta se me agrede con piedras sin saber de dónde salen. Temo que el régimen pueda aplicarme «la peligrosidad»[5] o que por cualquier motivo quiera meterme preso a mí o a los hermanos que decidimos salir de Cuba debido al acoso que nos tenía el régimen. Por todo ello en estos momentos, yo responsabilizo al régimen por cualquier cosa que nos pueda suceder.

Igualmente no hemos sabido nada de los cinco hermanos que permanecieron en la otra parte del bote, por ese motivo, rogamos por este medio que cualquier Gobierno que sepa sobre el paradero de estas personas nos lo haga saber, ya que el régimen castrista no da información ninguna al respecto.

La orilla del misterio

«Emigrar es un derecho que debe ser respetado». Estas palabras de Carlos Lage, vicepresidente del Consejo de Estado de Cuba, provocaron la perplejidad de muchos de los participantes en la segunda sesión plenaria de la XVI Cumbre Iberoamericana de Jefes de Estado y de Gobierno, que se celebró en Montevideo en noviembre de 2006 bajo el lema «Migraciones y Desarrollo». ¿Estaba anunciando el jefe de la delegación cubana un cambio de la política migratoria de su país? A partir de ahora, ¿los cubanos podrían salir libremente de la isla? No, claro que no. Carlos Lage criticaba la decisión de Estados Unidos de construir un muro en su frontera con México, para evitar la emigración ilegal, un hecho que el vicepresidente cubano calificó de «moralmente inaceptable», porque «emigrar es un derecho que debe ser respetado».

Nada dijo Carlos Lage del «muro» de prohibiciones construido por su Gobierno para impedir que los cubanos puedan marcharse del país libremente. Tampoco se inmutó el vicepresidente del Consejo de Estado cubano cuando estampó su firma en el Documento final de la Cumbre, uno de cuyos puntos señala que «la migración guarda estrecha relación con la falta de desarrollo, la afectación de los derechos humanos, la pobreza, los desastres naturales, la inestabilidad política, la búsqueda de mejores condiciones de vida, la inequidad en la distribución de la riqueza y la falta de oportunidades para el desarrollo humano, que son las causas que la provocan». Para Carlos Lage, ninguna de esas causas tienen que ver con Cuba; si los cubanos se van del país es, claro está, por culpa de la política migratoria de Estados Unidos, que es «un arma para socavar la Revolución». Así de simple.

> Yo siempre escuché hablar de la otra orilla
> envuelta en una nube de misterio.
> Allí mis tíos eran en colores,
> aquí sencillamente en blanco y negro.

> Había que hablar de ellos en voz baja
> a veces con un tono de desprecio.
> Y en la escuela aprendí que eran gusanos
> que habían abandonado a su pueblo.[6]

Desde la llegada de Fidel Castro al poder, los cubanos se han marchado del país por oleadas. Entre 1959 y 1962, abandonaron la isla más de 200.000 personas. La crisis de los misiles, en 1962, detuvo esa corriente migratoria por el bloqueo impuesto al país por el presidente John F. Kennedy. Pero en 1965, el Gobierno cubano cogió por sorpresa al presidente Lyndon B. Johnson, al anunciar que abriría el pequeño puerto pesquero de Camarioca, al norte de la provincia de Matanzas, para recibir a las embarcaciones que quisieran viajar desde Estados Unidos para llevarse a sus familiares. Johnson recogió el guante, y en un discurso respondió así: «Yo le anuncio esta tarde al pueblo de Cuba que aquellos que busquen refugio en Estados Unidos lo encontrarán. La tradicional vocación de Estados Unidos de otorgarle asilo a los oprimidos será mantenida en el caso de los cubanos».

Cerca de 3.000 personas abandonaron el país por el puente marítimo que se estableció entre Camarioca y La Florida, y otras 2.000 lo hicieron en barcos fletados directamente por el Gobierno estadounidense. Pero fueron insuficientes para contener la avalancha de los que querían marcharse de Cuba. Washington y La Habana negociaron entonces los llamados «vuelos de la libertad», un puente aéreo entre Varadero y Miami a través del cual salieron del país 260.000 cubanos, entre el uno de diciembre de 1965 y el 6 de abril de 1973.

Fidel Castro trató de justificar esa sangría con uno de sus más sorprendentes discursos: «Los imperialistas cuentan los que se van pero no quieren contar los que se quedan. Y el hecho de que dejemos irse a los que quieren no es sino la confirmación de la fe que siempre tuvimos en el pueblo desde el primer momento; esa fe que no ha sido nunca defraudada ni lo será, que nos da la seguridad de que dejando marchar a los que quieran, salimos ganando, y que nos da la seguridad de que saliendo de este país los que carezcan de aptitudes para vivir en esta patria en esta hora, aquí permanecerá la inmensa mayoría del pueblo, los que saben sentir el llamado de la patria y de la revolución».

La tergiversación de la realidad se aderezó, además, con una disposición oficial que permitió al Gobierno cubano apoderarse de todos los bienes de los que se marchaban del país. A cada persona que solicitaba partir al exilio, los funcionarios cubanos le inventariaban todas sus pertenencias, que eran confiscadas en el momento de la partida. Viviendas, automóviles, electrodomésticos, bibliotecas y otras propiedades pasaron a manos del Estado. El equipaje de mano también fue objeto de expolio, su valor no podía ser superior a 50 dólares. Joyas, relojes y otros objetos personales eran requisados en el momento del embarque. Pero eso no fue todo. Los que se inscribieron en el registro de salidas, fueron obligados a trabajar durante meses en granjas agrícolas estatales. Los cubanos, siempre tan bromistas, llamaron a esos «voluntarios» las Brigadas Johnson, en alusión al presidente norteamericano que abrió las puertas de Estados Unidos a los exiliados.

¡Que se vayan!

Fidel Castro utilizó siempre la emigración como válvula de escape para resolver problemas internos, y de paso poner en aprietos al «imperio». En 1980, lanzó otra oleada de emigrantes hacia Estados Unidos, al abrir el puerto de Mariel, próximo a La Habana. Fue después de un grave incidente ocurrido en la embajada de Perú, donde un grupo de personas pidió asilo político tras estrellar un autobús contra la cerca del recinto diplomático. Perú se negó a entregar a los refugiados, que en pocos días alcanzaron la cifra de 10.000 personas después de la sorprendente decisión del Gobierno cubano de retirar la custodia policial de la embajada. ¡Que se vayan!, fue la consigna. Que se vaya la «escoria», los «antisociales», como los calificó *Granma*, «gente que añora el "paraíso" yanqui y está llena de falsas ilusiones sobre aquella sociedad egoísta y despiadada, que Martí calificó un día como monstruo en cuyas entrañas había vivido».

Más de 125.000 personas se fueron a Miami desde el puerto de Mariel en unas 2.000 embarcaciones, pero antes tuvieron que sufrir un penoso calvario. «En los días del Mariel —escribe Mirta Ojito, que salió de niña por ese puerto—, el país se volvió contra sí mismo por primera vez desde el inicio del régimen de Castro en 1959. El Gobierno alentó la violencia contra los que se iban, ampliando su política de repudio hacia los refugiados de la embajada. Turbas enardecidas rondaban los barrios de La Habana día y noche, armados de palos, huevos podridos y tomates. Cuando se enteraban de que una familia se iba, se plantaban delante de la casa gritando improperios e insultos durante horas o incluso días. Por lo general, las víctimas del desprecio de la turba se escondían hasta que la furia se aplacaba o se trasladaba a otro sitio».[7]

> Se puso de moda el mitin de repudio
> Pa la embajada con los carteles
> Tomate, papa, huevos y formamos en diluvio.
>
> [...]
>
> Y a contracorriente
> Gritaba la gente en la ciudad
> Que los huevos que te tiramos
> Cuando te fuiste con la escoria
> Ahora me los comiera Cristina
> Lo mismo pasao por agua que crudos
> Saben a gloria.[8]

El Gobierno de Estados Unidos se vio desbordado por la avalancha de refugiados y aceptó negociar un Tratado migratorio con Fidel Castro. En diciembre de 1984, bajo la presidencia de Ronald Reagan, el Gobierno cubano firmó un segundo Acuerdo, por el que aceptaba el regreso al país de cerca de 3.000 delincuentes que había enviado a Miami confundidos con los *marielitos*, como se llama a los protagonistas de aquel éxodo. Estados Unidos se comprometió, a su vez, a otorgar 20.000 visas anuales a los cubanos que desearan abandonar el país. Pero el 20 de mayo de 1985, la salida al aire de Radio Martí —una emisora anticastrista financiada por Washington y con sede en Miami— hizo trizas el Acuerdo.

Pies secos y pies mojados

El *período especial* puso a Fidel Castro en serios aprietos, y en 1994 decidió abrir de nuevo las puertas del mar para evitar una revuelta interna. Los cubanos estaban pasando hambre y las consignas revolucionarias no les servían de alimento. El Gobierno dejó que se marcharan cerca de 40.000 personas. Familias enteras llegaron a pie hasta las playas llevando a cuestas precarias balsas de fabricación casera. Tablones toscamente unidos con alambres, planchas de poliespuma, cámaras de camión, todo lo que podía flotar, fue utilizado en aquel terrible éxodo. Los partidarios del Gobierno y las «brigadas de respuesta rápida» despidieron con insultos a los que se marchaban, mientras los funcionarios calculaban el valor de sus casas y enseres, que automáticamente pasaban a ser propiedad del Estado. En ocasiones, la policía detenía el tráfico en el Malecón de La Habana para que los balseros pudieran cruzar esa vía ordenadamente antes de lanzarse al mar.

Estados Unidos acogió de nuevo aquella marea humana y después se sentó en la mesa de negociaciones para tratar de conseguir una emigración «segura, legal y ordenada». Mediante los Acuerdos de 1994 y 1995, Washington se comprometió a otorgar un mínimo de 20.000 visados anuales a los cubanos que quieran emigrar, repartidos en tres categorías: visados por razones familiares, visados de protección como refugiados, y permiso de ingreso (*parole*) como parte del Programa Especial de Migración Cubana (SCMP por sus siglas en inglés), también llamado Lotería Cubana o *Bombo*. Como contrapartida y para tratar de disuadir a los balseros, a partir de la firma de los nuevos acuerdos, Estados Unidos sólo concede permiso de residencia a los cubanos que logran pisar su territorio; los interceptados en el mar son devueltos a la isla, excepto en casos en los que pueda probarse persecución política que justifique el asilo. En la práctica jurídica estadounidense esos acuerdos se conocen como de *pies secos, pies mojados (dry feet, wet feet)*.

> A mi vecino le avisaron que ya,
> Eso es puro drama 20 años esperando
> «chama»,
> A mi vecino le avisaron que ya se va
> Y que se puede quedar.

> Excuse one day, two day hoy me piro ok.

En su canción *Bombo*, el grupo musical Orishas expresa la alegría de los agraciados por esa lotería para viajar legalmente a Estados Unidos. Pero los visados son insuficientes y no todos pueden acceder a ellos. Hasta el año 2007, aproximadamente medio millón de personas habían participado en el sorteo, en el que sólo pueden tomar parte los cubanos que se inscribieron antes del año 1998. Después de esa fecha, el *Bombo* no se ha actualizado porque el Gobierno de Cuba se niega a ello. Las autoridades de la isla impiden también la salida del país a muchos de los «premiados», a los que niega la *tarjeta blanca*[9] con los pretextos más fútiles.

En el año 2005, según los últimos datos disponibles, facilitados por la Sección de Intereses de Estados Unidos en Cuba, las autoridades de la isla rechazaron a 533 personas, de un total de 20.075, que habían obtenido un visado para viajar a Estados Unidos. Entre esas personas había 171 médicos. La doctora Nivia Valdés Gálvez, quien llegó a Estados Unidos en un taxi marca Mercury adaptado para navegar, era una de ellos. Al no obtener la *tarjeta blanca*, se vio obligada a utilizar el *corredor de la muerte* para escapar de Cuba.

Los balseros del puente

El caso de los llamados «balseros del puente» ilustra muy bien la política de doble rasero del Gobierno cubano sobre la emigración. En enero de 2006, después de una arriesgada travesía, un grupo de 15 balseros lograron desembarcar en el Puente de las Siete Millas, un viejo viaducto abandonado en los cayos de Florida. El Servicio de Inmigración estadounidense les aplicó la política de *pies mojados*, argumentando que al no tener el puente conexión con tierra firme, no habían pisado territorio estadounidense. Los balseros fueron enviados de vuelta a Cuba. Pero en Miami, sus familiares recurrieron esa decisión ante los tribunales. Un juez federal falló que entraban en la categoría de *pies secos* y que debían ser readmitidos en Estados Unidos porque su repatriación era ilegal.

En La Habana, la Sección de Intereses de Estados Unidos otorgó a los balseros los correspondientes visados, salvo a uno de ellos, por mentir a las autoridades de inmigración estadounidenses. Pero el Gobierno cubano se negó a facilitarles la *tarjeta blanca* para poder marcharse del país, a pesar de que tenían la documentación necesaria para viajar legalmente a Estados Unidos. No lo hicieron de una manera directa, sino a la cubana, ya tú sabes, cuánto lo siento, mira, no tenemos los impresos, todavía, se acabó la tinta, ven mañana, no, mejor el jueves, espera, no, no, ese día tenemos un curso, el lunes, el lunes, vente el lunes... Y así un día y otro día, un mes y otro mes pasó sin que la *tarjeta blanca* diera señales de vida. Eso sí, cuando los balseros solicitaron marcharse del país, se les aplicó a rajatabla el «reglamento», que los convirtió en parias, sin casa, confiscada por el Estado, sin trabajo y sin cartilla de racionamiento. A partir de ese momento, quedaron al cuidado de sus familiares, que tuvieron que facilitarles comida y refugio.

A mediados de diciembre de 2006, cansados de esperar, siete de los balseros se lanzaron de nuevo al mar y consiguieron llegar sanos y salvos a la otra orilla. Esta vez iban provistos del visado que les facilitó la SINA y no tuvieron problemas para obtener el permiso de residencia en Estados Unidos.

En una conversación telefónica con el diario *El Nuevo Herald*[10] de Miami, Elisabeth Hernández, una de las balseras del puente que no se atrevió a repetir la odisea, dijo: «Yo tengo un hijo pequeño y ya sé lo que es estar en alta mar. Si todo sale bien es una felicidad, pero si sale mal y a mi hijo le pasa algo, no podría vivir con ese cargo de conciencia». Sin embargo, Elisabeth Hernández se lo pensó mejor, y dos meses más tarde, el 27 de febrero de 2007, junto a su esposo, Junior Blanco Mederos, y su hijo, John Michel, de tres años, se lanzaron de nuevo al mar y consiguieron llegar a Florida, con otras 20 personas, tres de las cuales formaban parte, como ellos, del grupo de los balseros del puente.

Casi un año después de la aventura del Puente de las Siete Millas, 13 de los 15 balseros consiguieron su propósito de llegar a Estados Unidos, pero tuvieron que arriesgar su vida por culpa de lo que el Gobierno cubano llama «ley asesina».

Ángeles guardafronteras

Los medios cubanos no informaron, obviamente, del caso de los balseros del puente, pero el 28 de diciembre, *Granma* publicó un peculiar reportaje sobre balseros. Con el título «Trágico final de una peligrosa aventura», el diario informaba de la heroica labor de rescate, por tierra, mar y aire, de un grupo de balseros cuya frágil embarcación había naufragado, por parte de «combatientes de las Tropas de Guardafronteras» y de un helicóptero de las Fuerzas Armadas Revolucionarias. Tras ímprobos esfuerzos, los guardafronteras, «algunos de los cuales incluso arriesgaron sus vidas», lograron rescatar a nueve personas con vida; otras dos desaparecieron. Dos de los supervivientes, Jorge Luis Valdés Cardentey y Reinaldo Rabeiro Almesana, relataron a *Granma* la terrible peripecia que les tocó vivir, y ante la pregunta «¿Y por qué no emigran de forma legal?», los dos «coincidieron», según Granma, en su respuesta: «Es por gusto, en la Sección de Intereses [de Estados Unidos en Cuba] ponen todo tipo de trabas para viajar; se gasta mucho dinero en las gestiones y al final no se consigue nada». *Granma* aprovechó entonces el envite para culpar una vez más a la norteamericana Ley de Ajuste Cubano, a la que califica de «toda una invitación a aventuras, que cuestan vidas [...] y no son más por el alto sentido de responsabilidad y gran cuota de humanismo de quienes cuidan nuestras costas. Los integrantes de este grupo saben ahora, y sólo ahora, por qué se la ha bautizado como la Ley Asesina».

Los balseros del puente y todos los cubanos que tienen que arriesgar su vida porque el Gobierno les priva de su derecho para salir del país legalmente, tendrían seguramente algo que apostillar, pero la «verdad» de *Granma* no admite réplicas. Tampoco admite réplicas la estupidez, porque en su afán por criticar al «imperio» y disfrazar el éxodo masivo de cubanos hacia Estados Unidos, el órgano oficial del Comité Central del Partido Comunista de Cuba publicó el 3 de marzo de 2007, en su primera página, una sorprendente información que merece figurar en la antología del disparate. Bajo el título «Más de 20 millones de norteamericanos contemplan abandonar su país», la «noticia» no tiene desperdicio:

NUEVA YORK, 2 de marzo. - Más de 20 millones de norteamericanos contemplan abandonar su país, en rechazo al viraje cada vez más a la derecha de su Gobierno y al modo en que se ven obligados a vivir, reportó la agencia rusa Ria Nóvosti.

Según una encuesta realizada por la fundación The New Global Initiatives entre casi 104.000 personas, más de tres millones de estadounidenses han decidido marcharse de Estados Unidos, un número similar examina tal variante y 14 millones no descartan esa posibilidad.

Entre los principales motivos que explican el deseo de trasladarse a otras naciones, se encuentran la mencionada derechización oficial (26,5 %), las ganas de vivir en un entorno menos estresante (6,8 %) y el rechazo a la cultura de la codicia (6,6 %). Un 20,9 % busca cambios y nuevos retos en su vida.

Nadie en sus cabales puede hacerse eco de una historia tan surrealista, pero en la isla del dictador cubano lo ridículo alcanza a veces la categoría de sublime.

En Estados Unidos, la preocupación era exactamente la contraria de la que apuntaba el periódico cubano. En agosto de 2006, y debido a la incertidumbre sobre el estado de salud de Fidel Castro, tras la cesión de poderes a su hermano Raúl, la Casa Blanca lanzó una seria advertencia ante un posible éxodo marítimo de cubanos hacia Estados Unidos, y la partida de flotillas desde el sur de la Florida a Cuba para recoger a familiares. «Es muy importante en esta coyuntura —dijo el portavoz de la Casa Blanca, Tony Snow—, decirle a la gente que se quede donde está. No estamos en un momento en que la gente debe intentar meterse en el agua, en cualquier dirección.»

El presidente norteamericano exhortó también a los cubanos a trabajar por un cambio democrático. En un comunicado, George Bush dijo que «en estos momentos de incertidumbre en Cuba, una cosa está clara: Estados Unidos está completamente comprometido con el apoyo a las aspiraciones de libertad y democracia del pueblo cubano». Y en un mensaje difundido por Radio y Televisión Martí, la secretaria de Estado, Condoleezza Rice, se dirigió de nuevo a los cubanos para pedirles que no abandonaran la isla, y les garantizó el apoyo incondicional de Washington en su lucha por la democracia.

Esas declaraciones fueron el «prólogo» de nuevas medidas adoptadas por el Departamento de Seguridad Nacional (DHS por sus siglas en inglés), en coordinación con el Servicio de Ciudadanía e Inmigración de Estados Unidos (USCIS), para combatir el contrabando humano desde Cuba y favorecer la reunificación familiar. En esencia son las siguientes:

— Reducción de 20.000 a 15.000 del número de visados anuales de la Lotería Cubana o *Bombo*, a cambio de un aumento de hasta 7.500 visados destinados a la reunificación familiar.
— Agilización de los trámites para viajar a Estados Unidos de las personas que hayan sido admitidas como refugiados.
— Supresión de los beneficios de reunificación familiar a toda persona que sea capturada en un intento de entrada ilegal en Estados Unidos.
— Concesión de permisos de ingreso (*parole*) a los médicos cubanos que se encuentren en una misión en el exterior y decidan desertar. Esa política se hace también extensiva a las familias de los profesionales, que permanecen como «rehenes» en Cuba.
— Prohibición de entrar en Estados Unidos y de obtener beneficios migratorios, a los implicados en violaciones de los derechos humanos, y a todos los que hayan detentado posiciones de autoridad dentro del régimen castrista o se hayan involucrado en actos represivos.

«Ese tipo de espécimen...»

Apenas un año después de aprobarse esas medidas, el Gobierno cubano acusó a Estados Unidos de manipular el tema migratorio con fines políticos y denunció que la SINA, la Sección de Intereses en La Habana, había otorgado menos del 54 % de los visados previstos en los acuerdos entre ambos países. En un comunicado oficial, publicado en la primera página de *Granma* el 17 de julio de 2007, el MINREX, Ministerio de Relaciones Exteriores cubano, denunció que, entre octubre de 2006 y junio de 2007, la SINA había otorgado sólo 10.724 visados a ciudadanos cubanos en lugar de los 20.000 previstos. «Cabría preguntarse qué persigue el Gobierno de Estados Unidos con este comportamiento. ¿Por qué desea que empeore la situación migratoria entre ambos países?», decía el comunicado del MINREX, que continuaba: «¿Guarda esto relación con las recientes declaraciones del presidente Bush, en las que además de desear la muerte del Comandante en Jefe, expresó su preferencia por forzar los "cambios" que desea imponer a Cuba, aun cuando ello diera lugar a una situación de inestabilidad que con toda seguridad también afectaría a los Estados Unidos?».

La declaración del MINREX provocó una gran sorpresa entre los cubanos, muchos de los cuales se preguntaron si había empezado ya la transición en la isla. El Ministerio de Relaciones Exteriores, nada menos, salía en su defensa, al exigir a Estados Unidos que cumpliera sus compromisos para que miles de personas pudieran abandonar el país. Ahí es nada. Y ni siquiera se los llamaba desertores o algo peor, como hizo *Granma* el 6 de noviembre de 2007 al referirse a todos los que se marchan del país como «ese tipo de espécimen» con «fachada de acosados y perseguidos políticos» que «no son más que delincuentes comunes, antisociales con una hoja de antecedentes penales».

Contrariamente a la retórica de combate de *Granma*, la Gaceta Oficial de la República de Cuba publicó el 27 de abril de 2007 una resolución, la número 87/2007, del Ministerio de Relaciones Exteriores, para taponar aún más los filtros que reducen a la mínima expresión el flujo de salidas de cubanos al extranjero para visitar a sus familiares. Las nuevas disposiciones establecen que, junto con el pasaporte y la *tarjeta blanca*, los aspirantes a viajar de forma particular, además de tener «vínculos de parentesco comprobados hasta el segundo grado de consanguinidad entre el Invitante y el Invitado», deben presentar una «carta de invitación» de sus familiares, certificada notarialmente y rubricada por el Consulado cubano correspondiente, que «está facultado para rechazar la invitación cuando concurran elementos que así lo aconsejen».

Las explicaciones de la SINA para justificar la reducción de visados, porque el Gobierno cubano «ha obstaculizado de forma irracional» a la misión diplomática estadounidense en La Habana, tienen la misma credibilidad que la nota del Ministerio de Relaciones Exteriores de la isla, es decir, ninguna. Cuba culpa, de manera hipócrita, a Estados Unidos, por restringir un derecho que niega a sus ciudadanos, mientras que la intención de Washington es dar más presión a la caldera del descontento cubano, al obstruir una importante vía de emigración legal a través de la Lotería de visados. En ese juego fulero, el Gobierno cubano lanzó un órdago, y la nota del MINREX dejó caer, «inocentemente», que la situación de inestabilidad que busca el presidente George Bush al reducir las visas del *Bombo* «con toda seguridad también afectaría a Estados Unidos». Lo que equivale a decir que Cuba podría abrir de nuevo sus puertas y provocar un nuevo éxodo hacia Estados Unidos. En su rifirrafe migratorio con el «imperio», el Gobierno de la isla siempre lleva escondido ese as en la manga, porque sabe que a Estados Unidos le horroriza la posibilidad de otro éxodo como el del puerto de Mariel.

Festín de tiburones

Durante el año fiscal de 2008 (del 1 de octubre de 2007 al 30 de septiembre de 2008), un total de 11.146 cubanos llegaron a Estados Unidos por puntos de la frontera con México y Canadá, y cerca de 5.000 lo hicieron por mar, según datos del Departamento de Seguridad Interna de Estados Unidos, DHS. Otros 2.816 fueron interceptados en alta mar por el servicio de guardacostas estadounidense y fueron devueltos a Cuba, en aplicación del acuerdo de *pies secos, pies mojados*. No hay datos de los que se ahogaron o fueron devorados por los tiburones. Sólo los conocen los supervivientes o los familiares de los desaparecidos. María Werlau, directora de Cuba Archive, cree que la cifra total de fallecidos desde el inicio de la Revolución podría alcanzar los 77.000. Según *Granma Internacional*, que se apoya en «estudios realizados por expertos cubanos en la isla»,[11] el 15 % de los que intentan llegar por mar a Estados Unidos mueren en el intento.

Un Informe del Instituto de Estudios Cubanos y Cubano-Americanos de la Universidad de Miami (ICAAS), realizado a partir de cifras del Departamento de Seguridad Territorial, indica que entre octubre de 2005 y septiembre de 2007 llegaron a Estados Unidos cerca de 77.000 cubanos, casi el doble de los que se fueron durante la crisis de los balseros, en 1994. En siete años, entre 2000 y 2007, la cifra fue de 191.000 personas, una cantidad superior a la suma de los éxodos del Mariel y de los balseros. Esos datos incluyen a los cubanos que llegaron legalmente de Cuba con visados y a los que lo hicieron ilegalmente por aire, mar o tierra a través de terceros países como México o Canadá.

Al detallar por décadas el comportamiento migratorio cubano, el Informe precisa que entre 1980 y 1989 (se refiere a años fiscales), el número de cubanos que llegaron a Estados Unidos fue de 132.552; y entre 1990 y 1999, lo hicieron otros 159.037. Se calcula que en el año 2009, Estados Unidos habrá acogido a 267.000 nuevos inmigrantes cubanos. De manera que entre 1990 y 2009, más de 426.000 cubanos se habrán asentado en ese país, una estadística que se equipara con los 458.000 inmigrantes del llamado «exilio histórico» previo a 1980.

> Ausencia quiere decir olvido,
> decir tinieblas, decir jamás,
> las aves pueden volver al nido
> pero las almas que se han querido
> cuando se alejan no vuelven más.[12]

El Código Penal cubano establece penas de prisión de hasta 3 años y fuertes multas por «Salida ilegal del Territorio Nacional», o por los «actos tendentes a salir del país», como fabricar una balsa. En marzo de 2006, tres opositores pacíficos, Iovanny Aguilar Camejo, Luis Ángel Medina y Jorge Noel Isidrón Rivera, fueron multados con 5.000 pesos cubanos cada uno, después de ser interceptados por una patrullera a 10 millas al noroeste de La Habana, cuando trataban de abandonar el país. En su caso les aplicaron una disposición legal, la número 194, que prohíbe la navegación sin el permiso de la capitanía del puerto. Uno de ellos, Aguilar Camejo, representante en la isla de la organización disidente Agenda Cuba, había obtenido dos años antes un visado para Estados Unidos, pero tuvo que lanzarse al mar en una balsa, como tantos otros cubanos, porque el Gobierno le negó la *tarjeta blanca*.

En febrero de 2008, durante un acto en la Universidad de Ciencias Informáticas, en La Habana, un estudiante, en nombre de sus compañeros, hizo una serie de preguntas al presidente de la Asamblea Nacional del Poder Popular, Ricardo Alarcón, sobre algunas de las prohibiciones que pesan sobre los cubanos, entre ellas la de no poder viajar al extranjero. En su argumentación, el estudiante dijo que si José Martí y Fidel Castro habían podido viajar en los siglos XIX y XX, respectivamente, no entendía por qué él no podía ir a Bolivia en el siglo XXI, «para ver el lugar donde murió el Che Guevara», o por qué un estudiante de Historia no podía visitar las pirámides de Egipto. La respuesta de Alarcón fue antológica: «Aprecio que sea preocupación de los jóvenes cubanos la posibilidad de visitar las pirámides de Egipto o de viajar a Bolivia, pero nadie en el planeta puede hablar de viajar como un derecho. Veamos cuántos bolivianos pueden viajar. Si todo el mundo, los seis mil millones de habitantes, pudieran viajar a donde quisieran, la trabazón que habría en los aires del planeta sería enorme; los que viajan realmente son una minoría».[13] Sin comentarios.

Expoliar al «desertor»

Por el bien del planeta, para evitar la «trabazón» de los aires, el Gobierno prohíbe viajar a los cubanos. Es una razón de peso, pero como hay muchos «insensatos» que deciden irse del país, bien mediante el *Bombo* o por otras vías, a todos ellos se les aplica el término de «salida definitiva», que en la práctica es un destierro; sólo pueden regresar a su país como turistas y por un período máximo de un mes. Además, los «desertores» pierden todas sus propiedades, la casa (que al ser decomisada pasa a engrosar los «Fondos de salida del país», eufemismo que sirve para encubrir un «mercado inmobiliario» con el que premiar a los afines), los recuerdos de familia, los enseres, los libros, todo, incluido el panteón o la tumba en el cementerio. Esos métodos no han variado con el tiempo.

Cuando un cubano obtiene la *tarjeta blanca*, recibe automáticamente la visita de los tasadores oficiales, que hacen un detallado inventario de todos sus bienes. Tres días antes de su partida, los funcionarios comprueban que no falta nada y precintan la casa. Los *balseros* pierden también su vivienda y todas sus pertenencias. Sólo los que salen del país con el PRE (Permiso de Residencia en el Extranjero), como médicos, maestros u otros trabajadores autorizados, pueden conservar su patrimonio, previo pago, a su regreso, de una parte sustancial del salario que han recibido fuera de Cuba.

Mirta Ojito,[14] que tenía 13 años cuando se fue de Cuba por el puerto de Mariel, cuenta que cuando la policía avisó a su familia de que podían marcharse, no les dejaron ni siquiera terminar la comida. Tuvieron que partir inmediatamente, abandonar su casa como si fuera a derrumbarse. Allí quedó todo, congelado, como en una fotografía: «Mis libros escolares en el estante superior del cuarto. Mis muñecas cuidadosamente colocadas sobre el escaparate. Mi ropa interior perfectamente doblada en la segunda gaveta de la cómoda. La vajilla de bodas de setenta y dos piezas de mis padres en la vitrina. Retratos en la pared, ropa sucia en el cesto, sábanas colgadas en el patio...». Y después, al llegar al puerto, todavía la esperaba la vergüenza humillante de un concienzudo registro para impedir que se llevara siquiera una fotografía, un anillo de boda, una medalla: «Una mujer de uniforme me dijo que me levantara la blusa, me desabrochara el sujetador y me quitara los pantalones y la ropa interior. Me ardía la cara de la vergüenza y la humillación».

Los cubanos se marchan de su país como parias, sólo con sus recuerdos, vejados por un sistema que está en guerra contra el «imperio» y no admite las deserciones. Según Fidel Castro, los cubanos que abandonan la isla hacia Estados Unidos «directamente o por terceros países, de forma clandestina o bajo cualquier manto legal, no sólo cometen una falta despreciable de ética, sino que privan a la economía de su pueblo de especialistas y personal calificado [...] Es el robo descarado de cerebros y de brazos productivos que nuestra patria, en su lucha heroica, está en el deber de combatir firmemente».[15]

Los rehenes de Castro

Organizaciones como Human Rights Watch han pedido a los gobiernos de Cuba y Estados Unidos que eliminen las restricciones para los viajes, porque violan el derecho al libre movimiento y obligan a las familias cubanas a estar separadas, lo que conlleva un «terrible costo humano». En un Informe,[16] la organización pro derechos humanos reclama la reforma del Código Penal cubano, para eliminar la penalización que pesa sobre los que se van ilegalmente del país, además de otras regulaciones que separan a las familias, como impedir o dificultar durante años la salida de los familiares de los «desertores», que se quedan en la isla como «rehenes» del Gobierno. También pide a Estados Unidos que derogue las restricciones que limitan los viajes de los cubanos y cubano-americanos a la isla cada tres años y por un período máximo de 14 días. Los permisos se conceden sólo para visitar a «familiares cercanos», previa demostración del vínculo con documentos.

Las regulaciones estadounidenses prohíben también el envío de dinero y paquetes humanitarios a otra persona que no sea la esposa o esposo, hijos, nietos, padres, abuelos y hermanos. Los que violen las restricciones sobre visitas a familiares pueden incurrir en sanciones de 1.000 a 4.000 dólares.

En abril de 2006, durante una sesión de preguntas y respuestas sobre la reforma de la Ley de Inmigración, en el centro comercial Irvine, en California, un exiliado cubano le dijo a George Bush: «Yo no entiendo cómo podemos tener relaciones comerciales con Vietnam, donde murieron 50.000 estadounidenses, y con China comunista, pero ni siquiera podemos ir a Cuba». Sin pensarlo mucho, el presidente le contestó: «Si tú vas a un hotel de La Habana, el dinero va al hotel, que tiene un acuerdo con el Gobierno para operar, y los trabajadores reciben su paga en dinero que no tiene valor con el dólar estadounidense y él [Castro] se lleva la diferencia».

A pesar de la simplicidad de su respuesta, el presidente norteamericano demostró estar al tanto de las particularidades del embudo salarial de Cuba, donde el Gobierno, única *agencia* empleadora, recauda el salario en dólares que exige a las empresas extranjeras por cada trabajador, pero a ellos les paga en pesos cubanos, sin apenas valor. Al principio de la Revolución, el Gobierno se contentó con pedir a los trabajadores la entrega «voluntaria» del 4 % mensual de sus salarios para industrializar el país. Aquello fue una broma comparado con el expolio actual.

También ese mes, *abril es el mes más cruel*, el Gobierno estadounidense lanzó una ofensiva para cerrar la tapadera de las licencias religiosas que utilizan muchos ciudadanos norteamericanos para burlar la prohibición de viajar a Cuba. Se calcula que en 2004 y 2005, unas 100.000 personas viajaron a la isla «por motivos religiosos», camuflados como santeros, miembros de iglesias cristianas y de entidades católicas.

La Oficina de Control de Activos Extranjeros (OFAC) del Departamento del Tesoro retiró la autorización a seis agrupaciones cristianas que promovían viajes a Cuba y a 16 agencias de turismo, entre ellas La Estrella de Cuba, una de las de mayor volumen de operaciones de viajes, paquetes y remesas a la isla, a través de sus ocho oficinas en el sur de La Florida y Puerto Rico, «por violaciones flagrantes de los requisitos establecidos en sus licencias». La OFAC anunció, además, su intención de auditar a las 250 agencias que tienen autorización para operar con Cuba, y amenazó con retirarles definitivamente la licencia si detectaba que habían burlado la ley.

El desafío de los Pastores

A comienzos de 2006, la OFAC advirtió a miembros de la Organización Comunitaria de Pastores por la Paz y a la Brigada Venceremos, dos grupos de solidaridad con Cuba, de que sus frecuentes visitas a la isla violaban las leyes estadounidenses, y pidió explicaciones a unos 200 viajeros de ambos grupos, advirtiéndoles de que podían ser multados con 7.500 dólares por persona. Ese aviso no impidió que, en julio de ese año, Lucius Walter, director ejecutivo de Pastores por la Paz, llegara a Cuba al frente de la Decimoséptima Caravana de Amistad Estados Unidos-Cuba, con 90 toneladas de donativos, entre ellos una ambulancia y dos autobuses escolares. Antes de llegar a La Habana recorrieron más de 120 ciudades y comunidades de Estados Unidos y Canadá, donde recogieron ayuda para el pueblo cubano y denunciaron el bloqueo contra Cuba del Gobierno estadounidense, que califican de «guerra económica».

La presencia en la isla de Pastores por la Paz fue un desafío a la Administración Bush, que, en el año 2004, impuso multas a 894 norteamericanos que viajaron a Cuba sin permiso, por un valor de un millón y medio de dólares. Ese año disminuyeron en un 40,5 % las visitas de los estadounidenses al país caribeño: 51.027 personas frente a las 85.809 del año 2003. En el mismo período, los viajes a la isla de los cubanos residentes en Estados Unidos se redujeron en un 50,3 %: 57.145 frente a 115.050.

En abril de 2007, la Conferencia de Obispos Católicos de Estados Unidos (USCCB) pidió al Congreso que apoyara el proyecto de ley presentado por el senador republicano por Arizona, Jeff Flake, para permitir los viajes de ciudadanos norteamericanos a Cuba. En una carta enviada a Charles B. Rangel, congresista demócrata por Nueva York, el obispo Thomas G. Wenski, presidente del Comité de Obispos, señala que las políticas llevadas a cabo por Estados Unidos contra Cuba «no han logrado conseguir mayor libertad, democracia y respeto a los derechos humanos». Por eso, dice el obispo, «nuestra posición continúa siendo que los objetivos para mejorar las vidas del pueblo cubano y alentar la democracia en Cuba serían mejor propiciados mediante más contactos y no menos, entre el pueblo cubano y el americano». En opinión de monseñor Wenski, impedir las visitas a la isla «es una política inhumana que no honra a nuestro país».

Esa política «inhumana» sufrió un descalabro dos meses después de la llegada de Barack Obama a la Casa Blanca, al aprobar el Congreso, en marzo de 2009, una nueva legislación que elimina las restricciones para viajar a la isla impuestas por George Bush en 2004. La nueva normativa, rubricada por el presidente Obama, permite a los cubanos residentes en Estados Unidos desplazarse a la isla para visitar a sus familiares una vez al año, en lugar de una vez cada tres años; permanecer en Cuba el tiempo que deseen, y no un máximo de 14 días, y gastar diariamente 170 dólares, no sólo los 50 dólares autorizados anteriormente. También extiende el concepto de familia, que se limitaba a padres, hermanos y abuelos, a primos, sobrinos, tíos y tías. La flexibilización de los viajes y también de la normativa que regulaba las exportaciones de medicinas y alimentos, es el primer paso hacia una *realpolitik* con Cuba anuncianda por el Presidente estadounidense durante su campaña electoral.

Un mes después de que se adoptaran esas medidas, el 13 de abril, Barack Obama fue más lejos al ordenar el levantamiento de todas las restricciones para viajar a Cuba. A partir de ahora, las visitas ya no tendrán períodos de estancia mínimos ni límite de frecuencias. Los cubanos residentes en Estados Unidos podrán viajar a la isla todo el tiempo que quieran y cuantas veces lo deseen. También se eliminan los límites a las transferencias de dinero. Las operadoras de Estados Unidos podrán, además, suscribir contratos para operar en Cuba y facilitar así una mayor comunicación entre cubanos.

Las nuevas medidas de la Administración Obama hacia Cuba fueron recibidas con optimismo por la mayoría de los exiliados cubanos. Sin embargo, los sectores más duros y sus representantes republicanos en el Congreso, entre ellos Ileana Ros-Lehtinen y Mario y Lincoln Díaz Balart, se mantienen firmes en la política de mano dura hacia la isla. Mario y Lincoln son sobrinos de Fidel Castro, hijos de Rafael Díaz Balart, subsecretario de la Gobernación con Fulgencio Batista, y hermano de la primera mujer de Fidel Castro, Mirtha Díaz Balart, madre de Fidelito, el hijo primogénito del dictador.

Las medidas para asfixiar a la Revolución no se aplican a los muertos. Estados Unidos no pone dificultades para el traslado de los restos de los exiliados que expresaron su deseo de ser enterrados en Cuba. Pero el Gobierno de la isla se aprovecha de ello e impone elevadas tasas para obtener divisas. En Miami, una docena de funerarias, como Florida Funeral Home o National Funeral Homes Group, están autorizadas para enviar a la isla los cadáveres de los cubanos fallecidos en el exilio. Los precios por persona oscilan entre 2.500 y 3.000 dólares, pero la mitad de ese dinero va a parar a las arcas del Estado cubano, una cantidad nada desdeñable si se tiene en cuenta que en el año 2005, cerca de 500 personas fallecidas en Miami fueron enterradas en Cuba.

Muchos de los que se fueron en balsa regresan ahora en avión para ser enterrados en su país. Al marcharse perdieron todas sus propiedades, incluido el panteón familiar en el cementerio, que ahora el Gobierno revende a los familiares de los difuntos. Es un peaje que los «desertores» de ayer tienen que pagar para poder descansar en paz.

Capítulo 15

Quedados y *quedaditos*

> Órganos locales de prensa de países
> pobres y personas sanas interesadas en el
> deporte comienzan a preguntarse por
> qué les roban sus talentos deportivos, des-
> pués de los sacrificios y los gastos que in-
> vierten en formarlos.
>
> «La repugnante compraventa
> de atletas», Cuarta Reflexión sobre
> los Panamericanos, FIDEL CASTRO,
> 27 de julio de 2007

Farah Colina, esposa del boxeador cubano Guillermo Rigondeaux, no pudo ocultar su preocupación al enterarse de que
su marido, doble campeón mundial y olímpico, decidió no regresar a Cuba, junto con Erislandy Lara, campeón mundial de la
categoría Welter, después de participar en Río de Janeiro en los
XV Juegos Panamericanos, en julio de 2007. «No tiene por qué
haber represalias —dijo Farah Colina—, él se puede haber equi-
vocado, pero no ha matado a nadie, no ha puesto ninguna bomba ni es un terrorista. Fidel es un hombre de un gran corazón y
confío en que le dé un voto de confianza a mi esposo.» Días después de esas declaraciones a la prensa extranjera, cuando los
dos boxeadores —que no llegaron a pedir asilo político en Brasil— fueron deportados a Cuba, Fidel Castro, conveleciente todavía, decidió tranquilizar a Farah Colina en una de sus *reflexiones* desde el hospital: «A estos ciudadanos no los esperan arres-
tos de ningún tipo ni mucho menos métodos como los que usa

el Gobierno de Estados Unidos en Abu Ghraib y Guantánamo, jamás utilizados en nuestro país».

¿Por qué esas garantías? ¿Por qué era necesario asegurar que los dos púgiles no iban a sufrir represalias a su regreso a Cuba? Desde la óptica de un país «normal», el hecho de que dos boxeadores decidan quedarse en otra nación para atender ofertas profesionales, no constituye un motivo de preocupación para nadie. En Cuba, por el contrario, se considera como una deserción. «El atleta que abandona su delegación es como el soldado que abandona a sus compañeros en medio del combate.» Son palabras de Fidel Castro, quien, pese a que acusó de «traición» a Rigondeaux y Lara, cumplió su promesa de dar a «sus» boxeadores «un trato humano» después de conocer «su grado de arrepentimiento»: les prohibió seguir boxeando en Cuba. Erislandy Lara, sin embargo, logró escapar de la isla, en junio de 2008, y pudo continuar su carrera como boxeador profesional, contratado por la promotora alemana Arena Box. Meses más tarde, en febrero de 2009, Guillermo Rigondeaux salió también ilegalmente del país rumbo al exilio.

Lo que les sucedió a los dos púgiles bien podría figurar en la *Historia universal de la infamia,* de Jorge Luis Borges, aunque si no fuera dolorosamente cierta, no desmerecería ser incluida también en una antología del disparate, porque para evitar nuevas *deserciones,* el dictador, que mantiene una febril actividad epistolar desde la cama, anunció que se estaba estudiando la posibilidad de no enviar a ningún boxeador a los Juegos Olímpicos de Beijing en 2008. «Cuba —dijo Castro en otra de sus «reflexiones»— no sacrificará un ápice de su honor y sus ideas por medallas de oro olímpicas; prevalecerán por encima de todo la moral y el patriotismo de sus atletas.»

Para no poner a prueba la «moral» y el «patriotismo» de los atletas cubanos, el Gobierno decidió no participar en el Mundial de Boxeo de Chicago, que tuvo lugar en octubre de 2007. En un comunicado oficial, la Federación Cubana de Boxeo explicó que «no expondremos nuevamente a un equipo cubano de boxeo a los desmanes y provocaciones que en este caso se suscitarían en Chicago».

Fidel Castro y su Gobierno se rasgan las vestiduras y esgrimen «honor y patriotismo» frente a «desmanes» y «provocaciones». Son palabras muy gastadas con las que se quiere encubrir la falta de libertades reconocidas en la Declaración Universal de los Derechos Humanos. Enrocado en su trinchera, con el ojo atento a la invasión enemiga, el dictador no puede evitar, sin embargo, la fuga de miles de balseros y de otros muchos cubanos, que, sin utilizar esa peligrosa vía de escape, deciden no regresar a su país, después de viajar legalmente al exterior por motivos profesionales. Para Castro son desertores; los cubanos los llaman simplemente *quedados*.

Reyes y reinas por un día

Importantes figuras del deporte, la música o el ballet aprovechan giras internacionales para escapar de Cuba. Es una lenta sangría para el país que Fidel Castro calificó de «repugnante compraventa», y que responde al deseo de muchos profesionales de elegir lo que consideran mejor para su carrera. En el momento de su «deserción», el doble campeón mundial y olímpico Guillermo Rigondeaux cobraba un salario de 650 pesos cubanos (poco más de 22 euros), vivía en un pequeño apartamento propiedad del Instituto Nacional de Deportes y Recreación Física (INDER) y disponía de un automóvil Lada, equivalente al Fiat 124, que las autoridades le confiscaron después de su intento de fuga.

La lista de *quedados* es muy larga. Más de 100 figuras destacadas del deporte cubano integran el inventario de «desertores» desde que, en 1980, el campeón mundial de pesas Roberto Uría solicitó asilo político en Estados Unidos. No hay disciplina que no haya sufrido bajas. En boxeo fueron sonadas las fugas, en diciembre de 2006, de los campeones olímpicos de Atenas-2004, Odlanier Solis, Yan Barthelemí y Yuriorkis Gamboa. En atletismo destacan la velocista Liliana Allen, que sumó ocho medallas en los Juegos Centroamericanos en 100 metros, 200 y relevos, y la saltadora de longitud Niurka Montalvo, campeona mundial de salto largo en 1999 en Sevilla; en gimnasia artística, Ana Portuondo, que, en 2004, en los Juegos Olímpicos de Atenas, ya con pabellón de Estados Unidos, ganó dos medallas, una de oro por equipo, y otra de plata individual; en esgrima, el campeón mundial y medallista olímpico Elvis Gregory; en balonmano, 14 jugadores, entre ellos, Rafael d'Acosta Capote, en los Juegos Panamericanos de Río de Janeiro, en 2007; en béisbol, el deporte nacional cubano, hay figuras de la talla de los lanzadores René

Arocha y Euclides Rojas, el jardinero Alexis Cabreja, Orlando *El Duque* Hernández, de los Mets de Nueva York, y José Ariel Contreras, la estrella de los Chicago White Socks.

En vísperas de los juegos olímpicos de Beijing, Fidel Castro cargó en dos nuevas *reflexiones* contra los deportistas «desertores» a los que, según él, no se debe permitir regresar a Cuba. «No permitamos jamás que los traidores visiten después el país para exhibir los lujos obtenidos con la infamia [...]. Deslumbramos a nuestro pueblo con los éxitos y las promesas deportivas, pero después no nos atrevemos ni siquiera a publicar los nombres de los que traicionan a su patria vendiéndose al enemigo», escribió el dictador cubano el 17 de julio de 2008, y el 31 de ese mismo mes, después de citar con nombres y apellidos a algunos atletas «comprados con dinero mercenario», Castro sentenció que «es un toque a degüello contra Cuba robándonos cerebros, músculos y huesos».

«Si pudieran les ofrecerían la luna», dijo en cierta ocasión la directora del Ballet Nacional de Cuba, Alicia Alonso, al referirse a la fuga de profesionales de su compañía, un hecho habitual desde la sonada deserción de los llamados «diez de París», en 1966. La propia Alicia Alonso fue testigo de la huida de tres de sus más prestigiosos bailarines, en diciembre de 2007, durante una gira de la compañía por Canadá, que encabezaba la *prima ballerina assoluta*. Taras Dimitro, Hayna Gutiérrez y Miguel Blanco huyeron a Estados Unidos después de representar en la ciudad de Hamilton, en el estado de Ontario, el *Cascanueces*, de Tchaikovsky. A su llegada a Miami, los tres bailarines se incorporaron al Ballet Clásico Cubano de esa ciudad, codirigido por otra «desertora», Magali Suárez, madre de Taras Dimitro.

Para el ministro de Cultura, Abel Prieto, la deserción de artistas cubanos no tiene demasiada importancia. «Yo no creo —dijo Prieto en febrero de 2008— que realmente la cultura cubana tenga que inquietarse por eso [...] yo creo que con excepción quizás de uno o dos de los bailarines del Ballet Nacional que se quedaron en Canadá [...] todo lo demás realmente no tiene a mi juicio el menor valor para la cultura cubana.» Según el ministro de Cultura, los que se van del país son «reinas por un día o reyes por un día» que son utilizados políticamente. Como responsable de la cultura cubana, Abel Prieto debería saber que no hay ballet de prestigio en el mundo que no se enorgullezca de contar con «desertores» cubanos, algunos tan extraordinarios como Carlos Acosta (Royal Ballet of London), José Manuel Carreño (American Ballet Theatre), Lorna Feijoo (Boston Ballet) y Laura Urgellés (Washington Ballet).

La mayor deserción en masa que haya protagonizado una agrupación artística cubana se produjo el 15 de noviembre de 2004. Ese día, los 43 integrantes del grupo teatral y musical cubano Havana Nights Club se presentaron en el Tribunal Federal de Las Vegas y pidieron asilo político en Estados Unidos. «¿Sabes lo que es un cuarteto cubano? Una orquesta sinfónica después de una gira por el extranjero», dicen en Cuba.

A veces la «deserción» de una sola persona es más sonada que la de todo un grupo, sobre todo cuando se trata de una figura popular, como es el caso de Carlos Otero, uno de los presentadores estrella de la televisión cubana. En diciembre de 2007, Otero huyó a Estados Unidos con toda su familia aprovechando un viaje profesional a Canadá. La noticia no podía ser ocultada, porque el magazine de Otero, *Con Carlos y punto*, uno de los de mayor audiencia en la tarde de los domingos, estaba en la parrilla de programación. Al Instituto de Radio y Televisión no le quedó más remedio que anunciar la supresión del espacio después de acusar de «traidor» a su presentador. El comunicado, leído por una locutora, decía de Carlos Otero que «su actitud traidora le separa del pueblo, su decisión le pone en el bando de los que sueñan con aniquilar lo que se ha conquistado con el sacrificio y el esfuerzo de varias generaciones de cubanos dignos». Y todo porque Carlos Otero decidió aceptar una oferta de trabajo en otro país.

Exiliados de terciopelo

Pero en Cuba hay diferentes varas de medir. Hay en el país otra clase de personas que deciden irse a vivir al extranjero y que no pertenecen a la categoría de los «desertores» ni a la de los *quedados*. Son los *quedaditos*, una casta especial de la que forman parte los hijos e hijas de la *nomenclatura*, que han abandonado las ventajas del sistema creado por sus padres y prefieren disfrutar de lo que Fidel Castro llamó «el consumismo y el derroche, que está en la raíz de la actual e irreversible crisis económica y social del mundo globalizado».

Los *quedaditos* no tienen ningún problema para vivir fuera de

Cuba y regresar a la isla cuando quieren para ver a sus progenitores, que muchas veces los visitan en sus lugares de «asilo» para comprobar cómo les va, lejos de la tutela de la Revolución. La lista de *quedaditos* es larga; algunos de ellos tienen apellidos «distinguidos»:

— Agustín Valdés, hijo del histórico comandante de la Revolución, expedicionario del yate *Granma*, miembro del Consejo de Estado y de la Comisió directiva del Buró Político del Partido Comunista y ministro de Informática y Telecomunicaciones, Ramiro Valdés, quien vive en España, en Madrid, donde se desempeña como pintor.
— Juan Almeida, hijo del comandante de la revolución del mismo nombre, expedicionario del *Granma*, miembro de la Comisión directiva del Buró Político del Partido Comunista y Vicepresidente del Consejo de Estado.
— Dos hijos de Alfredo Guevara, director del Instituto Cubano de Arte e Industria Cinematográficos (ICAIC), y uno de los pocos amigos íntimos del dictador; son dueños de un restaurante en la capital de España.
— Enma Álvarez Tabío, hija de Pedro Álvarez Tabío, director de la Oficina de Asuntos Históricos de Cuba; vive también en Madrid.
— Antonio Enrique Luzón, hijo del ex ministro de Transportes del mismo nombre, quien es propietario en Madrid de un negocio de importación y exportación.
— Javier Leal, hijo del historiador de la ciudad de La Habana y restaurador de La Habana Vieja, Eusebio Leal, una de las personas que ha gozado siempre del favor de Fidel Castro; vive también en España, en Barcelona, donde tiene una agencia de viajes y un negocio de antigüedades.
— Enrique Álvarez Cambra, hijo de Rodrigo Álvarez Cambra, prohombre del régimen y director del Hospital Frank País, donde trabaja el hijo de Fidel Castro, Antonio, médico traumatólogo. Álvarez Cambra es médico, como su padre, y dirige una clínica privada en Santander.
— En el año 2002, *El Nuevo Herald* de Miami publicó un reportaje sobre la presencia en España de tres nietos y una ex nuera de Fidel Castro, y otros dos nietos de su hermano mayor, Ramón.

Hay otros *quedaditos*, entre ellos Josué Barredo, hijo del director del diario *Granma*, Lázaro Barredo, quien vive en Estados Unidos, un derecho que su padre, desde las páginas del órgano oficial del Partido Comunista, niega a los demás cubanos. Esa diferencia entre ciudadanos del mismo país hace que a unos se les llame *quedaditos* o *exiliados de terciopelo* y a otros se los estigmatice como desertores y traidores —«un tipo de espécimen», según *Granma*— que huyen del país «con fachada de acosados y perseguidos políticos», y «no son más que delincuentes comunes, antisociales con una hoja abierta de antecedentes penales».[1]

Blanca y radiante va la novia

Hay otras categorías de cubanos que utilizan distintos métodos para marcharse del país. «Y si cierta persona [...] se casa conmigo, me colma de riquezas y me da muchos túnicos de seda, y me hace una señora y me lleva a otra tierra donde nadie me conoce, ¿qué diría su merced?»[2] ¿Qué diría hoy Cecilia Valdés, la protagonista de la novela del mismo nombre, de Cirilo Villaverde, al ver que muchas cubanas utilizan el mismo procedimiento para marcharse del país? El Malecón habanero es testigo del trasiego de blancas y radiantes novias que se pasean a lomos de *fotingos* convertibles, junto a ingenuos *yumas*[3] a los que han jurado amor eterno. Miles de matrimonios mixtos al año dan fe de la capacidad de «persuasión» de cubanas y cubanos. Como dice Exilia Saldaña en su cuento «Kele Kele», «se pusieron anillos, túnicos nuevos, pulsos como serpientes, aretes de mil colores y, en los tobillos, cadenillas de hierro. Se encasquillaron la cara y se aceitaron el pelo». Y todo ello para poder salir del país.

Algunos consulados tienen que hacer horas extra para tramitar los documentos necesarios para que las novias y los novios puedan emprender una feliz luna de miel sin retorno, naturalmente. Sólo el Consulado español despacha cerca de 3.000 audiencias de matrimonio anuales. Pocos de esos matrimonios de conveniencia dan resultado. La mayoría fracasan una vez obtenida la documentación que «los obligaba a gustarse», como decían antaño los cubanos, para abandonar el país por la puerta grande. En mayo de 2006, los Tribunales Superiores de Justicia de las comunidades autónomas de España, reunidos en Valencia, dieron la señal de alarma «ante el creciente número de matrimonios fraudulentos o nulos por ser de conveniencia, que en el caso de la Comunidad Valenciana llega a la "avalancha", y está marcada por la progresiva implicación de personas de origen cubano».

Hay también redes mafiosas que llevan a la isla a hombres o mujeres para casarse con cubanos y cubanas a los que cobran una buena cantidad de dinero por la operación. En febrero de 2006 la Policía Nacional Revolucionaria descubrió una banda de costarricenses que, en apenas cinco meses, había «apadrinado» 50 matrimonios en Cuba. La organización introducía en La Habana como turistas a jóvenes *ticos* que se «enamoraban» y casaban en un plazo récord con cubanos y cubanas, que después abandonaban el país en «feliz luna de miel».

No faltan también historias de cubanos y cubanas casados que recurren a un falso divorcio legal, para contraer después matrimonio con un *yuma*, por amistad o por dinero, y poder salir de Cuba. Eso requiere una cuidadosa planificación. El divorcio se realiza con tiempo suficiente para no levantar sospechas. Luego, en el caso de la mujer, que por regla general obtiene la custodia de los hijos, se casa con un extranjero y la nueva familia abandona la isla rumbo a otro país. Una vez allí, la mujer y los niños viajan hasta México o Canadá, desde donde se dirigen a la frontera con Estados Unidos y solicitan acogerse a la Ley de Ajuste Cubano. Mientras, en la isla, el marido espera la ocasión propicia para reunirse con su familia, por el mismo procedimiento del falso matrimonio o en balsa. Lo más difícil ya está hecho. Una persona sola puede escapar más fácilmente. Pero a veces no ocurre así. A veces las previsiones no se cumplen, los plazos se estiran y las familias se rompen. Es un riesgo que corren muchos cubanos y cubanas que recurren a esa fórmula para poder salir del país.

> Ven hacia mí, no tardes, dulce dueña
> de la región bendita con que sueña
> el cansancio profundo que me abruma.
>
> [...]
>
> ¿Qué esperas ya?, me impulsas a buscarte
> en el silencio eterno que te envidio
> y a cada rato vienen a anunciarte
> ¡las mariposas negras del suicidio![4]

Golpes de cimitarra

Muchos cubanos utilizan la vía del suicidio como fórmula de escape definitivo. El tópico de un pueblo feliz y jaranero no se corresponde con la realidad. Detrás de las bambalinas se oculta el drama de muchas personas que deciden quitarse la vida, acogotadas por un sistema que genera desesperanza y frustración. «Los cubanos no se suicidan, se matan», dice Eliseo Alberto, y no le falta razón, porque uno de los métodos más comunes de decir definitivamente adiós es *darse candela*, prenderse fuego.

Cuba tiene la mayor tasa de suicidios de todo el hemisferio, y una de las mayores del mundo, de acuerdo con estadísticas elaboradas por la Organización Panamericana de la Salud. Según los Indicadores Básicos de la Salud, correspondientes al año 2005, la tasa de suicidios en Cuba, en el período 2000-2005, era de 18,1 por cada 100.000 habitantes. En 1982, el Ministerio de Salud Pública de Cuba, MINSAP, indicó que el suicidio era una de las principales causas de muerte en la isla. Desde esa fecha, nunca más se publicaron estadísticas.

En julio de 2008, dos estudiantes de Sociología de la Universidad Central de las Villas, Lourdes García y Dayanis Campos, rompieron el silencio oficial con su tesis de fin de carrera, «Los caminos del suicidio: un laberinto real». Las dos investigadoras obtuvieron datos «secretos» de la Oficina Territorial de Estadísticas de Camagüey sobre el alarmante índice de suicidios en la provincia, especialmente de mujeres de edades comprendidas entre los 35 y los 40 años. En sólo dos años, 2006 y 2007, 125 mujeres se habían quitado la vida en Camagüey. Según el estudio, las causas de esa trágica decisión se deben a «la desesperanza (sustentada por las difíciles condiciones económicas), un ambiente familiar adverso, el desempleo, el abandono marital o la baja autoestima». El Gobierno, según las autoras del trabajo, mantiene una actitud «pasiva» para evitar una situación tan «preocupante». Pero la pasividad pronto se tradujo en acción, aunque de otro signo, porque las autoridades decidieron matar al mensajero. Un tribunal académico de la Universidad Central de las Villas desaprobó la tesis por considerar que los datos ofrecidos eran «irreales», confiscó todas las copias y separó a la profesora que la dirigió. A las dos alumnas se les impuso una nueva tesis como condición indispensable para acabar su carrera: «Impacto social de las transformaciones educativas».

El Gobierno cubano, muy reacio a ofrecer estadísticas, cuando no a manipularlas, esconde la cara ante el problema del suicidio. Las últimas estadísticas oficiales son de 1982, dos años después de producirse uno de los éxodos más dramáticos de la historia de Cuba, cuando 125.000 personas abandonaron el país por el puerto de Mariel en busca de una tierra prometida donde poder vivir con dignidad. Uno de los suicidios más sonados fue precisamente el de un *marielito*, el escritor Reinaldo Arenas, el 7 de diciembre de 1990, quien sufrió en carne propia «tantos golpes de cimitarra y redobles de bofetadas», y culpó al dictador cubano de su muerte: «Sólo hay un responsable: Fidel Castro. Los sufrimientos del exilio, las penas del destierro, la soledad y las enfermedades que haya podido contraer en el destierro seguramente no las hubiera sufrido de haber vivido libre en mi país. [...] Cuba será libre. Yo ya lo soy».[5]

Guillermo Cabrera Infante hizo una detallada relación de los jerarcas del régimen que eligieron también el suicidio como vía de escape, desengañados por el rumbo que tomó la Revolución. Uno de ellos fue el presidente Osvaldo Dorticós, quien se pegó un tiro en junio de 1983. Tres años antes lo había hecho la directora de la Casa de las Américas, Haydee Santamaría, una de las dos mujeres que participó en el ataque al cuartel Moncada el 26 de julio de 1953, y que eligió precisamente un 26 de julio para suicidarse. Haydee Santamaría ya había mostrado cierta inclinación necrófila en un famoso discurso, pronunciado también un 26 de julio, el de 1959, en el homenaje a los caídos en el Moncada, en el que pidió el regreso de Fidel, quien había dimitido, por razones tácticas, de su puesto de Primer Ministro: «Hoy aquí pido en nombre de los mártires —ya que son muchos los que le van a pedir que vuelva—, hoy aquí también pido en nombre de esos que sé que se lo están pidiendo, que Fidel vuelva, que vuelva al puesto que le pertenece, porque así lo quieren los vivos y porque así lo quieren los muertos». Quizás los muertos le pidan explicaciones a Haydee Santamaría por sus palabras, allí donde se encuentre.

El bello país de la muerte

«No se puede entender la Revolución cubana —dice Cabrera Infante— si no se considera como uno de sus elementos in-

286

tegrales, casi esencial, al suicidio.»[6] Pero el suicidio en Cuba viene de muy atrás. Los aborígenes de la zona, según cuenta Florence Jackson Stoddard,[7] se referían a Cuba como «el bello país de la muerte». El demógrafo Juan Pérez de la Riva sitúa en 30.000, casi el 30 % de la población nativa, el número de aborígenes que se suicidaron en la isla para escapar del trabajo esclavo al que los sometían los españoles. De ello da cuenta en su *Diario* fray Bartolomé de las Casas: «Comenzaron a ahorcarse y sucedió a ahorcarse todos juntos, una casa, padres e hijos, viejos y mozos, chicos y grandes y unos pueblos convidaban a otros a que se ahorcasen para que salieran de tantos tormentos y calamidades».

Los esclavos de las plantaciones de azúcar imitaron a los indios y eligieron muchas veces la vía del suicidio ante el trato brutal que recibían de sus amos. Fernando Ortiz dice que «el esclavo pretendía romper sus ataduras y si bien jamás logró violentamente su libertad como clase social, alcanzó muchas veces burlar a su amo sustrayéndose a la propiedad de éste por la fuga o por el recurso supremo de todos los oprimidos impotentes, el suicidio».[8]

Una forma habitual de quitarse la vida era tragarse la lengua, como hace Pedro, un cimarrón al que dio vida Cirilo Villaverde en su novela *Cecilia Valdés*: «Ora haya hecho uso el negro de los dedos, ora de un poderoso esfuerzo de absorción, evidente es que, doblando la punta de la lengua hacia dentro, empujó la glotis sobre la tráquea y quedó ésta obliterada, impidiendo la entrada y salida del aire en los pulmones, o cesando la inspiración y la espiración. He aquí lo que el vulgo llama tragarse la lengua y que nosotros llamamos asfixia por causa mecánica».[9] Se lo cuenta el doctor Mateu a don Cándido, el dueño de la plantación, quien se lamenta, no por la muerte tan horrorosa del esclavo, sino porque «valía lo que pesaba en oro para el trabajo».

> Eres como una visión en mi locura
> y en la copa que me embriaga
> veo tu figura, quiero ahogar mi decepción,
> y por eso busco en la cerveza
> mi tristeza dejar
> para olvidar tu amor.[10]

Hay quien se marcha también del país cada día y regresa y se vuelve a marchar al día siguiente, arropado por nubes de vapor de alcohol destilado con productos al alcance de bolsillos vacíos. Muchos cubanos, especialmente en las zonas más deprimidas de la capital, fabrican y venden a sus convecinos bálsamos de fierabrás, para darles el coraje necesario para vivir en paz consigo mismos y poder enfrentarse a la desesperación de ver pasar los días y ver pasar los años sin el consuelo de una mentira que les haga creer que algo ha cambiado aunque sepan que todo sigue igual. «Date un trastazo, mi hermano, que no hay más ná» es su invitación al olvido. El Azuquín, Chispa e tren, Bájate el blumer y, sobre todo, el Alcolifán, fabricados con arroz fermentado, papaya, mangos, piñas o cualquier otra fruta, cumplen la función de adormecer los reproches propios y los reproches de «los de allá», los familiares de Miami que se fueron en balsa, que es la manera cubana de echarse al monte.

Capítulo 16

Los perros de Pavlov

> Valdría la pena que alguien proponga
> en Naciones Unidas el Día Internacional
> de las víctimas de la desinformación, por-
> que es un derecho de los seres humanos
> conocer la verdad, no vivir engañados
> como viven millones, premeditadamente.
>
> RICARDO ALARCÓN, Presidente
> de la Asamblea Nacional
> del Poder Popular

El 3 de julio de 2006, *Trabajadores*, órgano oficial de la CTC, la Central de Trabajadores de Cuba, destacaba en su primera plana, con grandes titulares, la propuesta de Ricardo Alarcón a las Naciones Unidas, para que se celebre el Día Internacional de las víctimas de la desinformación. El presidente del «Parlamento» cubano hizo esa propuesta en La Habana, en un acto celebrado en la Casa de las Américas, «en el que Cuba alzó su voz para condenar las violaciones que se cometen en el mundo, con ocasión de celebrarse el Día Internacional de apoyo a las víctimas de la tortura, dedicado especialmente a los Cinco Héroes cubanos presos en Estados Unidos». No hay constancia de ello, pero es probable que los directores de *Granma* y *Juventud Rebelde* respiraran aliviados al comprobar que Alarcón no se refería a ellos como victimarios, para reforzar su propuesta de celebrar el «día internacional de las víctimas de la desinformación».

Desde hacía dos meses, Lázaro Barredo y Rogelio Polanco, directores de los dos únicos diarios de tirada nacional y diputados ambos de la Asamblea Nacional del Poder Popular, estaban terriblemente preocupados, porque los dos habían censurado y manipulado un discurso de Fidel Castro, ¡nada menos que el del Primero de Mayo! En su descargo podrían alegar que lo que hicieron fue reproducir la transcripción del discurso que les facilitó el Consejo de Estado. Pero no estaban muy seguros.

El 9 de mayo de 2006, *Granma* y *Juventud Rebelde* publicaron un Suplemento Especial con las «versiones taquigráficas del Consejo de Estado» del discurso que el dictador cubano pronunció el día primero en la Plaza de la Revolución «ante más de un millón de personas», por supuesto. Pero aquellas «versiones taquigráficas» no eran tales, estaban manipuladas. Los dos periódicos reprodujeron las palabras de Castro sobre un plan del Gobierno para incrementar la venta de huevos por la *libreta*, de 8 a 10 unidades por consumidor, pero eliminaron una de sus célebres improvisaciones, en este caso desvaríos, porque, al decir de los cubanos, al dictador se le fue la olla.

El texto mutilado, que las cámaras de televisión grabaron en directo, era el siguiente: «... ustedes saben que el huevo número 10 tiene un precio mayor que el huevo número 5, no se tocaron aquéllos, pero los otros, pero son subsidiados todavía, no queremos amenazarlos con nada, lo que queremos que ustedes sepan cómo son las cosas y comprendan y ayuden, debemos salir de lo que sea ruinoso, lo que afecte a la economía, lo que da lugar a lo que la gente haga lo que hacía antes, que nunca jamás apagaban un bombillo, salvo rarísimas excepciones, nadie se ocupaba de apagar un bombillo, un ventilador, un aire acondicionado, pero no quiero hablar más de esto...». ¡La gallina!, y nunca mejor dicho, tratándose de huevos. En la supuesta versión taquigráfica se eliminaron esas palabras que Castro improvisó, y a cambio se añadieron 5 párrafos que figuraban en el texto original del discurso y que el orador se olvidó de leer, enredado como estaba con los dichosos huevos.

Palabras como balas

Hasta el día de hoy, que se sepa, la «manipulación» de los dos diarios no ha tenido consecuencias para sus directores, y es lógico porque, como publicó el propio diario *Granma*, «somos los periodistas más libres porque formamos parte del pueblo más libre, donde hay una Revolución que es el proceso más justo, ético y digno que haya tenido nación alguna».[1]

Lo primero: optimista.
Lo segundo: atildado, comedido, obediente.
(Haber pasado todas las pruebas deportivas)
Y finalmente andar,
como lo hace cada miembro:
un paso al frente, y
dos o tres atrás:
pero siempre aplaudiendo.[2]

En enero de 2007 tuvo lugar en el Palacio de Convenciones de La Habana el VIII Festival Nacional de la Prensa Escrita, en el que participaron más de 400 periodistas cubanos. *Granma* y *Juventud Rebelde*, hermanados como siempre, reseñaron y titularon su información, también hermanados como siempre. «Un periodismo tan alto como sus principios», tituló el órgano oficial del Comité Central del Partido Comunista de Cuba; «Una prensa a la altura del proyecto que defiende», reseñó el diario de la Juventud Comunista; y desde esa cima, ambos periódicos coincidieron en que el oficio de periodista requiere de «artesanos inquietos» para «combatir las campañas mediáticas desinformativas», por eso «cobró especial relevancia el lema: "Creación periodística en la lealtad a la Revolución"». Dicho lo cual, ambos medios destacaron que los periodistas enviaron «un mensaje a Fidel» que *Juventud Rebelde* reprodujo íntegramente en su primera página con el título de «Inspirador constante» y que no tiene desperdicio, desde la cruz a la firma, como se decía antes:

Querido Gigante:

¿Cómo olvidar aquella tarde en un Festival como éste, cuando usted llegó con un *Juventud Rebelde* en la mano, sin que aparentemente nadie lo esperara —porque siempre lo esperamos—, ocupó asiento de colega y comentó que supo por el periódico de la reunión y decidió incorporarse como buen afiliado?

Así de sencillos han sido y serán nuestros encuentros, fluyen de manera natural como las ideas que portan.

El periodismo sigue siendo el acta notarial del tiempo que se vive, el borrador de la historia en apuntes tomados al vuelo. Una Revolución no necesita tratamiento apologético, la ofende el lenguaje rimbombante. Estar a la altura de lo que se narra es la batalla principal del narrador, y ahí andamos buscando calidad, cuidando las palabras como se cuidan las balas que han de entrar en combate. El debate de estos días ha sido martiano: «franco, fiero, fiel, sin saña».

Los sepultureros imperiales pretenden enterrar nuestros ideales, mientras nosotros, campantes, sacudimos la tierra y la transformamos en nuevo escalón hacia la altura. Andan contando nuestros días, pero la Revolución tiene garantizado su más allá en la tradicional rebeldía y el talento del cubano, de la cual es usted inspirador constante.

Recupérese. Le queremos, Fidel, le queremos.

Lo abrazamos con fervor revolucionario.

Los periodistas cubanos

Patria y Vida
Venceremos.

Por si hubiera alguna duda de la fidelidad de los periodistas, el mensaje al «inspirador constante» dejaba bien claro que la Revolución cubana «no necesita tratamiento apologético», porque «la ofende el lenguaje rimbombante», por eso los periodistas cuidan las palabras «como se cuidan las balas que han de entrar en combate». El mensaje estaba firmado en negrita por «los periodistas cubanos», todos, naturalmente, confiados en que la Revolución tiene garantizado «su más allá».

La temperatura del halago

El artículo 53 de la Constitución vigente en Cuba dice que «se reconoce a los ciudadanos libertad de palabra y prensa conforme a los fines de la sociedad socialista». ¿Y cuáles son esos fines? *Granma* lo explica muy bien al responder a las críticas de quienes reprochan a los periodistas cubanos no criticar, valga la redundancia, «ni nuestro socialismo ni a nuestro Gobierno». «¿Debemos acaso criticar —dice *Granma*— el fabuloso programa de justicia social de la Revolución que ha ido prestando cada vez más asistencia a los cubanos, o el destinado a convertir a esta nación en una de las más cultas del planeta? ¿A los relevantes logros científicos y deportivos que exhibe?»[3]

292

No, está claro que los periodistas cubanos no deben criticar «el fabuloso programa de justicia social de la Revolución». Pero siempre hay aguafiestas como Estrella Fresnillo, ex presentadora de la Televisión Cubana, para quien «el periodismo cubano es una anquilosada maquinaria de censura, donde todos estamos entrenados para cumplir el esquema condicionado del sistema de un modo tan servil que ni siquiera hace falta advertir lo que no se puede abordar o mencionar». Claro que Estrella Fresnillo no hizo esas declaraciones en *Granma* sino en el *El Nuevo Herald* de Miami el 21 de diciembre de 2005, después de pedir asilo político en Estados Unidos, porque «me cansé de seguir actuando como el perro de Pavlov».

En honor a la verdad, hay que decir que los reflejos condicionados de los colegas de Estrella Fresnillo no siempre se disparan de una manera automática. Los periodistas cubanos saben muy bien lo que deben escribir, pero a veces se enfrentan al dilema de tener que adivinar la temperatura exacta del halago, porque si se pasan pueden provocar la inquina de Fidel Castro, «enemigo», como se declaró siempre, del culto a la personalidad, pero que no le hace ascos a inciensos como este de Radio Reloj, el 13 de agosto de 2006, fecha de su 80 cumpleaños:

> Era un país de crónicas sociales, de oportunistas demagogos, de ladrones del tesoro público... Entonces fue el hombre necesario, el indispensable líder... Por sobre aquel pasado bochornoso, sosteniendo una antorcha centenaria, derribando tiránicos cuarteles, capitaneando el oleaje hacia las Coloradas, trazando en las montañas volcánicos caminos de redención, tea incendiaria, entonces llegó Fidel. Él cerró el puño campesino sobre los latifundios para que la tierra dejara de ser la promesa, inauguró resurrecciones donde agonizábamos de inseguridad y de ignorancia y se hizo verdad la distribución equitativa de los panes y los peces. Él nos inculcó el orgullo de quienes somos por lo que podemos llegar a ser, y nos restituyó la dignidad ultrajada y nos devolvió multiplicados los argumentos y el coraje para enfrentar al enemigo. Con él aprendimos que todos somos el comandante en jefe y él es todos nosotros.

Para la prensa cubana, Fidel Castro no es sólo un bien cubano, también es patrimonio universal, como certificó *Tribuna de La Habana* el 7 de enero de 2007, al recordar con el título de la «Apoteosis de un 8 de enero», la entrada triunfal del comandante en La Habana después de la victoriosa gesta contra la dictadura de Fulgencio Batista:

> Al paso del líder, hasta el mismísimo Homero hubiera dado la mitad de su vida por escuchar el rumor de los aplausos, consignas, coros de ¡Fidel, Fidel...! O el repique ecuménico de las campanas o las sirenas de barcos y fábricas... La Caravana de la Libertad sacudía La Habana el 8 de enero de 1959. La prensa nacional y extranjera reflejaba la noticia, tal vez sin imaginar que con la independencia definitiva de Cuba se hacía un bien Universal.

Los medios cubanos suelen utilizar un lenguaje trufado de términos militares para referirse a cualquier suceso, aunque no esté necesariamente relacionado con hechos de armas, como «la batalla del trabajo», «las escuelas como trincheras», «los niños que son guerreros», «las palabras como balas para el combate», «el escudo de la cultura», «la resistencia heroica contra el huracán». Quizás se debe a que, además de ensalzar la figura del Líder Máximo, dedican buena parte de sus páginas y de sus espacios en la radio y la televisión, a glosar la vida y, sobre todo, la muerte, de los héroes de la patria. Las primeras planas de los periódicos son un verdadero santoral de mártires en color sepia que recuerdan a los cubanos el día de su festividad, que también ellos, como ciudadanos de una Revolución acosada, deben dar ejemplo de heroísmo y sacrificio, y si es necesario la vida, porque el enemigo acecha para apoderarse de Cuba. No hay día en que no se conmemore un hecho de esa naturaleza y sorprende que haya tanto martirologio en tan pocos años de historia, pero la cantera es inagotable.

La manzana de la Revolución

El artículo 52 de la Constitución cubana, después de reconocer a los ciudadanos la libertad de palabra y prensa, «conforme a los fines de la sociedad socialista», especifica que «las condiciones materiales para su ejercicio están dadas por el hecho de que la prensa, la radio, la televisión, el cine y otros medios de difusión masiva son de propiedad estatal o social y no pueden ser objeto, en ningún caso, de propiedad privada, lo que asegura su uso al servicio exclusivo del pueblo trabajador y del interés de la sociedad». Salvo pequeñas publicaciones de las confesiones religiosas, principalmente la católica, no autorizadas aunque toleradas, todos los medios son propiedad del Estado, que prohíbe los «impresos clandestinos», tanto nacionales como extranjeros, así como la tenencia y difusión de literatura «subversiva». Sobre ese particular, Castro se manifestó en más de una ocasión, aunque sin llegar a los métodos expeditivos de los bomberos de *Fahrenheit 451*: «A veces se han impreso determinados libros. El número no importa. Por cuestión de principios hay algunos libros de los cuales no se debe publicar ni un ejemplar ni un capítulo ni una página, ¡ni una letra!».[4]

Yo no sé escribir y soy un inocente.
Nunca he sabido para qué sirve la escritura y soy un inocente.
No sé escribir, mi alma no sabe otra cosa que estar viva.

En las «Palabras escritas en la arena por un inocente», el poeta exiliado Gastón Baquero peca de ingenuo porque la escritura no es inocente, como Castro ha repetido tantas veces, al acusar de «mercenarios y traidores» al servicio de Estados Unidos, a los llamados «periodistas independientes», profesionales que, pese a la vigilancia del Gran Hermano, escriben la «otra» realidad de Cuba en Agencias como Cuba-Verdad, Habana Press, Decoro, Lux Info Press, Cubanacán Press, y que difunden sitios digitales como Cubanet, Disidente, Miscelánea de Cuba, Carta de Cuba. Pero esa «competencia» no es bien vista por la prensa oficial y algunos «colegas», como Lázaro Barredo, director de *Granma*, opinan que «estamos obligados a enfrentar el peligro no sólo permanente de la nación cubana y su engendro anexionista, sino también de aquellas actitudes que alguien describió con esta metáfora: que como un gusano pudieran terminar pudriendo la manzana de la Revolución».[5]

El mejor DDT contra ese «gusano» es, sin duda, la Ley Mordaza, como se conoce a la Ley Número 88 de Protección de la Independencia Nacional y la Economía de Cuba, aprobada por la Asamblea Nacional del Poder Popular, presidida por Ricardo Alarcón, el 16 de febrero de 1999. Esa Ley es una norma dictada para tiempos de guerra, porque Cuba, por si alguien lo ha olvidado, está en guerra con Estados Unidos, y todos aquellos que no publiquen los «partes» de guerra oficiales son considerados «enemigos».

El artículo 1 de la Ley Mordaza dice que «esta ley tiene como finalidad tipificar y sancionar aquellos hechos dirigidos a apoyar, facilitar o colaborar con los objetivos de la Ley Helms Burton, el bloqueo y la guerra económica contra nuestro pueblo, encaminados a quebrantar el orden interno, desestabilizar el país y liquidar el Estado socialista y la independencia de Cuba». El artículo 7.1, referido a las «infracciones penales», establece que quien animado por esos propósitos «colabore por cualquier vía con emisoras de radio o televisión, periódicos, revistas u otros medios de difusión extranjeros, incurre en sanción de privación de libertad de dos a cinco años o multa de mil a tres mil cuotas, o ambas». El apartado 3 de ese artículo señala que «la sanción es de privación de libertad de tres a ocho años o multa de tres mil a cinco mil cuotas, o ambas, si el hecho descrito en el apartado 1 se realiza con ánimo de lucro o mediante dádiva, remuneración, recompensa o promesa de cualquier ventaja o beneficio».

¡Que les corten la cabeza!

De los 75 disidentes encarcelados en la *primavera negra* de 2003, 27 son periodistas. A todos ellos se les aplicó la Ley Mordaza y la Ley de Procedimiento Penal y fueron condenados por el delito de «Actos contra la independencia o la integridad territorial del Estado». En el proceso contra Raúl Rivero y Ricardo González Alfonso, el fiscal, Miguel Ángel Moreno Carpio, detalló algunos de esos «actos»:

> Que el Gobierno de los Estados Unidos a través de su Sección de Intereses en Cuba [...] con el objetivo de destruir la Revolución cubana, ha priorizado la subversión interna. Para la consecución de sus propósitos conspirativos han procurado la actuación de apátridas dispuestos a suministrarles informaciones y cumplir sus órdenes entre los que se encuentran los acusados Ricardo Severino González Alfonso y Raúl Ramón Rivero Castañeda, que realizaron actividades subversivas encaminadas a afectar la independencia e integridad territorial cubana. Es así como a partir de la década de los noventa hasta la fecha, adoptaron la fachada de autotitularse periodistas independientes para desacreditar el sistema de gobierno cubano, sus instituciones, dirigentes y sistema social, con la finalidad de aglutinar algunos contrarre-

volucionarios que se prestaran a actuar en correspondencia con los fines del Gobierno de los Estados Unidos...[6]

«¡Que le corten la cabeza!», grita a voz en cuello la Reina de *Alicia en el país de las Maravillas*, pero el juez de la causa contra Raúl Rivero y Ricardo González no consideró necesario llegar a tal extremo; se conformó con condenar a los «autotitulados periodistas independientes» y «apátridas» a 20 años de cárcel cada uno. Como dijo el ministro de Relaciones Exteriores, Felipe Pérez Roque, el 9 de abril de 2003, días después de las condenas: «Invoco aquí nuestro derecho a la legítima defensa consagrado en la Carta de Naciones Unidas, y nosotros estamos siendo agredidos con una guerra económica, política, propagandística. El que colabora aquí dentro de Cuba con esos objetivos, tiene que saber que incurre en un delito».

> Acaban de avisarme que he muerto.
> Lo anunció entre líneas la prensa oficial. [...]
> Soy testigo del entierro que me están haciendo.
> Estuve alerta en el velorio
> y anoté cada gesto, cada comentario.
> Lo he visto todo claro desde mi muerte.
> Los estoy esperando.[7]

Disparen sobre el periodista

El 18 de marzo de 2008, el Comité para la Protección de los Periodistas (CPJ), un organismo independiente con sede en Nueva York, calificó de «atroz» la situación de los periodistas encarcelados en la *primavera negra* de 2003. En un Informe titulado «La Larga Primavera Negra de Cuba», publicado en el quinto aniversario de las detenciones del «Grupo de los 75» disidentes, el Comité denuncia que «los periodistas están hacinados en pabellones enormes o en diminutas celdas sin ventilación» y que «el agua potable está contaminada con materia fecal y la comida está llena de gusanos». Se citan los casos de José Luis García Paneque, quien sufre desnutrición, neumonía crónica y tiene un tumor en un riñón; de José Ubaldo Izquierdo Hernández, que tiene enfisema, problemas circulatorios y una hernia, y de Ricardo González Alfonso, que sufre hipertensión, artritis y fuertes alergias.

El Comité para la Protección de Periodistas se apoya en fuentes locales para realizar sus informes, y cifra en un centenar el número de profesionales de la comunicación que trabajan en Cuba al margen de los circuitos gubernamentales, la mayoría en La Habana, sin tener acceso a internet, a un ordenador o a un teléfono móvil.

También en marzo de 2008, la SIP, la Sociedad Interamericana de Prensa, reunida en Caracas, denunció la situación de los periodistas independientes en Cuba y exigió «la liberación incondicional de los periodistas cubanos encarcelados y el reconocimiento gubernamental al ejercicio independiente de la profesión». De los 27 reporteros encarcelados durante la *primavera negra*, 25 permanecen todavía en prisión después de la puesta en libertad, por motivos de salud, de Alejandro González Raga y José Gabriel Ramón Castillo, en febrero de 2008. Ambos fueron obligados a exiliarse en España. Otros 12 periodistas presos, según la SIP, se encuentran gravemente enfermos por las duras condiciones carcelarias, pero el Gobierno se niega a concederles una licencia extrapenal humanitaria.

En su Informe anual, la Sociedad Interamericana de Prensa señala que un mes después de que Raúl Castro asumiera el poder en Cuba, en febrero de 2008, «prevalece en el periodismo la misma situación de estancamiento, control de la información y represión contra la prensa independiente». La violencia del Gobierno contra los periodistas independientes no ha cedido, señala el Informe, en el que se denuncian «actos de coacción a la práctica informativa que incluye multas, registros, incautación de dinero y objetos personales, detenciones preventivas, limitación de movimientos, allanamiento de viviendas, amenazas de muerte, asedio de turbas gubernamentales y represalias contra los familiares de los periodistas».

Uno de los casos denunciados por la SIP es el de Omar Rodríguez Saludes, director de la agencia independiente Nueva Prensa, quien fue sentenciado a 27 años de prisión en la *primavera negra* de 2003. Su condena fue la más dura entre los periodistas que integraban el «Grupo de los 75» disidentes encarcelados. Rodríguez Saludes fue acusado de ser un «reportero ilegal al servicio del Gobierno de Estados Unidos» y de presentar imágenes «destructivas» del país, por sus fotografías en las que da testimonio de la crudeza de la vida cotidiana en Cuba. Sus instantáneas sobre las viviendas medio derruidas de Centro Habana, habitadas por familias más que numerosas, los derrumbes, los basureros en plena calle, las aguas negras, los mendigos... son demasiado peligrosas para el sistema, porque cuestionan los eslóganes del mundo feliz de la propaganda oficial. «Como periodista, durante años he defendido el derecho a informar y ser informado.» ¿Es justo que se me condene a 27 años de encierro? ¡Un minuto sería demasiado! Se tiene que entender que la prensa es para darle voz a la sociedad y no para ser eco de un Gobierno.» Son palabras de Omar Rodríguez Saludes.

Morir de miedo

La organización Reporteros sin Fronteras (RSF) considera a Cuba como la segunda cárcel del mundo para la prensa, después de China. En una lista que mide el grado de libertad de prensa en 169 países, Cuba figura en el puesto número 165, por delante sólo de Eritrea, Corea del Norte y Turkmenistán. En su Informe Anual, publicado en febrero de 2008, Reporteros Sin Fronteras señala que la situación de los derechos humanos no ha experimentado ningún avance en Cuba. «Sólo han cambiado —dice RSF en su Informe— los métodos represivos: ahora lo que se lleva es la brutalidad cotidiana y las detenciones breves [...] Con más de 80 agresiones, amenazas, detenciones y registros salvajes a periodistas contabilizados en 2007, el régimen ya no se dedica a los grandes procesos contra la disidencia, sino a la brutalidad ordinaria.»

A los periodistas independientes se los persigue con saña, porque no tienen miedo de interpretar de manera diferente a como lo hacen los medios oficiales, el artículo 53 de la Constitución, en lo que se refiere al «interés de la sociedad». Ese interés les lleva a perder el miedo a informar, o a lo mejor es el miedo lo que les impulsa a hacerlo, como dice Reinaldo Arenas en su obra *El Portero*: «Yo tengo miedo, mucho miedo, muchísimo miedo. En realidad creo que me muero de miedo. Sí, casi muerto estoy. Pero también estoy seguro de que si no fuera por el miedo no estaría casi muerto, sino completamente muerto. Es decir, me hubiera matado yo mismo, porque el miedo es lo único que nos mantiene vivos».

Los periodistas independientes tienen ante sí toda una panoplia de cargos, no necesariamente relacionados con su condición de «agentes» del imperio. En diciembre de 2006, Raimundo Perdigón Brito fundó en Camagüey una agencia de prensa independiente, Yayabo Press, y antes de que difundiera una sola información, fue llevado ante un tribunal, que le condenó a cuatro años de prisión, acusado de «peligrosidad social». A Perdigón Brito le aplicaron el artículo 72 del Código Penal (Ley n.º 62/87), que dice textualmente: «Se considera estado peligroso la especial proclividad en que se halla una persona para cometer delitos, demostrada por la conducta que observa en contradicción manifiesta con las normas de la moral socialista». Como en el libro de George Orwell, *1984*, en Cuba se castiga el *crimental*, el crimen de la mente, sin necesidad de que se produzca el «delito» para que el «mundo feliz» no se vea perturbado. «La sentencia primero, luego el veredicto», dice la Reina de *Alicia en el país de las Maravillas*.

Represión de bajo perfil

En Cuba se puede encarcelar a cualquier persona sin motivo, sin que exista siquiera una «especial proclividad» para cometer un delito. Los cubanos no necesitan el «aval» de la sentencia de un tribunal para ir a prisión, basta con que lo decidan las autoridades. El 25 de octubre de 2006, Ricardo Medina y Francisco Moure fueron puestos en libertad sin explicación alguna, después de permanecer 15 meses en prisión. Los dos disidentes fueron detenidos el 22 de julio de 2005, junto con otras 20 personas, en una concentración frente a la embajada de Francia en La Habana para pedir la excarcelación de los presos políticos. Durante el tiempo que permanecieron en prisión no se les formularon cargos ni fueron sometidos a juicio; simplemente estuvieron presos, secuestrados por decisión del Gobierno. En opinión de Elizardo Sánchez, presidente de la ilegal Comisión Cubana de Derechos Humanos y Reconciliación Nacional (CCDHRN), «pareciera que el Gobierno está sustituyendo la represión que se traduce en encarcelamiento de larga duración por represión política de bajo perfil: detenciones de corta duración, amenazas, interrogatorios, agresiones físicas o verbales».[8]

Los «actos de repudio» responden a esa represión de «bajo perfil» contra todos los disidentes, y especialmente contra los periodistas. Pero éstos tienen que hacer frente a otras formas de agresión, como la confiscación de sus equipos, la interrupción del servicio telefónico y la prohibición de acceder a internet. El caso más significativo es el de Guillermo Fariñas Fernández, director de la Agencia Independiente Cubanacán Press. El 31 de enero de 2006, Fariñas se declaró en huelga de hambre y de sed, después de que el Gobierno le cortara el servicio de internet, una herramienta básica para su trabajo, como represalia por haber difundido una noticia silenciada en los medios oficiales. Fariñas se hizo eco de una denuncia presentada ante los tribunales de justicia por el Colegio Médico de Villa Clara, por el traslado a Pakistán de la reserva de sangre de esa provincia, con grave riesgo para la salud de los santaclareños, porque según los médicos, los hospitales no hubieran podido hacer frente a una emergencia sanitaria.

En octubre de 2005 Pakistán sufrió un terremoto devastador y Cuba, según datos oficiales, envió 2.558 médicos, paramédicos y personal de apoyo; 234,5 toneladas de medicamentos, y otras 275,7 toneladas de equipo sanitario, además de 30 hospitales de campaña que luego fueron donados al gobierno de ese país. La ayuda prestada contribuyó a salvar vidas en Pakistán, pero los médicos cubanos tuvieron que cruzar los dedos para que no les ocurriera nada a sus pacientes. Una vez más, el Gobierno de Cuba culpó al mensajero. Fariñas puso en peligro su vida, durante los siete meses que duró su protesta, para exigir el derecho a utilizar internet. En diciembre de 2006, Reporteros sin Fronteras concedió a Guillermo Fariñas el premio anual en la categoría de ciberdisidente, que el director de Cubanacán Press dedicó «a todos los presos políticos y especialmente a los periodistas independientes».

El Comité para la Protección de los Periodistas (CPJ), con sede en Nueva York, denunció en diciembre de 2006 que hay 134 periodistas encarcelados en todo el mundo, de los cuales 49 informan a través de internet. China figura a la cabeza de ese ranking, por octavo año consecutivo, con 31 periodistas presos, seguida por Cuba, con 24. El Informe de la CPJ señala que «estamos en un momento crucial en la lucha por la libertad de prensa, porque los gobiernos autoritarios han hecho de internet su mayor frente en la batalla por controlar la información».

En una resolución aprobada en la 63 Asamblea de la Sociedad Interamericana de Prensa, se advierte a los Gobiernos del hemisferio de que «intervenir, censurar o coartar el irrestricto e ilimitado acceso de ciudadanos a la internet constituye, en la actualidad, una violación fundamental a una faceta importante del derecho humano a la información». El Gobierno cubano es uno de los que pone más trabas para que sus ciudadanos accedan a ese derecho fundamental.

Internet y los tres mosqueteros

En Cuba, sólo 9 de cada 1.000 personas tienen acceso a internet, según datos del Informe sobre Desarrollo Humano (IDH) 2005, del Programa de Naciones Unidas para el Desarrollo (PNUD). Es una de las cifras más bajas del planeta, muy inferior a Haití (18), Swazilandia (26) o Togo (42). Costa Rica, por ejemplo, tiene 288 usuarios de internet por cada 1.000 habitantes. *Granma*, que tiene una edición digital, no cuestiona esas cifras, pero tiene su particular punto de vista sobre el tema: «El problema de internet tiene cierto valor, pero no absoluto, porque uno se pregunta: ¿qué parte de la población latinoamericana tiene acceso a internet? ¿Y de África? ¿Acaso todos los filipinos, los indonesios y los habitantes de otras islas del Pacífico y de países de Asia tienen en su casa una computadora?».[9]

Más conciliador, el diario *Juventud Rebelde* se apoya en Alejandro Dumas para argumentar que: «Cuba, con respecto a la tecnología, ha vuelto a la consigna decimonónica de los mosqueteros, al tratar de que la internet sea una para todos y todos para una, facilitando el acceso a este recurso a los sectores priorizados de la sociedad, allí donde pueda ser más útil, dada la concreta realidad de que este acceso, como muchas otras cosas que Estados Unidos ha torpedeado por más de 40 años, también es escaso».[10]

El bloqueo es una de las excusas esgrimidas por el Gobierno de la isla para dificultar el acceso de sus ciudadanos a internet. Estados Unidos prohíbe a Cuba que utilice el cable submarino y la red de fibra óptica que pasa cerca de sus costas, por lo que sólo puede incorporarse a la red por satélite, un sistema más caro y de menor calidad y velocidad. Estados Unidos monitorea, además, el uso que hace Cuba de internet, mediante el Global Internet Freedom Task Force (GIFTF), un «grupo de tareas» contra países considerados terroristas, que se creó en febrero de 2006, y cuya filosofía explicó el entonces secretario de Defensa de Estados Unidos, Donald Rumsfeld: «El Departamento luchará contra internet como lo haría contra un sistema de armamentos» (*«The Department will fight the net as it would a weapons system»*). No deja de ser curioso que poco después de las declaraciones de Rumsfeld, Ramiro Valdés, ministro de Informática y Telecomunicaciones de Cuba, calificara a internet como una «herramienta de exterminio global, un arma que hay que controlar imperativamente».

Los vicios capitalistas

El Gobierno cubano alega que el insuficiente ancho de banda de que dispone la isla, lo obliga a limitar el acceso global a internet, en beneficio de lo que denomina «sectores priorizados», entidades e instituciones «que pueden contribuir a la vida y el desarrollo de la nación». El 18 de junio de 2001, en *Granma Internacional*, Beatriz Alonso, directora general de Citmatel, uno de los dos servidores de la isla, explicó que en Cuba «no existen sitios de pornografía, de terrorismo, ni de otros vicios que proliferan en las naciones capitalistas, entre las que Estados Unidos ocupa un lugar de excepción. El uso de internet en Cuba se ha establecido sobre una base de ética y de humanismo».

En 2002 se creó el Ministerio de Informática y Telecomunicaciones, «para regular, dirigir, supervisar y controlar la política cubana en materia de tecnología de la comunicación, la informática, las telecomunicaciones, las redes informáticas, la radiodifusión, el espectro radioeléctrico, los servicios postales y la industria electrónica». No es casual que esa cartera esté en manos del comandante de la Revolución Ramiro Valdés, ex ministro de Interior y «padre» de los servicios secretos cubanos.

El Gobierno de la isla repite machaconamente que el uso de la informática en escuelas y universidades es masivo, aunque los datos lo desmientan. De acuerdo con un Informe de la Unión Internacional de Telecomunicaciones, publicado en el año 2005, Cuba tiene uno de los índices de equipamiento más bajos del mundo, 3,3 ordenadores[11] por cada 100 habitantes, un ratio equivalente al de Togo, en África. Hace años, Fidel Castro dijo en el Instituto Central de Investigaciones Digitales que «los cubanos tenemos una inteligencia especial para dominar la computación», y quizás por ello el Gobierno puso en marcha la Universidad de Ciencias Informáticas (UCI), donde estudian 10.000 alumnos, pero sólo los más confiables tienen acceso a internet. En febrero de 2008, un estudiante de esa universidad, Eliécer Ávila, puso en serios aprietos al presidente de la Asamblea Nacional del Poder Popular, Ricardo Alarcón, al preguntarle por qué los cubanos no tienen libre acceso a internet. El mismo Alarcón que pidió celebrar «el Día Internacional de las víctimas de la desinformación» dijo que no tenía información al respecto.

En junio de 1996, las autoridades cubanas regularon el uso de internet mediante el decreto-ley 209, «Acceso desde la República de Cuba a la red informática global». Esa norma precisa que la utilización de internet debe preservar «los principios morales de la sociedad cubana y las leyes del país», y establece, además, el principio básico de que los mensajes electrónicos no deben «comprometer la seguridad nacional». A partir de esas premisas, sólo los muy comprometidos con la Revolución pueden acceder desde sus casas a la red de redes. Los cubanos de a pie necesitan acudir a los escasos lugares públicos que hay en el país, donde pueden utilizar un servicio de correo electrónico nacional, sin posibilidad de conectarse con la web, al precio de 1,50 euros la hora. Aquellos que quieran navegar por la red, necesitan registrar su nombre, apellidos y dirección y pagar luego la suma de 4,50 euros por hora, que equivalen a un tercio del salario medio mensual en Cuba.

Contrarrevolución en la red

Pero hecha la ley hecha la trampa. Los cubanos que disponen de ordenadores consiguen «por la izquierda» códigos de conexión, facilitados por personas autorizadas para utilizar la red, y además, en moneda nacional. Una sola contraseña se alquila a varios usuarios, que hacen uso de ella en horarios previamente convenidos. Pero como «la guerra contra los enemigos de la revolución se juega en varios frentes, también en internet», la Resolución n.º 180/2003, que entró en vigor el 10 de enero de 2004, del Ministerio de Informática y Telecomunicaciones, dispuso el empleo de todos los medios técnicos necesarios para «detectar e impedir el acceso al servicio de navegación por internet desde líneas telefónicas que operan en moneda nacional». Las penas a los infractores llegan hasta los 5 años de cárcel.

En noviembre de 2008, en plena era raulista, el Ministerio de Informática y Telecomunicaciones dictó el denominado Reglamento para los proveedores de servicios de acceso a internet al público, contenido en la Resolución n.º 179/2008, para reforzar el bloqueo a las páginas de internet «contrarias al interés social y a la moral», así como «el uso de las aplicaciones que afecten a la integridad o la seguridad del Estado». Para burlar el bloqueo, los disidentes y los periodistas independientes se conectan a internet a través de ordenadores de extranjeros residentes en el país, o en la Sección de Intereses de Estados Unidos. «Pero —como dice un Informe de la organización Reporteros sin Fronteras—[12] el hecho de acudir una sola vez a los locales de la diplomacia norteamericana es suficiente para ser considerado "enemigo de la Revolución". Por tanto se trata de una opción que no vale para todo el mundo.»

En el Informe de RSF se indica que las acusaciones contra los periodistas encarcelados durante la *primavera negra* de 2003, incluyen cargos por publicar informaciones en sitios de internet, como Cubanet, Nuevaprensa.org y Encuentro en la Red, y también por haber consultado la red desde la Oficina de Intereses de Estados Unidos. Según Reporteros sin Fronteras, en el juicio a los periodistas, la Empresa de Telecomunicaciones de Cuba (ETCSA), el único operador de telecomunicaciones de la isla (Telecom Italia posee el 29,3 % de las acciones) aportó informes para probar que los inculpados habían utilizado la red de forma «contrarrevolucionaria».

En la Cumbre Mundial sobre la Sociedad de la Información, celebrada en Túnez en noviembre de 2005, los países participantes reafirmaron el compromiso de que la sociedad de la información «debe basarse en los objetivos y principios de la Carta de las Naciones Unidas» y se reconoció que «la libertad de expresión y la libre circulación de información, conocimiento e ideas son esenciales para la sociedad de la información y benefician el desarrollo». Cuba, presente en la Cumbre, firmó el llamado Compromiso de Túnez, pero como tantos otros documentos, es papel mojado. Los cubanos tienen acceso a la información a través de internet, pero a través de métodos propios, ilegales, por supuesto.

En Cuba muchas personas se valen de plataformas digitales para comunicarse entre ellas y difundir información, a pesar del férreo control que ejerce el Gobierno. Una de las más populares es Desde Cuba.com (www.desdecuba.com), que incluye la revista digital *Consenso* y seis blogs, entre ellos, Generación Y (www.desdecuba.com/generaciony), que creó en abril de 2007 la periodista independiente Yoani Sánchez cuando decidió poner en la red, en tono humorístico e «íntimo», las «preguntas, insatisfacciones, cuestionamientos y frustraciones» que no veía en los medios cubanos. Yoani Sánchez explica que Generación Y es un blog «inspirado en gente como yo, con nombres que comienzan o contienen una y griega. Nacidos en la Cuba de los años setenta y los ochenta, marcados por las escuelas al campo, los muñequitos rusos, las salidas ilegales y la frustración. Así que invito especialmente a Yanisleidi, Yoandri, Yusimi, Yuniesky y otros que arrastran sus "y griegas" a que me lean y me escriban». El llamamiento de Yoani Sánchez fue un auténtico banderín de enganche, hasta el punto de que, en marzo de 2008, más de cuatro millones de internautas visitaron su página.

El 20 de marzo de ese año el Gobierno cubano entró en el ciberespacio repartiendo mandobles, como Flash Gordon contra los esbirros del tirano Ming, y bloqueó sitios de internet tan «peligrosos» como http://www.cu.clasificados.com y http://revolico.net, un «mercado de pulgas» virtual que utilizan los cubanos para vender y comprar chucherías. Pero la pieza mayor de esa pelea contra los demonios fue «desdecuba.com» y muy especialmente «generación y». La plataforma fue bloqueada para los internautas de la isla; sólo se pudo acceder a ella desde fuera de Cuba. En un artículo titulado «De regaños y páginas presilladas», Yoani Sánchez escribió que «los anónimos censores de nuestro famélico ciberespacio, han querido encerrarme en el cuarto, apagarme la luz y no dejar entrar a los amigos. Eso, convertido al lenguaje de la red, quiere decir bloquearme el sitio, filtrar mi página, en fin, "pinchar" el blog para que mis compatriotas no puedan leerlo. Desde hace un par de días, Generación Y es sólo un mensaje de error en las pantallas de muchas computadoras cubanas. Otro sitio bloqueado para los "monitoreados" internautas de la isla».

La organización Reporteros sin Fronteras, que incluye a Cuba en la lista de Enemigos de Internet, denunció el 31 de marzo de 2008, las restricciones que sufren los internautas cubanos para acceder a las plataformas digitales, que la empresa pública ETECSA achaca a problemas técnicos. Pero es una vez más Yoani Sánchez la que explica por qué el Gobierno teme a los blogs: «La carencia de una red civil, sin intromisión del Estado, ha hecho que los cubanos seamos como hebras sueltas de un tejido que, cada día, está más deshilachado. [...] Llegar a ese terreno virtual que nos permite enchufarnos con otros, es muy difícil; pero nos estamos colando. [...] Internet es hoy el tapiz donde ensayamos esas puntadas con las que coseremos los jirones de nuestra sociedad civil. Nada de tijeras ni de parches... probemos a hacer un resistente tejido que nos trascienda».

En abril de 2008, Yoani Sánchez obtuvo el Premio Ortega y Gasset, en la categoría de Periodismo Digital, que otorga el diario *El País* de Madrid, «por la perspicacia con la que su trabajo ha sorteado las limitaciones a la libertad de expresión en Cuba [...] su estilo vivaz y el ímpetu con el que se ha incorporado al periodismo ciudadano. Al recibir la noticia, Yoani Sánchez dijo: «Creo que este premio me protege. Sería demasiado escandaloso que el Gobierno cubano me tocara en este momento. Claro, de eso nunca tienes la inmunidad al cien por cien».

El Gobierno «reformista» de Raúl Castro impidió a Yoani Sanchez viajar a España para recoger el galardón, «uno de los tantos premios que propicia el imperialismo para mover las aguas de su molino», según dijo el convaleciente Fidel Castro, quien arremetió contra Yoani Sánchez y su blog: «Lo grave no son las afirmaciones de este tipo, que divulgan de inmediato los medios masivos del imperialismo, sino la generalización como consigna; peor aún: que haya jóvenes cubanos que piensen así, enviados especiales para realizar labor de zapa y prensa neocolonial de la antigua metrópoli española que los premie».

La diatriba de Castro, que fue reproducida íntegramente por el diario *Granma*,[13] apareció en el prólogo del libro *Fidel, Bolivia y algo más*, escrito por el ilustre enfermo, y que recoge discursos pronunciados por él durante su visita a Bolivia en 1993. Desde su página web, la bloguera cubana le respondió que: «En ese Centro Habana de guapos[14] y reyertas donde nací, aprendí que hay algunos límites que una mujer nunca debe transgredir. Me he pasado la vida infringiendo esas risibles reglas del machismo, pero hoy —y de forma exclusiva— voy a acogerme a una de ellas. Precisamente una de las que más me desagrada. Esa que advierte: "Una mujer necesita un hombre que la represente y que saque la cara por ella cuando otro la agrede o la calumnia". Al sentirme atacada por alguien con un poder infinitamente superior al mío, con más del doble de mi edad y además

—como dirían mis vecinas de la infancia— por un "macho-varón-masculino", he decidido que sea mi esposo, el periodista Reinaldo Escobar, quien le responda».

En su respuesta a Castro, Escobar afirma que «la responsabilidad que implica recibir un premio nunca será comparable a la de otorgarlo» y señala a continuación que «Yoani, al menos, nunca ha colocado en el pecho de ningún corrupto, traidor, dictador o asesino alguna condecoración». Reinaldo Escobar dice que Fidel Castro puso la Orden de José Martí «en las más nefastas e inmerecidas solapas que le fue posible» y entre ellos cita a Leonid Brézhnev, Nicolae Ceaucescu, Todor Yivkov, Gustav Husak, Janos Kadar, Mengistu Haile Mariam, Robert Mugabe, Heng Samrin y Erich Honecker. «Me gustaría leer, a la luz de estos tiempos —dice finalmente Escobar—, una reflexión que justifique aquellos honores improcedentes que, para mover agua de otros molinos, enlodaron el nombre de nuestro apóstol.»

Telenovelas subversivas

> Mi mujer me tiene loco
> con el radio y las baladas
> ya no puedo escuchar nada
> y me está cansando un poco.
> Cuando me siento en la sala
> y el radio voy a poner
> me grita: «espérate, viejo,
> quiero oír a Rafael».[15]

En los años ochenta, cuando el Gobierno puso en marcha, en los hoteles para turistas, el Canal del Sol, muchos ciudadanos se creyeron también con derecho a disfrutar de una programación con mayor calidad que la que ofrecía la televisión cubana. El Canal del Sol no era nada del otro mundo, sobre todo si se lo comparaba con los canales en color que había en la isla antes de la Revolución. Cuba fue el primer país latinoamericano con televisión en color. CMQ Televisión, Unión Radio Televisión y Telemundo competían por la audiencia con una programación variada hasta que fueron clausurados por Fidel Castro, quien alumbró una televisión dogmática y aburrida, plagada de tediosos documentales soviéticos en blanco y negro. El Canal del Sol estaba dirigido a los turistas y era menos doctrinario; además emitía buenos documentales en color. Así es que muchos cubanos se las ingeniaron para fabricar rudimentarias antenas parabólicas para recibir la señal del Canal del Sol.

Después del *período especial*, cuando los hoteles comenzaron a ofrecer la programación de canales satelitales como Direct TV o SKY, los cubanos se las ingeniaron también para instalar en sus casas antenas parabólicas, introducidas en el país de manera ilegal y adquiridas en la *bolsa negra*. El sistema se activa con tarjetas que llevan a la isla los familiares de Miami, y se actualizan mensualmente a través de una red de puntuales cobradores. Pero como la demanda es mucha y la oferta de parábolas insuficiente, los privilegiados que disponían de una, idearon un sistema para socializar la programación y, de paso, amortizar los costes de la antena. Mediante una caja de amplificación y cables coaxiales, los cubanos han tejido verdaderas telas de araña para dar servicio a miles de abonados, principalmente en La Habana, por una cuota mensual de unos 10 pesos convertibles por vivienda. Las tarjetas pueden activarse también por ordenador con diferentes programas de software. El problema es que todos los «abonados» tienen que ponerse de acuerdo para elegir el programa que desean ver, lo que no siempre es fácil.

Con la proliferación de antenas parabólicas, el Gobierno entró en pánico. Los cubanos tenían otra alternativa a los cuatro canales de televisión nacional (Cuba Visión, Tele Rebelde, Canal Educativo 1 y Canal Educativo 2), vehículos para adoctrinar y aburrir al más pintado con los «logros» de la Revolución, además de clases de ajedrez o botánica «para elevar el nivel cultural de nuestro pueblo». Gracias al «cable», los cubanos tienen acceso a noticias, deportes, programas de entretenimiento y de cotilleo, como los ciudadanos de cualquier otro país. Incluso pueden disfrutar del *Noticiero Cantado*, de la *Revista Buenos Días* y de la *Mesa Retonta*, una parodia que ridiculiza a la *Mesa Redonda Informativa* de la Televisión Cubana.

La Mesa de Randy

La *Mesa Redonda*, el programa de adoctrinamiento estrella de la televisión, se emite todos los días en directo, entre las 6.30 y las 8 de la tarde, por Cuba Visión y Tele Rebelde, y por el Canal Educativo 1, en diferido, a las 10 de la noche. Hasta su enfermedad, la estrella invitada, dos o tres días por semana y a veces más, era Fidel Castro, quien en medio de sus largas peroratas, dejaba algún resquicio para que pudieran participar también los habituales del programa, Randy Alonso, su conductor, diputado de la Asamblea Nacional del Poder Popular, y los periodistas y también diputados Lázaro Barredo, director de *Granma*, y Rogelio Polanco, director de *Juventud Rebelde*, además de otro periodista, nombrado Reynaldo Taladrid. Del cuarteto de corifeos, el más pintoresco, sin duda, es Randy Alonso, por su movimiento continuo de cabeza, en dirección norte sur, un tic adquirido por sus constantes amenes a las palabras del comandante, hasta el punto de que en Cuba llaman *randys* a los perritos de peluche que hacen el mismo gesto desde la luna trasera de algunos coches.

La *Mesa Redonda* es fruto de la ofensiva ideológica bautizada como *Batalla de ideas* que se puso en marcha en el año 2000, para exigir a Estados Unidos el regreso a Cuba de Elián González,[16] el niño balsero. Miles de ciudadanos fueron acarreados diariamente frente a la SINA, la Oficina de Intereses de Estados Unidos, para participar en las llamadas «tribunas abiertas de la Revolución». Pero a medida que pasaban los días, el fervor revolucionario fue decayendo y los encomenderos se las veían y deseaban para evitar las deserciones. Una cosa era llevar a la gente a la plaza de la Revolución el Primero de Mayo, y otra muy distinta empujarlos todos los días hasta la SINA, después de la jornada laboral. El dictador «orientó» entonces que las movilizaciones masivas se convocaran los fines de semana, y que los demás días se emitiera en la televisión una «tribuna abierta en mesa redonda». Así nació la *Mesa Redonda Informativa*, en principio para ensalzar la participación popular en las «tribunas abiertas de la Revolución», y luego, después del regreso del balserito a Cuba, para combatir al «imperio».

La *Mesa Redonda*, como dice *Granma*, fue creada por «nuestro comandante en jefe, Fidel Castro, en el fragor de la Batalla de Ideas, para echar a pelear la verdad contra la mentira, la cultura contra la incultura, el conocimiento contra la ignorancia, la vida contra la muerte y la palabra contra las armas». No es extraño, por tanto, que el 90 % de sus programas estén dedicados a Estados Unidos, con títulos tan sabrosos como éstos: «Infamia de Washington, jauría en Miami», «Perfidia y amenazas del imperio y la mafia terrorista», «Protestas, revelaciones, miedos y amenazas desde las entrañas del imperio», «Promesas vacías y afanes guerreristas del emperador», «Estados Unidos contra todos los derechos humanos» y «Las maniobras imperiales para proteger a Posada Carriles y prolongar el secuestro de los cinco».

Uno de los frentes más importantes de la *Mesa Redonda* es la batalla «para exigir la liberación de nuestros cinco héroes prisioneros del imperio». Los «cinco héroes», cuyas imágenes se repiten hasta la saciedad en calles, escuelas, hospitales, oficinas... son en realidad espías de una red cubana que trabajaba en Estados Unidos y fue desmantelada por el FBI en septiembre de 1998. La Red Avispa contaba con 14 agentes, cuatro de ellos lograron escapar, y los otros 10 fueron condenados en enero de 2001, a penas que oscilan entre 15 años de cárcel y cadena perpetua. Cinco de los inculpados confesaron su delito y lograron reducir sustancialmente su condena, pero los otros cinco mantuvieron que su misión no era espiar al Gobierno de Estados Unidos, sino infiltrarse entre los grupos extremistas del sur de la Florida y obtener información sobre la actividad terrorista contra Cuba. Uno de ellos, Gerardo Hernández, fue relacionado con el derribo de dos avionetas de la organización anticastrista Hermanos al Rescate y con la muerte de sus cuatro ocupantes por los cazas cubanos que salieron a su encuentro el 24 de febrero de 1996.

El Gobierno cubano se «olvidó» de los cinco arrepentidos y lleva a cabo una campaña internacional para solicitar la liberación de «los cinco héroes» que, en su opinión, no fueron juzgados imparcialmente. En el año 2005, un tribunal de Atlanta anuló el juicio celebrado cuatro años antes en Miami, pero otra Corte de Apelaciones lo declaró válido. Cuba quiere llevar el caso de los cinco hasta el Tribunal Supremo de Estados Unidos.

Piratas en las ondas

Entre los «antídotos» que tienen los cubanos para hacer frente a programas como la *Mesa Redonda*, están Radio y Televisión Martí, de la Oficina de Transmisiones a Cuba (OCB) del Gobierno de Estados Unidos. Televisión Martí reinició las transmisiones diarias a la isla, desde un avión C-130 llamado Comando Solo, en agosto de 2006, después de la Proclama en la que Fidel Castro informó a los cubanos del traspaso provisional de po deres a su hermano Raúl, luego de ser intervenido quirúrgicamente. Televisión Martí emite diariamente cuatro horas y media de noticias, programas culturales, de variedades y deportes. A finales de noviembre de 2006, la OCB incorporó otro avión, un moderno bimotor Gulfstream G-1 bautizado *Aeromartí*, provisto de un equipo de alta tecnología para transmitir en directo, a diferencia del *Comando Solo*, que emite programas grabados. Un mes más tarde, Televisión Martí contrató espacios pagados en la cadena Azteca América TV, con sede en Miami, que pueden verse a través de antenas satelitales en la isla.

El proyecto de Radio y Televisión Martí se aprobó en 1983, durante la presidencia de Ronald Reagan, mediante la Ley de Transmisiones Radiales para Cuba, con el objetivo de «romper el bloqueo informativo de la dictadura cubana», según Pedro Roig, director de la OCB. Radio Martí comenzó a transmitir en mayo de 1985 desde Washington, y 5 años después lo hizo Televisión Martí. El Gobierno cubano ha protestado siempre por estas emisiones, y trata de interferirlas por todos los medios posibles.

El entretenimiento es subversivo en Cuba y no sólo el que proviene de Radio y Televisión Martí. El 9 de agosto de 2006, *Granma* dedicó toda una página a la *piratería* de señales satelitales, para recordar a los cubanos que «buena parte de la programación que se recibe por esa vía es de contenido desestabilizador, injerencista, subversivo, y convoca, cada vez más, a la realización de actividades terroristas». Muchos cubanos y sobre todo muchas cubanas se quedaron mudos de asombro, porque nunca pensaron que los programas de cotilleo de Univisión, como *Sábado Gigante*, el *Show de Cristina* o el *Show de Laura*, más entretenidos que los bodrios de la televisión cubana, tuvieran el velado propósito de convocar a la realización de actividades terroristas. Tampoco entendían cómo no se habían dado cuenta de que reciben «habitualmente espacios con una avalancha de propaganda comercial que muestra la apariencia del capitalismo, mensajes anticubanos y hasta pornografía con niños, adolescentes y adultos; muy lejos de los valores culturales, educativos y patrióticos que predominan en nuestros programas televisivos, y de las costumbres y tradiciones del pueblo cubano».

Granma recordaba a los cubanos, por su propio bien, que los piratas de señales satelitales, de acuerdo con lo establecido en el Decreto-Ley 157 de 1995, pueden ser castigados con multas de

10.000 a 20.000 pesos, cantidades desproporcionadas en comparación con los salarios. Peor castigo recibirán los que se arriesguen a introducir en el país de contrabando «equipos receptores de señales, partes o piezas de éstos, sin cumplir las disposiciones legales». A ellos se les aplica el Código Penal, con privación de libertad de uno a tres años y multas de 300 a 1.000 pesos.

Menos mal que *Granma*, después de advertir de los peligros que entrañan esas señales, de contenido «enajenante» además de «subversivo», ofrecía el consuelo de que «la labor de persuasión de las masas y de todos los factores de la comunidad debe ser un elemento fundamental para erradicar esta práctica, a la vez que apoyen a las autoridades encargadas de hacer cumplir las regulaciones a aquellos que, con absoluta irresponsabilidad, las violan». No debía estar muy convencido el órgano oficial del Comité Central del Partido Comunista de Cuba, de esa «labor de persuasión» de las masas porque, en las reuniones sectoriales del Partido, se amenazó a todos los militantes con la expulsión si se les encontraba una antena parabólica o un hilo de la telaraña tan primorosamente tejida entre la vecindad, que les alejaba de «los valores culturales, educativos y patrióticos que predominan en nuestros programas televisivos, y de las costumbres y tradiciones del pueblo cubano».

El Minotauro parabólico

El bombardeo ideológico de *Granma* sirvió para preparar el terreno a la policía, que periódicamente realiza operaciones de tipo comando en muchos *repartos* de La Habana, para confiscar las antenas parabólicas y destruir el cableado vecinal. Las operaciones se ejecutan con precisión militar. Las *perseguidoras* de la Policía Nacional Revolucionaria bloquean por sorpresa varias cuadras, mientras decenas de *palestinos*, unos por las azoteas y otros a pie de calle, se internan por un proceloso laberinto de cables, hasta dar con el Minotauro parabólico, oculto siempre detrás de una inocente cortina de ingenio. Trabajadores de ETECSA, la compañía cubana de comunicaciones, acompañan a los «cretenses» y allí donde aquéllos señalan, éstos desatornillan con cuidado de no perder tirafondos ni arandelas, que luego ofrecen «por la izquierda» a las sufridas víctimas del celo policial, para que no pierdan el hilo del programa *desestabilizador, injerencista y subversivo* que tan bruscamente les interrumpieron. Y en esa versión cubana del mito del eterno retorno, andan entretenidos todos, porque los policías y sus señoras esposas gustan también de ese tipo de programación, aunque estén lejos de los *valores culturales, educativos y patrióticos* que, según dice *Granma*, predominan en la televisión cubana.

Además del «cable», los cubanos disponen de una amplia oferta de entretenimiento a domicilio, ilegal por supuesto, gracias a una red de *agentes* que alquilan o venden películas o programas de televisión *quemados* de internet o llegados del exterior. La oferta es muy amplia, con programas de humor, como *Tres Patines*; música, con entrevistas y conciertos de artistas exiliados como Willy Chirino y Celia Cruz; política, *La historia de Cuba*, narrada por el ensayista Carlos Alberto Montaner, o documentales sobre el Che Guevara o las Damas de Blanco; deportes, sobre todo la liga de béisbol estadounidense; ecología, historia, periodismo, telenovelas, etc. Son propuestas para escapar de la modorra oficial, que la policía persigue con saña.

En el oficio de *piratas* los cubanos no están solos; el Gobierno también los acompaña, no en vano la isla fue refugio de corsarios y bucaneros. La televisión cubana exhibe sin rubor la enseña de la calavera y las dos tibias cruzadas, cuando se lanza al abordaje de programas de otras cadenas, que luego ofrece, eso sí, a sus sufridos telespectadores para aliviarles del tedio de la programación oficial. Entre esos programas «prestados» destacan los de Discovery Channel, Natural Planet o History Channel, así como las imágenes de los noticieros de CNN en español y de Televisión Española, que suplen con creces la ausencia de corresponsales cubanos en otros lugares que no sean la hermana República Bolivariana de Venezuela, o la Bolivia del compañero Evo Morales. Y lo mismo ocurre con las películas. En la televisión cubana y también en las salas de cine, se pueden ver los últimos estrenos de Hollywood, sin que el Gobierno de la isla se tome la molestia de gastar un solo dólar para pagar derechos. Al fin y al cabo, el cine es cultura y la cultura no es, no debe ser, mercancía.

Capítulo 17

Las gallinas de Fidel

> Víctimas de la penuria del *período especial*, subalimentadas y agotadas, las gallinas ponedoras cubanas no consiguieron el año pasado cumplir los objetivos del plan de producción de huevos, ha revelado la Agencia de Información Nacional (AIN, oficial) cubana.
>
> «Las gallinas cubanas no cumplieron su plan de producción.» Despacho de la Agencia de noticias France Press, 14 de enero de 1997

Hay que reconocer que la cuestión de los huevos siempre fue muy importante para Fidel Castro, hasta el punto de que en ninguno de sus discursos faltó nunca una referencia al «sobrecumplimiento» de metas de las gallinas ponedoras cubanas. Pero a nadie se le ocurrió pensar que una información negativa sobre las voluntariosas aves iba a provocar la expulsión de Cuba del corresponsal de la agencia de noticias France Press, Denis Rousseau. Fue en el año 1997, pero los tiempos no han cambiado. La espada de Damocles pende de un delgado hilo sobre las cabezas de los corresponsales acreditados en la isla, y la más leve brisa puede hacerla caer. A veces se mece peligrosamente, como ocurrió el 26 de julio de 2005, en el 52 aniversario del frustrado asalto al Cuartel Moncada, cuando, siempre original, Fidel Castro dijo que «la mafia terrorista de Miami y el Gobierno de Estados Unidos se aprovechan descaradamente de las facilidades que ha ofrecido Cuba para que numerosas agencias internacionales y órganos de prensa residan e informen desde Cuba sin restricción alguna [...] Algunos realmente lo hacen en plena complicidad con la Oficina de Intereses de Estados Unidos para desinformar y engañar al mundo sobre la realidad cubana». Así de claro.

En Cuba viven y trabajan, aproximadamente, medio centenar de periodistas extranjeros, de prensa, radio y televisión. Las cadenas de Estados Unidos CNN, ABC y NBC tienen corresponsales permanentes en la isla, así como la agencia, también norteamericana, Associated Press y la británica Reuters. Televisión Española, la BBC de Londres y la alemana ARD también están acreditadas en La Habana, así como las agencias de noticias EFE, española, y France Press, francesa, y los periódicos *El País*, *El Mundo* y *La Vanguardia*, de España, y *The Chicago Tribune*, de Estados Unidos.

Ningún periodista extranjero puede trabajar en el país sin estar debidamente acreditado. El Reglamento para el ejercicio de la prensa extranjera en Cuba, una Resolución del Ministerio de Relaciones Exteriores, de 1997, fue «actualizado» en octubre de 2006, durante la enfermedad de Fidel Castro, para reforzar los ya de por sí estrictos controles gubernamentales sobre los corresponsales extranjeros, la cobertura informativa y el acceso de periodistas a la isla. El Reglamento establece «las normas y procedimientos para el trabajo temporal o permanente de los medios de difusión masiva y periodistas extranjeros dentro del territorio nacional». El primer requisito pasa por la solicitud, en una embajada o consulado cubano, de una visa especial para periodistas, con no menos de 21 días hábiles previos a la fecha del viaje. En caso de recibir el plácet, a su llegada a La Habana, los periodistas tienen que acreditarse obligatoriamente en el Centro de Prensa Internacional (CPI), un organismo que depende del Ministerio de Relaciones Exteriores. Sin esa acreditación «no se puede realizar trabajo periodístico en Cuba».

A los profesionales de la prensa que viajan a la isla amparados en visas turísticas, el Reglamento les advierte que «deben abstenerse de ejercer el periodismo, a menos que cambien su estatus migratorio». El incumplimiento de ese trámite «constituye una violación de las disposiciones migratorias vigentes en Cuba y expone al profesional de la prensa a ser reembarcado a su lugar de origen». La acreditación tiene un año de validez, «prorrogable por decisión del CPI», que «puede suspender temporalmente o retirar definitivamente la acreditación transitoria o permanente cuando el titular realice acciones impropias o ajenas a su perfil y contenido de trabajo, así como cuando se considere que ha faltado a la ética periodística y/o no se ajuste a la objetividad en sus despachos».

Matar al mensajero

En febrero de 2007, el Centro de Prensa Internacional retiró la acreditación a tres corresponsales extranjeros, después de aplicarles el sambenito de que no se ajustaban a la objetividad en sus despachos. Los tres periodistas, Gary Marx, corresponsal del diario estadounidense *The Chicago Tribune*, Stephen Gibbs, de la cadena de radio y televisión británica BBC, y César González Calero, del periódico *El Universal*, de México, habían sido advertidos en reiteradas ocasiones, como otros muchos colegas, de que estaban jugando con fuego. El CPI no pudo demostrar con argumentos la falta de objetividad de los periodistas. Pero eso es lo de menos. González Calero explicó que fue el entonces director del Centro de Prensa Internacional, José Luis Ponce, quien le comunicó la decisión del Gobierno de no renovarle la acreditación. «El argumento esgrimido —dijo el corresponsal del diario de mayor tirada de México— fue que la forma de enfocar la situación cubana no es la que más conviene al Gobierno cubano. En ningún momento refutó una sola de mis informaciones sobre Cuba en cuanto a errores de contenido o datos.» Por su parte, Gary Marx afirmó: «Me dijeron que estoy aquí desde hace demasiado tiempo [desde 2002] y que ellos creían que mi trabajo era negativo. Pero no me dieron ejemplos».

El Comité para la Protección de Periodistas (CPJ), con sede en Nueva York, la Sociedad Interamericana de Prensa y la organización Reporteros sin Fronteras, criticaron duramente la decisión del Gobierno cubano. Pero fue inútil. Los tres periodistas fueron elegidos como chivo expiatorio para advertir a sus colegas de la prensa extranjera de los peligros que corren si su «objetividad» no coincide con la del Gobierno, entendida ésta como censura y desinformación.

Con el artificio de la retirada de acreditaciones, el Gobierno cubano quiere disfrazar las expulsiones de periodistas, a los que

317

no hace muchos años se los embarcaba en el primer avión que salía de la isla, con el sambenito de persona non grata.[1] Algunos incluso fueron encarcelados, como le ocurrió al francés Pierre Golendorf, condenado a 10 años de prisión, en 1971, cuando preparaba un libro sobre Cuba. Golendorf fue acusado de trabajar para la CIA, la Agencia Central de Inteligencia de Estados Unidos y de atentar contra «la estabilidad y la integridad de la nación». Finalmente pudo ser liberado, después de cumplir un tercio de la condena, gracias a una campaña que llevaron a cabo intelectuales de su país y el Gobierno francés. De regreso a Francia, Golendorf publicó su libro, que tituló precisamente *7 ans à Cuba. 38 mois dans les prisions de Fidel Castro.*

Hoy no se toman en Cuba medidas tan drásticas, pero en el fondo permanece la misma intolerancia y el mismo miedo a la libertad de siempre. El estigma de agentes del imperialismo es poco creíble cuando se coloca a periodistas de países democráticos, acostumbrados a ejercer la crítica. Aun así, algunos corresponsales han recibido ese dardo, que se lanza también contra todos los periodistas cubanos disidentes.

Los medios del país, especialmente *Granma*, insisten periódicamente en que muchos corresponsales extranjeros en La Habana apuestan por «la mentira y la desinformación» en connivencia con «los aparatos propagandísticos de Estados Unidos». En un artículo titulado «Catedráticos de la desinformación», publicado el 26 de mayo de 2007, el órgano oficial del Partido Comunista de Cuba acusa, sin nombrarlos, a algunos periodistas acreditados en La Habana, de falta de ética profesional, por utilizar a los disidentes como fuente principal de sus informaciones. «Invariablemente —dice *Granma*—, los mercenarios son presentados como "disidentes", "activistas de los derechos humanos", "periodistas independientes", "opositores, gente que actúa con el propósito de lograr una transición pacífica", personas interesadas en "el diálogo y la reconciliación nacional" que "aman a su país, son pacíficos y no luchan motivados por interés de una potencia foránea".» De esa forma, según el periódico, los corresponsales extranjeros tratan de descalificar al pueblo cubano y a su Revolución porque «todo vale en función de hablar mal de Cuba; ése es el camino escogido por muchos corresponsales extranjeros en La Habana empeñados en convertirse en "catedráticos" de la desinformación a cuenta de su esmerada práctica cotidiana».

Granma suministra periódicamente munición para facilitar la expulsión de los corresponsales extranjeros, pero hay otros métodos para deshacerse de periodistas molestos. Un informe de Reporteros sin Fronteras[2] señala que «el régimen castrista, muy preocupado por su imagen en el extranjero, utiliza un arsenal de presiones psicológicas constantes y sabiamente graduadas, desde la observación amablemente crítica sobre tal o cual escrito o reportaje, hasta la denuncia en la prensa oficial cubana, pasando por la citación ante las autoridades [...] Sobre todo la vigilancia policial constante, si bien relativamente discreta, ejercida sobre todos los corresponsales extranjeros, alcanza hasta su vida privada. Lo que invariablemente lleva a cualquiera, incluido el mejor armado psicológicamente, a las riberas angustiosas de la esquizofrenia y la paranoia».

Vigilancia a la japonesa

A veces la vigilancia policial es deliberadamente indiscreta, con el objetivo de intimidar a los periodistas, mediante lo que en el argot se denomina «vigilancia a la japonesa». El primer corresponsal de Televisión Española en Cuba, Vicenç Sanclemente,[3] cuenta así su experiencia: «Un día me saludó un especialista que dijo ser el analista de mis crónicas de televisión en el Consejo de Estado, es decir, en el Gobierno». Sanclemente señala que en otra ocasión conoció a la persona encargada de vigilar sus conversaciones telefónicas, al que bautizó con el nombre de *Doncel*, quien durante una recepción, al final de la Cumbre Iberoamericana celebrada en La Habana en 1999, le preguntó: «Oye, Vicenç, ¿cómo es que en esta Cumbre has usado tan poco el celular?».

A veces, esa «sutileza» oriental degenera en métodos más groseros, como algunos «autos de fe», organizados por el propio Fidel Castro, como aviso a navegantes. El 20 de enero de 2006, BBC Mundo.com, el periódico digital de la televisión británica, publicó un reportaje de su corresponsal en La Habana, Fernando Ravsberg, en el que informaba de un gigantesco apagón en la capital. El corte de luz impidió la comparecencia de Castro en televisión, para informar a los cubanos de los planes energéticos que, según él, iban a poner fin, a más tardar el 1 de mayo de ese mismo año, a la pesadilla de los apagones. El reportaje se titulaba «Revolución energética a oscuras» en alusión al proclamado «año de la revolución energética». Al día siguiente, 21 de enero, y el día 22, en la *Mesa Redonda* de la Televisión, el dictador se despachó a gusto contra Ravsberg, al que llamó «tipejo», «bandido» y «mentiroso». «Sí, estoy respondiendo como te respondí ayer, mentiroso, descarado. Que ya sabemos bien quién eres tú y de dónde vienes [...] Te invitamos ayer a que estuvieras aquí el primero de mayo, para que se te acabara el pesimismo, o se te acabara la desvergüenza...»[4]

Naturalmente, el 1 de mayo no se acabaron los apagones en Cuba, pero ésa es otra cuestión. El corresponsal de la BBC, que se sepa, no se atrevió a pedir explicaciones al dictador.

Las putas del G-2

Hay otros métodos más sutiles para provocar la salida «voluntaria» de los periodistas molestos o influir en su línea de trabajo. El escritor francés Alain Ammar[5] afirma que todos los extranjeros residentes en Cuba y especialmente los periodistas son objeto de una especial «atención» por parte de los servicios secretos cubanos, que indagan sobre sus ideas políticas, sus preferencias, sus tendencias y, sobre todo, sus debilidades, como drogas, sexo, alcohol, juego e incluso sus desavenencias familiares, es decir, todo lo que pueda servir como motivo de extorsión.

En su libro *Cuba Nostra*, Ammar dice que el G-2, el servicio de contraespionaje cubano, se vale principalmente del chantaje sexual para poner en aprietos a periodistas y otros extranjeros que residen en Cuba. Para ello dispone de un servicio de pederastas y prostitutas de lujo que, en su mayoría, son amantes de importantes funcionarios de la Dirección de la Seguridad del Estado, según Ammar. «Para realizar sus misiones —dice el escritor francés—, el G-2 dispone de un importante servicio técnico, el departamento K, que se ocupa de todo lo que concierne a fotografías, films, grabaciones... El material que se utiliza es de última generación: cámaras de infrarrojos ultrasensibles y sistemas de grabación utilizados en el espionaje industrial.»[6]

Guerra al adjetivo

La autocensura es una práctica común entre los corresponsales acreditados en Cuba. Raro es el periodista que no ha sido «advertido» de que sus crónicas no son bien vistas por el Gobierno; raro es también el periodista que no suaviza sus informaciones para evitar ser expulsado del país. El grado de las advertencias depende de la naturaleza de la «culpa», la más suave es una llamada de atención por teléfono, que sube de nivel si se hace a través del correo electrónico.

Al abrir su ordenador, un corresponsal puede encontrar mensajes como éste: «No te fumes el cigarro hasta el cabo» o este otro, aficionados como son los cubanos al dominó: «Pienso debemos pasarnos con ficha». Y como no siempre las pocas palabras bastan, los buenos o malos entendedores son llamados muchas veces a capítulo a la sede del Centro de Prensa Internacional, en la céntrica calle 23, en el Vedado. Si su «delito» es muy grave se le conduce a una sala, donde una cámara y micrófonos ocultos registran una ceremonia surrealista, en la que al periodista no sólo se le recrimina que su información es «negativa», «desbalanceada» o «distorsionada», sino que se le discuten hasta los adjetivos.

Los adjetivos son las más de las veces el principal cuerpo del delito. Un corresponsal fue severamente amonestado porque, al referirse al disidente Raúl Rivero, dijo que era el mejor poeta de su generación. «Mira —le dijeron—, incluso nosotros reconocemos que es un buen poeta, pero de ahí a decir que es el mejor poeta de su generación, eso no podemos tolerarlo.» No es extraño, pues, que los periodistas vayan con un diccionario bajo el brazo, sobre todo a la hora de enfrentarse a informaciones más comprometidas.

A raíz de la visita a la isla del ministro de Exteriores español, Miguel Ángel Moratinos, en abril de 2007, el corresponsal de una cadena de televisión sufrió una severa amonestación, porque en una de sus crónicas aparecía Gisela Delgado, de las Damas de Blanco, una organización integrada por las esposas y familiares de los presos de conciencia, quien había dirigido un escrito a Moratinos para que intercediera a favor de la liberación de los encarcelados. «Has estropeado la parte más noble de tu crónica —le dijeron—. Tienes que hablar sólo de las actividades de Moratinos, sin mezclar a esas señoras con la visita.»

Pero el que estropeó la parte más «noble» de la visita del ministro español fue el propio Canciller cubano, Felipe Pérez Roque, quien, en conferencia de prensa, y ante una pregunta acerca de si el Gobierno cubano, como un gesto de buena voluntad por la visita de Moratinos, iba a poner en libertad a algún preso político, respondió: «El tema de los presos en Cuba no forma parte de esta agenda [...] Debo, además, subrayar el hecho de que entiendo que usted llama presos políticos a los mercenarios que en nuestro país han sido sometidos a proceso legal por recibir financiamiento de la potencia extranjera que bloquea y agrede a nuestra patria y han intentado subvertir el orden aprobado mayoritariamente por nuestro pueblo en la Constitución; o que han cometido actos violentos, actos de terrorismo, que son los que están presos en nuestro país. Si se refiere a que alguien esté preso por pensar distinto, por supuesto que no lo comparto porque no existe esa situación...».

La cadena y el mono

Hay temas con los que no se puede bromear, ni aun con el adjetivo más inocente. Vicenç Sanclemente cuenta en su libro *La Habana no es una isla. Crónica de un corresponsal en Cuba*, cómo a su llegada al país fue «instruido» por uno de los «voceros» de la Revolución, Luis Báez, quien le advirtió: «Puedes jugar todo lo que quieras con la cadena, pero no con el mono», en clara alusión a Fidel Castro.

Durante el entierro, en La Habana, el 18 de febrero de 2006, de Ana de Skalon, esposa del escritor y diputado argentino Miguel Bonasso, fallecida en la capital cubana, Fidel Castro sufrió un desmayo, pero nadie informó del hecho. En el cementerio de Colón había fotógrafos y periodistas cubanos, algunos de los cuales trabajan para agencias de prensa extranjera, que fueron «aconsejados» por agentes de la Seguridad del Estado sobre la conveniencia de guardar silencio. Nadie dijo nada; nadie publicó una sola fotografía.

El 20 de octubre de 2004, la televisión cubana retransmitía en directo, desde Santa Clara, un discurso del dictador con motivo de la primera graduación de Instructores de Arte, uno de los proyectos preferidos de la Batalla de Ideas. Al terminar su intervención, Castro tropezó y sufrió una aparatosa caída. En ese momento, como impulsadas por un resorte, las cámaras de la televisión cubana dirigieron sus miradas al cielo, mientras la guardia pretoriana montó un cerco para que nadie pudiera ver al ídolo caído. Pero ya era tarde. Algunas agencias extranjeras, entre ellas la norteamericana APTN, habían sido autorizadas a grabar el acto y no perdieron detalle de lo ocurrido. Aquello era una bomba, pero la bomba podía estallarles entre las manos. Tenían que transmitir rápidamente las imágenes, pero no podían hacerlo por la vía habitual, porque nunca llegarían a su destino.

En Cuba, ninguna agencia o cadena de televisión extranjera dispone de una *fly away*, una antena parabólica propia, para enviar imágenes al exterior vía satélite; todos los medios extranjeros tienen que utilizar forzosamente el filtro de la televisión oficial, que distribuye la señal a la estación terrena, para subirla al satélite. De esa manera pueden interrumpir fácilmente el envío de una crónica poco favorable, alegando «problemas técnicos», cosa que ocurre en numerosas ocasiones. Con las imágenes de la caída del dictador, nadie intentó utilizar la vía ordinaria; cada uno se valió de sus propios medios para sacar las imágenes del país, lo que provocó la ira de los funcionarios del Centro de Prensa Internacional, que exigieron la entrega de las grabaciones. Pero no todos se dejaron intimidar y las imágenes dieron la vuelta al mundo.

Ningún periodista extranjero sufrió represalias por ese hecho, pero los cubanos que trabajan para medios del exterior fueron seriamente advertidos y uno de ellos, Cristóbal Herrera, de la agencia estadounidense Associated Press, fue expulsado del país. De acuerdo con el testimonio de Herrera,[7] además de él, otros dos fotógrafos lograron imágenes de la caída de Fidel: un veterano de la prensa oficial y un fotógrafo de una agencia extranjera (no mencionó cuál), quien consultó con la Seguridad del Estado si podía transmitirlas o no. «La Seguridad se me tiró encima —cuenta el fotógrafo de AP—, pero yo les dije que tenía algo fuera de foco, nada que sirviera. Me quedé sin moverme del lugar para no despertar sospechas y cuando nos íbamos, logré transmitir con la laptop desde un matorral, a 50 metros, entre el monumento al Che Guevara y el parqueo. Goitía me protegió simulando que orinaba, mientras yo, agachado, ponía la foto en un archivo adjunto para enviarla por correo electrónico cuando llegara a La Habana.»

Cristóbal Herrera dice que dos meses después de enviar la

foto, cuando estaba cubriendo una actividad de la disidencia, se le acercaron dos hombres que lo identificaron por su nombre y le sugirieron que debía tomar unas vacaciones fuera del país. Asustado, el fotógrafo decidió aceptar el consejo. No tuvo ningún problema para obtener el permiso de salida de Cuba para poder viajar a Costa Rica, pero cuando quiso regresar a la isla, le denegaron la autorización. Desde entonces vive en Estados Unidos.

Muchos periodistas extranjeros utilizan el teléfono o internet para enviar sus crónicas fuera de la isla, pero no son vías seguras. El Gobierno controla las llamadas telefónicas de todos los corresponsales y ha establecido filtros en los servidores de la red para fisgar incluso en los correos personales. Existen medios para evitar que los censores intercepten esos envíos, pero siempre es un riesgo, porque las embajadas de Cuba en el exterior cotejan con el Centro de Prensa Internacional el número de crónicas enviadas, y pueden detectar fácilmente las que no han salido del país por la vía habitual. Las legaciones diplomáticas cubanas informan detalladamente al CPI del contenido de las crónicas que se envían desde La Habana. Los funcionarios encargados de esa tarea, tanto dentro como fuera de la isla, son, en su mayoría, miembros de la Seguridad del Estado.

Capítulo 18

El frigorífico de Martha Beatriz

¿Por qué me han encerrado
en tan largo domingo?
Yo era un hombre sencillo
humilde
que escribía
con la dulce honradez de los que creen,
pero hicieron de mí, de mis palabras,
un turbio criminal. [...]
Transformaron mis versos en dagas peligrosas,
mis párrafos en bombas,
mi lenguaje en misiles.
Me dieron por condena
todo el tiempo.

«Cristal ahumado», poema de
MANUEL VÁZQUEZ PORTAL[1]

En mala hora se le ocurrió a Martha Beatriz Roque ir aquella tarde al Mercado de 3.ª y 70, en el barrio habanero de Miramar. Salió de casa descuidada, ella siempre tan pintona, con su pelo blanco azulado que se diría bruñido y sus vestidos de tirantes, un poco escotados, de colores fuertes, y sandalias de leve tacón. No, esa tarde Martha Beatriz no estaba para fotos, tenía prisa, compró las cuatro cosas que le hacían falta y regresó a su casa sin más historias. Pero vaya si había historia. Las compras de Martha Beatriz, también sus compras, fueron objeto de la atención de los agentes de la Dirección de la Seguridad del Estado, porque un frigorífico bien surtido, si bien no constituye un delito, puede ser un importante motivo de descalificación en un país donde lo «normal» es que estén desabastecidos.

Así lo entendió la televisión cubana, cuando el 21 de diciembre de 2005, ofreció imágenes del frigorífico de Martha Beatriz Roque, como «prueba de los beneficios personales en el negocio de hacer disidencia» según dijo el *periodista* Reynaldo Taladrid, uno de los contertulios de la *Mesa Redonda Informativa*, dedicada ese día a «ofrecer una abundante información sobre quién es Michael Parlmy,[2] qué hace la Oficina de Intereses de Estados Unidos en nuestro país y quiénes son los mercenarios que están a su servicio».

Evidentemente, Martha Beatriz Roque es una de las «mercenarias» al servicio del «imperio», como también lo son otros disidentes, también citados, aunque en su caso no se aportaron «pruebas documentales», entre ellos, Oswaldo Payá, líder del Movimiento Cristiano de Liberación, que en 2002 obtuvo el Premio Sájarov de Derechos Humanos que concede el Parlamento Europeo; Elizardo Sánchez, presidente de la ilegal Comisión Cubana de Derechos Humanos y Reconciliación Nacional, y las Damas de Blanco, esposas y familiares de los disidentes presos, que en el año 2005 fueron galardonadas también con el Premio Sájarov.

Martha Beatriz Roque, presidenta de la Asamblea para Promover la Sociedad Civil, fue la única mujer del Grupo de los 75 disidentes que, en abril de 2003, fueron condenados a penas de hasta 28 años de prisión, por «conspirar con Estados Unidos, atentar contra la independencia del Estado y socavar los principios de la Revolución».

En 2005, Martha Beatriz Roque obtuvo una «licencia extrapenal» por enfermedad y salió de la cárcel, pero desde ese día su vida se convirtió en un infierno. «Puedes hacer todo lo que quieras, menos pisar el césped», le dijo a la disidente un oficial de Villa Marista, sede central de la Dirección de la Seguridad del Estado, al recibir la licencia extrapenal. Estaba claro que ese agente, de apellido Águilas, sabía lo que decía, porque las Brigadas de Respuesta Rápida, matones al servicio del Gobierno, sitiaron la casa de Martha Beatriz, profiriendo insultos y amenazas contra ella, cada vez que salía a la calle.

Purgante al que no le guste

El 25 de abril de 2006, la turbamulta pasó de los insultos a los golpes. La disidente fue golpeada salvajemente y tuvo que refugiarse en su casa ante el temor de ser linchada. «Los comunistas pa'lante y pa'lante y al que no le guste que tome purgante.» Son palabras de Fidel Castro, en el Teatro Karl Marx de La Habana el 4 de abril de 2006, remedando el famoso eslogan de 1961, «pa'lante y pa'lante», que dio lugar luego a una conga.[3] Por eso, la policía nada vio, nada oyó, y asustada ante el temor de que esos hechos se repitieran, Martha Beatriz Roque envió una carta a su abogada, Amelia Rodríguez Cala, del Bufete colectivo Salvador Allende, en la que le daba instrucciones para solicitar a los ministros de Justicia y de Interior «el cese de este estado de hostigamiento, que puede traer como graves consecuencias la pérdida de mi vida. De no recibir una respuesta positiva, la autorizo a iniciar los trámites para rechazar de inmediato mi estatus actual de licencia extrapenal y retornar al establecimiento penitenciario donde extinga mi sanción de 20 años de privación de libertad».

En un libro-entrevista con Ignacio Ramonet,[4] Fidel Castro manifestó que las fuertes condenas contra el Grupo de los 75 no fueron tan severas «por cuanto las sanciones aprobadas por la Asamblea Nacional para ese tipo de delito, que es traición a la patria, la hacen dentro de nuestro código penal acreedora, incluso, a la pena capital...». Ante esa salida brutal del dictador, el director de *Le Monde Diplomatique* no se inmutó, y no es extraño, porque, además de hagiógrafo de la Revolución, Ramonet ha sido siempre martillo de herejes, como demostró en numerosas ocasiones, hasta el punto de que en abril de 2002 calificó de *libéralisme des imbéciles* (liberalismo de los imbéciles) a los que, según él, critican a Cuba desde un *anticastrisme primaire* (anticastrismo primario).[5]

En febrero de 2008, el Gobierno cubano liberó a 4 presos del Grupo de los 75, Alejandro González Raga, Omar Pernet, José Gabriel Ramón Castillo y Pedro Pablo Álvarez, a condición de que se asilaran en España. Los cuatro, dos periodistas independientes, un sindicalista y un miembro del Movimiento Cristiano de Liberación Nacional, viajaron a Madrid en un avión militar español, donde recibieron tratamiento médico debido a las graves dolencias que contrajeron durante su estancia en prisión.

Dos de ellos figuraban en una lista de siete presos muy graves, que las Damas de Blanco dirigieron tres meses antes al Gobierno español para que intercediera por ellos ante las autoridades cubanas.

En diciembre de 2008, fue excarcelado Reinaldo Labrada Peña, miembro del Movimiento Cristiano de Liberación, adoptado como preso de conciencia por Amnistía Internacional, después de cumplir íntegra su condena de seis años de cárcel. Con su puesta en libertad, el número de disidentes del Grupo de los 75 que permanecen en prisión es de 54. De los 21 excarcelados, uno, Miguel Valdés Tamayo, falleció en enero de 2007, y nueve se encuentran fuera de Cuba, entre ellos, Héctor Palacios, condenado a 25 años de prisión, quien en octubre de 2007 pudo viajar también a España para tratarse de las graves dolencias que contrajo durante los cuatro años que estuvo preso. Con él viajó su esposa, Gisela Delgado, una de las fundadoras del movimiento de las Damas de Blanco, que asisten todos los domingos a misa en la iglesia de Santa Rita de Casia, patrona de los imposibles, en la 5.ª Avenida de Miramar, de La Habana, y luego desfilan por el Bulevar, vestidas de blanco y portando gladiolos rosas. Con ese gesto quieren simbolizar su lucha pacífica para pedir la puesta en libertad de todos los presos de conciencia.

Las Damas de Blanco recibieron, en el año 2005, el Premio Sájarov de Derechos Humanos que concede el Parlamento Europeo, pero no pudieron ir a recogerlo, porque el Gobierno les negó el permiso para salir de Cuba. En su lugar lo hizo Blanca Reyes, esposa de Raúl Rivero, exiliada como él en España. A pesar de que su protesta es pacífica, las Damas de Blanco son muchas veces acosadas e insultadas durante su marcha por turbas jaleadas por agentes de la Seguridad del Estado, que organizan contra ellas los llamados «actos de repudio».

El 21 de abril de 2008, un reducido grupo de Damas de Blanco que intentaron manifestarse en la plaza de la Revolución de La Habana, fueron vejadas e insultadas por una horda vociferante que las llamó gusanas y mercenarias, mientras agentes de policía las arrastraban hasta un autobús que las condujo a sus domicilios. En una declaración, el Ministerio de Relaciones Exteriores justificó aquel acto vandálico como la respuesta del «pueblo cubano» contra un grupo de «mercenarias financiadas por la SINA», verdadera «punta de lanza» del imperialismo norteamericano contra Cuba.

Después del linchamiento contra el grupo de mujeres indefensas, la televisión cubana difundió un vídeo con imágenes de algunas Damas de Blanco reunidas con Michael Parlmy, jefe de la SINA, la Sección de Intereses de Estados Unidos en Cuba, así como fragmentos de una conversación telefónica, interceptada por los servicios de inteligencia, entre Ileana Ros-Lehtinen, congresista cubano-norteamericana por Florida, y Laura Pollán, dirigente de las Damas. Un mes más tarde, el programa *Mesa Redonda* de la televisión volvió a la carga con la divulgación de nuevas llamadas telefónicas y mensajes de correo electrónico de Martha Beatriz Roque y «grupúsculos contrarrevolucionarios», con funcionarios de Washington y exiliados cubanos de Miami, con el fin de desacreditar a la disidencia.

El espionaje telefónico, amén de otras muchas formas de acecho, es una de las prácticas habituales de la Seguridad del Estado, algo tan rutinario como el cinismo del dictador cubano, quien dispone de un sofisticado sistema de vigilancia para rastrear y fisgonear hasta los más mínimos detalles de «la vida de los otros». En una de las *reflexiones* con las que mata el tiempo después de ceder el poder a su hermano Raúl, el «compañero» Fidel criticó duramente una ley aprobada por el Senado de Estados Unidos en julio de 2008, que autoriza las escuchas ilegales sin permiso judicial en el marco de la lucha contra el terrorismo. «Algo que hiere la sensibilidad de las personas, en cualquier sistema social, es el irrespeto a su privacidad», dice Fidel Castro sin ruborizarse, para continuar: «Antes, por ejemplo, las leyes protegían la correspondencia. Más tarde la protección se extendió a las comunicaciones telefónicas, un medio de comunicación más rápido e instantáneo. Las leyes de Estados Unidos prohibían su intercepción sin permiso judicial. Su violación daba lugar a demandas judiciales, que en ese país llegaron a elevarse a cuantiosas sumas».[6]

Enterrados vivos

Las Damas de Blanco, pieza de caza favorita de los fisgones de la Seguridad del Estado, no pueden recurrir a ninguna institución cubana similar a la Unión Americana de Libertades Civiles, que, según relata Fidel Castro, calificó la ley aprobada por el Senado de Estados Unidos de «inconstitucional» y de «asalto a las libertades civiles y al derecho a la privacidad». Las Damas de Blanco no pueden defenderse del asalto a su privacidad ni de los «actos de repudio»; ningún organismo cubano las ampara. Por eso se dirigen a jefes de Estado extranjeros, al papa Benedicto XVI y al secretario general de Naciones Unidas, para pedirles protección y para que intercedan a favor de sus familiares; también demandan a las autoridades cubanas que excarcelen a los presos, a todos, no con cuentagotas, por razones humanitarias.

En su libro, *Enterrados vivos*, escrito en la cárcel, Héctor Maseda, del Grupo de los 75 y esposo de Laura Pollán, relata las terribles condiciones de las prisiones cubanas y las sevicias a las que fue sometido durante los interrogatorios previos a su juicio. Maseda describe el horror de las torturas psicológicas que se emplean para «ablandar» a los disidentes, como «la aplicación de luz intensa y permanente en la cara [...] ruidos continuados de madrugada realizados por los guardias para que el reo no pueda dormir [...] someter a los cautivos a bajas temperaturas... para que se enfermen y destrozarlos físicamente [...] sacar al preso varias veces en la noche para encuentros inquisitorios». Héctor Maseda se refiere también a las torturas físicas que aplican los carceleros, «tales como alzarte por varios de ellos y dejarte caer sobre el piso desde cierta altura y provocarte hemorragias internas y el posible desprendimiento de órganos vitales, en diabólicas repeticiones como si se tratara de un rito pagano».

El Gobierno hace caso omiso de las denuncias y las peticiones de clemencia, o responde, como hizo el Ministerio de Relaciones Exteriores el 23 de junio de 2006, que: «La dignidad humana e integridad física y psíquica de los mercenarios sancionados a privación de la libertad han sido respetadas rigurosamente. Son totalmente falsas las alegaciones de supuestas violaciones de derechos humanos que se habrían producido contra cualquiera de ellos».

Pero los hechos son testarudos. El 10 de enero de 2007, Miguel Valdés Tamayo, del Grupo de los 75, condenado a 15 años de cárcel, murió en La Habana a los 50 años de edad. Dos años y medio antes, el Gobierno le concedió una licencia extrapenal por miedo a que muriera en la cárcel. «Me han soltado —dijo entonces— porque saben que mi estado de salud está quebrantado, que mi cuerpo está enfermo.» En una carta dirigida a su esposa, Elisa Collazo, durante su cautiverio en la prisión Kilo 8, en Camagüey, Valdés Tamayo dice: «La comida sigue siendo poca, malísima y apestosa. El servicio médico es pésimo... los medicamentos que me enviaste no me los han entregado. No me toman la presión arterial. Vivimos ocho reos en un cubículo de seis metros por tres de ancho, junto a un baño y un lavadero... existe una gran proliferación de ratas, mosquitos, cucarachas e insectos de todo tipo dentro de los dormitorios».

Miguel Valdés Tamayo fundó la organización disidente Hermanos Fraternales por la Dignidad. Desde su puesta en libertad, fue objeto de numerosos «actos de repudio» en los que recibió golpes e insultos. La policía le detuvo también en varias ocasiones, después de visitar la Oficina de Intereses de Estados Unidos. Valdés Tamayo nunca fue autorizado a salir del país para recibir tratamiento médico, a pesar de que tenía visados para viajar a Holanda y Estados Unidos. Durante su funeral, Carmelo Díaz, otro de los disidentes del Grupo de los 75 excarcelado como Valdés Tamayo, también por motivos de salud, manifestó que «la prisión de Miguel fue injusta. Él ya estaba enfermo cuando llegó a la cárcel, pero allí empeoró». Óscar Espinosa Chepe, del mismo Grupo y excarcelado igualmente por motivos de salud, dijo que «la muerte de Miguel Valdés Tamayo debe llamar a la reflexión del Gobierno. Las cárceles están llenas de presos pacíficos como Miguel, muy enfermos, y se podrían provocar más muertes innecesarias como ésta».

Almacén de reclusos

Una organización disidente, el Consejo de Relatores de Derechos Humanos de Cuba, expresó su preocupación en octubre de 2007, por las alarmantes cifras de tuberculosis que hay en las cárceles del país. Juan Carlos González Leiva, secretario ejecutivo de ese grupo, informó de que en la prisión de Canaleta, en Matanzas, había más de 1.200 casos de contagios por tuberculosis, debido a la falta de higiene y al hacinamiento en que viven los internos. Según González Leiva, los enfermos conviven con los sanos en las mismas celdas y usan los mismos cubiertos y vajillas. El Consejo de Relatores de Derechos Humanos ha pedido a distintos organismos internacionales que investiguen «las condiciones infrahumanas y los malos tratos» en las cárceles cubanas.

Porque ya nada sé. Porque si alguna vez supe
deshecha entre las zarzas he olvidado.
Aquí duelen espinas. Aquí duelen los cardos.
Aquí dejo mi olor. Olor de perseguido.
De animal acosado por todas las jaurías
bestiales del infierno. Porque ya nada sé.[7]

El lento aunque persistente goteo de excarcelaciones por
motivos de salud, es revelador de las condiciones de vida en las
cárceles cubanas. El Gobierno tiene miedo de que los disidentes
mueran en prisión y los excarcela a medida que van enferman-
do, pero sin modificar el duro régimen penitenciario. En febrero de 2006, el disidente Horacio Piña Borrego, ex compañero
de Raúl Rivero en la misma celda de castigo, y condenado como
él a 20 años de prisión, le envió un Informe, avalado con la firma de otros 20 reclusos, sobre las condiciones de la cárcel de
Kilo 5, en Pinar del Río. Piña Borrego relata que la cárcel es un
«almacén» para 2.000 reclusos, con cubículos de 10 metros de
largo por 6 de ancho, donde se hacinan entre 48 y 50 personas
por calabozo, en los que hay ratas y cucarachas y un aire muy vi-
ciado por la falta de ventilación y la cercanía de las letrinas.

En el penal, dice el Informe, no hay agua potable, lo trans-
portan en pipas sin clorar; ni medios de limpieza, desinfectantes
y bayetas. Para el aseo personal de los reclusos, se facilita a cada
uno dos jabones al mes, uno de baño de 90 gramos y otro de lavar de 130 gramos. Cada tres meses, reciben un tubo de pasta
dental de 120 gramos. La alimentación, según Piña, es escasa, de
poca calidad y sin higiene, a base de arroz, harina de maíz y chícharos (guisantes) sin cuajar; a veces hay pescado «a punto de
descomposición».

El Informe indica que la asistencia médica primaria en el penal es casi nula, y que es alarmante la falta de medicamentos e
instrumental. «Las agujas para inyectar, hay algunas tan gastadas
por el uso, que ya no tienen punta.» En ese documento no se
describen los actos de violencia, maltrato y agresiones de los carceleros y oficiales de la policía; se limita a denunciar las condiciones de vida de la cárcel.

El 14 de abril de 2006, el Comité Boniato, integrado por
presos políticos de la cárcel provincial de Boniato, en Santiago
de Cuba, envió al Consejo de Derechos Humanos de Naciones
Unidas, un Informe sobre «el ambiente hostil, degradante y mi-

serable en que vive la población de ese penal», dirigido por el mayor Osvany Batista Betancourt, «famoso por su predilección a la violencia y la corrupción». En el Informe se relatan algunos de los sucesos ocurridos en la prisión, desde principios de 2005 hasta abril de 2006, principalmente la muerte de seis personas, dos de ellas por falta de asistencia médica; otras dos por enfermedad, y dos reclusos asesinados. También denuncian las palizas y el trato degradante que reciben los internos, que recurren sistemáticamente a la huelga de hambre y a la autoagresión como forma de protesta; una de las más comunes consiste en inyectarse excrementos e incluso sangre contaminada con el virus del sida.

Abuso físico y sexual

Un Informe titulado «La maquinaria represiva de Cuba», elaborado en 2006 por la organización Human Rights Watch, después de entrevistar a docenas de ex presos y familiares de disidentes encarcelados, señala que el Gobierno cubano «mantiene a su considerable población penitenciaria en condiciones por debajo de la norma e insalubres, en las que los presos se enfrentan al abuso físico y sexual». La mayoría de los reclusos, según el documento, padecen malnutrición y languidecen hacinados en celdas, o pasan prolongados períodos en celdas de aislamiento, sin una atención médica adecuada. Human Rights Watch señala que además de la tortura física, sobre todo palizas, como medida disciplinaria, los presos están sometidos a tortura psicológica. «La policía o los guardias de prisiones —dice el Informe— suelen agravar la naturaleza punitiva del encierro incomunicado con privaciones sensoriales, como tapar la luz o la ventilación de la celda, retirar camas o colchones, requisar ropa o pertenencias de presos, prohibir la comunicación entre presos o reducir los alimentos y el agua por debajo de las raciones ya escasas.» También recurren a la desorientación de los internos dejando las luces encendidas en las celdas durante las 24 horas del día, cambios en la hora de los relojes o música a todo volumen.

A las dificultades de la vida en prisión se une el hecho de que los disidentes conviven con presos comunes, ladrones y asesinos de alta peligrosidad, que los maltratan con frecuencia, jaleados por los carceleros, a cambio de un trato de favor. Léster González Pentón, sentenciado a 20 años de cárcel, también en la *primavera negra* de 2003, denunció desde la prisión de La Pendiente, en Santa Clara, que «he sido agredido y golpeado por dos presos comunes los cuales me tienen amenazado con picarme la cara. El capitán de la Seguridad del Estado, Pablo Hechemendía Pineda tiene orquestada en mi contra una campaña de difamación y he sido maltratado y ofendido por diferentes oficiales, incluido el segundo director del penal, llamado Odeimi González Martínez. Estoy alterado psíquicamente y sin poder dormir. Mi vida corre serio peligro en esta prisión».

Ninguna de las cárceles de Cuba se ajusta a las Reglas Mínimas de Naciones Unidas para el Tratamiento de los Reclusos, a pesar de que el Gobierno ratificó, el 17 de mayo de 1995, la Convención contra la Tortura y otros Tratos o Penas Crueles, Inhumanos o Degradantes.

«Dolor infinito debía ser el único nombre de estas páginas. Dolor infinito, porque el dolor del presidio es el más rudo, el más devastador de los dolores, el que mata la inteligencia y seca el alma y deja en ella huellas que no se borrarán jamás.» Son palabras de José Martí, tantas veces citado, tantas veces traicionado por el dictador cubano.

Sobrevivir en Villa Marista

El largo calvario que siguen los disidentes hasta la cárcel tiene su origen en Villa Marista,[8] sede el Departamento de Operaciones de la Dirección de Contrainteligencia del Ministerio del Interior, el equivalente cubano de la Lubianka, que fue el centro neurálgico del KGB soviético en Moscú. En un artículo publicado en la *Revista Hispano Cubana*, que se edita en Madrid, titulado «Cómo sobrevivir en Villa Marista», Adolfo Rivero Caro describe su experiencia personal en ese lugar:

> En Villa Marista, el objetivo fundamental de la Seguridad es conseguir la rendición moral del detenido, derrotarlo moralmente. No se pretende convencerlo ideológicamente, el objetivo es más modesto. Se trata de convencerlo de la omnipotencia del aparato represivo y de que los detenidos están absolutamente inermes. La celda habitual en Villa Marista mide unos tres

por dos metros. Ciertamente no es aconsejable para los que padezcan de claustrofobia. Las literas son planchas de hierro o madera encadenadas a la pared. Hay una o dos literas en cada pared. Las celdas tienen una especie de persianas de concreto que no permiten ver hacia afuera, aunque dejan entrar el aire y alguna claridad. La letrina es un simple agujero en el piso. Un pequeño chorro de agua cae sobre el hueco. Los detenidos beben de ese chorro. Un pedazo de tubo que sobresale de la pared, sobre la letrina, sirve de ducha. A los detenidos no se les permite afeitarse ni peinarse ni cortarse las uñas. No hay espejos. No tienen acceso a ningún contacto con el mundo exterior. Hay una visita familiar de cinco minutos, una vez a la semana. En presencia de un oficial. Sobre la puerta de hierro hay un bombillo perpetuamente encendido cubierto por una malla metálica. Los suicidios son frecuentes. El traslado a una cárcel normal es considerado una excelente noticia.

En su Informe sobre la situación de los derechos fundamentales en Cuba, el 2 de febrero de 2009, la Comisión Cubana de Derechos Humanos y Reconciliación Nacional (CCDHRN) indica que Cuba tiene, en cifras absolutas, el mayor número de presos de conciencia del mundo: 205 personas encarceladas por motivos políticos o político-sociales, de los cuales 66 han sido adoptados como presos de conciencia por la organización Amnistía Internacional. La Comisión, que no tiene estatus legal en Cuba, señala que «en materia de derechos civiles, políticos y económicos, continuó prevaleciendo el peor panorama en toda Iberoamérica debido a que el Gobierno de Cuba transgrede todos y cada uno de los mencionados derechos». La Comisión reconoce que el Gobierno no aplicó, a diferencia de años anteriores, largas condenas de prisión por motivos políticos, pero «siguió y sigue aplicando, de manera creciente, la represión política y social bajo la forma de centenares de detenciones arbitrarias de corta duración, como ocurrió el año pasado en el que tales detenciones superaron la cifra de 1.500 casos en todo el país».

La CCDHRN denuncia hacinamiento y deterioro sanitario en las cárceles, y las altas cifras de «suicidios y muertes por negligencias o indolencia de los mandos militares y por la violencia criminal que tiende a seguir aumentando. Hemos confirmado 54 muertes de reclusos durante el año 2008, pero estimamos que los presos fallecidos, bajo las circunstancias señaladas arriba, sobrepasa el centenar», y agrega que «las autoridades siguen utilizando a criminales comunes violentos para hostigar a los prisioneros políticos». La Comisión señala, finalmente, que el Gobierno cubano niega sistemáticamente que viole los derechos fundamentales, y «no oculta su propia complacencia (y cierta arrogancia) al saber que puede contar con la mayoría mecánica de gobiernos violadores que actualmente controla al Consejo de Derechos Humanos (de Naciones Unidas) y que el régimen de La Habana ejerce una especie de liderazgo negativo dentro de esa mayoría».

La organización Amnistía Internacional también denuncia el aumento del «acoso e intimidación» contra los activistas y defensores de los derechos humanos, disidentes y sindicalistas «por grupos casi oficiales, las Brigadas de Respuesta Rápida, que presuntamente actuaron en connivencia con miembros de las fuerzas de seguridad». En marzo de 2008, con motivo del quinto aniversario de la *primavera negra* de 2003, Amnistía Internacional pidió a Raúl Castro, un mes después de ser elegido nuevo Presidente de Cuba, la puesta en libertad «inmediata e incondicional» de los disidentes encarcelados. La directora adjunta del Programa de Amnistía Internacional para América, Kerrie Howard, instó a Raúl Castro a «abordar algunas de las cuestiones de derechos humanos más acuciantes del país», entre ellas «la revisión judicial de todas las condenas dictadas tras juicios injustos, la abolición de la pena de muerte y la introducción de medidas para garantizar la libertad de expresión y la independencia del poder judicial».

El zorro en el gallinero

A pesar de su prontuario, Cuba fue elegida en el año 2006 para ocupar un puesto en el nuevo Consejo de Derechos Humanos de Naciones Unidas. Ese organismo sustituyó a la desaparecida Comisión, que durante los 17 años que tuvo a la isla en su punto de mira, dictó 15 resoluciones condenatorias contra el Gobierno por graves violaciones a los derechos humanos. La elección de Cuba para el nuevo Consejo causó estupor entre la disidencia. La activista de las Damas de Blanco Laura Pollán afirmó: «¿Cómo puede pertenecer Cuba a ese Consejo de Derechos Humanos, dónde están los valores para que Cuba pueda ser juez de otros países, cuando el Gobierno cubano es un violador de los derechos humanos?».

El Gobierno cubano, satisfecho por lo que consideró un triunfo frente a Estados Unidos, se felicitó por esa «rotunda victoria frente al imperio». Felipe Pérez Roque, ministro de Relaciones Exteriores, no tuvo empacho en declarar que la elección de Cuba para el Consejo de Derechos Humanos de Naciones Unidas era «una nueva victoria de Playa Girón en el orden diplomático».

En junio de 2007, los esfuerzos diplomáticos del canciller Pérez Roque dieron nuevos frutos y el Consejo decidió poner fin al mandato de la representante especial del Alto Comisionado de Derechos Humanos para la isla, Christine Chanet. Durante los cinco años que duró su gestión, el Gobierno cubano nunca le permitió visitar Cuba. Aun así, Christine Chanet denunció las graves violaciones que se cometen en el país, y pidió reiteradamente a las autoridades el cese de los procesos contra ciudadanos «que luchan por derechos políticos y civiles consagrados en la Declaración Universal de Derechos Humanos». En su último Informe, fechado días antes de que se cancelara su mandato, la jurista francesa denunció las «graves condiciones físicas, sanitarias y mentales» de los presos políticos cubanos.

En una declaración oficial, el 19 de junio de 2007, el Ministerio de Relaciones Exteriores de Cuba calificó de «histórica» la decisión del Consejo de suprimir el mandato de la representante especial del Alto Comisionado de Derechos Humanos para la isla. Según la Cancillería, la medida supone «poner fin al ejercicio anticubano que Estados Unidos concibió, precisamente como pretexto para mantener y exacerbar su genocida política de bloqueo y de agresión contra Cuba». Pero esa retórica no puede ocultar la realidad de lo que ocurre en la isla.

Cinco días después de la «victoria» de Cuba en el Consejo de Derechos Humanos de Naciones Unidas, el 24 de junio de 2007, Manuel Acosta, de 47 años, miembro del opositor Movimiento Democracia, murió en circunstancias extrañas en una comisaría de policía, en Aguada de Pasajeros, provincia de Camagüey. Oficialmente, Acosta se ahorcó en su celda, donde se encontraba detenido en espera de juicio por «peligrosidad predelictiva». Pedro Acosta, familiar del disidente fallecido, pidió, en una carta dirigida al entonces Presidente en funciones, Raúl Castro, una «profunda investigación» sobre el caso, ya que según testimonio de algunos detenidos en la misma comisaría, su primo fue golpeado hasta la muerte por varios policías.

Elizardo Sánchez, presidente de la Comisión Cubana de Derechos Humanos y Reconciliación Nacional, manifestó su «honda preocupación» por el fallecimiento del opositor en «circunstancias poco claras» y pidió que se realizara la investigación solicitada «con la mayor prontitud». Según Sánchez, «es raro el día en que nuestra Comisión no recibe denuncias por graves actos de brutalidad policial, tanto en estaciones de la policía como en las prisiones y otros sitios de internamiento. Seguro que hay una relación de causa y efecto entre la paliza y la muerte».

Nunca hubo respuesta a las peticiones para esclarecer la muerte de Manuel Acosta.

Washington y sus «lacayos»

«El Gobierno de Estados Unidos incitó y auspició nuevas provocaciones contra la dignidad del pueblo cubano...» El 11 de diciembre de 2007, el diario *Granma* comenzaba así su información sobre dos manifestaciones que tuvieron lugar en La Habana, con motivo del 59 aniversario de la proclamación de la Declaración Universal de Derechos Humanos por la ONU. Una de las marchas estuvo protagonizada por las Damas de Blanco, «un grupúsculo de mujeres conocidas por sus estrechos vínculos de dependencia con las autoridades norteamericanas»; la otra, por un reducido grupo de disidentes, que fueron agredidos brutalmente por una turba, integrada por agentes de la Seguridad del Estado, que *Granma* disfrazó de «trabajadores, estudiantes, vecinos, gente de pueblo», que dieron «una contundente respuesta verbal a estos elementos, sobre la base de los principios humanistas y éticos que fundamentan la unidad de la familia revolucionaria».

Esa contundencia, no precisamente verbal, de la «familia revolucionaria», contra los «provocadores» que hacen evidente, «de manera impúdica, el maridaje entre Washington y sus lacayos», tuvo lugar al día siguiente de que el canciller, Felipe Pérez Roque, anunciara a bombo y platillo que Cuba iba a suscribir dos importantes Acuerdos en materia de derechos humanos, el Pacto Internacional de Derechos Civiles y Políticos, y el Pacto Internacional de Derechos Económicos, Sociales y Culturales. Ambos tratados, que Cuba siempre se negó a ratificar, fueron adoptados en 1966 por la Asamblea General de Naciones Unidas y parten de los principios fundamentales incluidos en la Declaración Universal de los Derechos Humanos, entre ellos el derecho a la libertad de expresión, de asociación, de huelga, de enseñanza..., en definitiva, todos los derechos que no tienen los cubanos. La mayoría de los disidentes acogieron con escepticismo el anuncio hecho por Pérez Roque porque, según dijo Oswaldo Payá, líder del Movimiento Cristiano de Liberación, «lo que debe hacer el Gobierno es reconocer en la ley y en la práctica los derechos de los cubanos y para eso no hace falta firmar pactos».

El escepticismo de los disidentes se vio confirmado dos meses después, el 28 de febrero de 2008, cuando Felipe Pérez Roque suscribió en la sede de Naciones Unidas los dos Pactos de Derechos Humanos, tal como había anunciado, pero condicionó su aplicación al levantamiento del bloqueo que Estados Unidos mantiene sobre la isla. En una Declaración que acompañó a la firma de ambos Pactos, el Ministerio de Relaciones Exteriores cubano expresó lo siguiente: «La República de Cuba declara que fue la Revolución la que hizo posible el disfrute por su pueblo de los derechos enunciados en el Pacto Internacional de Derechos Económicos, Sociales y Culturales y en el Pacto Internacional de Derechos Civiles y Políticos. El bloqueo económico, comercial y financiero impuesto por los Estados Unidos de América y su política de hostilidad y agresión contra Cuba, constituyen el más grave obstáculo al disfrute por el pueblo cubano de los derechos enunciados en los Pactos».

La Declaración de la Cancillería cubana era una soberana tomadura de pelo; por un lado, asegura que gracias a la Revolución, los cubanos gozan de los derechos reconocidos en los dos Pactos; y por otro, que el bloqueo de Estados Unidos impide su aplicación. Es decir que si no hay democracia en Cuba es por culpa del «imperio».

Apenas dos semanas después de la firma de los dos Pactos, en el quinto aniversario de la *primavera negra*, las Damas de Blanco reiteraron en un comunicado que 55 de los 75 prisioneros de conciencia detenidos en 2003 permanecen encarcelados injustamente y con la salud seriamente quebrantada por las condiciones infrahumanas en que viven en las cárceles de la isla. Las esposas y familiares de los disidentes hicieron un llamamiento «a los gobiernos, parlamentos, instituciones religiosas, partidos, organizaciones no gubernamentales, personalidades y pueblos a analizar si ha cambiado la represión en Cuba desde marzo de

2003 que motivó un gran estupor internacional. Continúan las promesas, que han llegado a la firma de Pactos Internacionales de Derechos Humanos, acompañados de condicionamientos sobre su eventual cumplimiento, invitaciones a destacados representantes de las Naciones Unidas y lisonjas a distinguidos invitados extranjeros. Lamentablemente ninguno visitó una prisión al azar, ni se entrevistó con nuestros prisioneros. Se requieren hechos, no palabras. Los cambios deberían iniciarse mediante la liberación inmediata e incondicional de los prisioneros de conciencia».

Para sorpresa general, fue el propio Fidel Castro quien primero «contestó» al llamamiento de las Damas de Blanco. En una de sus *reflexiones* titulada «Bush en el cielo», publicada el 24 de marzo, el «compañero» Fidel, como se le llama desde su retirada del poder, exhortó a Estados Unidos a dar a sus presos el mismo trato que Cuba da a los suyos. «Los exhortamos a que hagan con la población penal de Estados Unidos lo mismo que Cuba», dijo Castro, quien calificó a los disidentes como «vendepatrias, cabecillas de la quinta columna del imperialismo en Cuba que, pagados por el Gobierno de Estados Unidos, violan las leyes del país y comparten la tesis de que este oscuro rincón del mundo debe ser barrido del mapa». Después de esos exabruptos, el comandante aseguró que «ninguno de los *mercenarios* fue torturado ni privado de abogado o juicio, aunque éste fuese de carácter sumario, previsto en las leyes si existe peligro de agresión; tienen derecho a visitas, accesos al pabellón familiar y además prerrogativas legales como todos los reclusos». Fidel Castro manifestó también que «si en algún momento la salud [de esos presos] lo demanda seriamente, son puestos en libertad sin que las exigencias del imperialismo y sus aliados determinen absolutamente nada».

Martha Beatriz Roque, quien obtuvo una licencia extrapenal por motivos de salud, se mostró indignada por las palabras de Castro: «Está mintiendo; mi abogada se enteró de lo que me estaban acusando en el momento del juicio. [...] las condiciones de la cárcel fueron pésimas, malísimas». Por su parte, Óscar Espinosa Chepe, excarcelado también por problemas de salud, dijo: «Aquello [los juicios] fue una farsa y la acusación contra nosotros una mentira. En aquel momento fue una monstruosidad jurídica encarcelar a personas pacíficas, pero hoy lo es mucho más por mantenerlos en la cárcel».

Mamá Paz se olvidó de Cuba

En enero de 2007, un grupo de pacifistas norteamericanos, encabezado por Cindy Sheehan, madre de un soldado muerto en Irak en 2004, viajaron a Cuba para exigir, a las puertas de la base naval de Estados Unidos en Guantánamo, la clausura del presidio, el fin de las torturas y un juicio con garantías para los más de 400 presos islámicos encarcelados allí. El acto, que tuvo lugar en el quinto aniversario de la apertura de la prisión en la base, fue organizado por el centro cristiano Martin Luther King de Cuba, y los medios oficiales le dedicaron gran atención. Pero todos ocultaron que las Damas de Blanco dirigieron una carta a Cindy Sheehan para pedirle que se reuniera con ellas para visitar una cárcel de Cuba. Entre otras cosas, la misiva decía que «al tiempo que usted y sus nobles seguidores se esfuerzan porque se cierre la prisión norteamericana en la base naval de Guantánamo, a pocas millas, en la prisión provincial de Guantánamo, territorio de la República de Cuba, pacíficos e indefensos prisioneros de conciencia y políticos padecen condiciones inhumanas sin agua potable limpia, mala alimentación, deficiente asistencia médica, insectos y roedores, visitas muy espaciadas y comunicación precaria».

Mamá Paz, como se conoce a Cindy Sheehan por su activismo contra la guerra de Irak, no se tomó la molestia de contestar a las Damas de Blanco, y a las puertas de la base norteamericana expresó: «En mi país tratan mejor a los perros que a los prisioneros de Guantánamo». Esa frase fue titular de *Granma*, el día 12 de enero de 2007, pero el periódico «olvidó» decir que, además de exigir el cierre de la prisión de Guantánamo, Cindy Sheehan pidió también «el restablecimiento del hábeas corpus que garantice los derechos de los detenidos».

En Cuba, los detenidos no tienen ningún derecho, ni mucho menos el de hábeas corpus, pero Medea Benjamín, activista de las organizaciones Global Exchange y Codepink (Código Rosa), Mujeres por la Paz, que acompañó a Cindy Sheehan a la isla, puntualizó: «No estamos aquí para ver los problemas que hay dentro de Cuba, sino para protestar por los abusos que se están cometiendo en Guantánamo, aunque defendemos el respeto a los derechos humanos en todo el mundo». Pero todas las monedas tienen dos caras y la denuncia de los excesos de Guantánamo no puede ocultar la vergüenza de la violación de los derechos humanos en Cuba.

Capítulo 19

La piedra y el caracol

> En esta tierra, mulata
> de africano y español
> (Santa Bárbara de un lado,
> del otro lado Changó),
> siempre falta algún abuelo,
> cuando no sobra algún Don
> y hay títulos de Castilla
> con parientes en Bondó:
> vale más callarse, amigos,
> y no menear la cuestión,
> porque venimos de lejos,
> y andamos de dos en dos.
>
> NICOLÁS GUILLÉN,
> *La canción del Bongó*

Todas las alarmas sonaron cuando Rafael Serrano, presentador de la Emisión Estelar del Noticiero de la Televisión Cubana, informó, con su gravedad habitual, que a las nueve y media de la noche se iba a hacer un importante anuncio. Eran las ocho de la tarde del lunes 31 de julio de 2006 y a la hora señalada debía emitirse la telenovela brasileña *Señora del destino*. Cinco días antes, Fidel Castro había asistido a dos actos, en Bayamo y Holguín, con motivo del 53 aniversario del frustrado intento de asalto al cuartel Moncada, el 26 de julio de 1953. Durante el fin de semana anterior, el dictador había participado, en la ciudad argentina de Córdoba, en la Cumbre de MERCOSUR, el Mercado Común de los países del Cono Sur Latinoamericano. Quizás Cas-

343

tro quería informar sobre su viaje, o se iba a referir ¡por fin! a la epidemia de dengue que desde hacía semanas estaba causando estragos en La Habana, sin que oficialmente se dijera nada, a pesar de la alarmante cifra de muertos y afectados que reportaba *radio bemba*.

Pero no fue el dengue ni el MERCOSUR lo que desplazó a una de las series de mayor audiencia de la televisión cubana, sino una «Proclama al pueblo de Cuba» de Fidel Castro, leída por Carlos Valenciaga, *Carlitos*, su jefe de despacho y miembro del Consejo de Estado. Con poca pompa, apenas una mesa, la bandera de Cuba y un fondo neutro, y con cara de circunstancias, Valenciaga fue desgranando la Proclama como quien da los resultados de la liga de béisbol. En ella, el dictador informaba a los cubanos de que había sido sometido a una complicada operación quirúrgica y que hasta su recuperación delegaba en el «compañero» Raúl Castro Ruz, «con carácter provisional», sus funciones como Primer Secretario del Comité Central del Partido Comunista, como Comandante en Jefe de las Fuerzas Armadas Revolucionarias y como Presidente del Consejo de Estado y del Gobierno de la República de Cuba.

La Proclama sobrecogió a los cubanos. Muchos pensaron que Fidel Castro había muerto. Muy pocos se atrevieron a salir de sus casas y los teléfonos no dejaron de sonar en toda la noche. En medio de ese revuelo, las Fuerzas Armadas Revolucionarias quedaron en estado de alerta, los reservistas fueron llamados a los cuarteles y los CDR y todas las organizaciones de masas permanecieron atentos por si se producía algún incidente. Todo se hizo en calma, sin aspavientos. La consigna era mantener la normalidad o la apariencia de normalidad a toda costa. El jefe está enfermo, pero no hay por qué preocuparse, todo está bajo control, aquí no pasa nada.

Seis días después de la Proclama, la Conferencia de Obispos Católicos de Cuba pidió a los fieles que rogaran a Dios por la salud de Fidel Castro y para que ilumine a los responsables del Gobierno. El comunicado fue leído el domingo 6 de agosto en todas las iglesias de la isla, y en La Habana se hizo en presencia del cardenal arzobispo, Jaime Ortega Alamino. Las demás confesiones religiosas ofrecieron asimismo sus oraciones a Dios para que reconfortara al dictador en su enfermedad.

En medio de las plegarias, en La Habana retumbaron también los tambores para que Obbatalá, el *orisha* o dios creador de la tierra y escultor del ser humano, misericordioso y amante de la paz y la armonía, protegiera al comandante. El *babalawo* o sacerdote, Víctor Betancourt, líder de la casa-templo Ifa-Iranlowo, dirigió una ceremonia que duró cerca de seis horas, y comenzó con la tirada de un coco troceado, remojado con aguardiente, y siguió después con bailes y cantos, al ritmo de los tres tambores batá, Iya, el mayor, Itótele, el mediano, y Okonkoro, el menor, para pedir la pronta recuperación del comandante. Ante el altar, adornado con collares de cuentas, se invocó también a Ochossi, el dios cazador; Yemayá, diosa de la maternidad y dueña de las aguas; Elegguá, dios de los caminos; Oshún, diosa del amor, y Oggún, dios de la guerra.

Tan diferentes preces, hermanadas en un común afán, reafirmaron la armonía que existe en Cuba entre religiones que, lejos de rivalizar, comparten el mismo Olimpo. Y eso se debe a la mixtura lograda entre la fe de los que creen en un solo Dios y la de los seguidores de los ritos africanos que llevaron a la isla los esclavos destinados a las plantaciones.

La Iglesia católica no supo valorar el peligro que entrañaban para el dogma las fiestas y bailes de los cautivos, que sirvieron de disfraz para mantener vivo el pensamiento mágico-religioso de las más de 200 etnias africanas introducidas en Cuba, principalmente la de los *lucumíes* o *yorubas*, la más importante de todas.

> Bajo el sol, bajo la sombra,
> la negra piel.
> Bajo la lluvia o la seca,
> la negra piel.
> Corta caña, muele azúcar
> la negra piel.[1]

Una religión mestiza

A mediados del siglo XVI funcionaban ya en la isla los «cabildos de nación», organizaciones de esclavos agrupados por sus etnias de origen, que se reunían durante los días festivos para cantar y bailar al son de sus músicas e instrumentos tradicionales. Pero en los *cabildos* había también escuelas para mantener las tradiciones populares y, sobre todo, el culto a las deidades africanas, los *orishas*, cada uno dotado de características propias, pero con dos elementos comunes a todos ellos, la piedra u *otá*, receptáculo del *orisha*, y el caracol, el *cauri*, que se utiliza para la adivinación.

La antropóloga Natalia Bolívar señala que en África cada *orisha* estaba originalmente vinculado a una aldea o a una región, aunque había algunos cultos que abarcaban a todas las tribus de un territorio. «En casi todos los casos —dice Natalia Bolívar—, se trataba de hombres divinizados después de muertos, práctica común en un período genitor de la historia religiosa [...] A estos ancestros se les atribuía el control sobre determinadas fuerzas de la naturaleza, la posibilidad de ejercer ciertas actividades o el conocimiento de las propiedades de las plantas, única forma de medicina existente. Aquellos ancestros con *aché* [poder] se transformaron en orishas, fueron divinizados».[2]

Los esclavos llegaron a Cuba con sus dioses y simularon aceptar las creencias de sus amos, se persignaban en las iglesias, mientras en la oscuridad de sus barracones seguían adorando a sus *orishas*. La *santería* cubana, el *candomblé* y la *umbanda* en Brasil, el culto a Changó en Trinidad o el *vudú* en Haití tienen el mismo origen.

En Cuba, el culto a los *orishas* se estructuró en tres corrientes religiosas: la Regla de Ocha o *santería*, la Regla de Palo o *mayombe*, y los preceptos de la Sociedad Secreta Abakuá. La *santería* está basada en la creencia de un Ser Supremo formado por tres elementos y dotado de una fuerza abstracta y cósmica, capaz de conferir existencia a todo: Oloddumare es el Universo con todos sus elementos, la manifestación material y espiritual de todo lo existente; Olorun es el sol, la fuerza vital de la existencia que hace crecer las cosechas y mover las aguas y los vientos; Olofi es la personificación de la divinidad, creador del mundo, los santos, los animales y los hombres, el que dio poderes a los *orishas* para que crearan todas las cosas. Como los demás elementos surgidos del Ser Supremo, cada persona desciende de un *orisha* que lo acompaña a través de toda su vida para protegerlo y guiarlo y también para castigarlo si infringe las reglas que se comprometió a respetar.

Fruto del mestizaje de las dos religiones, de la mixtura de los *orishas* negros con los *orishas* del santoral católico, nació el sincretismo. «Orientándose por la simple semejanza —dice Natalia Bolívar—, fundían ingenuamente las figuras de sus antepasados divinizados con la hagiografía de la Iglesia y, al ritmo de tambores, la figura de san Lázaro se confundía con la de Babalú Ayé, la de Aggayú Soyá con la de san Cristóbal, la de Changó con santa Bárbara, la de Elegguá con san Antonio, y así un largo desfile de sincretizaciones. Nació la santería, la sincretización de los cultos yorubas y la religión católica, en un proceso natural y lógico.»

Los cubanos pueden invocar a Changó, dios del fuego, del rayo y del trueno, señor de la guerra, dueño de la belleza viril y de los tambores batá, mientras elevan una plegaria a santa Bárbara. Yemayá, madre universal, deidad que representa al mar, fuente de la vida y dueña de las aguas, está sincretizada en Cuba con la vírgen de Regla, patrona de la bahía de La Habana y de los navegantes. Oggún, dios de los minerales, las montañas, las herramientas y las llaves, se sincretiza con san Pedro, dueño de las llaves del Cielo. Ochún, *orisha* del río, dueña de la feminidad, símbolo de la coquetería, la gracia y la sexualidad femenina, se sincretiza con la Virgen de la Caridad del Cobre, de tez mulata, patrona de Cuba.

A Dios rogando...

La sociedad cubana siempre se mostró ambivalente con respecto a la *santería*. Por un lado consideraba que era fruto de la superstición, y por otro, acudió siempre a los «brujos» en busca de remedios o de consejos, antes de tomar una decisión importante. La antropóloga cubana Lydia Cabrera dice que los descendientes de los esclavos siguen invocando en Cuba la protección de los espíritus, «y ante cualquier accidente natural, al primer contratiempo que surge en sus vidas, aparentemente inexplicable o... fácilmente explicable, sigue reaccionando con la misma mentalidad primitiva de sus antepasados, en un medio como el nuestro, impregnado de magia hasta lo inimaginable; a pesar de la escuela pública, de la universidad o de un catolicismo que acomoda perfectamente a sus creencias y que no ha alterado en el fondo las ideas religiosas de la mayoría».[3]

Orula, yo te rindo culto esta mañana.
Babalawos que han fallecido yo les rindo culto esta mañana.
Letra que según Ifá rige la brujería,
evita los disgustos,

echa afuera la muerte,
echa afuera la muerte,
echa afuera la tristeza,
echa afuera las pérdidas materiales,
todos, todos,
que no haya muerte,
que no haya tristeza,
que no haya pérdidas,
que los trabajos realizados cumplan su propósito.[4]

En Cuba, el 80 % de la población, según Natalia Bolívar, practica la Regla de Ocha o *santería*, conjuntamente con la Regla de Palo o *mayombe* y los preceptos religiosos de la Sociedad Secreta Abakuá. Raro es el cubano que no acude a un *babalawo* para que le descifre los misterios del presente o del futuro. Sólo los *babalawos* o sacerdotes están capacitados para interpretar los designios divinos mediante un complejo sistema adivinatorio regido por Orula, el gran benefactor de los hombres y su principal consejero, porque les revela el futuro y les permite influir en él.

Orula es el único *orisha* que posee los secretos adivinatorios de Ifá y se comunica a través de sus oráculos, el *ékuele* y el Tablero de Ifá. El *ékuele* es una cadena fina de metal que tiene ensartados 8 pedazos cóncavos de coco seco, nuez o caparazón de tortuga, que se tira al aire de forma tal que caigan formando dos líneas paralelas. La «letra» o pronóstico, también llamado *oddu*, se lee de acuerdo con el número de piezas que presenten la parte cóncava hacia arriba. El *até* o Tablero de Ifá es una tabla redonda sobre la que el *babalawo* echa un polvo llamado *yefá* y unas semillas de corojo con las que marca las letras u *oddunes* de Ifá. Estos dos sistemas sólo pueden ser utilizados por los sacerdotes de mayor rango. Los *balalawos* de menor jerarquía utilizan sistemas más sencillos, como la lectura de caracoles vaciados, que «hablan» por su parte dentada, o el examen de la masa blanca y la cáscara de los cuatro fragmentos en que se divide un coco.

Cada primero de año, la Comisión Organizadora de La Letra del Año hace públicas las predicciones de Ifá para Cuba y el mundo. En 2006, los vaticinios anunciaron un año de guerras, desastres naturales y enfermedades, y asustados por tan malos augurios, sacrificaron seis animales, tres pollos y tres chivos, a Eleggúa, la personificación del azar y la muerte, el *orisha* que tiene las llaves del destino y abre o cierra la puerta a la desgracia o a la felicidad. Agua, aguardiente, manteca, cocos, sal, aceite de palma y miel de abeja adornaban el altar levantado a Elegguá, sobre el cual fueron degollados los animales, mientras los *babalawos* llamaban a los dioses con una campana y salmodiaban cánticos y letanías en presencia de imágenes de santos católicos que ni siquiera pestañearon. Más tarde, las cabezas de los animales fueron colocadas en distintos lugares de la ciudad, como soldados dispuestos a defender del infortunio a los más débiles. Ese año no hubo guerras ni huracanes en Cuba, pero los *orishas* no pudieron evitar que Fidel Castro cayera seriamente enfermo, a pesar de que, tiempo atrás, se había purificado mediante un Ebbó, una ceremonia para alejar a la muerte, la enfermedad y la mala suerte.

Para los cubanos no constituye un secreto la vinculación del comandante con la *santería*. Como los *pattakies*, relatos que se refieren a la vida y milagros de los *orishas*, circulan en la isla muchas leyendas y fábulas acerca de los favores otorgados por las deidades africanas al dictador cubano. Los más de 600 planes[5] fallidos para asesinarle, son para muchos cubanos un indicio de que Fidel Castro goza de una protección especial. En 1972, durante un viaje oficial a Guinea, el dictador apareció en un acto público vestido con una túnica blanca. Aquello se interpretó como que se había hecho «el santo», es decir, se había iniciado como *babalawo* o practicante del culto a los *orishas*, lo que significa que tiene comunicación directa con los dioses a través de los oráculos de Ifá.

El *aché* del guerrillero

El 8 de enero de 1959, cuando Fidel Castro pronunciaba su primer discurso en La Habana, después del triunfo de la Revolución, una paloma blanca se posó en su hombro izquierdo. Muchos interpretaron aquel hecho como un mensaje de los dioses. Obbatalá, la blanca divinidad, creador de la tierra y escultor del ser humano, la deidad pura por excelencia, dueño de todo lo blanco, a quien se le sacrifican albas palomas, mostraba así su complacencia con el nuevo líder delante del pueblo allí congregado. Si la paloma se posó voluntariamente sobre el comandante o fue inducida por un experto, es algo que no se sabe, pero junto a Fidel Castro estaba Celia Sánchez, su más cercana colaboradora, confidente y amante, y una activa practicante de la Regla de Ocha. Celia Sánchez, conocedora del simbolismo de la paloma, pudo haber urdido el engaño para convencer a los cubanos de que Castro tiene *aché*, suerte, y está protegido por su *orisha*, en este caso Obbatalá.

Un mes después de que Castro cayera enfermo, en agosto de 2006, Víctor Betancourt, líder de la casa-templo de Ifa-Iranlowo, dijo que «como todo *babalawo* no me debo meter en política, pero como ser humano puedo afirmar que Fidel es una persona que tiene algún tipo de contacto con lo divino. Hemos hablado del tema muchas veces y nos hemos preguntado si acaso no será un sacerdote, pues siempre ha estado protegido».

En La Letra del Año, los *babalawos* evitan toda referencia a Fidel Castro, si bien auguraron para 2008 un año de cambios y de posibles mejoras económicas que pueden ser «de orden político general», aunque lo positivo y lo negativo, según los sacerdotes de Ifá, «lo hacen los propios seres humanos». El año 2008, según las predicciones, estaba regido por Oggún, hermano de Changó y Elegguá, dios de los minerales, las montañas y las herramientas, patrón de los herreros y los soldados, que se sincretiza con san Pedro; también por Yemayá, la divinidad de las aguas y madre de la religión yoruba, que tiene su equivalencia cristiana en la Virgen de Regla. Los *babalawos* vaticinaron también un año marcado por las catástrofes climatológicas, el aumento del robo con violencia, una mayor emigración interna y externa, y problemas familiares relacionados con la vivienda; también, la usurpación de derechos y funciones mediante violencia y engaño.

El interés que muestran por la *santería* los extranjeros que visitan Cuba, ha propiciado un mercado de falsos *babalawos* que se anuncian incluso por internet y venden a precios abusivos sus predicciones, así como la asistencia a rituales fraudulentos que nada tienen que ver con la Regla de Ocha. La Asociación Cultural Yoruba de Cuba alertó, a finales de 2007, sobre los falsos sacerdotes de Ifá, que llegan a cobrar hasta 5.000 euros a los turistas incautos por «hacerse el santo» para iniciarse en la religión yoruba. En su declaración, suscrita por siete consejos de sacerdotes mayores de la isla y dirigida a las 33 asociaciones de la institución en el mundo, la Asociación subraya la necesidad de mantener la esencia de la religión. «Los practicantes de la Regla de Ocha y el Culto a Ifá cubanos no se anuncian —dice el comunicado—, dejan que el destino les traiga a sus ahijados y que sea cual sea el grado de iniciación deberá saber que en nuestra religión deben primar y deberán ser ley la humildad, la honestidad, la hermandad, el respeto a nuestros mayores y la no intromisión en la vida de los demás.»

Un Miura en televisión

El Gobierno cubano toleró siempre la *santería*, pero no mantuvo la misma actitud con otras religiones, sobre todo con la católica, mayoritaria en el país. Al triunfo de la Revolución, Fidel Castro acusó a la Iglesia católica de estar involucrada en planes contrarrevolucionarios. El 20 de enero de 1960, durante su intervención en un programa en directo de la emisora de televisión CMQ-TV, Castro, entonces Primer Ministro, denunció que la embajada de España estaba implicada en un plan para sacar del país a «connotados contrarrevolucionarios» y que muchos curas españoles escondían armas en las iglesias. El embajador de España, Juan Pablo de Lojendio, marqués de Vellisca, que estaba viendo el programa por televisión, se presentó de improviso en el estudio y pidió al moderador que le permitiera responder a las acusaciones de Castro. Desde su asiento, el dictador le advirtió: «Señor embajador, usted tiene que pedirle permiso también al Primer Ministro del Gobierno, que es el entrevistado». Como el embajador insistió en refutar las acusaciones, se produjo un forcejeo entre ambos y Fidel Castro le espetó: «¡Está usted en Cuba, en un país libre! ¡No está usted en la España franquista!». Lojendio se marchó finalmente sin lograr su propósito. Delante de las cámaras, Fidel Castro le declaró *persona non grata* y le dio veinticuatro horas para que abandonara el país.

El dictador se refirió a aquel incidente años más tarde, en sus conversaciones con Ignacio Ramonet, aunque pasó por alto las acusaciones contra los curas españoles. «... Eran como las doce de la noche —recuerda Castro—, y en el edificio de Telemundo donde yo estaba hablando por la televisión y criticando a Franco, se siente un bufido y entra una especie de toro miura que avanza como un tanque, porque era medio gordo también, y ha dado un escándalo colosal, de insultos y todo... Entonces, no sé qué cosa le dije, más bien porque tenía que protegerme,

351

digo: "¡Saquen al malcriado este de aquí!", y no conseguían sacarlo. El hombre fue valiente, tengo que reconocerlo [...] Pero hubo que expulsarlo, no quedó más remedio.»[6]

El episodio con el embajador español sirvió de pretexto para poner en cuarentena a la Iglesia católica, a la que se acusó de «falangista y contrarrevolucionaria». Decenas de sacerdotes fueron arrestados y se prohibió toda actividad religiosa fuera de los templos. Los colegios católicos fueron nacionalizados y uno de los edificios más emblemáticos de La Habana, el seminario de los Hermanos Maristas, fue destinado a la sede de la Dirección de la Seguridad del Estado. En septiembre de 1961, el obispo auxiliar de La Habana, monseñor Eduardo Boza Masvidal, y 132 curas fueron expulsados del país.

Los católicos cubanos sufrieron un permanente acoso social y laboral, se los sometió a una estrecha vigilancia y no se les permitió acceder a determinados trabajos, ni ejercer el magisterio ni matricularse en algunas universidades. Entre 1965 y 1966, muchos católicos, seglares y sacerdotes, fueron enviados a campos de trabajo forzados, las Unidades Militares de Apoyo a la Producción, UMAP, entre ellos el actual cardenal arzobispo de La Habana, monseñor Jaime Ortega Alamino.

El opio ya no es lo que era

En 1972, durante una visita a Chile, Fidel Castro dijo, para pasmo del cardenal arzobispo de Santiago, Raúl Silva Henríquez, y de toda la curia, que los revolucionarios y los cristianos debían «estrechar filas» y establecer una alianza estratégica para llevar a cabo los cambios sociales que necesitan los pueblos. «Hay diez mil veces más coincidencias del cristianismo con el comunismo, que las que puede haber con el capitalismo», dijo el dictador. Cuatro años antes se celebró en la ciudad colombiana de Medellín la Conferencia Episcopal Latinoamericana, que propició un acercamiento de la Iglesia a los pobres y sentó las bases de la Teología de la Liberación. Fidel Castro, atento a los nuevos vientos, dio un giro de 180 grados en su política antirreligiosa. Años después en sus conversaciones con el monje brasileño Frei Betto, el dictador dijo: «En mi opinión, la religión, desde el punto de vista político, por sí misma no es un opio o un remedio milagroso [...] Desde un punto de vista estrictamente político —y creo que conozco de política—, pienso incluso que se puede ser marxista sin dejar de ser cristiano y trabajar unido con el marxista para transformar el mundo».[7]

En el Cuarto Congreso del Partido Comunista de Cuba, celebrado en 1991, se dio luz verde para que los creyentes de cualquier confesión pudieran militar en las filas del partido único. La Resolución dice que «tras un proceso de reflexión profunda y madura, que requirió de no poco esfuerzo de análisis y persuasión entre sus militantes, se abrieron de par en par las puertas del Partido a todos los creyentes que compartiesen sus nobles objetivos patrióticos, solidarios, humanos y sociales». Un año más tarde, en julio de 1992, la Constitución Socialista de Cuba reafirmó el carácter laico del Estado, que «reconoce, respeta y garantiza la libertad religiosa»; además se creó la Oficina de Atención a los Asuntos Religiosos del Comité Central del Partido Comunista de Cuba.

La «apertura» religiosa no acabó con la discriminación contra los católicos, la fe más extendida en el país, pero contribuyó a reducir la tensión en la sociedad cubana. La visita de Juan Pablo II a la isla, en enero de 1998, marcó un hito en las relaciones entre la Iglesia y el Estado. El Papa, que fue recibido por Fidel Castro en el aeropuerto de La Habana, recorrió el país durante cinco días con un mensaje de libertad, derechos humanos, verdad, tolerancia y justicia social, que fue retransmitido por la televisión nacional. Fue una visita pastoral, pero también política. El mensaje que dejó el Pontífice fue muy claro, Cuba necesitaba abrirse al mundo, y a su regreso a Roma delante de un grupo de peregrinos polacos, remachó que «la visita a Cuba me ha recordado mi primera visita a Polonia y espero que se produzcan frutos parecidos».

Menos optimista que el Papa, y en una homilía que leyó en presencia suya, el obispo de Santiago de Cuba, monseñor Pedro Meurice Estiu, se refirió al pueblo cubano como un pueblo noble que sufre «por la pobreza material que lo entristece y agobia casi hasta no dejarlo ver más allá de la inmediata subsistencia», que necesita «aprender a desmitificar los falsos mesianismos» y que «anhela reconstruir la fraternidad a base de libertad y solidaridad». Monseñor Meurice dijo ante el Papa que los cubanos «seguimos buscando la unidad que no será nunca fruto de la uniformidad, sino de un alma común y compartida a partir de la diversidad». Pero sus palabras más comprometidas fueron cuando habló del exilio interno y externo y se refirió «a un número creciente de cubanos que han confundido la Patria con un partido, la nación con el proceso histórico que hemos vivido en las últimas décadas, y la cultura con una ideología». Las palabras del obispo de Santiago de Cuba, ya jubilado, calaron muy hondo entre los cubanos porque era la primera vez que un alto prelado de la Iglesia hablaba tan claro.

Un Papa entre paréntesis

La visita del Papa no se tradujo en cambios políticos, pero la Iglesia católica logró un mayor espacio para el culto. Se restituyó el carácter feriado del 25 de diciembre, día de Navidad, y se autorizaron algunas procesiones religiosas, entre ellas las de Semana Santa y la de la Virgen de la Caridad del Cobre, patrona de Cuba. No se atendieron, sin embargo, las demandas de la Jerarquía católica para acceder a los medios de comunicación del Estado, reabrir los colegios religiosos, eliminar las restricciones para el ingreso a la isla de sacerdotes y religiosos extranjeros, construir nuevos templos, y ampliar el espacio para el trabajo de Cáritas y otras instituciones católicas internacionales que realizan programas de ayuda social.

Cinco meses después del viaje de Juan Pablo II, el cardenal Jaime Ortega dijo, en la Convención Anual de la Prensa Católica de Estados Unidos, que «en general, tanto en la vida de la nación como en lo que se refiere a las relaciones con la Iglesia, podría tenerse la impresión de que la visita del Papa a Cuba ha sido considerada como un paréntesis que se abrió y se cerró sin mayores consecuencias».

Un nuevo paréntesis volvió a abrirse y cerrarse con la muerte de Juan Pablo II, en abril de 2006. El Gobierno decretó tres días de duelo oficial, dispuso que la bandera ondeara a media asta en los edificios públicos de la isla y la suspensión de actos y festejos, entre ellos la gran final de la Serie Nacional de Béisbol, el deporte nacional de Cuba. Fidel Castro y su hermano Raúl acudieron a la sede de la Nunciatura Apostólica en La Habana para firmar en el libro de condolencias abierto en la sede diplomática del Vaticano y más tarde, acompañado de un numeroso séquito, el dictador asistió en primera fila a la Misa Solemne en honor del Papa, celebrada en la catedral de la capital cubana por el cardenal Jaime Ortega y el Nuncio Apostólico, monseñor Luigi Bonazzi.

El relevo en la jefatura del Estado de Cuba fue bien visto por el Vaticano, que envió a La Habana a su secretario de Estado, monseñor Tarsisio Bertone, quien, tras calificar el bloqueo que Estados Unidos ejerce sobre la isla como «injusto y éticamente inaceptable», expresó al presidente Raúl Castro la preocupación de la Iglesia católica por los presos de la isla y sus familiares. La Conferencia de Obispos Católicos, por su parte, decidió dar un voto de confianza y esperanza «al nuevo Presidente, Raúl Castro Ruz, al Consejo de Estado y a la Asamblea Nacional del Poder Popular, teniendo siempre ante nuestros ojos el bien común del pueblo cubano al cual servimos».

La Iglesia católica y la *santería* comparten el espacio religioso en Cuba y apenas dejan lugar para otras confesiones. Como los esclavos que llegaron a la isla, una gran mayoría de cubanos rinde culto a los *orishas,* tanto si profesan otra fe como si son agnósticos. Los dioses de los lejanos bosques y ríos africanos habitan en los bosques y los ríos y las ciudades del Nuevo Mundo, en armonía con los dioses y los santos de otras religiones, y los *pattakíes,* las fábulas que corren de boca en boca sobre unos y otros, se entremezclan, se confunden en abigarrada mixtura, hasta lograr lo que Fernando Ortiz llama el ajiaco criollo, por el plato de la cocina tradicional de la isla, elaborado con carne fresca (de vaca o de cerdo), tasajo (carne de vaca seca y salada), todo tipo de viandas (patatas, maíz, calabaza, yuca, boniato, malanga, ñame, etc.) y gran cantidad de ají.

Igual que el ajiaco, Cuba es fruto de muchos ingredientes y a todos ellos da sombra la «madre» Ceiba, el árbol sagrado de ambas orillas del Atlántico que, según la leyenda, respetaron las aguas durante el diluvio universal, para que pudieran refugiarse en su copa hombres y animales, después de encomendarse a la Virgen María, Reina de los Cielos, y a los *orishas* del panteón yoruba: «Nganga Santa María, Ceiba, Fortuna Ngongo, tiene misericordia».

Capítulo 20

Todo por la patria

Dueño absoluto de su ecuanimidad, el muchacho fijó su mirada tratando de imaginar el despreciable rostro de quien viene a matar, a invadir, a sembrar el terror... Afortunadamente (para el supuesto agresor) aquel objetivo era sólo eso: un blanco más que se había alzado en el campo de tiro y una figura menos en pie tras el certero disparo realizado segundos después por el joven francotirador.

PASTOR BATISTA VALDÉS,
«Francotiradores en acción.
Blanco arriba, agresor abajo».
Granma, 16 de mayo de 2007

El soldado Raudeli Silva Morada nunca llegó a imaginar que se convertiría en dueño absoluto de su «ecuanimidad». Es más, esa palabra le resultó completamente ajena cuando la leyó en *Granma*, días después de la visita que realizó un periodista de ese diario a la escuela de francotiradores de Santiago de Cuba, donde realizaba prácticas de tiro con un fusil Mambí, modelo 1891/30. Tampoco entendía muy bien cómo sus palabras, dichas en buen guajiro, se habían retocado tanto que casi no las reconocía como suyas: «Ojalá nunca tengamos que utilizar estas armas, no queremos matar a nadie, pero nuestros enemigos pueden estar seguros de algo: si un día nos agreden militarmente para tomar este país y volver al pasado, no les van a alcanzar todas sus calculadoras para sumar las bajas que les vamos a causar por distintas vías».

Cuando habla, el soldado Raudeli Silva Morada no se vale de los ripios de *Granma*, aunque esté de acuerdo con el contenido de lo que dice el periódico, al fin y al cabo se presentó como voluntario en el cuerpo de francotiradores, para defender a su patria, amenazada por el «imperio». Como dijo en cierta ocasión Fidel Castro, citando al prócer Antonio Maceo, los invasores de Cuba «sólo recogerán el polvo de su suelo anegado en sangre si no perecen en la contienda». O como gusta repetir su hermano Raúl: «El terrible avispero en que se convertiría cada rincón de nuestro país, repito, el terrible avispero en que se convertiría cada rincón de nuestro país, causaría al enemigo un número de bajas muy superior al que la opinión pública norteamericana estaría dispuesta a admitir».

Así pues, entre calculadoras, polvo y avispas —no en vano las Avispas Negras son las tropas especiales de las FAR, las Fuerzas Armadas Revolucionarias—, los cubanos vivaquean en espera de la dichosa invasión. Pero los estrategas militares estadounidenses parece que se toman las cosas con calma. La invasión de Cuba no figura, que se sepa, entre las prioridades del Pentágono, enfrascado en otros asuntos más importantes. Cuba es una fruta madura que a duras penas se sostiene en el árbol seco de la guerra fría, y las bravatas de sus dirigentes no son sino una estrategia de cara al interior. El Gobierno cubano no se cansa de agitar hasta el aburrimiento el fantasma de la agresión imperialista, y mantiene «entretenidos» a los cubanos, con la llamada «guerra de todo el pueblo», un plan de movilización permanente para formar un ejército de fuerzas guerrilleras irregulares que servirían de apoyo al ejército profesional. De ahí la preparación de francotiradores, como Raudeli Silva Morada.

En cierta ocasión Fidel Castro dijo que la Revolución cubana era verde como las palmas, pero el color de Cuba tiene un tinte más oscuro, es verde olivo, como los uniformes del MINFAR (Ministerio de las Fuerzas Armadas) y del MININT (Ministerio del Interior). En un país militarizado como Cuba, las Fuerzas Armadas Revolucionarias, y no el Partido Comunista, son el pilar del sistema, por su capacidad disuasoria frente a cualquier amenaza de invasión extranjera o de desestabilización interna.

Un hermano ideológico

En 1961 las Fuerzas Armadas revolucionarias derrotaron con éxito a los invasores de Playa Girón, y en 1966 dieron por finalizadas las operaciones contra los «bandidos» y «alzados» en la Sierra del Escambray que trataron de revertir el carácter comunista de la Revolución. Desde entonces, las FAR han sido y son la mejor garantía de continuidad del régimen, dirigidas hasta su nombramiento como Jefe de Estado, el 24 de febrero de 2008, por Raúl Castro, el mejor guardaespaldas que tuvo nunca el dictador cubano. «Raúl es doblemente mi hermano —dijo Fidel en una ocasión—, un hermano en toda esta lucha y un hermano en las ideas. Pero Raúl tiene un cargo en la Revolución, no porque sea mi hermano consanguíneo, sino porque es mi hermano ideológico y porque se ha ganado el puesto gracias a su sacrificio, su valor y su capacidad.»[1]

Raúl es el reverso de Fidel, discreto, metódico, ordenado, familiar, amigo de sus amigos, le gusta trabajar en equipo y evita aparecer en público. Raúl es el mejor complemento de Fidel, no tiene su inteligencia y nunca ha podido, ni se le pasó por la cabeza, hacerle sombra, pero desde la oscuridad ha sido su faro en los momentos difíciles, su fiel guardián y, como una paciente araña, ha sabido tejer un férreo entramado para la protección y supervivencia de su hermano, quien le nombró sucesor ya desde los albores de la Revolución: «Voy a proponer a la dirección del movimiento que designe a Raúl Castro como segundo jefe del 26 de Julio. No porque sea mi hermano, todo el mundo sabe cuánto odiamos el nepotismo, sino porque, honradamente, considero que tiene cualidades suficientes para sustituirme, en caso de que mañana venga yo a morir en esta lucha...».[2]

A diferencia de otras dictaduras, el ejército cubano no ha sido utilizado nunca para reprimir a la población civil. El eficaz aparato policial-militar ha hecho innecesaria su intervención. Sólo en una ocasión, en agosto de 1994, durante el llamado «maleconazo», cuando miles de personas se manifestaron en las calles de La Habana gritando «Libertad» y «Abajo Fidel», Raúl Castro se mostró partidario de emplear al ejército para preservar el orden. Las fuerzas especiales se apostaron en las inmediaciones del Malecón habanero, preparadas para la acción. Pero la sangre no llegó al río. Las Brigadas de Respuesta Rápida, integradas por funcionarios del MININT, el Ministerio de

Interior, y otros cuerpos de seguridad del Estado disfrazados de «pueblo», acosaron y apalearon a los «mercenarios» y «gusanos» que se atrevieron a desafiar al poder. Subido a un jeep y rodeado por su guardia pretoriana, Fidel Castro siguió de cerca los acontecimientos, y días después abrió nuevamente la espita de la emigración para descomprimir la crisis. Cerca de 40.000 personas pudieron escapar de la isla con destino a Miami. El Ejército no se involucró, aunque la amenaza de Raúl Castro no era un farol.

Muchos se han preguntado qué habría hecho el ejército cubano en caso de recibir la orden de disparar contra su pueblo. ¿Hubieran apretado el gatillo como hicieron los soldados chinos en la plaza de Tiananmen? Nunca se sabrá, pero las consecuencias de esa acción hubieran llevado al ejército a una crisis difícil de superar. En 1994, las FAR no se habían recuperado todavía del trauma que sufrieron, cinco años antes, por el fusilamiento, en la madrugada del 13 de julio de 1989, del general Arnaldo Ochoa y tres altos oficiales: el coronel Antonio (Tony) de la Guardia, el mayor Amado Padrón y el capitán Jorge Martínez Valdés. El hermano gemelo de Antonio, el general Patricio de la Guardia, y los oficiales Miguel Ruiz Poo y Antonio Rodríguez Estupiñán lograron escapar del paredón y fueron condenados a fuertes penas de prisión. Arnaldo Ochoa, Héroe de la República, vencedor de la guerra de Angola, el general más popular, el más condecorado, fue procesado en un juicio sumarísimo por el delito de alta traición a la patria y a la revolución, y fue ejecutado, junto con sus conmilitones como si fuera un vulgar delincuente.

Ochoa y la caja de Pandora

En 1975 Cuba desplegó el primer contingente de los más de 40.000 soldados que fueron enviados a luchar a la lejana Angola. La muerte del Che Guevara en Bolivia y el fracaso de la insurgencia apoyada por Cuba en América Latina, llevaron a Fidel Castro a dirigir a otras tierras «el concurso de mis modestos esfuerzos», como dijo el Che Guevara en su carta de despedida al dictador cubano. Estados Unidos y la Unión Soviética libraban combate singular en terceros países, y en algunos de ellos, además de Angola, como el Congo o Eritrea, combatieron las «legiones» cubanas. En 1984, en una entrevista que concedió a una cadena de televisión extranjera, Fidel Castro explicó la forma en que se seleccionaba a los expedicionarios: «Es algo muy sencillo —dijo—. Se forma a una unidad de las FAR y se les dice voluntarios para Angola, un paso al frente» y todos dan un paso al frente. Y ante la pregunta del periodista: «Comandante, ¿y si algún soldado no da un paso al frente?», la respuesta fue inmediata: «Ah, ése es un contrarrevolucionario».

Además de *voluntarios*, la guerra de Angola necesitaba recursos financieros de los que Cuba no disponía. Antonio de la Guardia dirigía entonces el Departamento MC (Moneda Convertible) del MININT, el Ministerio del Interior. Desde Panamá, donde operaba, había tejido una compleja trama de sociedades comerciales para burlar el bloqueo estadounidense y aprovisionar a Cuba con equipos, tecnología y, sobre todo, divisas. Todo ese entramado sirvió de sostén a las tropas expedicionarias en Angola, que se autofinanciaron con el contrabando de oro, diamantes, marfil y también con droga, algo común en las guerrillas de América Latina. Norberto Fuentes, cronista oficial de la Revolución y luego «desertor», asegura que Fidel Castro estaba al tanto de las operaciones de narcotráfico, y pone en boca de su hermano Raúl estas palabras: «Fidel dice que en definitiva todas las guerras coloniales en Asia se hicieron con opio. Entonces nada más justo que los pueblos devolvamos la acción, como venganza histórica».[3]

Juan Antonio Rodríguez Menier, un alto cargo de la Dirección de la Seguridad del Estado cubano que desertó en 1987, va más allá de Raúl Castro, y afirma que «los hermanos de La Guardia le sugirieron a Abrantes,[4] y éste a Fidel, que Cuba cooperara con los narcotraficantes para combatir mejor a los Estados Unidos. Si Cuba abría sus cielos y sus costas a los embarques de drogas hacia USA, los narcotraficantes ayudarían a las guerrillas con apoyo material. Castro aceptó la proposición de Abrantes en parte porque esta colaboración traería dólares para Cuba y debilitaría a los Estados Unidos y sus aliados».[5]

Pero el Frankenstein al que dieron vida comenzó a caminar por cuenta propia, descontrolado, y amenazaba con volverse en contra de Fidel Castro. Cuba se había convertido en una escala obligada para el tráfico de droga colombiana hacia Estados Unidos. En 1983, el presidente Ronald Reagan afirmó que tenía sólidas evidencias de que funcionarios cubanos de alto rango estaban involucrados en el narcotráfico. «Quisiera preguntarle al régimen de Castro —dijo Reagan— si ese tráfico de drogas es sólo el acto de funcionarios renegados o si es oficialmente aprobado. El mundo merece una respuesta.» Pero Fidel Castro no hizo demasiado caso.

En 1989, la DEA, la Agencia antidroga del Gobierno norteamericano, descubrió una operación del cartel colombiano de Medellín, dirigido por Pablo Escobar, para enviar un importante cargamento de cocaína a Estados Unidos. El Departamento MC del Ministerio del Interior cubano estaba seriamente comprometido. Estados Unidos podía hacer estallar la bomba: Fidel Castro, el paradigma de la ética, el paladín de las causas justas, podía ser acusado de complicidad en el tráfico de drogas. El comandante tenía que hacer algo sonado, dar un golpe maestro para despejar cualquier duda.

El 12 de junio de 1989, el general Arnaldo Ochoa y sus principales colaboradores fueron detenidos por agentes de la Dirección de la Seguridad del Estado. La sorpresa fue general. Sólo unos pocos «enterados» estaban al tanto de los hechos y se imaginaron que era una maniobra de distracción. Dariel Alarcón Ramírez, alias *Benigno*, uno de los pocos supervivientes de la guerrilla del Che en Bolivia, hombre muy cercano al poder y luego «desertor» de la Revolución, escribió que «corría el rumor por todo el Palacio de que iban a juzgar a Arnaldo, Tony y los demás para aplacar a los norteamericanos y, sobre todo, para sacar a Fidel del atolladero. Después los escondería en algún sitio, bien protegidos. Se habló mucho de Cayo Largo para Ochoa. La verdad es que no estábamos preocupados».[6]

Nadie estaba preocupado, ni siquiera Arnaldo Ochoa, quien, durante el juicio, transmitido por la televisión estatal, se mostró, primero, lejano, como si no tuviera que ver con él; y luego, sumiso y arrepentido, merecedor de la pena de muerte por su traición a la Revolución: «En cuanto a las acusaciones que se me hacen —dijo Ochoa—, quiero además decir que no sólo esto que se ha leído hoy aquí, sino que todo lo que ha salido por la prensa, por la televisión, todo lo que se ha dicho, se ajusta exactamente a la verdad, y creo que este relato que acaba de hacer el ministro es mucho más explícito que lo que yo mismo pudiera decir. Y yo le diría que no es fácil que dentro de los tormentos por los que yo he pasado y paso, de una traición a la patria, centrarse en cuáles fueron los motivos que poco a poco me llevaron a mí a este estado de degradación [...] Creo que traicioné a la patria y, se lo digo con toda honradez, la traición se paga con la vida».[7]

Galletitas para los soldados

El juicio del general Ochoa[8] y sus compañeros de armas fue una mascarada, un remedo de los tristemente famosos procesos de Moscú, donde el general de brigada, Juan Escalona Reguera, compañero de armas de los acusados, hizo el papel del fiscal Vichinsky. En la reunión del Consejo de Estado, el más alto órgano ejecutivo del Gobierno, que ratificó las sentencias de pena de muerte por unanimidad, Fidel Castro hizo uno de sus discursos más surrealistas. El dictador dijo que era absurdo el argumento de Ochoa y sus compañeros de armas de que, ante la falta de recursos, habían tenido que financiar de manera ilegal la guerra de Angola, porque él, en su calidad de Comandante en Jefe, estaba al tanto de todo y se preocupaba hasta de los detalles más nimios: «Para los soldados —dijo Castro—, hasta caramelos, no había día en que yo no preguntara al Estado Mayor cuántas toneladas de caramelos, de galletitas, de chocolate habían salido para los soldados. Cómo estaban, qué nylon tenían, cómo dormían, qué colchones tenían, qué comida tenían. La responsabilidad era nuestra, absolutamente nuestra. Y yo decía si hay que poner una fábrica de helados Coppelia en el sur, se pone una fábrica de helados Coppelia en el sur...».[9]

Con el fusilamiento del general Ochoa y de sus conmilitones, Fidel Castro mató varios pájaros de un tiro. En 1985, Mijail Gorbachov abrió la caja de Pandora que liquidó al comunismo soviético y sus satélites europeos. El 1 de abril de 1989 Gorbachov viajó a La Habana y la perestroika[10] fue un tema recurrente de conversación; también en los cuarteles. Ese año cayó el muro de Berlín y el dictador rumano, Nicolae Ceaucescu, fue ejecutado. Cuba era una ficha más del dominó y Arnaldo Ochoa, de cuya fidelidad se dudaba, había sido propuesto como jefe militar de la región de Occidente, una de las tres en que está dividido el país. Era necesario hacer algo para evitar cualquier veleidad reformista, y nada mejor que un auto de fe, una purga al estilo estalinista, para cerrar filas en torno al comandante en jefe con un pacto de sangre. Arnaldo Ochoa fue el infortunado chivo expiatorio.

Brial Latell, analista de la CIA en temas cubanos, escribe que «en la evaluación que envié a la Casa Blanca y a otros altos funcionarios encargados de la seguridad nacional, yo concluía que "Castro deliberadamente urdió la crisis", y que "el único crimen de Ochoa fue cuestionar la autoridad de Castro y haber pensado en desertar". Entonces creí, y todavía creo, que "Fidel pensó que Ochoa debía ser condenado por crímenes realmente horribles... para así excluir toda posibilidad de alguna reacción violenta... de los militares". Los cargos de narcotráfico eran una cortina de humo».[11]

Todo el poder para los Castro

El caso Ochoa cortó de raíz cualquier duda sobre quién mandaba en Cuba. El eslogan de la revolución rusa «Todo el poder para los soviets» tuvo su versión tropical: «Todo el poder para los Castro». La purga que siguió a la ejecución de Ochoa, con su anexo de suicidios y muertes accidentales, desaconsejó toda tentación reformista. El todopoderoso ministro de Interior, el general de División José Abrantes, fue condenado a 20 años de cárcel, un mes después de Ochoa y murió, paradójicamente, en Villa Marista, la sede central de la Dirección de la Seguridad del Estado, supuestamente a consecuencia de un infarto. Carlos Franqui, ex director del diario *Revolución* y luego «desertor» escribió que «... sin comerlo ni beberlo [José Abrantes] fue implicado al final del proceso contra Ochoa y los hermanos De la Guardia, aparentemente por dos razones: primero por todo lo que sabía, y segundo, porque siendo un joven de una familia comunista, que había estado en la Unión Soviética, fue muy impresionado por la perestroika de Gorbachov, y en determinado momento, se puso a reunirse con intelectuales y a hablar de cambios, y eso significó su fin».[12]

La muerte «providencial» del general Abrantes facilitó la limpieza de todas las pistas del narcotráfico que conducían al MININT, el Ministerio del Interior, y dio además a Raúl Castro el control absoluto de los organismos de Seguridad del Estado, rivales del MINFAR (Ministerio de las Fuerzas Armadas Revolucionarias), al colocar al frente de la cartera de Interior a uno de sus hombres de mayor confianza, el general Abelardo Colomé Ibarra, alias *Furry*. Desde el MINFAR y el MININT, ahora en manos de *Furry*, Raúl Castro se convirtió en el todopoderoso guardián de la fortaleza desde donde su hermano Fidel lanzó, el 7 de diciembre de ese año de gracia de 1989, uno de sus discursos más apocalípticos: «Antes se hundirá la isla en el mar que se arriarán las banderas de la Revolución y la Justicia».

Mientras los regímenes comunistas eran barridos por la historia, la revolución cubana entró en su fase más autoritaria y personalista, con un único objetivo: la permanencia en el poder del máximo e indiscutible líder, Fidel Castro. En la primavera de 1991, en México, según cuenta el periodista y escritor francés Serge Raffy, el entonces presidente del Gobierno español, Felipe González, aconsejó a Fidel Castro que convocase elecciones libres y anunciase el advenimiento del multipartidismo. «Hay que actuar desde ahora mismo para que la historia no lo olvide», le recomendó. El presidente español se quedó estupefacto con la respuesta: «Tú eres quien está fuera de la historia —le aseguró un Fidel Castro arrogante y altanero—. El capitalismo va a ser barrido por una crisis económica colosal, ¡peor que la de 1929! Mira, la Bolsa de Nueva York sólo es una bomba de relojería. La comodidad te ciega, Felipe, porque el mundo occidental está condenado al hundimiento social; es inminente, ¡y el comunismo triunfará!».[13]

Pero era el archipiélago cubano el que se estaba hundiendo al faltarle el flotador que hasta entonces le había proporcionado la difunta Unión Soviética. Y el ejército no escapó a esa crisis. El *período especial* provocó una drástica rebaja de los gastos de defensa. El servicio militar obligatorio se redujo de tres a dos años, y el número de soldados disminuyó en un 75 %, de 200.000 a 50.000 hombres. Aun así, Cuba cuenta en la actualidad con una tropa de reservistas bien entrenada que supera los 40.000 hombres y que desde la puesta en marcha de la Operación Caguairán, después de la retirada del poder de Fidel Castro en julio de 2006, se mantienen en la fase de Completa Disposición Combativa (CDC), listos en todo momento para incorporarse sin excusa a sus unidades. La milicia dispone también de unos 7.000 soldados de las Tropas Guardafronteras, más de 25.000 miembros de la Seguridad del Estado pertenecientes al MININT, una Milicia Territorial para casos de emergencia compuesta por un millón de personas, y el llamado Ejército Juvenil del Trabajo, que desarrolla tareas económicas, principalmente en el campo, pero cuyos miembros reciben también entrenamiento militar.

El Gobierno cuenta asimismo con otras fuerzas auxiliares, como la Asociación de Combatientes de la Revolución Cubana, los Comités de Defensa de la Revolución (CDR), y organizaciones de masas como la Unión de Juventudes Comunistas (UJC) y la Federación de Mujeres Cubanas (FMC), que pueden ser movilizadas en caso de necesidad. La Policía Nacional Revolucionaria (PNR), el Departamento Técnico de Investigaciones (DTI) y la Dirección de la Seguridad del Estado (G-2) están también militarizados.

Soldados de fortuna

Pero las Fuerzas Armadas Revolucionarias ya no son lo que eran o, para ser más precisos, sin dejar de ser lo que eran, se han convertido también en los dueños de las empresas más rentables del país. Las FAR controlan unas 300 empresas, que incluyen desde hoteles a gasolineras, y generan el 89 % de las exportaciones, el 59 % de los ingresos por turismo, el 24 % de los ingresos del sector servicios, el 60 % de las transacciones de divisas al por mayor y el 66 % de ventas en divisas. El tinglado empresarial de las FAR controla más del 60 % de la economía del país y da empleo al 25 % de los trabajadores estatales.

Todas las empresas de las FAR están encuadradas en el holding GAESA (Grupo de Administración Empresarial, S.A.), dirigido con mano de hierro por el mayor Luis Alberto Rodríguez, hijo del general de división Guillermo Rodríguez del Pozo. Pero este superdirector ejecutivo, además de ser hijo de su padre, tiene una característica aún más especial: está casado con Déborah Castro, hija de Raúl Castro. Como presidente de GAESA figura el general de división Julio Casas Regueiro, quien sustituyó a Raúl Castro como ministro de las FAR, el 24 de febrero de 2008, después de su nombramiento como Jefe de Estado. Prácticamente todas las empresas, que se detallan a continuación, están dirigidas por uniformados de la máxima confianza de Raúl Castro:

— *Aero Gaviota, S.A.* (turismo). Proporciona todo el transporte aéreo a la industria del turismo. Tiene una flota de aviones y helicópteros que operan desde la base aérea militar de Baracoa, cerca de La Habana. Una división de la Compañía posee y gestiona también las embarcaciones de recreo en los principales complejos turísticos, como

Varadero, Cayo Largo o Cayo Santa María. Está dirigida por el general de brigada Luis Pérez Róspide.

— *Almacenes Universal, S.A.* Importa todo tipo de productos, alimentos, electrónica, automóviles, bienes de consumo, etc. Opera en las zonas francas de Wajay, Mariel, Cienfuegos y Santiago de Cuba.

— *Almest, S.A.* Bienes raíces. Construye hoteles y apartamentos para turistas y residentes extranjeros.

— *Agrotex, S.A.* Realiza actividades relacionadas con la agricultura y ganadería. Posee fincas, una extensa cabaña de ganado vacuno y hasta caballos de pura sangre. Uno de sus principales directivos es el Comandante de la Revolución y miembro del Consejo de Estado Guillermo García Frías, quien también cría gallos de pelea.

— *Antex, S.A.* Importación y exportación de todo tipo de productos para las empresas del grupo. Tiene oficinas en más de 10 países, entre ellos Panamá, Angola y Sudáfrica.

— *División Financiera, S.A.* Gestiona las más de 400 Tiendas de Recuperación de Divisas (TRD) del país, donde sólo se venden productos importados en pesos convertibles.

— *Empresa de Servicios La Marina.* Proporciona la seguridad y el mantenimiento para todo el personal de apoyo de GAESA.

— *Gaviota, S.A.* (turismo). Opera más de 30 hoteles en la isla y cayos, algunos de ellos en exclusiva y otros con socios extranjeros como Meliá y Club Mediterranée.

— *GeoCuba, S.A.* Cartografía y concesiones de tierra o arriendos relacionados con el turismo y otros sectores, como la minería, la agricultura y bienes raíces. La dirige el coronel Eladio Fernández Cívico.

— *Inmobiliaria Caribe, S.A.* Posee y alquila casas de lujo a diplomáticos y residentes extranjeros, que fueron confiscadas en su día a los «desertores».

— *Sasa, S.A.* Reparación de automóviles, repuestos y estaciones de gasolina en todo el país.

— *Sermar, S.A.* Opera astilleros para reparaciones navales. Está dirigida por el capitán Luis Beltrán Fraga Artiles.

— *Tecnotex, S.A.* Importación y exportación de productos. La dirige el teniente coronel René Rojas Rodríguez.

La perfección militar

Las empresas de las FAR son las más rentables del país, las mejor organizadas y las mejor gestionadas y disciplinadas; también son las más opacas. Su varita mágica es el llamado Sistema de Perfeccionamiento Empresarial, que se puso en marcha en 1987, en el marco del «Proceso de rectificación de errores y tendencias negativas» propuesto por Fidel Castro. En ese contexto, Raúl Castro criticó duramente el funcionamiento de las empresas militares, sujetas, como las civiles, a una obsoleta planificación centralizada, y planteó la necesidad de buscar nuevas formas de organización y gestión para hacerlas más rentables.

Después de arduas discusiones con especialistas de diferentes ramas, se definieron las Bases generales de Perfeccionamiento Empresarial, que, en esencia, responden a tres principios elementales de gestión «capitalista»: una contabilidad certificada que refleje la realidad de la empresa, sin falsear los balances por consideraciones políticas; la búsqueda de un mercado seguro para la venta de la producción; y garantía de continuidad para obtener los materiales necesarios para la producción. Esos tres preceptos se complementan con otros, relacionados con la organización, método y estilo de dirección, gestión de calidad y una política laboral y salarial relacionada con los resultados del trabajo.

Una vez definidas las bases del Sistema de Perfeccionamiento, se eligió a la Empresa Militar Industrial Comandante Ernesto Che Guevara, como piloto. El resultado fue sorprendente, en pocos meses la productividad aumentó un 30 %. En 1989, el nuevo sistema se utilizaba ya en 11 empresas, hasta generalizarse en pocos años en todas las compañías que controla el ejército. Casi diez años más tarde, en 1998, el Sistema de Perfeccionamiento Empresarial comenzó a aplicarse a las demás empresas estatales, pero los resultados no son igual de eficaces. Las firmas civiles no tienen los mismos estímulos y disciplina que las militares; tampoco sus directivos gozan de los privilegios y preparación de los «empresarios» de las FAR, muchos de los cuales se han graduado en Economía en universidades extranjeras.

El terreno de juego de las empresas civiles es más estrecho que el de las FAR, un Estado dentro del Estado, con prebendas de difícil acceso para el resto de la población. Los uniformados vinculados a GAESA gozan de un sistema de salarios y pensiones privilegiado; tienen a su disposición hospitales exclusivos, como el CIMEC, el Centro de Investigaciones Médico-Quirúrgicas de La Habana; viven en barrios residenciales, como el *reparto* Kholi, en la capital; veranean en residencias exclusivas en Varadero y otros lugares donde sólo tienen acceso los turistas extranjeros; tienen a su disposición automóvil y cupones de gasolina y vales para comprar en supermercados donde todo lo que se vende es en pesos convertibles.

El peso militar y económico que tienen las Fuerzas Armadas Revolucionarias en Cuba tiene su correspondencia en la cúpula del entramado político del sistema. Siete generales, Raúl Castro, Leopoldo Cintra Frías, Ramón Espinosa Martín, Joaquín Quintas Solás, Abelardo Colomé Ibarra, Julio Casas Regueiro, Ulises Rosales del Toro, además de Juan Almeida Bosque, comandante de la Revolución, son la cabeza visible del poder militar en el Buró Político del Partido Comunista, que se compone de 21 miembros. Abelardo Colomé Ibarra, Leopoldo Cintra Frías, Juan Almeida y Julio Casas Regueiro son también vicepresidentes del Consejo de Estado; los comandantes Ramiro Valdés y Guillermo García Frías son asimismo integrantes de ese organismo, cuyo presidente, Raúl Castro, es a la vez Jefe de Estado y de Gobierno.

El diario *Juventud Rebelde* dice, en alusión al color de los uniformes, que «el verde hace al hombre» y que las Fuerzas Armadas Revolucionarias «custodian el sueño de miles de cubanos». Pero las FAR saben cuidar también de sus propios intereses, con una visión pragmática impulsada por Raúl Castro, lejos del mesianismo de su hermano Fidel. Así lo avala la urdimbre económica creada por él, y también, lo que es mucho más difícil, los intentos que ha hecho por acercarse a Estados Unidos para solucionar «el largo diferendo» entre ambos países. Raúl Castro sabe que el futuro de Cuba pasa, inevitablemente, por Washington y el levantamiento del bloqueo, y por eso, durante el tiempo que ocupó interinamente la Presidencia ofreció, en dos ocasiones, un ramo de olivo al «imperio».

La política de acercamiento al vecino del Norte tiene precedentes. En su estudio sobre las FAR, realizado en el año 1993, un topo cubano en la Agencia de Inteligencia de Defensa de Estados Unidos, Ana Montes, escribe que «las Fuerzas Armadas creen que el fortalecimiento de las relaciones con Estados Unidos es un componente necesario para la estabilidad económica futura de Cuba y, por lo tanto, aprovecharán cualquier oportunidad que se presente para mejorar la comunicación entre los dos países».[14]

El informe de Ana Montes, una de las mejores agentes del contraespionaje cubano en el corazón de Estados Unidos, fue realizado, según el analista de la CIA Brian Latell, por instrucciones del servicio de inteligencia de la isla, controlado por Raúl Castro, en pleno *período especial*, cuando la Revolución estuvo a punto de colapsar. Hoy, la continuidad del régimen no está amenazada como entonces, al menos mientras dure la etapa de transición abierta tras el relevo de Fidel Castro. Los generales y los coroneles y todos los oficiales que controlan el aparato productivo del país quieren seguir al frente de sus negocios sin la hostilidad de Estados Unidos. Los militares cubanos son los árbitros del juego que acaba de comenzar, pero con sus empresas, no con las bayonetas, enhiestas siempre, como la cola del escorpión, en previsión de que la rana quiera cruzar el río.

Capítulo 21

La cabaña de los cuchillos largos

> Pregúntanse con este motivo si es mejor ser amado que temido o temido que amado, y se responde que convendría ser ambas cosas; pero, siendo difícil que estén juntas, mucho más seguro es ser temido que amado, en el caso de que falte uno de los dos afectos.
>
> NICOLÁS MAQUIAVELO, *El Príncipe*

Cuenta Emilio Roig de Leuchsering,[1] quien fue historiador de la ciudad de La Habana, que el famoso ingeniero Antonelli, constructor de la Fortaleza de El Morro, subió un día al cerro de La Cabaña y dijo: «El que fuere dueño de esta loma, lo será de La Habana». Y así ocurrió ciento setenta y tres años más tarde, en 1762. En esa fecha, fuerzas expedicionarias inglesas ocuparon la loma, y desde allí bombardearon el Castillo del Morro y el puerto, hasta lograr la total rendición de la ciudad. Un año después, tras la firma de un Tratado de Paz con Inglaterra, el rey Carlos III ordenó que se construyera una fortaleza sobre la cima, que a su término, en 1774, recibió el nombre de castillo de San Carlos de la Cabaña. Asombrado por el enorme coste de la obra, catorce millones de duros, cuentan que el rey Carlos pidió un catalejo para verla, pues, según dijo, «obra que tanto había costado, debía verse desde Madrid».

El esfuerzo económico mereció la pena, pues armadas enemigas o buques corsarios no pudieron nunca con las impresionantes baterías de la fortaleza, que domina la ensenada de La

Habana. Andando el tiempo, el castillo se utilizó para tareas menos gloriosas que la defensa de la ciudad, pues sirvió de prisión y fue escenario de torturas y fusilamientos. Juan Clemente Zenea, poeta romántico, fue uno de los patriotas ejecutados en los fosos del castillo por las tropas coloniales españolas. Uno de sus poemas más bellos, «A una golondrina», fue escrito en La Cabaña, en 1871, días antes de su muerte, a los 39 años de edad:

> No busques volando inquieta
> Mi tumba oscura y secreta,
> Golondrina, ¿No lo ves?
> ¡En la tumba del poeta!
> No hay un sauce ni un ciprés.

Gladiadores en la arena

La sangre no dejó de salpicar los muros de la fortaleza, donde continuaron los fusilamientos, sobre todo durante las dictaduras de Gerardo Machado (1925-1933) y Fulgencio Batista (1952-1958). Con la llegada al poder de Fidel Castro, se ejecutó allí a centenares de personas, condenadas a muerte por Tribunales Revolucionarios, en aplicación de una Ley Penal promulgada por los guerrilleros en la Sierra Maestra, el 11 de febrero de 1958. Las palabras de Fidel Castro en el Campamento Militar de Columbia, el 9 de enero de 1959, un día después de su entrada triunfal en La Habana, no fueron sino fuegos de artificio: «Y quiero decirle al pueblo y a las madres de Cuba que resolveré todos los problemas sin derramar una gota de sangre. Les digo a las madres que nunca a causa de nosotros tendrán que llorar». Desde entonces no han dejado de derramarse lágrimas en Cuba.

El primer consejo de guerra después del triunfo de la Revolución se celebró el 22 de enero de 1959, en el Estadio Deportivo de La Habana, con asistencia de miles de personas. Los acusados eran tres oficiales del Ejército de Batista, el comandante Jesús Sosa Blanco, el coronel Grau y el coronel Morejón, a los que se les imputaron numerosos asesinatos. El juicio se convirtió en «un circo romano» como dijo uno de los acusados, porque la multitud interrumpía constantemente las sesiones gritando «¡Paredón!», «¡Paredón!», con el pulgar hacia abajo, como en el Coliseo de Roma.

En su edición del 8 de febrero de 1959, la revista *Bohemia* relataba, bajo el título «Los hermanos malditos», el juicio de los hermanos Nicolardes Rojas, autores de varios asesinatos en Manzanillo:

> El fiscal, doctor Fernando Aragoneses Cruz: «¿Merecen los hermanos Nicolardes la libertad?».
> «¡Noooo», fue el grito atronador de la gran multitud.
> «¿Merecen la prisión con la esperanza de que algún día puedan ser útiles a la sociedad?»
> «¡Noooo!»
> «¿Deben ser fusilados, como castigo ejemplar para todas las generaciones futuras?»
> «¡Siiií!»
> El fiscal... contempló a la multitud enfurecida. Y frente a su opinión unánime, se expresó serenamente, mientras dirigía una mirada que era en parte de cólera y en parte de lástima a aquellos condenados por el pueblo.
> «Ésta es, damas y caballeros, la petición de la ciudadanía, a quien represento en esta sesión.»

Después de aquel circo, los hermanos Nicolardes fueron fusilados, y Fidel Castro, como César absoluto, dueño de la vida y de la muerte, justificó la barbarie, también con el ejemplo del circo: «Hemos castigado a los criminales de guerra, pero no a todos, porque había demasiados para torturar y matar a más de 20.000 cubanos. Creemos que es difícil para ustedes comprender esto porque nunca han vivido bajo una tiranía. Ustedes oyeron hablar de los crímenes de guerra de Batista, pues compárenlos con los crímenes contra los cristianos en los circos de Roma. Ustedes nunca vieron a sus hijos, a sus nietos, a sus hijas capturados en la noche, torturados, desaparecidos para siempre». Son palabras que el dictador cubano pronunció en su primer viaje a Estados Unidos, invitado por la American Society of Newspaper Editors, el 15 de abril de 1959, con las que trató de acallar las protestas por las ejecuciones sumarias.

En una reunión en Camagüey, en junio de 1959, y en presencia de Fidel y del Che Guevara, Raúl Castro dijo que «para que la Revolución triunfe hace falta una "noche de cuchillos largos" que corte muchas cabezas de nuestros enemigos». Así lo cuenta Huber Matos,[2] comandante de la Revolución, detenido por oponerse al giro comunista de la misma, y que fue condenado a 20 años de cárcel, también como él mismo manifestó, en «un espectáculo de circo romano».

John Lee Anderson escribe que tras la toma de Santiago de Cuba, Raúl Castro presidió el juicio sumarísimo y la ejecución de más de 70 soldados capturados. «Hizo abrir una fosa con una excavadora —relata Anderson—, alineó a los condenados frente a ella y los hizo fusilar con ametralladoras. La acción cimentó la reputación de Raúl como hombre despiadado y afecto a la violencia, que los años no han atenuado.»[3] No son palabras dichas al albur, porque Brian Latell, analista de la CIA, la Agencia Central de Inteligencia de Estados Unidos, escribió que un confidente de alto nivel de los hermanos Castro le contó que, en 1966, Raúl Castro ordenó que exhumaran los restos de todos los que habían sido ejecutados en Santiago y en la Sierra Maestra. «Los restos —dice Latell— fueron puestos en grandes "ataúdes" de concreto especialmente hechos para eso. Los pusieron a bordo de barcos costeros y los echaron al mar en la costa sur de Oriente. Allí las aguas son de las más profundas del Caribe.»[4]

Norberto Fuentes, en una época cercano colaborador de Fidel Castro, confirma también los fusilamientos masivos de militares batistianos en todo el país: «Se inicia en Cuba —dice Fuentes— el método de abrir una zanja con buldózer, alinear a los prisioneros y barrerlos con el fuego de una ametralladora de trípode calibre 30, o fusilarlos por racimos. Y los tiros de gracia al voleo desde los bordes de las zanjas, que luego eran esas tumbas conmoviéndose durante días y los túmulos de tierra en lamento, hasta una semana después de que los despojos de aquellos hombres que habíamos llamado esbirros y que no siempre estaban muertos, fueran paleados y tapados y apisonados con la buldózer de una arrocera cercana o de la obra de un puente en construcción. Entre 400 y 500 oficiales ejecutados, en muchos casos sin juicio previo, puede ser una cifra adecuada para algunos observadores, pero conservadora para otros».[5]

Los Tribunales Revolucionarios fueron suspendidos en julio de 1959 y los juicios continuaron en tribunales ordinarios, con mayores garantías para los acusados. Pero cuatro meses después, el 20 de noviembre, el Consejo de Ministros aprobó una Ley de Reforma Constitucional que modificaba el artículo 174 de la Ley Fundamental de la República y restableció los Tribunales Revolucionarios para delitos «contrarrevolucionarios», de acuerdo con el procedimiento establecido en la Ley Procesal de la República en Armas, de julio de 1896, promulgada por los *mambises* durante la guerra de Independencia.

El regreso del terror

Los primeros consejos de guerra se justificaron con la aplicación de una ley promulgada por los rebeldes en la Sierra Maestra, y luego se sustentaron en otra norma de índole parecida, dictada, también en el campo de batalla, durante la guerra de Independencia. Luis M. Buch, ministro del primer gabinete del Gobierno revolucionario y magistrado del Tribunal Supremo de Justicia, justificó el regreso del «terror», alegando que «nuestro propósito de hacer una Revolución generosa, que no conculcara ninguna garantía ni ningún derecho procesal, alentaba las acciones del enemigo».[6]

El magistrado del Tribunal Supremo empleó el mismo argumento de Fidel Castro, para quien «cada día la contrarrevolución es más audaz y más insolente». Pero el dictador llegó todavía más lejos al acudir *al pueblo*, congregado en el ágora, para, en un particular ejercicio de *democracia directa*, pedirle su opinión sobre el castigo que merecían los enemigos de la Revolución. El periódico *Sierra Maestra* informó, el 27 de octubre de 1959, de la peculiar «consulta popular» que llevó a cabo el comandante: «Aquí, ante todos nuestros compatriotas reunidos —dijo Fidel Castro—, voy a plantear y voy a consultar al pueblo sobre la reimplantación de los Tribunales Revolucionarios. Quiero que la ciudadanía exprese su deseo, que la ciudadanía decida sobre esta cuestión y que los que estén de acuerdo con que se establezcan los tribunales que levanten la mano [el pueblo levantó las manos] [...] Que levanten las manos los que crean que los que invadan a nuestro país merecen la pena de fusilamiento [el pueblo levantó las manos]; que levanten las manos los que crean que los terroristas merecen la pena de fusilamiento [el pueblo levantó las manos]».

Mediante el *plebiscito* de manos alzadas, el dictador justificó la *justicia revolucionaria* aplicada en los fosos de La Cabaña, bajo la dirección de Ernesto Che Guevara, llamado luego a otras tareas, dentro y fuera de Cuba, hasta su muerte en Bolivia en 1967. Como todas las revoluciones, la cubana firmó también con sangre su acta de nacimiento. «Los cadalsos —dice Abert Camus— aparecen como los altares de la religión y la injusticia. La nueva fe no puede tolerarlos. Pero llega un momento en que la fe, si se hace dogmática, erige sus propios altares y exige la adoración incondicional. Entonces vuelven a aparecer los cadalsos y a pesar de los altares, la libertad, los juramentos y las fiestas de la Razón, las misas de la nueva fe habrán de celebrarse en la sangre.»[7]

La cifra de muertos de la Revolución cubana ha sido siempre un misterio difícil de desentrañar. Oficialmente sólo se ejecutó a «criminales de guerra» y esa versión se ha mantenido a lo largo del tiempo. Pero detrás de esa fachada hay una realidad mucho más sórdida, que ha permanecido oculta por la ceguera o por la complicidad de los que defienden la dictadura cubana contra viento y marea.

En un artículo publicado en el diario *El País*, Rosa Montero plantea la paradoja de que se condene el totalitarismo de derechas, «disculpando y mitificando los infiernos de las dictaduras populares». Cuba es, según la periodista y escritora, el mejor ejemplo de esa «ofuscación ética». «La verdad —dice Rosa Montero— es que no consigo entender cómo personas que en todo lo demás se muestran sensatas, y que parece que son buena gente, y que denuncian con vigor los abusos que se cometen en otras partes del mundo, son capaces de perder de repente todo criterio y de ponerse a justificar los mismos abusos si suceden en Cuba.»[8]

La noche de san Bartolomé

«En nuestro país no ha habido nunca escuadrones de la muerte ni desaparecidos ni asesinatos políticos ni nadie ha sido nunca torturado.» Son palabras de Fidel Castro, el 5 de abril de 2001, en la Sesión Plenaria de la 105 Conferencia de la Unión Interparlamentaria, celebrada en La Habana. El dictador siempre repitió el mismo argumento, que tiene las manos limpias, porque en Cuba sólo se fusilaron a los «asesinos» y «terroristas». Pero eso no es cierto. En Cuba no sólo hay desaparecidos sino que el número de personas ejecutadas es muy superior al de la dictadura de Augusto Pinochet.[9] No es ninguna exageración.

Entre el 1 de enero de 1959 y el 31 de octubre de 2006, en Cuba hay 5.775 casos documentados de ejecuciones y fusilamientos, 1.231 asesinatos extrajudiciales, 200 casos de desaparecidos y 984 muertes en prisión por diversas causas, que suman un total de 8.190 muertos. Esa cifra, con ser sobrecogedora, no es definitiva, y es fruto de una investigación, todavía abierta, realizada por Archivo Cuba, un programa de Free Society Project (FSP), una organización independiente fundada en el año 2001 en Nueva York, y presidida por María C. Werlau, con el fin de promover el respeto a los derechos humanos mediante investigaciones, becas y publicaciones.

En una entrevista publicada en el diario *El País*, María C. Werlau dice que el proyecto de Archivo Cuba, en el que participó activamente el profesor e investigador de la Universidad de Harvard, Armando Lago,[10] comenzó con un «trabajo de hormiga» en los años noventa del siglo pasado, hasta lograr reunir una amplia base de datos, que ha sido informatizada gracias a la ayuda de Freedom House, una fundación instituida en 1941 por Eleanor Roosevelt, para la defensa internacional de las libertades. «Al principio —cuenta Werlau—, teníamos listas sueltas, redactadas a partir de documentos, recopilaciones bibliográficas y de periódicos, que se cruzaban con informes de la Organización de Estados Americanos u otros documentos. Después acudimos a las fuentes directas: las familias de las víctimas, que nos han aportado mucho material y testigos (ex milicianos, funcionarios, oficiales, médicos) que acabaron saliendo de la isla. También son de gran ayuda los trabajos de Amnistía Internacional y Human Rights Watch.»[11]

Sólo en el primer año de la Revolución, según la investigación de Archivo Cuba, fueron fusiladas 1.360 personas, entre ellas mujeres embarazadas, niños (54 casos documentados) y ciudadanos extranjeros, entre los que hay varios españoles. Testigo de las ejecuciones en La Cabaña fue Huber Matos,[12] quien dejó este impresionante testimonio: «No podemos ver los fusilamientos desde nuestros calabozos, pero seguimos momento a momento el macabro ritual, a partir de los sonidos que lo acompañan. La cercanía nos obliga a escuchar las órdenes, los intentos que hacen los presos por decir algo, la descarga de los fusiles, el ruido de los cuerpos cuando los tiran sobre una gran bandeja de lata. Los envuelven en una bolsa plástica "para que la sangre no se riegue en el camino" y los meten en un carro como si fueran mercancía. Nunca imaginé que tendría que pasar por esta prueba. Una recurrente pesadilla. La noche de san

Bartolomé con que Raúl quería liquidar a los enemigos de la Revolución».

La muerte como escarmiento

En Cuba, la pena de muerte sigue vigente y se aplica a modo de escarmiento, cuando el Gobierno quiere cortar de raíz un problema. En 1981, los hermanos Cipriano, Eugenio y Ventura García-Marín Thompson fueron condenados a muerte y fusilados en la fortaleza de La Cabaña. Los tres eran miembros de los Testigos de Jehová, y su delito fue forzar la entrada de la Nunciatura Apostólica en La Habana para solicitar asilo político, junto con otras cinco personas. Ante aquella acción, el Gobierno entró en pánico. Un año antes, un grupo de personas había entrado también en otra embajada, la de Perú, y la situación desembocó en el éxodo del Mariel, uno de los más dramáticos de la historia de Cuba. Fidel Castro quiso evitar a toda costa que se repitiera un hecho semejante y ordenó el asalto a la embajada. Tropas de elite del Ministerio de Interior, dirigidas por el coronel Antonio de la Guardia, quien ocho años después fue fusilado junto con el general Arnaldo Ochoa y otros dos conmilitones, entraron en la Nunciatura por la fuerza y detuvieron a los que allí se habían refugiado.

En un juicio sumarísimo sin garantías, los tres hermanos García-Marín Thompson fueron acusados de entrar en la sede diplomática armados con una pistola y de asesinar a un policía, lo que no era cierto. Días después fueron fusilados y enterrados en una fosa común. A sus compañeros los condenaron a penas de 15 a 25 años de cárcel. En 1990, el Relator Especial de Naciones Unidas para Cuba, Karl John Groth, pidió al Gobierno que devolviera a la familia los restos de los fusilados. Pero fue inútil.

El 11 de abril de 2003 tuvieron lugar los últimos fusilamientos del régimen de Fidel Castro. Tres hombres de raza negra, Lorenzo Copello Castillo, Bárbaro Sevilla García y Jorge Luis Martínez Isaac, fueron ejecutados en La Habana después de un juicio sumarísimo. Su delito fue el intento de secuestro de una lancha con rehenes para escapar de Cuba, junto con otras 11 personas, que fueron condenadas a fuertes penas de prisión. El 5 de abril, el grupo de secuestradores se apoderaron de la lanchita de Regla, una embarcación que cruza la bahía de La Habana hasta Casablanca, pero a unas 30 millas se quedaron sin combustible y fueron interceptados por patrulleras de la Armada cubana. Después de una tensa negociación, los secuestradores se entregaron a las autoridades. Tres días después se celebró el juicio y tres de ellos fueron condenados a muerte y fusilados.

Desde el momento en que se produjo la captura de la lancha, Fidel Castro se desplazó al puerto de Mariel, en las afueras de La Habana, y llevó personalmente el peso de las negociaciones con los secuestradores. En el mes de marzo, el 19 y el 30, dos aviones cubanos habían sido secuestrados en pleno vuelo y desviados a Estados Unidos, y el dictador temía que se desencadenara una nueva crisis migratoria.

Tres años después de los fusilamientos, Ignacio Ramonet[13] preguntó a Fidel Castro: «¿Usted considera, por consiguiente, que la aplicación de la pena capital ha sido en este caso eficaz?». Fidel Castro contestó: «Éste es el caso en que yo digo que una medida de esta naturaleza corta el problema». Las peticiones de clemencia, entre ellas la de Juan Pablo II, y las protestas de intelectuales «amigos», como José Saramago y Eduardo Galeano, de nada sirvieron. Las ejecuciones fueron una advertencia para que a nadie se le ocurriera utilizar la vía del secuestro de aviones o de embarcaciones para escapar del país. El dictador logró su propósito: cortar el problema, un problema que no es entre cubanos, como le dijo a Ramonet, sino «entre el pueblo de Cuba y el Gobierno de Estados Unidos».

El mismo argumento se repite sin apenas variación en todas las declaraciones oficiales. El Gobierno de la isla condiciona la abolición de la pena de muerte «al cese de la política de hostilidad, terrorismo y guerra económica, comercial y financiera, a la que es sometido el pueblo cubano desde hace más de 40 años por parte de Estados Unidos». Así consta en un comunicado de la Cancillería de Cuba al Alto Comisionado de Naciones Unidas para los Derechos Humanos, en el año 2004.

En abril de 2008, dos meses después de ser elegido Presidente en sustitución de su hermano Fidel, Raúl Castro anunció la conmutación de la pena de muerte a varios presos comunes, de quienes no dio detalle, que recibirán a cambio cadena perpetua. Castro informó también de que el Tribunal Supremo tiene pendiente la tramitación de los recursos de apelación de tres condenados a muerte, acusados de cometer actos terroristas. No obstante, el nuevo Presidente precisó que esta decisión no significa que se suprima la pena capital del Código Penal, ya que «resultaría ingenuo e irresponsable renunciar al efecto disuasivo que provoca la pena capital en los verdaderos terroristas, mercenarios al servicio del imperio».

El largo camino recorrido por la Revolución, desde los Tribunales Revolucionarios de 1959 hasta los fusilamientos del año 2003, y la justificación, en 2008, de la pena capital, desemboca inevitablemente en la excusa-comodín del Gobierno cubano: Estados Unidos.

Capítulo 22

Contigo en la distancia

Por qué será,
no entiendo por qué será,
que el mundo no es parejo,
por qué será,
que a la gente mala no le pasa nada,
gozan y se mueren viejos en la cama...

Por qué será, bolero
de Óscar D'León

El 24 de febrero de 2008, los diputados electos en los comicios del 20 de enero llegaron al Palacio de Convenciones de La Habana, donde sesiona la Asamblea Nacional del Poder Popular, para participar en un cónclave histórico: elegir al sucesor de Fidel Castro. Cinco días antes, el 19 de febrero, el dictador había anunciado, en un Mensaje publicado en el diario *Granma*, que renunciaba a su reelección como Jefe de Estado: «A mis entrañables compatriotas, que me hicieron el inmenso honor de elegirme en días recientes como miembro del Parlamento, en cuyo seno se deben adoptar acuerdos importantes para el destino de nuestra Revolución, les comunico que no aspiraré ni aceptaré —repito—, no aspiraré ni aceptaré el cargo de Presidente del Consejo de Estado y Comandante en Jefe».

El mensaje de renuncia de Fidel Castro puso fin a las cábalas sobre su futuro, 19 meses después de su «Proclama al pueblo de Cuba», el 31 de julio de 2006, fecha en que delegó en su hermano Raúl, «con carácter provisional», sus funciones como Primer Secretario del Comité Central del Partido Comunista de

Cuba, Comandante en Jefe de las «heroicas» Fuerzas Armadas Revolucionarias, y Presidente del Consejo de Estado y del Gobierno de la República de Cuba. La margarita se había deshojado del todo y Fidel Castro, todavía convaleciente, se despedía de la afición, sin el consuelo de un último brindis en la plaza vestido con su traje de luces verde olivo.

Los cubanos recibieron la renuncia del Comandante en Jefe con una mezcla de alivio y pesar. La larga convalecencia de Fidel Castro le convirtió poco menos que en una entelequia, un fantasma que se les aparecía de pronto transmutado en caguairán, árbol de madera muy dura y resistente, con el que se le comparó, o a través de sus *reflexiones,* o junto al cantarín Hugo Chávez, o en las incontables loas que nunca dejaron de prodigarle «las romanzas de los tenores huecos». El semanario *Trabajadores* fue quizás el que llegó más lejos en la lisonja, con argumentos de índole teológica, al destacar la «especie de revelación de una moderna Trinidad comunista, entre el pueblo, el líder y el espíritu revolucionario».

No es extraño que además del milagroso don de ser a la vez uno y trino, Fidel Castro tuviera también la capacidad espectral de aparecerse a sus fieles seguidores, como certificó el órgano oficial de la Central de Trabajadores de Cuba, que juró haber visto al convaleciente dictador en la plaza de la Revolución el 2 de diciembre de 2006, día en que, en su ausencia, se celebró oficialmente su 80 cumpleaños, «como émulo contemporáneo del mítico guerrero Mackandal en *El reino de este mundo* [...] cabalgó el Comandante con la caballería mambisa; navegó en el Granma sobre las azules pañoletas de los pioneros, el más promisorio de los mares que surcó yate alguno [...] luego sobrevoló la Plaza en helicóptero, pilotó un avión de caza, condujo nuestros "hierros" de la artillería, la defensa antiaérea, la marina, y subió a los blindados como en otro Girón».

Hasta su renuncia como Jefe de Estado, Fidel Castro estuvo en todas partes y en ninguna, mientras Raúl mantenía encendida la llama eterna, a la vez que se preparaba para suceder de manera definitiva a su hermano. Primero discretamente y luego más decidido, Raúl Castro supo encandilar a los cubanos con un lenguaje, si bien retórico, mucho más cercano a la realidad que los galácticos discursos de Fidel. En opinión de Mariela Castro, hija de Raúl, «Fidel mira el objetivo final, no pierde nunca la visión estratégica. Papá [Raúl] la transforma en una realidad palpable, en pasos cotidianos. Son complementarios».[1] Por eso, en su discurso del 26 de julio de 2007, que muchos consideran como su «Manifiesto-Programa», Raúl Castro abordó temas sensibles como los bajos salarios y habló abiertamente de la necesidad de introducir cambios estructurales para mejorar las condiciones de vida de la población. Desde esa fecha, los cubanos entraron en un estado de euforia general, convencidos de que, por fin, sus urgencias más inmediatas iban a ser resueltas.

> Debo confesar
> que ya no tienes para mí tanta importancia,
> puedo soportar
> lo inevitable de un final.
> No te empeñes más
> en inventar razones,
> hoy por hoy
> solamente nos queda decir
> adiós.[2]

El juego de la Oca

La renuncia del dictador y la entronización de su hermano Raúl era lo que todos esperaban. El juego de la Oca cubano no daba para más. De Castro a Castro y tiro porque me toca. Así lo entendieron la mayoría de los cubanos, y también los «representantes» del pueblo, quienes estaban llamados a rubricar, en la Asamblea Nacional del Poder Popular, a los 31 miembros del Consejo de Estado, máximo órgano de dirección del país, cuyo presidente, hasta entonces Fidel Castro, lo es también del Consejo de Ministros. Hasta el momento de votar, sus señorías desconocían el nombre de los candidatos, seleccionados oficialmente por una comisión de candidaturas, es decir, a dedo, pero la mayoría daba por hecho que Raúl Castro sería el nuevo Presidente y Carlos Lage Dávila, el Primer Vicepresidente.

Carlos Lage reunía todos los requisitos para llevar adelante reformas económicas, tarea que ya realizó durante el *período especial* al frente de la Comisión del Sistema de Dirección y Planificación de la Economía, bajo la tutela de Raúl Castro. Lage, doctor en Medicina, es una criatura nacida del vientre de la Revolución. Tenía siete años cuando los guerrilleros de la Sierra

Maestra entraron en La Habana y pasó por todos los estadios de la dirigencia estudiantil, primero como presidente de la Federación de Estudiantes Universitarios (FEU), y luego como primer secretario de la Unión de Jóvenes Comunistas (UJC). Su irresistible ascensión hasta la cúpula del poder llevó a Lage, a los 25 años, hasta la Asamblea Nacional del Poder Popular, desde donde pasó a formar parte del Equipo de Coordinación y Apoyo al Comandante en Jefe. De allí saltó al Comité Central y al Buró Político del Partido Comunista, al Consejo de Estado y a la Vicepresidencia de ese máximo organismo.

Como secretario del Comité Ejecutivo del Consejo de Ministros, Carlos Lage era un trasunto de Primer Ministro, la cabeza visible, dentro y fuera del país, de un Gobierno invisible, por la prolongada ausencia del anterior jefe del Estado y la opacidad del Presidente en funciones, poco amigo de aparecer en público. Lage encajaba como un guante en el deseo de un relevo generacional expresado por Raúl Castro en el Congreso de la FEU, la Federación de Estudiantes Universitarios, el 20 de diciembre de 2006: «Éste es un momento histórico [...] ya nosotros estamos concluyendo el cumplimiento de nuestro deber [...] hay que darle paso a las nuevas generaciones o seguirle abriendo paso a nuevas generaciones paulatinamente».

Las expectativas ante la sucesión eran muchas. Nadie pensaba que se iba a repetir una situación parecida a la de la Unión Soviética a la muerte de Leonid Brézhnev, que le sucedieron dos ancianos prácticamente embalsamados, Yuri Andrópov y Konstantin Chernenko. Los cubanos esperaban a un Gorbachov. Como en la plaza de San Pedro, oteaban la chimenea en espera de la fumata blanca con el anuncio de la renovación de la cúpula dirigente del Consejo de Estado, en especial el Primer Vicepresidente y los cinco vicepresidentes. Pero cuando los diputados recibieron, para su ratificación, la lista de los componentes del nuevo Consejo, se quedaron de una pieza. Aun así la votaron sin rechistar, porque era lo que se esperaba de ellos.

El guardián de la ortodoxia

¿Qué había ocurrido? Como todo el mundo esperaba, Raúl Castro fue elegido presidente del Consejo de Estado y por extensión presidente del Consejo de Ministros. Pero el primer vicepresidente no era Carlos Lage, sino un anciano de 78 años, un año más que Raúl, José Ramón Machado Ventura, un bulldog de la máxima confianza de Fidel Castro y estrecho colaborador suyo, veterano combatiente de la Sierra Maestra, ex ministro de Salud Pública, miembro del Secretariado del Buró Político del Comité Central del Partido Comunista y jefe de organización del PCC. El nombramiento de Machado fue un jarro de agua fría para los que esperaban reformas. Machado Ventura es la materialización del fantasma de Fidel Castro, el guardián más fiel de la ortodoxia comunista y enemigo acérrimo de todo cambio que signifique apartarse del camino trazado por el Comandante en Jefe.

De las cinco vicepresidencias del Consejo, sólo se renovó una, la que dejó vacante Machado Ventura por su ascenso a la Primera Vicepresidencia. Su lugar lo ocupó el general Julio Casas Regueiro, de 72 años, quien fue nombrado también ministro de las Fuerzas Armadas Revolucionarias en sustitución de Raúl Castro. Los otros cuatro vicepresidentes revalidaron su mandato: Juan Almeida Castro, de 81 años, uno de los tres comandantes históricos de la Revolución; el general Abelardo Colomé Ibarra, de 68 años, ministro del Interior; Esteban Lazo, de 63 años, integrante del Buró político del Partido Comunista de Cuba, y Carlos Lage, de 57 años, secretario ejecutivo del Consejo de Ministros. El secretario del Consejo de Estado, José Millar Barrueco, de 78 años, ex jefe de gabinete de Fidel Castro, fue también ratificado en su cargo, al igual que Ricardo Alarcón de Quesada, de 71 años, reelegido por cuarta vez como presidente de la Asamblea Nacional del Poder Popular. La edad media de la cúpula dirigente es de 72 años.

Los demás miembros del Consejo de Estado son una mixtura de viejos dirigentes del Partido Comunista de Cuba, militares de la vieja guardia y cachorros de la Revolución, entre ellos, José Ramón Balaguer, de 75 años, ministro de Salud Pública; los dos comandantes históricos de la Revolución, Guillermo García Frías, de 80 años y Ramiro Valdés, de 75 años, ministro de Informática y Telecomunicaciones; dos generales, Álvaro López Miera, de 65 años, viceministro de las FAR y jefe del Estado Mayor, y Leopoldo Cintra Frías, de 68 años, jefe del Ejército Occidental; Felipe Pérez Roque, de 43 años, ministro de Relaciones Exteriores; Carlos Valenciaga, de 35 años, jefe de despacho de Fidel Castro; y Pedro Sáez Montejo, de 54 años, primer secretario del Partido Comunista de La Habana.

¿El rey ha muerto?

El «nuevo» Consejo era la prueba evidente de que los viejos combatientes de la Sierra Maestra no habían concluido «el cumplimiento de nuestro deber» para «darle paso a las nuevas generaciones» como dijo Raúl Castro. Con ese corsé, el nuevo Presidente sólo podía dar algunos pasos, como los ya iniciados, y eliminar, con mucha trompetería, prohibiciones absurdas que impedían a los cubanos hospedarse en un hotel, tener un teléfono móvil o un ordenador. Pero las esencias de la Revolución permanecen inalterables, bajo la atenta mirada del ahora «compañero» Fidel. El comandante, como Ulises, se ha amarrado al palo mayor del viejo barco, a resguardo de vientos reformistas y sirenas, roncas de tanto repetir en vano, «el rey ha muerto, viva el rey». El rey ha vuelto a Ítaca, invisible bajo el chándal hospitalario, con el carcaj repleto de flechas y un eficaz lazarillo, José Ramón Machado Ventura, que le indica en qué dirección debe dirigir los dardos.

> Tú dominas
> las horas de mi vida,
> te impones,
> no hay sitio para más.[3]

Raúl Castro es consciente de sus limitaciones, como demostró en su discurso de investidura, al reconocer la hipoteca que pesa sobre él: «Asumo la responsabilidad que se me encomienda con la convicción de que, como he afirmado muchas veces, el Comandante en Jefe de la Revolución Cubana es uno solo. Fidel es Fidel, todos lo sabemos bien. Fidel es insustituible y el pueblo continuará su obra cuando ya no esté físicamente».

Pero Fidel está presente todavía, y no mirando, precisamente, «desde el plano implacable donde moran / lineales los siempres, lineales los jamases». Fidel se ha hecho «verbo» a través de Machado Ventura y no ha renunciado a su cargo de primer secretario del Partido Comunista de Cuba, que, como recordó Raúl Castro, «sólo el Partido Comunista, garantía segura de la unidad de la nación cubana, puede ser digno heredero de la confianza depositada por el pueblo en su líder. Es la fuerza dirigente superior de la sociedad y el Estado y así lo establece el artículo 5 de nuestra Constitución, aprobada en referéndum por exactamente el 97,7 % de los votantes».

El recordatorio de Raúl Castro es importante, pero, además, el nuevo Presidente solicitó a la Asamblea «que las decisiones de especial trascendencia para el futuro de la nación, sobre todo las vinculadas con la defensa, la política exterior y el desarrollo socioeconómico del país, me permita seguir consultándolas al líder de la Revolución, el compañero Fidel Castro Ruz».

Aullidos de lobos

Y es que Fidel Castro seguía siendo el Jefe, a pesar de que, oficialmente al menos, su hermano le sustituyó en la Jefatura del Estado. Lo sorprendente es que el comandante se viera obligado a salir a la palestra para desmentirlo y explicar que quien manda en Cuba es Raúl. El 29 de febrero, cinco días después del relevo presidencial, en una *reflexión* titulada «Espero no tener que avergonzarme», el «compañero» Fidel puntualizaba que «Raúl cuenta con todas las facultades y prerrogativas legales y constitucionales para dirigir a nuestro país».

Fidel Castro salía al paso de una información aparecida en el sitio digital de la BBC de Londres, BBC Mundo.com, titulada «El papel de Fidel», cuyo corresponsal en La Habana, Fernando Ravsberg,[4] aseguraba que la sucesión era puramente formal, porque cualquier comentario del comandante en sus *reflexiones* iba a repercutir profundamente sobre el Gobierno. «En cierta forma —escribe Ravsberg— es una espada de Damocles pendiente sobre la cabeza del resto de los dirigentes, todos ellos saben que sería extremadamente difícil llevar adelante cualquier política que sea públicamente condenada por Castro.»

En su *reflexión*, Fidel Castro salía también al paso de los comentarios sobre la elección de José Ramón Machado Ventura como primer vicepresidente del Consejo de Estado. «Se escuchan ahora aullidos de lobos atrapados por la cola —escribe Fidel—. Qué rabia les provoca en especial la elección como primer vicepresidente de Machadito, Secretario de Organización del Partido Comunista, al que la Constitución otorga la tarea principal en la conducción del pueblo hacia el socialismo.» El comandante señala a continuación que con la designación de Machado Ventura «no se desplazó a nadie», en clara alusión a

Carlos Lage; también, que el cargo de Primer Vicepresidente «fue consultado conmigo en el proceso de integración de la candidatura unitaria. No se debió a que yo exigiera la consulta; fue decisión de Raúl y de los principales dirigentes del país consultarme».

Lo que más le dolió a Fidel Castro fue que Ravsberg desveló uno de los secretos mejor guardados de la Revolución: la relación entre los dos hermanos Castro, al parecer no siempre armoniosa. El corresponsal del sitio digital de la BBC relata que, a pesar de la probada fidelidad de Raúl a su hermano mayor, los desacuerdos entre ellos han sido frecuentes. Ravsberg indica cómo en una ocasión, durante el *período especial*, se pudieron escuchar durante horas los gritos de ambos hermanos, encerrados en la oficina del comandante, porque Fidel se negaba a reabrir los mercados agropecuarios, como proponía Raúl.

Regañar a Raúl

«Las relaciones entre los hermanos Castro son en Cuba un misterio condimentado por los más disímiles rumores que van desde cómo se llevaban en su más tierna infancia hasta nuestros días, pasando por el largo periplo revolucionario», escribe el corresponsal de la BBC. Y es que, según parece, Fidel siempre trató a su hermano con la misma displicencia con que lo hizo cuando eran niños. A Ignacio Ramonet el dictador le confesó cómo eran sus relaciones entonces: «Él [Raúl] estaba allá en Birán, tenía de cuatro a cinco años menos que yo, era el más chiquito, en la casa siempre peleando con él. Estuvo interno con nosotros en la escuela de La Salle cuando tenía unos cinco años. Raúl era entonces un poco malcriado, a veces yo tenía que regañarlo, pero Ramón era su defensor».[5]

El problema es que, a pesar de su nombramiento como Presidente, Raúl no cuenta con ningún defensor de la talla de su hermano Ramón para poder oxigenar la Revolución y salvarla de sí misma, como ya hizo durante el *período especial*, hasta que Fidel dijo basta. Por eso su discurso de investidura, el 24 de febrero de 2008, fue casi un calco del que pronunció el 26 de julio de 2007 en Camagüey, durante su interinato. Entonces y ahora, después de ser elegido Jefe de Estado, Raúl Castro enumeró algunos de los principales males del país, aunque toda la energía se quedó en el enunciado, sin explicar la forma de resolverlos.

En realidad, Raúl Castro no dijo nada que no hubiera dicho ya su hermano durante su larga permanencia en el poder. «Cualquier crítica es siempre un acto suicida», escribió Guillermo Cabrera Infante en su libro *Mea Cuba*, pero se refería a los que la ejercen fuera del sistema. Los críticos más acérrimos de la Revolución han sido los propios revolucionarios, con Fidel Castro al frente. Y Raúl Castro siguió, ya desde los albores de su presidencia interina, las huellas de su hermano: «Se requiere trabajar con sentido crítico y creador, sin anquilosamientos ni esquematismos. Nunca creernos que lo que hacemos es perfecto y no volverlo a revisar. Lo único que jamás cuestionará un revolucionario cubano es nuestra decisión de construir el socialismo». Son palabras de Raúl en su discurso de Camagüey, «Día de la Rebeldía Nacional». Y tenía razón. El Gobierno trabaja desde hace medio siglo para construir el socialismo, el problema es que no le cunde mucho, necesita más tiempo para lograrlo.

En 2005, cuarenta y tres años después de establecerse la cartilla de racionamiento, Fidel Castro dijo: «Llegará un día en que incluso desaparezca el racionamiento para que las personas puedan comprar lo que quieran». En la misma línea, Raúl Castro manifestó, en julio de 2007, que «todo no puede resolverse de inmediato», y fue entonces cuando pronunció las palabras mágicas: «Habrá que introducir los cambios estructurales y de conceptos que resulten necesarios». Pero siete meses después, en su discurso de investidura, Raúl seguía pidiendo árnica: «Existen cuestiones cuyo estudio requiere tiempo, ya que un error motivado por la improvisación, la superficialidad o el apresuramiento, tendría consecuencias negativas considerables».

> Cada vez que te digo lo que siento
> tú siempre me respondes de este modo:
> deja ver, deja ver
> si mañana puede ser lo que tú quieres.
> Pero así van pasando las semanas,
> pasando sin lograr lo que yo quiero,
> yo no sé, para qué
> para qué son esos plazos traicioneros.[6]

Está claro que mientras el Líder Máximo esté vivo, Raúl Castro no podrá aplicar reformas económicas profundas. La afinidad política entre los dos hermanos es incuestionable, tanto como su discrepancia en asuntos económicos. Los cambios impulsados por Raúl, después de la caída del muro de Berlín, evitaron el colapso de la Revolución, pero también la minaron seriamente, al destruir el principio de «igualdad» socialista. Y Fidel nunca se lo perdonó a Raúl. En la «guerra» mediática que ambos hermanos libraron mientras Raúl fue Presidente provisional, Fidel, en una de sus *reflexiones*, dio por terminado el *período especial*, lo que, en román paladino, venía a decir que no hacen falta más reformas. Raúl, por el contrario, dijo en uno de sus discursos que las reformas son necesarias porque el país no ha salido todavía del *período especial*.

Se vende casa; espías, abstenerse

En ese combate singular anduvieron los dos hermanos, como Zipi y Zape, y Fidel nunca dudó en utilizar munición de grueso calibre contra Raúl. El 4 de septiembre de 2007, el todavía Comandante en Jefe lanzó un torpedo bajo la línea de flotación del entonces Presidente en funciones. En una *reflexión* titulada «Los superrevolucionarios», el convaleciente líder arremetió contra los que aconsejan a la Revolución «las fórmulas más típicas del neoliberalismo», que, según él, son «veneno puro». El mensaje no dejaba lugar a dudas. El comandante se pronunciaba contra «los cambios estructurales y de concepto que resulten necesarios», anunciados por su hermano en su discurso del 26 de julio de ese año.

Un segundo proyectil dinamitó las palabras de Raúl sobre la posibilidad de incrementar las inversiones extranjeras en Cuba. El argumento que utilizó el ilustre enfermo fue, cuando menos, pintoresco. Fidel Castro recordó que cuando Cuba abrió las puertas a las empresas mixtas, «no había límite para las facultades de los compradores [de viviendas] como propietarios», hasta el punto de que «muchos de los alojamientos podían ser adquiridos por los órganos de inteligencia enemigos y sus aliados». Casi nada. Y Raúl sin enterarse. Menos mal que «el más iluminado discípulo martiano», como llamó a Fidel *Tribuna de La Habana*, se mantenía alerta, a pesar de sus limitaciones físicas, para «no inundar con dinero el país sin vender soberanía».

Mientras los cubanos padecen toda suerte de penalidades, los dos hermanos tratan, a su modo, de salvarse con el pretexto de salvarlos. Fidel no acepta la realidad y prefiere, ya lo dijo en una ocasión, que la isla se hunda en el mar antes que renunciar al socialismo. En definitiva, lo que está haciendo es gritar desaforadamente, después de mí, el diluvio. Raúl, con los pies en la tierra, trata de salvar los muebles antes del naufragio.

> Las noticias hablan de resignación
> y la gente traga y se miran a los ojos.
> Como los peces.
> Y en la cara de la Virgen hay una lágrima rodando.
> Lágrimas negras.
> Los muchachos hablan de desilusión
> y en silencio se van al mar
> y se largan.
> Como los peces.
> Y en la cara de una madre
> hay lágrimas rodando
> lágrimas negras.[7]

Los cubanos, después de tantos años de dictadura, esperan que los cambios anunciados se traduzcan en recetas que alivien sus necesidades más perentorias en cuanto a salud, alimentación, vivienda, transporte..., en definitiva, un respiro para poder vivir con dignidad. Pero tendrán que esperar a que cese el fuego cruzado entre los dos hermanos. Sus aspiraciones de democracia y libertad tardarán más tiempo en materializarse, porque en ese terreno los hermanos Castro se mantienen férreamente unidos.

Un soldado de las ideas

El 28 de abril de 2008, Raúl Castro anunció el fin de la provisionalidad que vive el país desde que enfermó el comandante. Tras un sorpresivo Pleno del Comité Central del Partido Comunista, el nuevo Presidente notificó que se había creado una Comisión del Buró Político «para hacer más operativa y funcional la toma de decisiones, y al mismo tiempo permitir una evaluación colectiva de los asuntos». Ese órgano de dirección, que consagra la fusión del Gobierno y el Partido, está integrado por la cúpula del Consejo de Estado (Raúl Castro, José Ramón Machado Ventura, Juan Almeida, Abelardo Colomé Ibarra, Carlos Lage, Esteban Lazo y Julio Casas Regueiro), y en él no figura, por primera vez desde la creación del Partido Comunista en 1965, su todavía primer secretario, Fidel Castro. Después de anunciar que el Congreso del Partido se celebrará a finales de 2009 (debería haberse realizado en 2002), Raúl Castro dijo: «Los acuerdos que hemos acordado dan fin a la etapa de provisionalidad iniciada el 31 de julio de 2006 con la Proclama del Comandante en Jefe en que nos expresó su propósito de ser sólo un soldado de las ideas».

Raúl Castro dio a entender en su mensaje que había tomado definitivamente las riendas del poder y que lo va a ejercer de una forma colegiada con sus viejos conmilitones, de ahí la creación de la nueva Comisión del Buró Político, al que se sumaron tres nuevos miembros, Ramiro Valdés, comandante de la Revolución y ministro de Informática y Telecomunicaciones, el general Álvaro López Miera y el secretario de la Central de Trabajadores de Cuba, Salvador Valdés Mesa. Pero Fidel Castro no estaba muerto todavía, al menos no del todo.

El 20 de junio de 2008, el «soldado de las ideas» demostró que seguía en su puesto de combate al noquear con sendos derechazos a la Unión Europea y al Gobierno de su hermano Raúl. Ese día, después de no pocos sobresaltos, la UE suspendió las sanciones diplomáticas adoptadas contra la isla, de acuerdo con la llamada posición común, a raíz de la *primavera negra* de 2003. Aunque las medidas estaban congeladas desde enero de 2005, Cuba había exigido que se suprimieran, como condición indispensable para mantener un diálogo político con la Unión Europea, sin descartar el tema de los derechos humanos, como recordó el canciller Felipe Pérez Roque días antes de la decisión europea. Sin embargo, antes de que el Gobierno cubano reaccionara, Fidel Castro, en una de sus reflexiones, escribió que: «A mi edad y en mi estado de salud, uno no sabe qué tiempo va a vivir, pero desde ahora deseo consignar mi desprecio por la enorme hipocresía que encierra tal decisión».

El Gobierno cubano guardó silencio sin saber a qué atenerse. Responder favorablemente a la decisión europea supondría desautorizar al comandante, y nunca nadie se atrevió a ello. En medio del dilema, la policía detuvo a siete disidentes, entre ellos, José Luis García Pérez, apodado *Antúnez*, excarcelado en abril de 2007, después de cumplir una condena de 17 años por «propaganda enemiga oral», entre otros cargos. *Antúnez* y los otros 6 disidentes fueron liberados un día después de ser apresados, en el marco de la política de «detenciones de corta duración». «Que horas después de la suspensión de las medidas [de la UE] haya sucedido esto, para mí denota la falta de voluntad política de hacer reformas y establecer un marco de tolerancia», dijo *Antúnez*, quien aseguró que las detenciones son «una respuesta contundente a los países que levantaron las sanciones y traicionaron a las fuerzas democráticas en Cuba».

Las detenciones de los siete disidentes dejaron en evidencia a la diplomacia española, que apadrinó el levantamiento de las sanciones, al apreciar los «avances» que ha habido en Cuba en el último año bajo el régimen de Raúl Castro, entre ellos, una «relajación del hostigamiento a la oposición», según consta en un documento presentado en Bruselas. Todos los grupos disidentes, sin excepción, repudiaron la decisión de la Unión Europea y criticaron a España por promoverla. Según ellos, las causas por las que se aprobaron las sanciones contra Cuba, en 2003, no han cambiado y todavía siguen en prisión 54 de los 75 condenados en la *primavera negra* de 2003. Para remachar el clavo, el ministro cubano de Relaciones Exteriores, Felipe Pérez Roque, afirmó en Luanda, la capital de Angola, donde se encontraba en visita oficial, que «los principios enarbolados por Cuba derrotaron las sanciones de la Unión Europea».

La diatriba del comandante contra la Unión Europea alentó, una vez más, las especulaciones sobre quién manda realmente en Cuba, hasta el punto de que el propio Fidel Castro se vio obligado a desmentir que hubiera discrepancias en la cúpula del poder. En una de sus reflexiones en la que hizo una loa inusual al desempeño de su hermano Raúl, el «soldado de las ideas» aseguró que en el Partido Comunista de Cuba no hay «pugnas» ni él encabeza una «fracción»: «No soy ni seré nunca jefe de fracción o grupo —escribió Fidel Castro—. No puede deducirse por tanto que haya pugnas dentro del Partido. Escribo porque sigo luchando, y lo hago en nombre de las convicciones que defendí toda mi vida».

Si en algo tiene razón Fidel Castro es que no encabeza una

fracción, porque él es una totalidad, siempre lo fue y lo seguirá siendo hasta el día de su muerte. Durante toda su vida, el comandante, individualista y narcisista, fue incapaz de compartir el poder y de mantener otras relaciones que no estuvieran sustentadas en el vasallaje. No es extraño que le colocaran el apelativo de «El rey desnudo», personaje de Hans Christian Andersen, porque nunca nadie se atrevió a contradecirle, y los pocos que lo hicieron fueron *tronados* sin contemplaciones.

Enrique Patterson, miembro del Instituto de Estudios Cubanos de Miami, ofrece una acertada visión del castrismo, que, según él, «se caracteriza, en lo político, por la concentración absoluta del poder en la figura de un caudillo; en lo económico, por convertir al Estado en cuasi único propietario que no rinde cuentas a la sociedad, a la vez que el caudillo es dueño del Estado; en lo institucional, por la disfuncionalidad de las instituciones que, ante la voluntad del líder, aparecen como epifenómenos sin consistencia propia. Y en lo ideológico, por la indefinición doctrinaria que le permite al líder convertir en ideología los postulados de su voluntad. El castrismo es un régimen político de carácter carismático y sultanístico disfrazado de comunismo. Eso es lo que está desapareciendo». Pero todavía no ha desaparecido.

Regreso al futuro

«Fidel tiene la rara cualidad de viajar al futuro, regresar y explicarlo», reveló Raúl Castro el 26 de julio de 2008, aunque quizás hubiera sido más exacto decir que el comandante, como el barón de Münchhausen, viaja solo por los vericuetos de su mente, anclado en el pasado, fosilizado, el ojo atento a los movimientos de su hermano Raúl, no fuera a desbaratarle el tinglado de la antigua farsa. Y Raúl, con su corona y cetro virtuales, no sabe si ponerse a servir o coger criada. En su discurso en Santiago de Cuba, en el 55 aniversario del frustrado asalto al cuartel Moncada, Raúl Castro demostró, una vez más, que sólo es un tigre de papel. Sus prometidos «cambios estructurales» se quedaron en agua de borrajas, aunque de agua habló, pero sólo para anunciar que Santiago, la segunda ciudad del país, tendrá garantizada el agua corriente para el año 2010. ¡Toda una proeza para celebrar el año 51 de la Revolución! Agua sirvió también

Raúl Castro, pero fría y en jarro, porque no sólo se olvidó de las recetas para resolver los problemas enunciados el año anterior, la doble moneda, los bajos salarios, la vivienda, el transporte y la alimentación, sino que manifestó que la crisis mundial va a afectar seriamente a los cubanos. «Hay que acostumbrarse no sólo a recibir buenas noticias», dijo el general, quien, como aviso a navegantes, citó un discurso de su hermano Fidel en la misma tribuna, ¡hace 35 años!, porque, según dijo, sus palabras tienen «validez permanente»: «Como país pobre, sin grandes recursos naturales de fácil explotación, que tiene que trabajar duramente para ganarse el pan, en medio de un mundo donde gran parte de los pueblos viven en la mayor pobreza [...] los objetivos de nuestro pueblo en el orden material no pueden ser muy ambiciosos». En ese contexto, el levantamiento de algunas prohibiciones que impedían a los cubanos hospedarse en un hotel, tener un teléfono móvil o un ordenador, pueden considerarse como un dispendio. Aun así, y a manera de consuelo, el orador repitió una de sus frases más sobadas: «Somos conscientes de la gran cantidad de problemas que aún quedan por resolver, la mayoría de los cuales afectan de manera directa a la población».

En diciembre de 2008, en vísperas del 50 aniversario de la Revolución, Raúl Castro se excusó por no haber llevado a cabo las reformas tantas veces anunciadas. Su prioridad, según explicó en la Asamblea Nacional del Poder Popular, fue hacer frente a los estragos causados por tres huracanes que azotaron la isla durante ese año, que provocaron pérdidas por valor de 10.000 millones de dólares. Pero durante ese tiempo, Raúl Castro maquinaba en la sombra para liberarse de la pesada tutela de su hermano.

El 1 de marzo de 2009, Raúl Castro realizó el mayor cambio de Gobierno producido en Cuba desde 1994. Doce ministros fueron relevados de sus cargos y cuatro ministerios del área económica se fusionaron en dos para hacer más efectiva su gestión. Todos los designados, militantes de la vieja guardia, funcionarios y militares, responden al perfil de fieles «raulistas». Pero lo más sorprendente fueron las destituciones de Carlos Lage, secretario del Comité Ejecutivo del Consejo de Ministros y vicepresidente del Consejo de Estado, y del canciller Felipe Pérez Roque.

El relevo de Lage y Pérez Roque habría que enmarcarlo en la estrategia de Raúl Castro de blindarse con personas de su más absoluta confianza, por la previsible oposición de los sectores más ortodoxos del régimen a una hipotética negociación con Estados Unidos. Carlos Lage, por quien Raúl Castro había apostado un año antes para el cargo de primer vicepresidente del Consejo de Estado, no encajaría en la nueva estrategia del Presidente. En su lugar fue nombrado un militar, el general José Amado Ricardo Guerra, ex secretario de Raúl Castro en el Ministerio de las Fuerzas Armadas. La cabeza de Pérez Roque, «hijo predilecto» de Fidel Castro y fustigador del «imperio» en los foros internacionales, podría ser un gesto hacia Estados Unidos. A Pérez Roque le reemplaza su Vicecanciller, Bruno Rodríguez Varilla, ex dirigente de la Unión de Juventudes Comunistas, abogado de profesión, ex director del diario *Juventud Rebelde*, y gran conocedor de la política estadounidense por su permanencia durante once años, entre 1993 y 2004, en Nueva York, en la sede de Naciones Unidas.

Grande fue la sorpresa por las destituciones de Lage y Pérez Roque, pero más lo fue la *reflexión* de Fidel Castro en la página digital de *Cubadebate*. El comandante los llama «indignos» y señala que «el enemigo externo se llenó de ilusiones con ellos» en alusión a las expectativas que tanto Lage como Pérez Roque generaron en la comunidad internacional como figuras de cambio. «La miel del poder por el cual no conocieron sacrificio alguno —escribió el comandante— despertó en ellos ambiciones que los condujeron a un papel indigno.» Ambos personajes, conviene recordarlo, formaban parte, entre otros cargos importantes, del Gabinete de Crisis integrado por siete personas que el propio Castro designó en su Proclama del 31 de julio de 2006 para dirigir el país durante su enfermedad. ¿Por qué entonces esa descalificación tan brutal? La sospecha de que Fidel Castro no es el autor de todas las *reflexiones* que llevan su firma cobró esta vez más fuerza que nunca. En su filípica, el comandante aclaraba además que los cambios en el Gabinete le fueron consultados y que en absoluto se trataba de sustituir a los «hombres de Fidel» por los «hombres de Raúl». Explicación no pedida...

Pero faltaba por escribir el capítulo final de esa purga. Lage y Pérez Roque, dos iconos del sistema, nacidos de las entrañas de la Revolución, no podían desaparecer así como así, llamarlos «indignos» no era suficiente. El final de su historia no podía ser un simple mutis por el foro. Ambos tenían que morir, al menos simbólicamente, y qué mejor muerte que la autoinmolación, el suicidio, darse candela, por decirlo en buen cubano. Como en los procesos estalinistas, a las víctimas se les pidió el supremo sacrificio de reconocerse culpables, y por tanto merecedoras del castigo, porque así lo exige el Partido, para purificarse, para renovarse con la sangre de sus propios hijos. *Granma* sirvió de vehículo para la confesión que ambos mártires oficiaron mediante una carta dirigida a Raúl Castro. En ella Lage confiesa: «Reconozco los errores cometidos y asumo la responsabilidad. Considero que fue justo y profundo el análisis realizado en la pasada reunión del Buró Político». Por su parte, Pérez Roque escribe: «Reconozco plenamente que cometí errores, que fueron analizados ampliamente en dicha reunión. Asumo mi total responsabilidad por ellos». La publicación, sin más comentarios, de las dos cartas, si no gemelas, al menos mellizas, y el hurto de los convincentes argumentos de los torquemadas del Buró Político del Partido Comunista, restaron, sin duda, teatralidad a un acto que merecía mayor realce.

¿En qué parará la cosa?

A mí me dijo Julián
que no estaba con Ramón,
y resulta que Ramón
es íntimo de Julián.
¿En qué parará la cosa,
caballeros...?
¿En qué parará...?

No están todos los que son
ni son todos los que están,
por eso es que al son le faltan
los que le faltan al son.

¿En qué parará la cosa,
caballeros...?
¿En qué parará...?[8]

Las purgas en la cúpula del sistema refuerzan el poder de Raúl Castro de cara al futuro. Raúl Castro no tiene la inteligencia ni el carisma de Fidel; su discurso es pobre y carece de la elocuencia y el magnetismo con que el comandante hipnotiza a las masas. Quizás por eso Raúl habla poco; sabe que nunca podrá competir con su hermano. Pero a cambio, el nuevo Presidente se ha sabido rodear siempre de viejos compañeros de la Sierra Maestra que le guardan absoluta fidelidad. El trabajo en equipo es una de sus principales características, además del trato cordial con los que le rodean. La mayoría de ellos, aunque personas de edad avanzada, son la mejor tripulación con que cuenta el nuevo Presidente para intentar que la nave siga a flote después de la muerte de Fidel.

Éstos son los hombres que giran alrededor de Raúl Castro.

— El general Abelardo Colomé Ibarra, alias *Furry*, ministro de Interior, miembro del Buró Político del Partido Comunista, vicepresidente del Consejo de Estado, diputado de la Asamblea Nacional del Poder Popular desde 1976, y Héroe de la República de Cuba, es el brazo derecho de Raúl Castro y su persona de mayor confianza. Nació en Santiago de Cuba en 1939. Ingresó en el Movimiento 26 de Julio, en 1955, y en marzo de 1957 se incorporó al Ejército Rebelde en la Sierra Maestra, donde combatió al lado de Raúl Castro en el Segundo Frente Oriental Frank País. Después del triunfo de la Revolución, ocupó puestos de responsabilidad en los Ministerios de Interior y de las Fuerzas Armadas Revolucionarias hasta 1970, fecha en que fue nombrado jefe de la Dirección de Contrainteligencia Militar. A finales de 1975 fue designado jefe de la misión militar de Cuba en Angola y posteriormente viceministro de las FAR. En junio de 1989, tras la purga del general José Abrantes, a raíz del caso Ochoa, se convirtió en ministro de Interior, es decir, en los ojos y los oídos de la Revolución. Parodiando al dictador chileno Augusto Pinochet, puede decirse que no se mueve una hoja en Cuba sin que *Furry* lo sepa.

— El general Leopoldo Cintra Frías, *Polito*, es jefe del Ejército Occidental, vicepresidente del Consejo de Estado, miembro del Buró Político del Partido Comunista y Héroe de la República de Cuba. Se incorporó muy joven a la Sierra Maestra, donde alcanzó el grado de teniente, y posteriormente fue ascendido a capitán por el propio Fidel Castro, a quien acompañó durante su entrada en La

Habana el 8 de enero de 1959, en la llamada Caravana de la Libertad. Cintra Frías combatió en Etiopía y Angola (estuvo a las órdenes del general Arnaldo Ochoa) y en 1976 fue designado por el MPLA (Movimiento Popular para la Liberación de Angola) para firmar en su nombre los acuerdos de paz con Sudáfrica. En 1989 fue nombrado jefe del Ejército Occidental, cargo que debería haber ocupado Arnaldo Ochoa. *Polito* es un hombre de una fidelidad inquebrantable a Raúl Castro, a quien define como un militar «muy claro, realista y preciso. Dice las cosas muy claramente. Al pan, pan y al vino, vino, como se dice en el argot popular. Cuando se termina una reunión, él es el amigo, el hermano. Con Raúl se puede hablar sobre cualquier tipo de problema, incluyendo los personales, por difíciles que sean».[9]

— Los generales Ramón Espinosa Martín y Joaquín Quintas Solá,[10] jefes respectivamente de los Ejércitos Oriental y Central, combatientes ambos en Angola y Eritrea y asimismo Héroes de la República de Cuba, conforman, junto con *Polito*, la tríada más poderosa de las FAR. Sus fuerzas combinadas pueden aplastar cualquier veleidad contraria al liderazgo de Raúl Castro. Otro general, Álvaro López Miera, hijo de comunistas exiliados españoles, comparte el mismo pedigrí africano de sus conmilitones, y es jefe del Estado Mayor, la más importante «cuadra» de oficiales raulistas.

— Además de los cinco chafarotes con mando en plaza, están los generales y oficiales «empresarios», al frente de los cuales figuran Julio Casas Regueiro, vicepresidente del Consejo de Estado y nuevo ministro de las FAR en sustitución de Raúl Castro; y el mayor Luis Alberto Rodríguez, que está casado con Déborah, hija de Raúl Castro.[11] Esa estructura militar-empresarial nucleada en torno a Raúl Castro, garantiza su «invulnerabilidad».

— Hay otros uniformados que, si bien no forman parte del núcleo íntimo de Raúl, le guardan fidelidad absoluta. Son los tres comandantes históricos de la Revolución: Juan Almeida, Guillermo García Frías y Ramiro Valdés. El primero, autor de boleros en su juventud, como el célebre *Decide tú*, se mantenía en un discreto segundo plano hasta su nombramiento, en febrero de 2008, como vicepresidente del Consejo de Estado. El segundo, también vicepresidente de ese alto organismo, dedica la mayor parte de su tiempo a sus fincas en Manicaragua y Pinar del Río, donde cría gallos de pelea y caballos pura sangre. El tercero, Ramiro Valdés, es harina de otro costal.

Un hijo de John le Carré

El comandante Ramiro Valdés participó en el asalto al cuartel Moncada, el primer acto armado contra la dictadura de Fulgencio Batista, y fue uno de los expedicionarios del yate *Granma*, junto a los hermanos Castro y Ernesto Che Guevara. En la Sierra Maestra creó, por orden de Fidel Castro, el Departamento de Investigaciones del Ejército Rebelde (DIER), embrión de la Dirección de la Seguridad del Estado que convirtió, con ayuda del KGB soviético y de la Stasi de la República Democrática Alemana, en uno de los servicios de inteligencia más eficaces del mundo. Fidel Castro le debe eterna gratitud por haber desbaratado no pocos atentados contra su vida. Ramiro Valdés fue, y lo sigue siendo, uno de los hombres más temidos de Cuba. En él se mixturan las personalidades de Karla y Smiley, los dos antagonistas de los servicios secretos británico y soviético fabulados por John le Carré. Es frío, de mirada penetrante, inteligente, buen organizador, pero, sobre todo, es un hombre despiadado.

Como segundo jefe de la fortaleza de La Cabaña, a las órdenes del Che Guevara, Ramiro Valdés tuvo una activa participación en los fusilamientos que se llevaron a cabo en ese lugar después del triunfo de la Revolución. Luego, como ministro de Interior, Valdés jugó un papel decisivo en la lucha contra toda forma de disidencia, especialmente contra los que apoyaron a los «alzados» en el Escambray, y contra el «desviacionismo ideológico» de los que objetaron el sesgo comunista que tomó la Revolución. Hasta su nombramiento como ministro de Informática y Comunicaciones, en agosto de 2006, días después de que Raúl Castro fuera designado Presidente en funciones, el comandante Valdés ocupó importantes cargos, el último de los cuales fue la dirección de Copextel, S.A., el holding que aglutina a todas las empresas de comunicaciones del Estado.

Markus Wolf, «el gran espía maestro del comunismo» según

definición propia, director de la Stasi hasta la caída del muro de Berlín, definió a Valdés como «un agente aventurero más que un estadista», a diferencia de Raúl, que es, según él, «mucho más sólido, bien educado y del tipo de un estadista».[12]

Otros dirigentes civiles ocupan puestos clave en la Administración del Estado, como el vicepresidente José Ramón Fernández, el *gallego* Fernández, de 85 años de edad, a quien Raúl Castro colocó, en abril de 2008, al frente del sistema educativo del país, y Ricardo Alarcón de Quesada, presidente de la Asamblea Nacional del Poder Popular y miembro del Consejo de Estado y del Politburó del Partido Comunista. Alarcón, ex embajador de Cuba en Naciones Unidas, con buenos contactos en Estados Unidos, podría jugar un importante papel de cara a una negociación con el «imperio». En dos de sus discursos durante la enfermedad del comandante, Raúl Castro ofreció un «ramo de olivo» para «discutir en pie de igualdad el prolongado diferendo con el Gobierno de los Estados Unidos» y las señales favorables que ha enviado Barack Obama en ese sentido pueden favorecer un acercamiento entre los dos países.

Talibanes sin futuro

Raúl Castro se ha rodeado de personas de probada fidelidad y se ha deshecho de la mayoría de los llamados *talibanes*, que Fidel Castro formó y aupó hasta la cima del poder, como Felipe Pérez Roque, que fue secretario personal del comandante y luego ministro de Relaciones Exteriores y miembro del Consejo de Estado hasta su destitución, en marzo de 2009; Otto Rivero Torres, ex miembro del Consejo de Estado y ministro de la Batalla de Ideas, uno de los muchos proyectos de Fidel Castro para «enderezar» la Revolución, que fue *tronado* también en marzo de 2009; y Carlos Valenciaga, miembro del Consejo de Estado y jefe de despacho del Líder Máximo; él fue quien, el 31 de julio de 2006, leyó la Proclama de cesión de poderes a Raúl Castro. Valenciaga desapareció de la circulación a mediados de 2008, sin que se diera ninguna explicación por su cese.

Mercenarios todos

Ésos son los ingredientes con que cuenta Raúl Castro para articular la transición en Cuba, después de cincuenta años de poder absoluto de su hermano Fidel. Pero el tiempo le pisa los talones. Raúl Castro cumple 78 años en junio de 2009, y no puede presumir precisamente de buena salud. Su idea de capitalismo de Estado excluye las reformas políticas. El sucesor de Fidel Castro no va a abrir la caja de Pandora. Pero en Cuba hay fuerzas que pugnan por salir a la superficie para recuperar un espacio que les ha sido negado durante muchos años. La represión y el miedo acumulado han impedido toda forma de oposición organizada, y la desconfianza entre grupos, infiltrados algunos por la Seguridad del Estado, no ha propiciado tampoco alianzas entre ellos.

La llamada disidencia cubana, que el sistema califica de «mercenarios al servicio de Estados Unidos», está formada por una serie de grupos, movimientos y asociaciones que conforman una variopinta sopa de letras y pujan por salir a la luz. Entre ellos destacan:

— *Comité Cubano Pro Derechos Humanos (CCPDH)*, fundado el 28 de enero de 1976, aniversario del natalicio de José Martí, por Ricardo Bofill y Marta Frayde, procedentes de las filas del antiguo Partido Socialista Popular (comunista), que decidieron emprender el difícil camino hacia la democracia. El CCPDH es el grupo disidente más veterano y el que primero sufrió el zarpazo de la represión. La mayoría de sus miembros fueron condenados a fuertes penas de prisión, pero se reorganizaron en la cárcel y el 25 de octubre de 1987 realizaron su primera actividad pública al dar a conocer el Llamamiento de La Habana, en el que se pide que cese «el virtual estado de ley marcial que vive Cuba y por que se abra al imperio de un estado de derecho». El Comité envió a la Comisión de Derechos Humanos de Naciones Unidas el informe «Cuba 87: situación de los derechos humanos», en el que denunciaban las graves violaciones que se cometen en la isla.

El 16 de marzo de 1988, *Granma* reconoce por primera vez la existencia de un grupo disidente en Cuba.

«¿Quiénes son esta gente?», se pregunta el periódico, «¿Qué representan?», y se contesta que son «una mafia contrarrevolucionaria donde se junta todo tipo de delincuentes que conspiran contra la Revolución al servicio de la CIA». Esa muletilla, sin apenas variaciones, se ha venido aplicando a partir de entonces a todos los opositores políticos.

En octubre de 1988, Ricardo Bofill pidió asilo político en la embajada de Alemania y salió de Cuba rumbo al exilio. Desde esa fecha, hasta su muerte, en 2006, la CCPDH estuvo dirigida por Gustavo Arcos Bergnes, el más veterano de los líderes opositores de la isla.

— *Comisión Cubana de Derechos Humanos y Reconciliación Nacional (CCDHRN)*, fundada en 1987, está presidida por el socialdemócrata Elizardo Sánchez Santa Cruz. La CCDHRN publica cada seis meses una detallada relación de las personas detenidas, procesadas y encarceladas por motivos políticos o político-sociales. También denuncia sistemáticamente las penosas condiciones de los presos de conciencia y el maltrato que reciben en las cárceles de Cuba.

Reforma, no ruptura

Entre los partidos políticos, aunque en Cuba no se utilice nunca ese término, los más importantes son los que figuran a continuación, y salvo la Asamblea Para Promover la Sociedad Civil, preconizan la reforma desde dentro del sistema, no el borrón y cuenta nueva.

— *Movimiento Cristiano de Liberación (MCL)*, de tendencia democratacristiana, dirigido desde su fundación, en 1988, por Osvaldo Payá Sardiñas, quien en el año 2002 obtuvo el Premio Sájarov de Derechos Humanos que otorga el Parlamento Europeo.

En marzo de 1990, Payá dio a conocer el Llamamiento al Diálogo Nacional, para promover un referéndum para redactar una nueva Constitución, amnistía para los presos políticos y elección de una Asamblea Constituyente. En 1996 redactó el Proyecto Varela, documento que propone la modificación de las leyes que impiden la participación libre y responsable de los ciudadanos en las tareas de Gobierno.

En mayo de 2002, Osvaldo Payá avaló el Proyecto Varela con 11.000 firmas y lo presentó en la Asamblea Nacional del Poder Popular. La respuesta del Gobierno fue la celebración de un referéndum de reforma constitucional para declarar «irrevocable» el socialismo. Payá contraatacó con 14.000 firmas más y en diciembre del 2003, presentó las líneas maestras del Diálogo Nacional, texto de un proyecto para el debate sobre una transición pacífica en Cuba. La respuesta, esta vez, fue el silencio.

— *Arco Progresista*, fundado en 2002, a partir de la unión de la Corriente Socialista Democrática (CSDC) y otros grupos de tendencia socialdemócrata. Su portavoz es Manuel Cuesta Morúa, con estrechos vínculos con el Partido Socialista Obrero Español (PSOE).

— *Todos Unidos*, movimiento fundado por más de 50 líderes opositores en 2002, está presidido por Vladimiro Roca, ex piloto de combate, hijo de Blas Roca, uno de los fundadores del Partido Comunista de Cuba. El programa de Todos Unidos se articula en torno al documento *Cuba: Propuesta de Medidas para salir de la crisis*, un texto de 36 puntos que refuerza el Proyecto Varela con objetivos políticos, económicos y sociales.

El 16 de julio de 1997, Vladimiro Roca junto con Martha Beatriz Roque, Félix Bonne Carcassés y René Gómez Manzano, hicieron público un documento titulado *La Patria es de todos* para exigir un sistema democrático. Todos los integrantes del Grupo de los Cuatro, como se los llamó, fueron condenados a fuertes penas de cárcel.

— *Cambio Cubano*, grupo de tendencia moderada creado en 1992 por el ex comandante de la Revolución Eloy Gutiérrez Menoyo, quien cumplió una sentencia de 22 años de cárcel y fue amnistiado en 1986, gracias a una gestión personal ante Fidel Castro del entonces presidente del Gobierno español, Felipe González. Menoyo se exilió en Estados Unidos, pero regresó a Cuba en 2002, con el propósito de crear un espacio legal para la oposición. El Gobierno tolera las actividades de Menoyo, quien vive en Cuba en un limbo legal, sin permiso de residencia en la isla.

— *Asamblea para Promover la Sociedad Civil (APSC)*. Esta agrupación es la más radical, ha tenido el apoyo incondicional del Gobierno de Estados Unidos, George Bush, y preconiza una ruptura total con el sistema; no acepta reformas, ni la participación en una Cuba democrática de elementos del *ancien régime*. Se fundó en octubre de 2002, y su cabeza visible es Martha Beatriz Roque, la única mujer del Grupo de los 75 disidentes encarcelados en 2003, que obtuvo luego una licencia extrapenal por motivos de salud.

La APSC, que dice estar integrada por 365 organizaciones disidentes, celebró su primer Congreso en La Habana en mayo de 2005 con asistencia de algunos representantes del cuerpo diplomático acreditado en Cuba. Al término de las reuniones, donde se leyó un mensaje de George Bush, muchos dirigentes fueron detenidos y encarcelados.

— El grupo integrado por las Damas de Blanco no es propiamente una organización política. Congrega a esposas y familiares de los 75 disidentes encarcelados en la *primavera negra* de 2003, con el objetivo de pedir su excarcelación y la de todos los presos de conciencia. Su nombre responde al color de la ropa que utilizan como símbolo de paz. Asisten cada domingo a misa en la iglesia de Santa Rita de Casia, en el barrio habanero de Miramar, y desfilan luego por el bulevar de la 5.ª Avenida portando gladiolos rosas.

En octubre de 2005, el Parlamento Europeo les concedió el Premio Sájarov de Derechos Humanos, pero, a diferencia de Payá, que no tuvo problemas para recoger el galardón en Estrasburgo, las Damas de Blanco no obtuvieron el permiso de salida de Cuba.

Unidad por la libertad

El 15 de abril de 2007, nueve meses después de la Proclama de Fidel Castro en la que cedió provisionalmente el poder a su hermano Raúl, los grupos más importantes de la disidencia difundieron un documento, titulado «Unidad por la Libertad», en el que expresaron su deseo de trabajar responsablemente en la formación de un bloque unitario, «si las circunstancias aconsejan que ese paso es necesario y el más conveniente para lograr los cambios hacia la democracia en Cuba, que es nuestro objetivo y la razón de ser de la oposición cubana». El manifiesto estaba firmado, entre otros, por Vladimiro Roca, de Todos Unidos; Osvaldo Payá, del Movimiento Cristiano de Liberación; Martha Beatriz Roque y René Gómez Manzano, de la Asamblea Para Promover la Sociedad Civil, y Elizardo Sánchez, de la Comisión Cubana de Derechos Humanos y Reconciliación Nacional. También, y a título personal, firmaron Laura Pollán, Berta Soler y Miriam Leiva, de las Damas de Blanco.

En el documento «Unidad por la Libertad», los grupos firmantes manifiestan que «corresponde a los cubanos y sólo a los cubanos lograr cambios en nuestra sociedad, definir y decidir libre y democráticamente el futuro de Cuba, como país independiente y soberano, sin intervenciones extranjeras», y fija los siguientes principios y objetivos:

— Lograr el respeto de todos los Derechos Humanos para todos los cubanos y la democracia, la reconciliación, la justicia social, la libertad y la soberanía para nuestro pueblo.
— Liberación inmediata e incondicional de todos los encarcelados injustamente por defender, promover o ejercer pacíficamente los Derechos Humanos universalmente reconocidos.
— Transitar y promover los caminos pacíficos para lograr esos objetivos entre todos los cubanos.
— La cooperación y el respeto a la diversidad de iniciativas, posiciones, estilos de trabajo y proyectos dentro de un pluralismo que propicia la participación de todos los ciudadanos.

La «mafia» de Miami

Fuera de la isla, principalmente en Miami, existen diversas organizaciones anticastristas, que van desde las más radicales, que rechazan todo contacto con el régimen, hasta las que preconizan un diálogo con el Gobierno cubano para lograr una transición pacífica a la democracia. También, como en el interior de Cuba, hay un amplio espectro de siglas, entre las que destacan:

— *Fundación Nacional Cubano-Americana (FNCA)*, fundada en 1981 y dirigida hasta su muerte, en 1997, por el empresario Jorge Más Canosa. En la actualidad dirigen la organización Jorge Más Santos, hijo de Más Canosa, y Francisco J. Hernández.

La FNCA es el grupo más importante e influyente del exilio cubano, no sólo se opone a cualquier forma de diálogo con las autoridades de la isla, sino que es partidario de endurecer el bloqueo económico y comercial que mantiene Estados Unidos sobre Cuba. Es de tendencia ultraconservadora, con fuertes vínculos con la Administración republicana. Los congresistas de origen cubano Ileana Ros-Lethinen y Mario y Lincoln Díaz Balart son tres de sus mejores «espadas», exponentes de lo que el Gobierno de la isla llama «la mafia cubano-americana de Miami».

— *Consejo por la Libertad de Cuba (CLC)*, nacido en 2001 de una escisión de la Fundación Nacional Cubano-Americana, y que como la FNCA, se opone a todo intento de reforma del régimen castrista.

— *Comité Cubano pro Derechos Humanos (CCPDH)*. Organización gemela de la fundada en Cuba, en 1976, por Ricardo Bofill y Marta Frayde, con el objetivo de denunciar las violaciones de los derechos humanos en la isla

— *Junta Patriótica Cubana*, fundada en 1980 tras el Primer Congreso Nacional por la Libertad y la Democracia, en el que participaron representantes de 143 organizaciones del exilio en Estados Unidos, España, Chile y Costa Rica.

A título de inventario se pueden citar otras organizaciones, como Cuba Independiente y Democrática (CID), fundada por el ex comandante de la Revolución, Huber Matos; Plataforma Democrática Cubana (PLADECU), fundada en Madrid en 1980, por grupos democristianos, socialdemócratas y liberales; Partido Demócrata Cristiano de Cuba (PDC), fundado en 1991 en Miami; Unión Liberal Cubana (ULC), fundada en 1990 por el periodista y escritor Carlos Alberto Montaner..., etc. Hay también organizaciones paramilitares como Alpfa 66, que desarrolló una activa labor de infiltración y sabotajes en Cuba, a partir de 1962, y otras, como Hermanos al Rescate, grupo aéreo de ayuda a los balseros, dos de cuyas avionetas fueron derribadas por cazas cubanos en 1996, lo que provocó la muerte de cuatro personas.

La mayoría de estos grupos tienen escasa o nula influencia en Cuba; están demasiado alejados de la isla, de sus problemas, del difícil día a día de sus compatriotas, a los que no pueden acceder por el bloqueo informativo impuesto por el régimen.

Prisioneros anónimos

Las organizaciones del interior no disponen de medios para hacer proselitismo y son más conocidas fuera que dentro del país, por sus contactos periódicos con las embajadas y la prensa extranjera. Muy pocos cubanos conocen los nombres de las personas que se juegan muchos años de cárcel por pedir democracia y libertad para todos. Cuando las Damas de Blanco desfilan por las calles del centro de la ciudad, muchos viandantes las confunden con santeras, por el color de su ropa. Nada se sabe del número de militantes de los grupos disidentes que aseguran tener afiliados en todo el país, y en las escasas ocasiones que han convocado una protesta pacífica, la respuesta ha sido muy pobre, por miedo a la represión. La única vez que hubo una marcha de cierta entidad fue el 5 de agosto de 1994, durante el llamado *maleconazo*, cuando centenares de personas salieron a la calle para exigir democracia y libertad y fueron reprimidas violentamente por las Brigadas de Respuesta Rápida.

El trabajo de los opositores en Cuba no es fácil. La mayoría de los disidentes realizan una labor testimonial y sortean como pueden la férrea vigilancia de los ubicuos agentes de la Seguridad del Estado, para evitar ser encarcelados, como muchos de sus compañeros, en las celdas de castigo de las prisiones cubanas. Pero todos esperan y confían en que la dictadura acabe por derrumbarse, y con ella los decorados falsos de la isla Potemkim construidos a lo largo de 50 años para ocultar una realidad que, en palabras de un exiliado, «los que están dentro no pueden contar y a los que salen y lo cuentan, nadie les cree».

Epílogo

Fidel Castro deja una huella profunda en Cuba, después de gobernar durante medio siglo, casi la mitad de los 107 años que tiene el país como república. Es demasiado tiempo. El 72 % de los cubanos nacieron bajo su mandato y no conocen otra forma de gobierno. Otros, los niños que vitorearon a Castro junto a sus padres cuando hizo su entrada triunfal en La Habana, apenas recuerdan el escenario de sus juegos; el rodillo de la propaganda castrista borró o desvirtuó el pasado hasta hacerlo irreconocible. Sólo una generación de cubanos, hoy ancianos, conoció la Cuba anterior a Castro, pero en general tienden a la mistificación; unos, porque la idealizan, desde dentro o fuera del país, y otros, porque abominan de ella, por convencimiento o por conveniencia.

Los cubanos todos, los que nacieron antes o después de la Revolución, los acólitos, los críticos y los indiferentes, se encuentran ahora ante un mismo dilema: vivir sin ver proyectada sobre ellos la alargada sombra de Fidel Castro, el hombre que les prometió la luna y dejó tras de sí un paisaje lunar.

Nunca en la historia de Cuba una sola persona concentró tanto poder durante tanto tiempo como Fidel Castro. El comandante gobernó la isla con mano de hierro, sin que nadie, persona o institución, le pusiera freno. Desde 1959 hasta 1976, Castro ocupó el cargo de Primer Ministro, y a partir de esa fecha, hasta su retirada, en 2008, fue presidente de los Consejos de Estado y de Ministros, es decir, jefe de Estado y de Gobierno, además de Comandante en Jefe y primer secretario del Partido Comunista. Pero las instituciones del régimen no mermaron un ápice su poder. El Líder Máximo gobernó desde las tribunas, desde las páginas de los periódicos, desde los programas de televisión. Sus discursos se traducían en decretos, sus palabras, en ley.

Durante toda su vida, Fidel Castro mantuvo una actividad frenética. Visitaba escuelas, hospitales, fábricas, zonas devastadas por huracanes... De todo sabía y de todo hablaba. Lo mismo daba consejos a las amas de casa sobre la forma de cocinar los frijoles, que a los ingenieros sobre cómo construir un puente. En sus largas intervenciones descendía hasta los detalles más nimios. Era omnisciente además de omnipresente y omnipotente.

El 26 de julio de 2006 el dictador cayó fulminado por un rayo y recibió la peor de las condenas: la invisibilidad, la inactividad, el silencio. Castro no pudo soportarlo y, aunque demediado, se paseó esporádicamente por las pantallas de televisión y blandió la pluma, como antes la palabra, contra el «imperio». Pero la vida ya no era igual. Castro se fue convirtiendo en la caricatura de sí mismo, mientras su hermano Raúl se preparaba para administrar la herencia de la Revolución.

Raúl Castro es el puente hacia el futuro. Sin el carisma del comandante, el sucesor ha iniciado un camino, apoyado en las instituciones, para sentar las bases de un sistema que, previsiblemente y por propio interés, conducirá a la democracia. Es un proceso largo, cuyo final Raúl Castro no verá, probablemente, por su avanzada edad, pero que va a permitir que la Revolución pueda salvarse, blanqueada en las urnas.

Se ha especulado mucho sobre las intenciones de Raúl Castro de importar el modelo chino o vietnamita, un capitalismo de Estado bajo el control del Partido Comunista. El heredero es consciente de la grave situación económica del país y de las enormes dificultades del pueblo cubano para sobrevivir. En los difíciles años del *período especial,* cuando Cuba perdió el mecenazgo de la Unión Soviética, las reformas económicas impulsadas por él evitaron el colapso de la revolución. Raúl Castro va a aplicar ahora la misma receta, sin los frenos que le impuso entonces su hermano Fidel. Ése es su primer objetivo, y para ello cuenta con la complicidad de la sociedad cubana, pasiva y temerosa que, acogotada por la penuria, está dispuesta a venderle el derecho de primogenitura por un plato de lentejas.

Raúl Castro no pierde de vista a China y Vietnam, pero su mirada es de más largo alcance. El heredero sabe que un capitalismo comunista, a 90 millas de Estados Unidos, es inviable. También conoce los cambios que se han producido en la mentalidad de los cubanos. El numantinismo es obra de su hermano Fidel y, desaparecido éste, las nuevas generaciones son muy reacias a mantener encendida la llama de la Revolución. Raúl Castro necesita la bendición de Estados Unidos, no su enemistad, y Washington probablemente no le hará ascos a una democracia surgida de las entrañas del sistema, como ocurrió en la Rusia poscomunista. Una cosa son las declaraciones grandilocuentes de cara a la galería de Miami, y otra muy distinta la razón de Estado, que pasa, inevitablemente, por la razón económica.

Una democracia «bien entendida», como en Rusia, es la señal que Estados Unidos necesita para poner fin al bloqueo. La presión de los lobbies estadounidenses para incrementar los negocios con Cuba se ha estrellado siempre contra el Telón de Azúcar, pero, desaparecido éste, ya no habrá problema. Los herederos de Fidel Castro no se van a enrocar detrás de las banderas del marxismo-leninismo; al contrario, es probable que se hagan el harakiri, que se autoinmolen, para que la Revolución pueda resurgir, purificada, de sus cenizas. Es el pasaporte que necesitan para el futuro. Sólo así el núcleo del poder económico, las Fuerzas Armadas Revolucionarias, podrá seguir manteniendo bajo su control los sectores básicos del país, principalmente el petróleo, el níquel y el turismo. Lo único que necesitan es cambiar el uniforme verde olivo por el traje gris ejecutivo y alumbrar un partido sólido, construido con los materiales de derribo de las viejas estructuras de masas, capaz de aplastar en las urnas a cualquier rival. Y todo ello bajo la guía de un líder de nuevo cuño, de un Vladimir Putin tropical.

A los cubanos les toca impedir que eso ocurra.

La Habana, julio de 2005 - Madrid, abril de 2009

Notas

Capítulo 1

1. *Cuba and the United States: Ties of Singular Intimacy*, de L. Pérez. Citado por Richard Gott.
2. Combatientes cubanos que lucharon contra las tropas coloniales españolas. *(N. del a.)*
3. Philip S. Foner, *La guerra hispano-cubano-norteamericana*, citado por Rolando Rodríguez en *La forja de una nación*.
4. «Mi bandera», poema de Bonifacio Byrne, 1899.
5. En febrero de 1901, el presidente McKinley firmó la Ley de Gastos del Ejército, que contenía una enmienda aprobada por el Senado, a propuesta del congresista Orville Platt. Por presiones de Estados Unidos, la Enmienda Platt fue aprobada en la isla por la Asamblea Constituyente y se añadió, como un apéndice, a la Constitución de la República de Cuba. El segundo gobernador militar de la isla, el general Leonard Wood, dijo a ese respecto que «a Cuba se le ha dejado muy poca o ninguna independencia con la Enmienda Platt, y lo único indicado ahora es buscar la anexión». *(N. del a.)*
6. Al amparo de ese título, Cuba arrendó a Estados Unidos territorios ubicados en Bahía Honda, en la costa norte de Pinar del Río, y en la Bahía de Guantánamo, en la costa sur de Oriente, donde se construyó la base naval del mismo nombre. *(N. del a.)*
7. *Clave a Maceo*, canción de Sindo Garay.
8. José Cantón Navarro, *Historia de Cuba. El desafío del yugo y la estrella.*
9. Se llama central o ingenio a una instalación industrial para obtener azúcar de la caña. *(N. del a.)*
10. Francisco Pérez de la Riva, *La habitación rural en Cuba*, citado por José Vega Suñol.
11. Pablo Armando Fernández, revista *Bohemia*, 3 de enero de 1997, citado por José Vega Suñol.
12. José Vega Suñol, *Norteamericanos en Cuba. Estudio etnohistórico.*

13. Fernando Ortiz, *El pueblo cubano.*

14. José Cantón Navarro, *op. cit.*

15. *Mi amor fugaz*, bolero de Benny Moré.

16. En octubre de 1963 se promulgó la segunda Ley de Reforma, que redujo a cinco caballerías (67 hectáreas) el límite máximo de tierra que podía poseer una persona. Con esa medida, el 70 % de la tierra quedó en manos del Estado.

17. *Semblanza de Martí*, canción de Sindo Garay.

18. El 10 de octubre de 1868, en su ingenio La Demajagua, en Yara, en el Oriente de Cuba, Carlos Manuel de Céspedes inició la guerra de Independencia contra España. *(N. del a.)*

19. Carmelo Mesa Lago, cubano exiliado, es catedrático emérito de Economía de la Universidad de Pittsburgh, Estados Unidos.

20. *Economía y bienestar social en Cuba a comienzos del siglo XXI*, Carmelo Mesa Lago.

21. Referencia de Carmelo Mesa Lago en *Cuba after the Cold War*, citado por Richard Gott, *op. cit.*

22. Expresión cubana que equivale a «vivir del cuento». El guaguancó es también un género musical cubano. *(N. del a.)*

23. Barrios. *(N. del a.)*

24. George Orwell, *1984.*

25. *P'ol tu culpa*, canción del grupo de rock Porno para Ricardo.

26. Las bodegas son los locales donde se venden los productos de la cartilla de racionamiento. *(N. del a.)*

27. *Lucha tu yuca*, canción de Raymundo Fernández Moya.

28. George Orwell, *op. cit.*

29. Entrevista a Mariela Castro en el diario italiano *Corriere della Sera.* 27 de marzo de 2008.

Capítulo 2

1. Viaje a La Habana, de la condesa de Merlín.

2. Se llama así popularmente al monolito situado detrás de la estatua de José Martí por su semejanza al instrumento musical de ese nombre, hecho con una güira.

3. José Martí, escritor y político cubano (La Habana, 1853-Dos Ríos, 1895). Fundador del Partido Revolucionario Cubano, en 1895 redactó el Manifiesto de Monte Christi, programa que sirvió de base para la Independencia de Cuba.

4. Casa de vecinos

5. Manzana.

6. Prostitutas.

7. Cuba y Estados Unidos rompieron las relaciones diplomáticas

en enero de 1961. En 1977, bajo la presidencia de Jimmy Carter, establecieron Oficinas de Intereses en Washington y La Habana bajo el amparo de la embajada de Suiza.

8. En Cuba, a los viejos automóviles se les llama *fotingos*, corrupción de la expresión inglesa, *Foot it and go*, «pisa y arranca».

9. *El túnel*, de Enrique Jorrín.

10. J. B. Rosemond de Beauvallon, *La isla de Cuba*.

11. Alejo Carpentier, *La ciudad de las columnas*.

12. Rejas protectoras entre las viviendas.

13. Negras.

14. Antonio José Ponte, autor entre otros libros de *Un arte de hacer ruinas y otros cuentos*, se exilió en España a finales de 2006.

15. Coches.

16. En la terminología oficial, se llama desertores a los cubanos que aprovechan un viaje al extranjero para no regresar a la isla. *(N. del a.)*

17. *Cuba a pluma y lápiz*, Samuel Hazard.

18. Salvador Cisneros Betancourt, *De las vallas de gallos*.

19. Carta enviada el 2 de febrero de 1901 por el gobernador civil de la Provincia de matanzas al secretario de Estado y de Gobierno. Archivo Nacional de Cuba.

20. *Gallos y toros en Cuba*, Pablo Riaño San Marful.

21. Gastón Baquero, «Charada para Lydia Cabrera», de *Magias e invenciones*.

22. *Don Quijote de la Mancha*, de Miguel de Cervantes.

23. *El habla popular cubana de hoy*, Argelio Santiesteban.

24. «El viejo dilema de la basura», *Granma*, 16 de febrero de 2006.

25. *El mundo alucinante*, de Reinaldo Arenas.

26. «Buzos de tierra», *Tribuna de La Habana*, 25 de marzo de 2007.

27. «Sancionan a recolectores ilegales de desechos sólidos», *Granma*, 10 de junio de 2008.

28. Entrevista en el diario *Granma*, 22 de febrero de 2006.

29. Los solares o cuarterías son caserones, entre ellos antiguos palacetes coloniales, divididos en pequeños habitáculos donde se hacinan hasta cincuenta o más familias.

Capítulo 3

1. Colores de la bandera del Movimiento 26 de Julio, fundado por Fidel Castro después del asalto al cuartel Moncada, en Santiago de Cuba, el 26 de julio de 1953.

2. Fidel Castro, *La historia me absolverá*.

3. Palacio de Convenciones de La Habana, 1 de septiembre de 2005.

4. «La vivienda en la mirilla del bloqueo», *Trabajadores*, 29 de octubre de 2007.

5. Carilda Oliver Labra, «Un día en el bufete», de *Error de magia*.

6. El 31 de diciembre de 2006 esa cifra, actualizada, era de 11.240.121 habitantes

7. *Vivir en casa de los padres*, canción de Frank Delgado.

8. Declaraciones a la Agencia IPS, marzo de 2006.

9. *Los horrores del solar habanero*, Juan M. Chailloux Carmona.

10. «Una buena gestión urbana y la tenencia segura de la vivienda», Instituto Nacional de la Vivienda, La Habana, junio de 2005.

11. *Aló Presidente*, 5 de febrero de 2006.

12. *Últimos días de una casa*, Dulce María Loynaz.

13. Despacho de la Agencia EFE, 14 de junio de 2006.

14. Pablo Rodríguez Ruiz y Ramón Claudio Estévez Mezquía, «Apuntes teóricos para un estudio antropológico sobre la marginalidad, la pobreza y la exclusión social: encuentros y desencuentros», *Catauro. Revista cubana de Antropología*, número 13, enero-junio de 2006.

15. Mayra Espina Prieto, «Comentarios sobre el concepto de marginalidad en la sociología», *Catauro. Revista cubana de Antropología*, número 13, enero-junio de 2006.

16. *Gobierno Revolucionario Cubano. Primeros pasos*, de Luis M. Buch y Reinaldo Suárez.

17. *Ibidem*, pp. 104-105.

18. *Ay Mamá Inés*, de Eliseo Grenet.

19. «Entre Montecristi y La historia me absolverá», Miguel Cabrera Peña, *Bitácora Cubana*, 3 de marzo de 2006.

20. Hugh Thomas, *Cuba. La lucha por la libertad*.

21. Juan Almeida, asaltante al cuartel Moncada, expedicionario del *Granma* y comandante del Ejército Rebelde en la Sierra Maestra, es también autor de composiciones musicales, principalmente boleros, entre los que destacan *Decide tú*, *Tiempo ausente* y *Hablo a tu corazón*.

22. Güije o jigüe, especie criolla de duende que según la creencia popular se aparece en los ríos. Los campesinos cubanos lo describen como «un negrito». *(N. del a.)*

23. En La Habana se llama *palestinos* a todos los oriundos de las provincias de Oriente. *(N. del a.)*

Capítulo 4

1. Ponchar: pinchar.

2. *Lo que me atrapa aquí*, canción de Gerardo Alfonso.

3. *Mala leche*, canción del grupo Moneda Dura.

4. *Juventud Rebelde*, 29 de junio de 2007.
5. Conductor de la guagua. *(N. del a.)*
6. Federico García Lorca, «Son de negros en Cuba», del libro *Poeta en Nueva York*.
7. Corrupción de *shopping*, tienda donde todos los productos se venden en pesos convertibles.
8. Informe presentado a la Asamblea Nacional del Poder Popular por Antonio Puentes Hernández, director de la Unión de Ferrocarriles de Cuba, *Juventud Rebelde*, 9 de junio de 2006.
9. *Palestinos*, canción del grupo rapero Los Aldeanos.

Capítulo 5

1. En el XIX Congreso de la CTC celebrado en La Habana, en septiembre de 2006, Pedro Ross Leal fue relevado de su cargo de Secretario General, después de 17 años, y fue sustituido por Salvador Valdés Mesa, ex ministro de Trabajo.
2. Así llama Castro a veces al presidente de Estados Unidos, George Bush. *(N. del a.)*
3. *Granma*, 25 de agosto de 2006.
4. *Cuando se vaya la luz, mi negra*, canción de Frank Delgado.
5. Chivatos. *(N. del a.)*
6. Así se llama en Cuba a Estados Unidos, y por extensión a todos los extranjeros. *(N. del a.)*
7. Así se dice popularmente cuando se defenestra a un político. *(N. del a.)*
8. Palabras reproducidas en el diario *Granma*, órgano oficial del Comité Central del Partido Comunista de Cuba, el 5 de julio de 2005.
9. *Juventud Rebelde*, órgano oficial de la Organización de Juventudes Comunistas de Cuba, 5 de julio de 2005.
10. Palacio de las Convenciones de La Habana, 9 de marzo de 2005.
11. Palacio de las Convenciones de La Habana, 11 de abril de 2005.
12. Jóvenes formados en la Escuela de Trabajadores Sociales, un proyecto de Fidel Castro para «reciclar» a los que abandonan los estudios e incluso a delincuentes. *(N. del a.)*
13. Despacho de la Agencia de Noticias Reuters fechado en La Habana, 28 de noviembre de 2005.
14. Fidel Castro. Discurso en la Asamblea Nacional del Poder Popular. Referencia: *Juventud Rebelde*, 11 de junio de 2006.
15. A las hornillas eléctricas los cubanos las llaman *desodorante*

porque se estropean tanto que tienen que andar con ellas debajo del brazo para llevarlas a arreglar. *(N. del a.)*

16. «¿Tiene equilibrio la balanza? Créditos sociales para el pago de artículos domésticos», *Trabajadores*, 14 de mayo de 2007.

17. «Medidas sobre las tarifas eléctricas, los incrementos salariales y los de la Seguridad y la Asistencia Social», *Granma*, 23 de noviembre de 2005.

18. El 27 de abril de 2008, el Gobierno incrementó las pensiones de jubilación de 164 a 200 pesos cubanos, 1,25 euros más al cambio. *(N. del a.)*

19. Fidel Castro, «Ante la prensa», 21 de mayo de 1959.

Capítulo 6

1. Campesinos.

2. *Paradiso*, de José Lezama Lima.

3. Bolero de Santiago de Cuba, anónimo.

4. Quioscos de venta callejera. *(N. del a.)*

5. «Pitirre en el alambre» es una expresión popular que se utiliza para advertir la llegada de la policía que equivale a «Hay moros en la costa».

6. Especuladores.

7. Se llama *coleros* a los que acaparan productos, bien haciendo colas, bien de acuerdo con los transportistas o los vendedores. *(N. del a.)*

8. Fidel Castro. Discurso pronunciado en el Palacio de las Convenciones de La Habana, el 17 de marzo de 2005.

9. «Informe sobre los resultados económicos del 2007 y los lineamientos del Plan Económico y Social para el 2008». Discurso leído ante el Pleno de la Asamblea Nacional del Poder Popular el 28 diciembre de 2007.

10. Tonada de Aarón González que popularizó Benny Moré.

11. *Mesa Redonda Informativa*, 25 de febrero de 2002.

12. *La historia me absolverá*, Fidel Castro.

13. Claudia Furiati, *Fidel Castro. La historia me absolverá*.

14. *Fidel y la religión*. Conversaciones con Frei Betto.

15. Discurso ante la Asamblea Nacional del Poder Popular, 23 de diciembre de 2005.

16. «Bloqueo encarece alimentos esenciales para la población», *Granma*, 8 de noviembre de 2005.

17. Condesa de Merlín, *op. cit.*

18. Claudia Furiati, *op. cit.*

19. Hugh Thomas, *op. cit.*

20. René Dumont relató su experiencia en la isla en el libro ¿*Cuba socialista*?

21. «Maromas para llenar una java», *Juventud Rebelde*, 27 de enero de 2008.

22. «Empleo juvenil. ¿El cuento de nunca acabar?», *Juventud Rebelde*, 25 de noviembre de 2007.

23. José Martí, «Reflexiones», *Obras Completas*.

24. «Canto II de la Elegía V» (fragmento), de Juan de Castellanos, tomado de *Contrapunteo cubano del tabaco y el azúcar*, de Fernando Ortiz.

25. Fernando Ortiz, *op. cit.*

26. *El Ingenio. Complejo económico social cubano del azúcar*, de Manuel Moreno Fraginals.

27. Molino para extraer el jugo de la caña de azúcar. *(N. del a.)*

28. Manuel Moreno Fraginals, *op. cit.*

29. Canción popular.

30. Cosecha.

31. «Cuba importa más azúcar para el consumo nacional», Wilfredo Cancio Isla, *El Nuevo Herald*, Miami, 30 de mayo de 2007.

32. *Cuba: ¿Revolución o Involución?*, de Óscar Espinosa Chepe.

33. *Tiene sabor*, bolero de Rolando Valdés.

34. «El tabaco», poema de Narciso Foxá (fragmento).

35. Fernando Ortiz, *Contrapunteo del tabaco y el azúcar*.

36. Hasta diciembre de 2007, Altadis era una empresa hispano-francesa. *(N. del a.)*

37. Existen 240 formatos distintos de habanos que se clasifican en diferentes categorías, en función de su tamaño y forma. La «vitola de galera» es el nombre que se utiliza para denominar cada formato, y la «vitola de salida» es el nombre que identifica cada caja, es decir, el nombre comercial. *(N. del a.)*

Capítulo 7

1. «Sobre la propiedad social», *Trabajadores*, 2 de octubre de 2006.

2. Jesús R. Mercader Uguina, «La realidad laboral en Cuba y la responsabilidad social de los inversores extranjeros».

3. Fidel Castro, *Mesa Redonda Informativa* de la Televisión Cubana, 23 de noviembre de 2005.

4. Agencia IPS, 18 de marzo de 2005.

5. *Mesa Redonda Informativa*, 23 de noviembre de 2005.

6. *Trabajadores*, 23 de enero de 2006.

7. Fidel Castro, Discurso de clausura del IX Seminario Internacional de Atención Primaria de Salud, La Habana, 10 de marzo de 2006.

8. Fidel Castro, *Mesa Redonda Informativa*, 23 de noviembre de 2005.

9. Los resultados de esa encuesta del Buró del Censo fueron publicados en 2006 por el Pew Hispanic Center —un centro de investigaciones que estudia la comunidad latinoamericana en Estados Unidos— con el título de «Cubans in the United States».

10. Fidel Castro, discurso en el Teatro Karl Marx, 4 de abril de 2006.

11. Fidel Castro, Palacio de las Convenciones de La Habana, 25 de marzo de 2005.

12. «Report on the Cuban Economy. Update 2005. EU Economic and Commercial Counsellors to Cuba», abril de 2006, traducción del autor.

13. «¿Guardia obrera o agentes de protección?», *Trabajadores*, 9 de abril de 2007.

14. Dólar. *(N. del a.)*

15. *Granma*, 3 de abril de 2006.

16. Los días 18, 19 y 20 de abril de 2003 fueron detenidos 75 disidentes y condenados en juicios sumarísimos a penas de hasta 28 años de prisión. También fueron fusiladas tres personas después del intento de secuestro de una lancha para dirigirse a Miami. Por eso se habla en Cuba de *primavera negra. (N. del a.)*

17. Los cubanos llaman popularmente *javitas* a las bolsas.

18. *Trabajadores*, 3 de abril de 2006.

19. Mauricio de Miranda, «Política económica y justicia social en Cuba en el contexto de la reversión de las reformas».

20. *Op. cit.*

21. María C. Werlau, *Fidel Castro, Inc.: A Global Conglomerate.*

Capítulo 8

1. Dólar.

2. Amir Valle. *Habana. Babilonia. Prostitutas en Cuba*, libro aparecido en internet. En 2006 lo publicó la Editorial Planeta con el título *Jineteras.*

3. Enrique Cirules, *Mafia y mafiosos en La Habana.*

4. Adolescentes.

5. Del inglés *bloomer*, prenda interior femenina. *(N. del a.)*

6. *Blue jeans* o vaqueros.

7. «Cuba: jóvenes en los 90», Centro de Estudios sobre la Juventud.

8. *Reina de la calle*, canción del grupo Orishas.

9. Chaperos.

10. El artículo 302.1 del Código Penal sólo tipifica el proxenetismo como delito.

11. Amir Valle, *op. cit.*
12. *El Two Step*, danzón de Miguel Faílde.
13. Recepción. *(N. del a.)*
14. Lissette Bustamante, *Jineteras.*
15. «Una voz en La Habana», poema de Teresa Melo.
16. Entrevista a Daniel Díaz Mantilla, de Laritza Vega Quintana, en el capítulo «Marginalidad y narrativa», de la obra colectiva *Sociedad cubana hoy. Ensayos de sociología joven.*

Capítulo 9

1. «La gran cosecha está por venir», *Granma*, 20 de junio de 2005.
2. «Venezuela reemplaza a la URSS en Cuba», Carmelo Mesa Lago, *El Nuevo Herald*, 29 de abril de 2006.
3. «Misioneros de la salud listos para servir al mundo», *Granma*, 23 de agosto de 2006.
4. Citado por Lydia Cabrera en *El Monte.*
5. Eliseo Alberto, *op. cit.*
6. Entrevista con el doctor Darsi Ferrer en «Encuentro en la Red», 7 de diciembre de 2007.
7. Se llama así al popular boca a boca. *(N. del a.)*
8. «La lucha contra el mosquito *Aedes aegypti*. La ofensiva comienza en casa», *Granma*, 15 de agosto de 2006.
9. «La salud cubana en estado crítico», doctora Sandra Domínguez, *Bitácora Cubana*, 17 de agosto de 2006.
10. La Habana, Reuters, 6 de septiembre de 2006.
11. «Cuba reconoce existencia de dengue hemorrágico en carta a OPS», La Habana, 30 de septiembre de 2006.
12. *Bitácora Cubana*, «Salud Pública en Cuba», informe desde La Habana, 31 de enero de 2006.
13. *El Nuevo Herald*, Miami, 7 de enero de 2006.
14. Entrevista con el doctor Darsi Ferrer en «Encuentro en la Red», 7 de diciembre de 2007.
15. *Granma*, 22 de agosto de 2005. Palabras de Fidel Castro en el acto de la primera graduación de la Escuela Latinoamericana de Medicina, en el teatro Karl Marx de La Habana, el 20 de agosto de 2005.
16. *En Red*. Suplemento científico técnico de *Juventud Rebelde*, 11 de junio de 2006.
17. «Jamás aceptaríamos —dijo Fidel Castro—, aunque ofrecieran mil millones de dólares diríamos no. No queremos ayuda de los europeos ni de Estados Unidos», *Granma*, 12 de julio de 2005.
18. *Miñoso al bate*, bolero de Enrique Jorrín.

Capítulo 10

1. *Op. cit.*
2. «Para borrar la memoria histórica. El Plan Bush [para Cuba] se propone cambiar la educación», *Granma*, 6 de septiembre de 2006.
3. «Cuba en los objetivos y metas del milenio», Óscar Espinosa Chepe, La Habana, 2 de noviembre de 2005.
4. *¡A leer!*, Editorial Pueblo y Educación, La Habana, octava reimpresión, 2005. Este libro y todos los que se citan en este capítulo están actualmente en vigor en las escuelas cubanas. *(N. del a.)*
5. *Historia de Cuba*, 9.º grado, Editorial Pueblo y Educación, Ministerio de Educación, La Habana, 2002.
6. *Historia de Cuba*, 10.º grado, Editorial Pueblo y Educación, Ministerio de Educación, 1989.
7. *Historia antigua y medieval*, 7.º grado, Editorial Pueblo y Educación, Ministerio de Educación, 2003.
8. *Historia moderna*, 8.º grado, Editorial Pueblo y Educación, Ministerio de Educación, 1999.
9. *Mi amigo el ingeniero*, canción de Erick Sánchez.
10. «Tiempo de volver», *Tribuna de La Habana*, 3 de septiembre de 2006.
11. Canción del grupo Los Aldeanos.
12. «El dilema del campo», *Juventud Rebelde*, 12 de marzo de 2008.
13. Ernesto Che Guevara, *El socialismo y el hombre en Cuba*.

Capítulo 11

1. «La Cultura del Poder. Vanguardia revolucionaria versus vanguardia intelectual. De cómo la sangre llegó al río», *Cubaencuentro*, enero de 2003.
2. «Fuera del juego», poema del libro del mismo título de Heberto Padilla.
3. Palabras de Heberto Padilla, citadas por Reinaldo Arenas en *Necesidad de libertad*.
4. Heberto Padilla, *Dicen los viejos bardos*.
5. Albert Camus, *El hombre rebelde*.
6. «La nostra formula é questa: tutto nello Stato, niente al di fuori dello Stato, nulla contro lo Stato.»
7. *El quinquenio gris: revisitando el término*, de Ambrosio Fornet.
8. *Conducta impropia* es el título de un documental realizado por Néstor Almendros y Orlando Jiménez Leal en 1984, en el que se reflejan las persecuciones sufridas por los homosexuales y artistas cubanos.

9. Declaración del Primer Congreso Nacional de Educación y Cultura, en *Casa de las Américas*, número 65-66, marzo-junio de 1971.

10. «La isla en peso», poema de Virgilio Piñera.

11. Rafael Rojas, *Tumbas sin sosiego. Revolución, disidencia y exilio del intelectual cubano.*

12. *Fresa y chocolate*, de Tomás Gutiérrez Alea se rodó en 1993 y desapareció rápidamente de las salas de cine. En 2007 la televisión cubana la emitió por primera vez.

13. *Guantanamera*, de Tomás Gutiérrez Alea, y Juan Carlos Tabío, realizada en 1995, pasó fugazmente por los cines y nunca se emitió por televisión. La película recibió una dura crítica por parte de Fidel Castro.

14. *La Habana, un arte nuevo...*, *op. cit.*

15. Amir Valle, «Reflexiones para espantar el miedo», *Bitácora Cubana*, 14 de enero de 2007.

16. Amir Valle, *Reflexiones...*, *op. cit.*

Capítulo 12

1. *Cien horas con Fidel*, de Ignacio Ramonet, *op. cit.*
2. Véase el capítulo «El corredor de la muerte».
3. *Granma*, 29 de junio de 2005.
4. *Granma*, 29 de junio de 2005.
5. Los escolares de esa edad llevan camisa blanca y pantalón y pañoleta rojos.

Capítulo 13

1. Himno Independentista. Fue compuesto por el poeta de Bayamo, Pedro Figueredo, en 1867.
2. Eliseo Alberto, *op. cit.*
3. *Granma*, 26 de diciembre de 2005
4. *Juventud Rebelde*, 2 de junio de 2006.
5. Cuba Petróleo, CUPET, es la compañía de combustibles cubana. *(N. del a.)*
6. *Cien horas con Fidel. Conversaciones con Ignacio Ramonet.*
7. Bambuco popular de origen colombiano.
8. «La guerra infinita», *Granma*, 9 de febrero de 2008.
9. «Otro golpe al delito», *Tribuna de La Habana*, 6 de julio de 2008.
10. *Cadena Paladar*, de Frank Delgado.
11. Paladar fue el nombre de un restaurante de la popular novela brasileña *Vale todo*, muy popular en Cuba.

12. Roberto Robaina, una de las jóvenes promesas de la Revolución, había sido cesado de su cargo de ministro en 1999. *(N. del a.)*

Capítulo 14

1. «The Cuban Adjustment Act», aprobada por el Congreso el 2 de noviembre de 1966, bajo la presidencia de Lyndon B. Johnson. Esa ley regularizó a los cubanos refugiados en Estados Unidos después de 1959, al otorgarles el estatus de residentes permanentes.
2. Patrona de Cuba.
3. Lancha rápida.
4. El «corrido del pargo», como la costera del bonito en España, tiene lugar durante los meses de junio y julio, época en que bancos de pargos recorren las costas cubanas.
5. Ley de Peligrosidad Predelictiva. *(N. del a.)*
6. *La otra orilla,* canción de Frank Delgado.
7. *El Mañana. Memorias de un éxodo cubano,* de Mirta Ojito.
8. *Los huevos que te tiramos cuando te fuiste con la escoria,* canción de Eric Sánchez.
9. Permiso oficial de salida que otorga el Gobierno de Cuba.
10. *El Nuevo Herald,* 16 de diciembre de 2006.
11. *Granma Internacional,* 1 de enero de 2006.
12. *Ausencia,* de Jaime Prats. Bolero.
13. Un vídeo sobre esa reunión circuló clandestinamente en La Habana. A Ricardo Alarcón se le preguntó, además, por qué en Cuba la mayoría de los productos se venden en divisas cuando los cubanos cobran su salario en pesos.
14. Mirta Ojito, *op. cit.*
15. Fidel Castro, «El recorrido de McCain y el destino manifiesto de la IV Flota», *Cubadebate,* 30 de julio de 2008.
16. «Familias separadas: el alto costo de las restricciones de Cuba y Estados Unidos a los viajes», Informe presentado en Miami, en octubre de 2005.

Capítulo 15

1. «Catadura de "exiliados"», *Granma,* 6 de noviembre de 2007.
2. *Cecilia Valdés,* de Cirilo Villaverde.
3. Extranjeros.
4. «Jam noli tardare», poema de María Luisa Milanés.
5. «Carta suicida de Reinaldo Arenas», 7 de diciembre de 1990.
6. *Mea Cuba,* de Guillermo Cabrera Infante.
7. *Folklore en las Antillas* (1909), de Florence Jackson Stoddard.

8. *Los negros esclavos,* de Fernando Ortiz.
9. *Cecilia Valdés, op. cit.*
10. *Humo y espuma,* bolero de Rolando Rabí.

Capítulo 16

1. «La falsa religión del poder mediático», Ernesto Vera, *Granma,* 3 de mayo de 2006.
2. Heberto Padilla, «Instrucciones para ingresar en una nueva sociedad».
3. «Otro dardo de las cucarachas», artículo de Nicanor León Cotayo, *Granma,* 18 de febrero de 2006.
4. Fidel Castro. Texto tomado de la revista *Casa de las Américas,* año IX, número 65-66 (mayo-junio, 1971). Citado por Reinaldo Arenas en *Necesidad de libertad.*
5. «Día de la Prensa cubana. Analizar más los principales problemas», Lázaro Barredo Medina, *Granma,* 13 de marzo de 2006.
6. «Conclusiones provisionales acusatorias del fiscal» en el «procedimiento sumarísimo», contra Raúl Rivero y Ricardo González Alfonso, el 4 de abril de 2003, por «Actos contra la independencia o la integridad territorial del Estado».
7. «Suite de la muerte», poema de Raúl Rivero.
8. Despacho de la Agencia EFE, 22 de noviembre de 2006.
9. «Las lenguas, internet y el poder», *Granma,* 27 de febrero de 2006.
10. «La red social», *Juventud Rebelde,* 14 de junio de 2006.
11. Raúl Castro autorizó la venta de ordenadores a particulares, prohibida hasta entonces, el 1 de abril de 2008, pero su precio, en pesos convertibles, es prohibitivo para la mayoría de los cubanos. Un ordenador valorado en 1.000 pesos convertibles equivale al salario íntegro de cinco años de un trabajador.
12. «Internet en Cuba: una red bajo vigilancia», Reporteros sin Fronteras, septiembre de 2006.
13. «Prólogo para los amigos bolivianos», Fidel Castro Ruz, *Granma,* 23 de junio de 2008.
14. Valientes. *(N. del a.)*
15. *Por culpa de Rafael,* letra y música de Reinaldo A. Villardebó.
16. Véase el capítulo «Pedro Pan y los piratas».

Capítulo 17

1. *Persona non grata* es precisamente el título del libro de Jorge Edwards, embajador de Chile en Cuba en 1971, que fue expulsado del país por desavenencias con el régimen castrista.

2.   «Cuba: Los corresponsales extranjeros estrechamente vigilados», investigación de Martine Jacot, Reporteros sin Fronteras, 25 de junio de 2003.

3.   *La Habana no es una isla. Crónica de un corresponsal en Cuba*, de Vicenç Sanclemente.

4.   Fidel Castro, *Mesa Redonda Informativa* de la Televisión Cubana, 22 de enero de 2006.

5.   Alain Ammar, *Cuba Nostra. Les secrets d'État de Fidel Castro.*

6.   Traducción del autor.

7.   «El fotógrafo que incomodó a Castro», *El Nuevo Herald*, 1 de agosto de 2007.

Capítulo 18

1.   Manuel Vázquez Portal, escritor y periodista independiente, fue condenado a 20 años de cárcel en la *primavera negra* de 2003. En junio de 2005 obtuvo una «licencia extrapenal» por motivos de salud y se exilió en Estados Unidos.

2.   Michael Parlmy era en ese momento jefe de la Oficina de Intereses de Estados Unidos en La Habana. *(N. del a.)*

3.   «Somos socialistas / pa'lante y pa'lante / y al que no le guste / que tome purgante.»

4.   *Cien horas con Fidel. Conversaciones con Ignacio Ramonet.*

5.   Citado por Alain Ammar en *Cuba Nostra. Les secrets d'État de Fidel Castro.*

6.   «La impotencia de las potencias», reflexiones del compañero Fidel, *Granma*, 15 de julio de 2008.

7.   «La nave de los locos», poema de María Elena Cruz Varela, presa de conciencia.

8.   Antes de la revolución, el edificio albergaba el Seminario de los Hermanos Maristas. *(N. del a.)*

Capítulo 19

1.   Poema sin título de Excilia Saldaña.

2.   Natalia Bolívar, *Los Orishas en Cuba.*

3.   Lydia Cabrera, *El Monte.*

4.   Rezo a Orula, en *La religión de los orishas*, de Julio Sánchez. Citado por Natalia Bolívar, *op. cit.*

5.   Cifra que da Luis Báez, periodista oficioso de la revolución, en su libro *El mérito es estar vivo. (N. del a.)*

6.   Ignacio Ramonet, *op. cit.*

7.   Frei Betto, *op. cit.*

Capítulo 20

1. Fidel Castro. Entrevista de Bárbara Walters, en *Bohemia*, 1 de julio de 1977, citada por Brian Latell en *Después de Fidel. La historia secreta del régimen de Castro y quién lo sucederá*.

2. Fidel Castro. Discurso en el Palacio de los Deportes de La Habana, 22 de enero de 1959.

3. *Dulces guerreros cubanos*, de Norberto Fuentes.

4. José Abrantes, ministro de Interior en esa época. *(N. del a.)*

5. *Cuba por dentro. El MININT*, de Juan Antonio Rodríguez Menier.

6. Dariel Alarcón Ramírez, *Memorias de un soldado cubano. Vida y muerte de la Revolución*.

7. Palabras del general Arnaldo Ochoa, extraídas del documental *8 A*.

8. Arnaldo Ochoa fue juzgado también por un Tribunal de Honor integrado por 47 generales y almirantes de las FAR, muchos de los cuales habían estado bajo su mando. Todos votaron a favor de su ejecución.

9. Fidel Castro. Discurso en el Consejo de Estado, tomado del documental *8 A*.

10. Programa de reformas democráticas propuesto por Mijail Gorbachov, secretario General del Partido Comunista de la Unión Soviética, que condujo a una nueva Constitución que reconocía el pluralismo político, la libertad de expresión y la celebración de elecciones libres que pusieron fin al monopolio político del Partido Comunista soviético. *(N. del a.)*

11. *Después de Fidel. La historia secreta del régimen de Castro y quién lo sucederá*, de Brian Latell.

12. *Cuba, la Revolución: ¿Mito o realidad?*, de Carlos Franqui.

13. *Castro el desleal*, de Serge Raffy.

14. Citado por Brian Latell, *op. cit.*

Capítulo 21

1. *La Habana*, de Emilio Roig de Leuchsering.

2. Huber Matos, *Cómo llegó la noche*.

3. John Lee Anderson, *Che Guevara. Una vida revolucionaria*.

4. Brian Latell, *Después de Fidel. La historia secreta del régimen de Castro y quién lo sucederá*.

5. Norberto Fuentes, *op. cit.*

6. Luis M. Buch y Reinaldo Suárez, *Gobierno Revolucionario Cubano. Primeros pasos*.

7. Albert Camus, *op. cit.*
8. Rosa Montero, *La enfermedad moral totalitaria.*
9. En 1990, en Chile, la Comisión Nacional de Verdad y Reconciliación, nombrada por el presidente Patricio Alwyn, documentó en 3.197 personas la cifra de muertos y desaparecidos durante los 13 años que duró la dictadura de Augusto Pinochet. *(N. del a.)*
10. Armando Lago, quien falleció en junio de 2008, participó también en el informe «The Politics of Psychiatry in Revolucionary Cuba» (La política de la psiquiatría en la Cuba revolucionaria), sobre el uso de la tortura al estilo soviético en los hospitales psiquiátricos de la isla.
11. «Al rescate de la memoria histórica de Cuba», *El País,* 19 de marzo de 2007.
12. Huber Matos, *op. cit.*
13. Ignacio Ramonet, *op. cit.*

Capítulo 22

1. Entrevista a Mariela Castro en el diario italiano *Corriere della Sera,* 27 de marzo de 2008.
2. *No te empeñes más,* bolero de Marta Valdés.
3. *Tú dominas,* bolero de Marta Valdés.
4. Fernando Rabvsberg ya había sido «amonestado» por Fidel Castro en dos ocasiones en el Programa de televisión *Mesa Redonda.* Véase el capítulo «Las gallinas de Fidel». *(N. del a.)*
5. Ignacio Ramonet, *op. cit.*
6. *Plazos traicioneros,* bolero de Luis Marquetti.
7. *Como los peces,* canción de Carlos Varela.
8. *¿En qué parará la cosa...?,* canción de Sindo Garay.
9. Luis Báez, *Secretos de generales.*
10. El 23 de mayo de 2008, Quintas Solá fue nombrado viceministro de las FAR y el general de división Raúl Rodríguez Lovaina le sustituyó al frente del Ejército Central.
11. Véase el capítulo «Todo por la patria».
12. Brian Latell, *op. cit.*

Bibliografía

Alarcón Ramírez, D., «Benigno» (1997): *Memorias de un soldado cubano. Vida y muerte de la Revolución*, Editorial Tusquets, Barcelona.

Alberto, E. (1997): *Informe contra mí mismo*, Extra Alfaguara, México.

— (2004): *Dos cubalibres*, Península/Atalaya, Barcelona.

Ammar, A. (2005): *Cuba Nostra. Les secrets d'État de Fidel Castro*, Plon.

Arenas, R. (2001): *Necesidad de libertad*, Ediciones Universal, Miami, Florida.

Baez, L. (1997): *Secretos de generales*, Editorial Losada, Barcelona.

Baquero, G. (2001): *La patria sonora de los frutos. Antología poética*, Editorial Letras Cubanas, La Habana.

Barnet, M. (1967): *Biografía de un cimarrón*, Ediciones Unión, La Habana.

Basail, R. A. (coor.) (2006): *Sociedad cubana hoy. Ensayos de sociología joven*, Editorial de Ciencias Sociales, La Habana.

Blanco, K. (2003): *Todo el tiempo de los cedros. Paisaje familiar de Fidel Castro Ruz*, Casa Editora Abril, La Habana.

Betto, F. (1985): *Fidel y la Religión*, Oficina de Publicaciones del Consejo de Estado, La Habana.

Bolívar, A. N. (2005): *Los orishas en Cuba*, Mercie Ediciones, Ciudad de Panamá.

Bradbury, R. (2006): *Fahrenheit 451*, Ediciones Minotauro, Barcelona.

Buch, L. M. y Suárez, R. (2004): *Gobierno Revolucionario Cubano. Primeros pasos*, Editorial de Ciencias Sociales, La Habana.

Bustamante, L. (2003): *Jineteras*, Ediciones Áltera, Barcelona.

Cabrera Infante, G. (1979): *La Habana para un infante difunto*, Club Internacional del Libro, Madrid.

— (1992): *Mea Cuba*, Plaza Janés/Cambio 16, Barcelona.

Cabrera, L. (1993): *El Monte*, Editorial Letras Cubanas, La Habana.

Cailloux Carmona, J. M. (2005): *Los horrores del solar habanero*, Editorial Ciencias Sociales, La Habana.

Camus, A. (2007): *El hombre rebelde*, Alianza Editorial, Madrid.

Cantón Navarro, J. (2001): *Historia de Cuba. El desafío del yugo y la estrella*, Editorial SI-MAR S.A., La Habana.

Castro, F. (1983): *La historia me absolverá*, Editora Política, La Habana.

Cervantes, M. de (2004): *Don Quijote de la Mancha*, Galaxia Gutenberg, Círculo de Lectores, Barcelona.

Cirules, E. (1999): *Mafia y mafiosos en La Habana*, Ediciones Libertarias, Madrid.

Díaz Ayala, C. (1988): *Si te quieres por el pico divertir... Historia del pregón musical latinoamericano*, Editorial Cubanacán, Puerto Rico.

Domínguez, J. I. (2006): *Cuba hoy. Analizando su pasado, imaginando su futuro*, Editorial Colibrí, Madrid.

Dumont, R. (1970): *¿Cuba socialista?*, Editorial Renacimiento, Madrid.

Escobar, Á. (1997): *La sombra del decir*, Ediciones Unión, Unión de Escritores y Artistas de Cuba, Zaragoza.

Espinosa Chepe, Ó. (2007): *Cuba: ¿Revolución o Involución?*, Aduana Vieja Editorial, Valencia.

Esquenazi, P. M. (2001): *Del areito y otros sones*, Editorial Letras Cubanas, La Habana.

Estévez, A. (2002): *Los palacios distantes*, Tusquets Editores, Barcelona.

— (2005): *Inventario secreto de La Habana*, Tusquets Editores, Barcelona.

Feijóo, S. (1981): *Del piropo al dicharacho*, Editorial Letras Cubanas, La Habana.

— (1986): *Mitología Cubana*, Editorial Letras Cubanas, La Habana.

Franqui, C. (2006): *Cuba, la Revolución: ¿Mito o realidad?*, Ediciones Península, Barcelona.

Fuentes, N. (1999): *Dulces guerreros cubanos*, Seix Barral, Barcelona.

— (2002): *Narcotráfico y tareas revolucionarias. El concepto cubano*, Ediciones Universal, Miami, Florida.

Furiati, C. (2003): *Fidel Castro. La historia me absolverá*, Plaza Janés, Barcelona.

García Blanco, R. y otros (2002): *Una obra maestra: el acueducto Albear de La Habana*, Editorial Científico Técnica, La Habana.

Guevara, E. (2007): *El socialismo y el hombre en Cuba*, Ediciones Abril, La Habana.

Gott, R. (2007): *Cuba. Una nueva historia*, Ediciones Akal, Madrid.

Hazard, S. (1928): *Cuba a pluma y lápiz*, tres volúmenes, Cultural, S. A., La Habana.

Humboldt, A. de (1960): *Ensayo político sobre la isla de Cuba*, Publicaciones del Archivo Nacional de Cuba, La Habana.

Klepak, H. (2005): *Cuba's Military 1990-2005. Revolutionary Soldiers during Counter Revolutionary Times*, Palgrave Macmillan, Nueva York.

Latell, B. (2006): *Después de Fidel. La Historia secreta del régimen de Castro y quién lo sucederá*, Grupo Editorial Norma, Bogotá.

Lee, A. J. (2006): *Che Guevara. Una vida revolucionaria*, Editorial Anagrama, Barcelona.

López, L. V. (1999): *Doscientos años de poesía cubana*, Casa Editora Abril, La Habana.

Loyola, F. J. (1997): *En ritmo de bolero*, Ediciones Unión, Unión de Escritores y Artistas de Cuba, La Habana.

Ludwig, E. (1948): *Biografía de una isla*, Editorial Centauro, México.

Maquiavelo, N. (1971): *Obras políticas*, Editorial de Ciencias Sociales, Instituto Cubano del Libro, La Habana.

Maseda, G. H. (2008): *Enterrados vivos*, producción editorial, Grupo de Apoyo a la Democracia, Miami.

Matos, H. (2002): *Cómo llegó la noche*, Tusquets Editores, Barcelona.

Merlín, condesa de (1974): *Viaje a La Habana*, Editorial de Arte y Literatura, La Habana.

Mesa-Lago, C. (2003): *Economía y bienestar social en Cuba a comienzos del siglo XXI*, Editorial Colibrí, Madrid.

Moreno, F. M. (1978): *El Ingenio. Complejo económico social cubano del azúcar*, Editorial de Ciencias Sociales, La Habana (tres tomos).

Ojito, M. (2006): *El Mañana. Memorias de un éxodo cubano*, Vintage Español, Random House Inc., Nueva York.

Oliver, L. C. (2000): *Error de magia*, Editorial Letras Cubanas, La Habana.

Orovio, H. (1992): *Diccionario de la Música cubana*, Editorial Letras Cubanas, La Habana.

— (1992): *300 boleros de oro. Presencia Latinoamericana*, Instituto Nacional de Antropología e Historia, México.

Orozco, R. (1993): *Cuba Roja. Cómo viven los cubanos con Fidel Castro*, Cambio 16, Javier Vergara Editor, Bogotá.

Ortiz, F. (1963): *Contrapunteo cubano del tabaco y el azúcar*, Consejo Nacional de Cultura, La Habana.

— (1997): *El pueblo cubano*, Editorial Ciencias Sociales, La Habana.

Orwell, G. (2005): *1984*, Ediciones Destino, Barcelona.

Padilla, H. (1968): *Fuera del Juego*, Unión de Escritores y Artistas de Cuba, La Habana.

— (1989): *La mala memoria*, Plaza y Janés, Barcelona.

Pichardo, E. (1976): *Diccionario Provincial casi-razonado de voces y frases cubanas*, Editorial de Ciencias Sociales, La Habana.

Ramonet, I. (2006): *Cien horas con Fidel*, Oficina de Publicaciones del Consejo de Estado, La Habana.

Riaño San Marful, P. (2002): *Gallos y toros en Cuba*, Fundación Fernando Ortiz, La Habana.

Robledo, L. y otros (1999): *Cuba: jóvenes en los 90*, Centro de Estudios sobre la juventud, Casa Editora Abril, La Habana.

Rodríguez, R. (2005): *Cuba. La forja de una nación* (tres volúmenes), Editorial de Ciencias Sociales, La Habana.

Roig de Leuchsering, E. (1963): *La Habana. Apuntes históricos*, Editora del Consejo Nacional de Cultura, La Habana.

Rojas, R. (2006): *Tumbas sin sosiego. Revolución, disidencia y exilio del intelectual cubano*, Editorial Anagrama, Barcelona.
Rosemond de Beauvallon, J. B. (2002): *La isla de Cuba*, Editorial Oriente, Santiago de Cuba.
Rousseau, D. y Corinne, C. (2001): *La isla del doctor Castro. La transición secuestrada*, Editorial Planeta, Barcelona.
Saldaña, E. (1987): *Kele Kele*, Editorial Letras Cubanas, La Habana.
Sanclemente, V. (2002): *La Habana no es una isla. Crónica de un corresponsal en Cuba*, Jaque Mate Editorial, Barcelona.
Santiesteban, A. (1985): *El habla popular cubana de hoy*, Editorial de Ciencias Sociales, La Habana.
Szulc, T. (1987): *Fidel. Un retrato crítico*, Ediciones Grijalbo, Madrid.
Valdés, C. A. (2000): *Nosotros y el bolero*, Editorial Letras Cubanas, La Habana.
Valle-Inclán, R. del (1998): *Tirano Banderas*, Galaxia Gutenberg, Círculo de Lectores, Barcelona.
Vázquez Montalbán, M. (1998): *Y Dios entró en La Habana*, Aguilar, Grupo Santillana de Ediciones, S. A., Madrid.
Vega Suñol, J. (2004): *Norteamericanos en Cuba. Estudio Etnohistórico*, Fundación Fernando Ortiz, La Habana.
Villaverde, C. (2005): *Cecilia Valdés*, Editorial Letras Cubanas, Bogotá.

Periódicos

Cuba:
— *Granma*
— *Juventud Rebelde*
— *Tribuna de La Habana*
— *Trabajadores*

Estados Unidos:
— *El Nuevo Herald*
— *The Miami Herald*

México:
— *El Universal*

Revistas

Cuba:
— *Bohemia*
— *Temas*

— *Vitral* (desapareció en abril de 2007)
— *Palabra Nueva*
— *Catauro. Revista cubana de Antropología.*

España:
— *Encuentro de la cultura cubana.*

Agencias de prensa

Francia:
— Agence France Press (AFP)

Estados Unidos:
— Associated Press (AP)

Reino Unido:
— Reuters

España:
— EFE

Cuba:
— Agencia de Información Nacional (AIN)
— Prensa Latina

Agencias y sitios en internet de la prensa independiente cubana

— Encuentro en la Red
— Bitácora cubana
— Cuba-Verdad
— Habana Press
— Decoro
— Lux Info Press
— Cubanacán Press
— Disidente
— Miscelánea de Cuba
— Carta de Cuba
— Sindical Press
— www.cubanet.org
— www.desdecuba.com/generaciony
— www.convivencia.cuba.com

Informes

«Informe sobre la situación de los Derechos Fundamentales de Cuba», Comisión Cubana de Derechos Humanos y Reconciliación Nacional (CCDHRN), 2 de febrero de 2009.

«Informe anual sobre los Derechos Humanos en Cuba», Amnistía Internacional, años 2006 y 2007.

«Cuba. Los corresponsales extranjeros estrechamente vigilados», Reporteros sin Fronteras, investigación de Martine Jacot, 25 de junio de 2003.

«La maquinaria represiva en Cuba», Human Rights Watch, años 2006 y 2007.

«Fidel Castro, Inc.: A Global Conglomerate», de María C. Werlau, publicado en Cuba in Transition: Volume 15, Papers and Proceedings of the Fifteenth Annual Meeting of de Association for the Study of the Cuban Economy (ASCE), Miami Dade Collage, Wolfson Campus, Miami, Florida, 4-6 de agosto, 2005.

«Report on the Cuban Economy. Update 2005. EU Economic and Commercial Counsellors to Cuba», abril de 2006.

«Cuba en los objetivos y metas del milenio», Óscar Espinosa Chepe. La Habana, 2 de noviembre de 2005.

«Política económica y justicia social en Cuba en el contexto de la reversión de las reformas». Mauricio de Miranda Larrondo. Pontificia Universidad Javeriana Cali y Universidad Complutense de Madrid.

Documentales

8 A, de Orlando Jiménez Leal, 1993.

La Habana, un arte nuevo de hacer ruinas, de Florian Borchmeyer, 2006.

Índice de nombres

Prieto, Abel, 226, 280
Puebla, Carlos, 118, 160, 243
Puentes Hernández, Antonio, 417
Pulido López, Alfredo Manuel, 187

Q

Quesada, Armando, 224, 225
Quintas Solá, Joaquín, 369, 399, 428

R

Rabeiro Almesana, Reinaldo, 264
Rabí, Rolando, 425
Raffy, Serge, 365, 427
Ramírez, Víctor, 53, 56
Ramonet, Ignacio, 231-233, 243, 327, 351, 379, 388, 423, 426, 428, 431
Rangel, Charles B., 273
Ravsberg, Fernando, 319-320, 387-388
Ray Rivero, Manuel, 61
Reagan, Ronald, 260, 312, 361
Remington, Frederic, 19
Reyes, Blanca, 328
Riaño San Marful, Pablo, 44, 415
Rice, Condoleezza, 265
Rigondeaux, Guillermo, 277-279
Rivero Caro, Adolfo, 334
Rivero, Raúl, 296-297, 321, 328, 332, 425
Riverón Hernández, Francisco, 35
Robaina, Roberto, 126, 249, 424
Robinson Agramonte, Juan Carlos, 249
Roca, Blas, 404
Roca, Vladimiro, 404, 406
Rodríguez Cala, Amelia, 327
Rodríguez del Pozo, Guillermo, 366

Rodríguez Estupiñán, Antonio, 360
Rodríguez Fernández, Sila, 182
Rodríguez Lovaina, Raúl, 428
Rodríguez Menier, Juan Antonio, 361, 427
Rodríguez Nodal, Adolfo, 117
Rodríguez Ruiz, Pablo, 416
Rodríguez Saludes, Omar, 298-299
Rodríguez Torres, Teresa, 179
Rodríguez Varilla, Bruno, 396
Rodríguez, Alcides Lorenzo, 186
Rodríguez, Carlos, 191, 197
Rodríguez, José Luis, 151, 152
Rodríguez, Luis Alberto, 366, 399
Rodríguez, Rolando, 413
Rodríguez, Silvio, 159, 224
Roig de Leuchsering, Emilio, 371, 427
Rojas Rodríguez, René, 367
Rojas, Euclides, 280
Rojas, Gonzalo, 226
Rojas, Nicolardes, 373
Rojas, Rafael, 224, 423
Román Alarcón, Manuel, 256
Romano, Lita, 86
Roque, Martha Beatriz, 325-327, 329, 340, 404-406
Ros Lehtinen, Ileana, 329, 407
Rosales del Toro, Ulises, 122-123, 369
Rosemond de Beauvallon, J. B., 415
Ross Leal, Pedro, 83, 144, 417
Rousseau, Denis, 315
Ruiz Poo, Miguel, 360
Rulfo, Juan, 221
Rumsfeld, Donald, 303
Ruz, Lina, 111, 114

S

Sáez Montejo, Pedro, 385
Salázar, Jorge, 123